GRE
强化填空
36 套 精练 与精析

陈琦 / 主编

戈弋、陈琦 编著

浙江教育出版社·杭州

图书在版编目(CIP)数据

GRE强化填空36套精练与精析 / 陈琦主编
. -- 杭州：浙江教育出版社，2017.1（2019.5重印）
ISBN 978-7-5536-4961-0

Ⅰ. ①G… Ⅱ. ①陈… Ⅲ. ①GRE—解题 Ⅳ.
①H310.41-44

中国版本图书馆CIP数据核字（2016）第248288号

GRE强化填空36套精练与精析
GRE QIANGHUA TIANKONG 36TAO JINGLIANYUJINGXI
陈 琦 主编

责任编辑　罗　曼
美术编辑　韩　波
封面设计　大愚设计
责任校对　刘文芳
责任印务　时小娟
出版发行　浙江教育出版社
　　　　　地址：杭州市天目山路40号
　　　　　邮编：310013
　　　　　电话：（0571）85170300 - 80928
　　　　　邮箱：dywh@xdf.cn
　　　　　网址：www.zjeph.com
印　　刷　北京海石通印刷有限公司
开　　本　787mm×1092mm　1/16
成品尺寸　185mm×260mm
印　　张　24.75
字　　数　532 000
版　　次　2017年1月第1版
印　　次　2019年5月第6次印刷
标准书号　ISBN 978-7-5536-4961-0
定　　价　58.00元

Cease to struggle and you cease to live.

生命不息，折腾不止。

扫描获取全部题目

在新东方前六年的教学中，我写了一本 GRE 单词书，就是大家所熟悉的"再要你命 3000"。

接下来，又是六年。我需要把我从类反教师到填空教师的转变给大家一个交代。于是就有了这本 GRE 填空书——《GRE 强化填空 36 套精练与精析》。

2001 年，我在新东方学习 GRE 的时候，第一次接触了这本书里的部分填空题目。当时，这些题目还不叫"填空 36 套"。它们和老 GRE 的阅读、类反、数学等题目一起，组成了 GRE 备考历史上值得纪念的一套非正式出版物——"GRE 大白本"。对于那个年代的考生，GRE 备考主要通过背背单词、突破一下类反题目，就可以拿一个比全球 80% 的考生都要高的分数。而填空题的难度介于不需要上下文的类反和几乎做不对的阅读题目之间。即使是在当年那个背单词不需要老师督促的热血年代，大多数考生也只是把三本"大白本"的类反题都做了，填空题目鲜有人能全部完成。

2011 年 GRE 考试改革，取消了中国学生最擅长的类反题目。我在戴云、陈虎平两位同事的反复督促下，更在巨大的房贷压力下，拖延了一年之久，才决心从 GRE 类反科目转到 GRE 填空科目的教学。对于已经在过去六年的 GRE 教学中取得了一些成绩的我来说，对填空教学的要求必须更加严苛。这次转变是我的一次归零，让我从被考生称为"莲花教主""类反一哥"的位置直接变成一名崭新的教师。初期，我通过讲授七套精选填空题目，开设了"GRE 考前冲刺班"，在教课的实践中摸索 GRE 填空的解题规律。

经过不下 50 次"GRE 考前冲刺班"的重复打磨，当时的我提出了目前市面上使用广泛的填空解题方法——"方程等号和强词"。而冲刺班中有一组 14 道的填空题（本书第 35 套练习的 1~14 题），因为其典型性，至今仍会出现在我们微臣培训学校"线下 325 班级"的课堂中。对于这组已经讲过 400 多遍的题目，每一次讲解，我依然能找到优化和突破的地方。我对同学们说，这组题目已经成为了微臣填空课程的 Tasting Menu（在高档餐厅的厨师一般会将餐厅中最能体现特色的菜品组合在一起进行呈现的菜单），是我们向初期备考者示范 GRE 填空解题思路的精华例题。

冲刺班课时有限，不可能穷尽所有当年"大白本"中的填空题目。同时，作为教师，如果不能在自己的领域里成为一个有作品或者有畅销作品的人，就应该反问自己是否真的很努力。所以，36 套填空题目解析全部的编写想法，都在授课的过程中开始酝酿。然而，题目的解析不同于单词书的编写，需要更多地从考生角度思考题目，从考生面对题目的困难着手。于是，2013 年的十一国庆假期、周末以及平时的晚上，我组织了当时冲刺班的 8 名学生*，用"方程等号和强词"的方法刷完了所有"大白本"上的 GRE 填空题目。在刷题的过程中，同学们在上面讲，我在下面做批注。这些内容是使得本书的填空方法能够具有极强操作性的根本原因。其中一位学生，后来成为了我们微臣培训学校的主力填空教师，更在他授课不到三年的时间里，成为了多本 GRE 备考书籍的作者。

但好事多磨，计划在 2015 年出版的"36 套解析"和针对阅读的"白皮书"，总因我们对于书稿的苛刻要求而不断推后。幸运的是，我们有了更多的时间去反思我们的方法在这些题目上的有效性以及可操作性。比如，在微臣培训学校创办初期，在 YY 平台上开设了考前的"点词班"，将每次考试中的正确答案单词在过往的 GRE 经典题目中的考法为同学们进行详细讲解。这个课程的时效性极高，因为每期内容都要追踪最近的考试，所以每次给学生呈现的课程内容都不一样。这与之前只要讲好手中固定有限的题目就可以一劳永逸的局面不同。微臣的课堂内容必须与时俱进，快速迭代。我经常在微臣讲解完一期线上"点词班"课程后，对课上出现的某些 36 套题目的讲解方法提出质疑，并且将优化版在书中进行调整。但是，这本书终归是要面市的。所以，现在这本书以它现有的姿态呈现在大家的面前。它不仅包含 756 道题目每个空格的解析，同时还把我近 6 年来的填空方法录制成视频，方便定力极强的自学者学习。

即使如此，我们也深知这本书的内容只是我们对填空题目研究的阶段性的成果。每天，我们依然在用本书中的填空解题方法，在 GRE 的最新题目中实践它们的可靠性，一旦有不一致的地方，则会做出方法上的修订。所以，就像大家在我们的课上所感受到的那样，即使听我们讲相同的题目，在不同阶段，大家总会发现有新的内容。

最后，用本书中一道题目的句子来结束这篇序言：

With the burgeoning of scientific knowledge, work on the new edition of a textbook begins soon after completion of the original.

琦叔

于微臣教育

2013 年国庆假期 GRE 备考小组成员如下：

戈弋：本书作者之一，现就职于微臣教育，主讲填空、词汇

杨乐：毕业于匹兹堡大学，International Politics and Economy Master

夏梦：毕业于华盛顿大学，Civil Engineering Master

郑璇：就读于宾州州立大学，Industrial Engineering PhD

张延宽：就读于南加州大学，Computer Science Master

陈思琪：毕业于南加州大学，Computer Science Master

肖一凡：毕业于芝加哥大学，Computer Science Master，现就职于 Apple 总部

邹燕妮：毕业于加州大学伯克利分校，Medium Master，现就职于 DJI 洛杉矶

中国考生在面对 GRE 考试时，经常遇到单词记不住、句子读不懂的问题。虽然单词是考生准备 GRE 考试的首要阻力，但如果能够选择深刻解读 GRE 单词考法的词汇书（如 "再要你命3000"），再通过持之以恒的努力、科学高效的记忆方法（请参见《GRE 核心词汇助记与精练》），就能够突破 GRE 的单词关。句子读不懂是因为考生对英文与中文的行文结构差异（倒装、省略）不熟悉、对语法点陌生、对知识点的掌握不够系统因此将句子割裂来看而造成的。但通过将正确的方法内化、熟悉结构和语法点，考生便能快速地提升句子阅读的能力（详细方法论请参见《GRE/GMAT/LSAT 长难句 300 例精讲精练》）。

在熟悉单词、理解长难句的基础上，GRE 填空依然会成为众多考生获取高分的阻碍。本书将微臣团队对 GRE 填空长达 20000 小时的一线教学经验总结成极简的方法论，帮助考生快速上手填空做题方法，配合大量练习巩固，迅速找到 GRE 填空解题技巧，攻克 GRE 填空难关。此方法在熟练掌握后可以运用到阅读中，帮助梳理阅读篇章中的句内、句间关系。我们希望各位考生能将填空、阅读结合起来视为一种题目来进行解读，以提高阅读复杂的学术英语实力为最终目的，而 GRE 高分只是这种能力提升后的一个副产品。

一、填空方法论

GRE 填空题主要考查的是单词和逻辑两方面的能力。有关单词的备考在上文已经提及。针对填空的做题方法，通过第一线的探索以及大量高分考生在考场上的反复实践与修订，我们给予考生迄今最简单、准确的填空方法论——"方程解题法"。

1. 填空解题中的重要概念

GRE 考试考查的主要是考生的逻辑能力，GRE 填空题的逻辑分为两大类：同向和反向。GRE 填空题的逻辑被嵌套于句内和句间关系中，为了让考生避免繁琐的解题步骤，微臣团队将填空题目的解题思路转换为基础的解方程思路。在数学的方程当中有三个元素，分别是：未知数、已知数和方程等号，例如 X=2。在填空中，我们同样可以找到类似的元素：

- 未知数：填空题中需要填出的正确答案，即我们在题目中见到的空格。
- 已知数：题干中的已知数分为两种，一种是能直接指向正确答案的词，我们将其称作 "强词"；另一种是除去强词之外题干中信息的同义重复。

  强词：即有明显反义的词。在 **GRE Verbal Reasoning** 考试中，填空的正确答案几乎都是对原文信息进行的同义或反义改写。而所有单词都有同义词，因此对解题没有实质性的帮助。但并不是所有单词都有反义词（例如袋鼠、纬度等纯名词性名词），而有明显反义的强词被作为解决 GRE 填空的重要已知数，比如大胆对胆小，高兴对悲伤，同意对不同意，相同对不同，等等。

- 方程等号：填空中逻辑方向的指示词（逻辑上取同或者取反）。

2. 填空方法的解题步骤

让我们来看一个 GRE 填空中的中文经典范式：

①因为爱，所以 _____。

②因为爱得深，所以爱得 _____。

③因为爱得深，竟然 _____ 得深。

● 在句①中，空格是待解答的未知数。"因为……所以……"是表示逻辑为正向的方程等号，类似的表示前后同向方程等号的还有 thus、therefore、consequently 等。"爱"则是题干中的已知数，也是解题的关键——强词。根据方程等号，空格答案为"爱"的同义词。这种属于 GRE 填空题目中最简单的"单方程等号，单强词"题目。

值得考生注意的是，GRE 考试是在封闭体系中进行的，所有题目都是在逻辑上进行最直接的重复对应，不涉及题目体系之外任何需要背景知识的信息。因此答案不可能是题目之外的延伸。也就是为什么范例中空格只能和"爱"有关，不可能出现"因为爱，所以在一起"这样的答案。

请大家参考以下的中文例子，进一步体会 GRE 考试中封闭体系的含义：

我就是我；联欢的主题是联欢（出自罗永浩填空课的例子）；吃嘛嘛香；该去哪就去哪凉快去；"再要你命 3000"是写"再要你命 3000"的作者写的；自由女神像在自由女神像应该待的地方；现在分词表现在；过去分词表过去；非谓语动词是不能做谓语的动词。

● 在句②中，空格是待解答的未知数。"因为……所以……"是表示逻辑为正向的方程等号，"爱"则是题干中的进行同义重复的已知数，同义重复的内容不能再作为解题的强词使用（相当于数学中的约分），因此"深"是题干中的强词。根据方程等号，空格答案为"深"的同义词。这种属于填空题目中最简单的"单方程等号，多强词"题目，相比于上面一种，难度有所增加。针对这种题目要学会找到同义重复，通过排除已经有对应的强词，甄别出空格对应的强词。在这个例子中，我们向大家揭示的是找同义重复能力的重要性。

● 在句③中，空格是待解答的未知数。"因为"是表示逻辑为正向的方程等号，"竟然"是表示逻辑为反向的方程等号，类似的表示前后反向的方程等号还有 but、yet、however、despite 等。"深"则是题干中的进行同义重复的已知数（已被使用），当表示逻辑反向的方程等号（⊖）和表示逻辑同向的方程等号（⊕）同时出现，句子逻辑为负向（即数学中的正负得负）。根据方程等号"竟然"，空格答案为"爱"的反义词。这种属于填空题目中最简单的"多方程等号，多强词"题目，针对这种题目首先我们要判断一共有几个方程等号，最终是取同还是取反；之后要找到相关同义重复，通过排除已经有对应的强词，甄别出空格对应的强词。

范式正确答案为：

①因为爱，所以 _爱_ 。

②因为爱得深，所以爱得 _深_ 。

③因为爱得深，竟然 _恨_ 得深。

3、总结

将填空当成方程来解，步骤如下：

① 找到明确逻辑走向的方程等号

② 找强词（有明显反义的单词）

A. 如果单强词，根据逻辑走向将强词取同或者取反，即为答案。

B. 如果多个强词，找这些强词在题目中的同义重复对应。如果有对应，约掉，剩下的强词是和空格对应的强词。

C. 如果没有强词，空格之间为联动，带代入选项进行尝试。

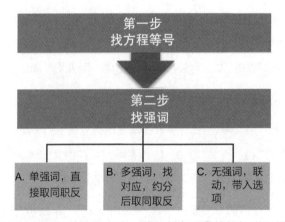

在此填空方法的基础上配合本书题目的演练，搭配书中配套的解析进行错误分析。相信大家一定会考出一个理想的分数。不再害怕 GRE 填空，来一个，用方程灭一个。考场上大家做的所有填空题目都是数学方程题。

二、视频讲解

1. GRE 填空方法论讲解

2. GRE 填空的逆向思维

3. GRE 填空的联动思维

4. GRE 填空中短语用法

2014 年，微臣教育推出了《GRE 基础填空 24 套精练与精析》（简称"24 套"），旨在帮助备考 GRE 初期的同学解决背单词枯燥、不了解单词考法含义的问题。2016 年底，《GRE 强化填空 36 套精练与精析》（简称"36 套"）出版，旨在让考生在复杂的 GRE 填空句子中实践并熟练做 GRE 填空题目的方法。36 套的题目原汁原味地展现了 ETS 的出题思路，避免了篡改题目带来的做题方法上的干扰。

一、适用对象

本书是"GRE 填空训练"系列的第二部分，在**已经完成"24 套"，并且保证每套在 20 分钟内完成、错误个数不超过 2 个的情况下，**可以进行"36 套"的强化训练。本书也适用于备考时长 200~400 小时阶段的考生，以及参加培训机构中"GRE 1 对 1""GRE 强化""GRE 考前冲刺班"等中期阶段培训课程的考生。

二、题目训练

本书的题目共有 36 套，756 题，这些练习题目将对考生进行两方面的训练：一是单词考法含义的巩固；二是句内关系的熟练运用。

考生通过先背诵从题目中抽取的核心单词在《GRE 核心词汇考法精析》（"再要你命3000"）中的词义之后，再用此材料提升自己的"题感"。使用该部分题目，可以最大程度上避免孤立记忆单词的效率低下，以及在脱离语境和考法的单词记忆后带来的做题挫败感。

三、使用方法

建议备考 GRE 的考生**至少将书中的题目做 2 遍。**具体训练方法如下：

1. 每套练习之前，提炼了该部分题目最核心的单词。**请考生先在《GRE 核心词汇考法精析》（"再要你命3000"）中熟悉这些单词的考法，再进行题目的训练。**对于"3000"中没有收录的单词（均为 GRE 级别以下的初级单词），**本书也在"基础单词补充"中给出了这些单词的中英文解释。**

2. 熟悉单词之后，再开始题目的训练。"36 套"每套 21 个题目。**Exercise 1~18** 不限时做题，这一轮训练重点在于结合题目，掌握 ETS 的主考词汇以及句内关系的对应。该阶段理解题目比做对更重要，不要盲目求快。**Exercise 19~36** 的练习请卡时间训练，每套 20 分钟。其中每套题的第 6、7、13、14、20、21 题为 ETS 默认难度较大的题目。如果在规定 20 分钟内完成每套题，并且错误在 3 个以内，对应新 GRE 语文分数约为 162+。如果错误在 4~6 个，语文分数约为 158~161。错误在 6 个以上的考生，一般不会仔细看本书的题目讲解，更多是着急做题，渴望立即获得对自己的肯定。但是，实际情况依然是会错很多，最终导致恶性循环。

3. 第 2 遍做题时，请大家用微臣课上的方法（即本书二维码讲解题目的方法），找出**做题的线索词、关键词与对应**，熟悉 ETS 出题的原则，融会贯通，这样考生就可以站在 ETS 出题的角度理解题目。

四、标记说明

扫码所获取的练习题目中的记号体系分为 3 类——对逻辑关系提示词（方程等号）的标记，对强词与空格部分的标记，对其他对应关系的标记。以下是对各类标记的详细说明：

第一类标记，比如取反逻辑连接词 although，又比如关键标点 : （冒号），都是本书所讲的"方程等号"；

第二类标记，采用黄色和绿色部分进行高亮。这一类标记的对象是空格本身，以及和空格对应的词和句，即本书所讲的"强词"对应；

第三类标记，采用蓝色和紫色部分进行高亮。这一类标记的对象是句中其他同反义对应，用以辅助判断。

以下是一个范例：

Since one of Professor Roche's（紫色标记） oft-repeated adages was that familiarity（蓝色标记） leads to (i) _____（黄色标记）, his（紫色标记） students were quite surprised to find him so (ii) _____（黄色标记）*Return of the Native*, a novel he had taught for over 30 years（蓝色标记）.

在这里，since 说明句内前后同义重复，surprised 表明反义重复，它们都属于逻辑关系提示词（方程等号），所以用方框框出；

空格 (i) 和空格 (ii) 是题目中的强词对应，用黄色标记；

其余部分 his 对应 Professor Roche's，familiarity 对应 had taught for over 30 years，属于辅助对应（这两组在本题都是同义对应），用蓝色和紫色标记。

考生在完成每个题目的时候，需要做出类似的标记，再和已有的标记进行比对。如果能够认真地完成这些步骤，则可以将这套方法完全掌握。GRE 填空必然可以迎来 90% 以上的正确率，轻松取得 GRE 语文部分的高分。

扫描下方二维码，即可获取本书 36 套填空练习题目。二维码中的题目分成两部分：第一部分是纯题目文本；第二部分是有标记的题目文本，供大家参考。

练习题目

目录

Exercise 01

人生的亮点，总是萌发于那些黑暗艰苦的时刻。感谢琦叔和微臣各位老师的帮助，让我继续有勇气坚持无畏的希望。Hope in the face of difficulty. Hope in the face of uncertainty.

——马文

微臣教育 2015 寒假 330club 学员
2015 年 4 月 GRE 考试 Verbal 165, Quantitative 170
录取院校：哈佛大学肯尼迪政治学院

EXERCISE ①

核心词汇

1.《GRE 核心词汇考法精析》收录单词（共 46 词）

absolute	aggressive	apathy	apprehensive
array	assess	austere	autonomy
banal	beneficent	cacophony	circumspect
claim	compendium	conservative	conspicuous
content	demonstrate	denounce	disparate
distinctive	elude	enlighten	flout
harness	hyperbole	impeccable	imprudent
indispensable	innocuous	meretricious	milieu
novel	preoccupation	prototype	salient
sincere	specific	spectator	sporadic
strike	superficial	tame	tendentious
voyeur	welter		

2. 基础单词补充（共 11 词）

alienation   *n.* 疏远：the act of being emotionally or intellectually separated from others

consistent   *adj.* 一致的：in agreement; compatible

impose   *v.* 欺骗：to offer or circulate fraudulently

insatiably   *adv.* 无法满足地：impossible to satiate or satisfy

institutionalize   *v.* 使…制度化；使成为惯例：to cause (a custom, practice, law, etc.) to become accepted and used by many people

milestone   *n.* 里程碑：a significant point in development

redistribution   *n.* 重新分配：state of being shared among people or organizations in a different way from the way that it was previously shared

stem   *v.* 阻止：to stop or prevent

superstructure   *n.* 上层建筑：a physical or conceptual structure extended or developed from a basic form

supplementary   *adj.* 补充的：added to something in order to improve

underlie   *v.* 作为…的基础：to be the support or basis of; account for

练习解析

1-1　答案：E

难度　★

思路　空格 (ii)：
- 方程等号：When 引导时间状语从句，同义重复。
- 强词和对应：空格 (ii) 前 the group's 指代前文 an oppressed group，空格 (ii) 体现 group 和 society 的关系，与 revolts against 同义重复，体现团体与社会的"对立"关系。acknowledgement of 承认…，dependence on 依靠…，redistribution within 在…重新分配，interference with 妨碍…，alienation from 与…疏远。排除 A、B、C 三个选项。

空格 (i)：
- 方程等号：that 引导的定语从句修饰 forces，同义重复。
- 强词和对应：导致（lead to）的力量有"导致"的特征，空格 (i) 选"导致"的同义词。disparate 完全不同的，specific 明确的，altered 被改变的，focused 目标明确的，underlying 根本的。动词 underlie 表示构成…的基础（cause or basis），与 led to 对应，都表示因果。排除 D 选项，答案选 E。

翻译　当一个受压迫的团体要反抗社会时，我们必须寻求导致这个团体和社会疏远的根本力量。

- -

1-2　答案：C

难度　★★

思路　空格 (i) + 空格 (ii)：
- 方程等号：initially 和 gradual 表示时间状态差异，前后反义重复。
  一开始小说的世界对于我们是陌生的（strange），我们逐渐并有选择地适应（orientation）这个世界的方式（its 指代 a world's），strange 和 orientation 体现时间对比。
- 强词和对应：空格 (i) 和空格 (ii) 联动，有两种可能性。
  如果空格 (ii) 和 orientation 同义重复，在空格 (ii) 的选项中，welcome 欢迎，introduction 引入，adjustment 调整，C 选项是 orientation 的同义词，排除 A 和 B。空格 (i) 应该是一个正向词，表示两种情形的相似性。imitate 模仿，complete 完成，resemble 与…相像。答案选 C。
  如果空格 (ii) 和 orientation 反义重复，在空格 (ii) 的选项中，blindness 盲目，resistance 拒绝，E 选项是 orientation 的反义词。空格 (i) 应该填入一个负向词，而 reinforce 是正向词，排除 E，答案选 C。

翻译　每一部小说都诱使我们进入一个起初看上去陌生的世界；而我们逐渐地并且有选择地去适应它的方式，这与婴儿对其新环境的适应十分相似。

- -

1-3　答案：A

难度　★★

思路
- 方程等号：and 连接平行结构，后面省略 evidence，and 前后同义重复。
- 强词和对应：claim 后面的 that 引导同位语从句的内容与 and 前空格体现的生物学特征同义重复。not adequate to 指向空格，体现物理学"不足以解释"生物学。autonomy 独立，

3

vitalism 生机论（指生命有自我决定的能力），purposiveness 目的性，obsolescence 过时，irrelevance 不相关。答案选 A。

翻　译　物理学和生物学中特殊的问题和技术间的表面差异有时会作为证明生物学独立性的证据，同时也作为证明物理学所使用的方法，因此不足以解释生物学调查的证据。

注　释　E 选项 irrelevance "不相关" 是干扰选项。我们可以借助一个例句帮助理解：Despite the superficial differences between us, we need to have a sense that all 7 billion human beings belong to one human family (*philosophyblog*)。尽管我们之间有表象的不同，但是七十亿人类还是属于同一大家庭，表明 superficial difference 并不是完全划清界限、断绝关系，所以针对 superficial difference 来说，irrelevant/unrelated 程度过强，E 错误排除。

1-4　答案：B

难　度　★★

思　路　空格 (ii)：
- 方程等号：分词结构 taking the form 修饰空格 (ii) 取同，less 取反。
- 强词和对应：空格 (ii) 后面要体现 inertia（无活力）而非 direct attack（直接的攻击）的特征，less 取反一次，空格 (ii) 和 inertia 取反（或理解为和 direct attack 取同）。sporadic 断断续续的，aggressive 好斗的，effective 有效的，circumspect 谨慎的，lively 充满活力的。选项 B 和 E 候选。

空格 (i)：
- 方程等号：as 引导从句，从句内同义重复。
- 强词和对应：逗号后面说 resistance less aggressive/lively，也就是说抵制减弱了，所以空格 (i) 应该体现抵制减弱的含义。B 选项 institutionalize 的意思就是 "被大众接受"，to become accepted and used by many people，正确，所以答案选 B。其他选项，controversial 有争议的，essential 本质的，public 公众的，suspect 可疑的。

翻　译　随着通过科学而产生的新知识被大众所接受，抵制创新已经变得不那么激进了，采取相对不活跃而不是直接攻击的形式。

注　释　这道题目可以改编成为三空题，在 inertia 处挖空，通过 rather than 作为方程等号，和 direct 取反得出正确答案。

1-5　答案：C

难　度　★

思　路
- 方程等号：who 引导定语从句，修饰 woman，前后同义重复。
- 强词和对应：Lizzie 是一个勇敢的（brave）女人，可以为了一个充足的（adequate）_____ 冒巨大的风险。brave 和 who 后面的 dare to incur a great danger 对应，体现 Lizzie 的勇敢。所以空格应该填入一个不改变方向的词，risk 风险，combat 战斗，object 目标，event 事件，encounter 遭遇。
- A 和 B 是干扰选项，容易根据 danger（危险）误选，体现 "为了风险 / 战斗招致危险"。如果选 A 或 B，那么体现的就是 "愚勇"（foolhardiness）。而 brave 是褒义词，释义为 if you are brave, you deliberately expose yourself to them, usually in order to achieve something。指（通常为达到某目标）勇敢面对，这里的 achieve something 和选项 C 中的 object 对应，因此答案选 C。

翻　译　Lizzie 是一个勇敢的女人，她可以为了一个充足的目标而冒巨大的风险。

1-6　答案：D

难　度　★★

思　路　空格 (ii)：
- 方程等号：deviated from 偏离，前后反义重复。
- 强词和对应：空格 (ii) 描述后一个分句中 prose 的特征，deviated from 表明它跟前面 prose 的特征相反。前面的特征是 short，所以空格 (ii) 对其取反，应该表示"冗长的"等含义。lengthy 冗长的，austere 朴素的，intelligent 聪明的，unrestrained 无节制的 / 冗长的，uninspired 无灵感的。选项 A 和 D 合适。

空格 (i)：
- 方程等号：a work 指代 short discourse，that 引导从句修饰 work。空格 (i) 为方程等号，体现 discourse 和 work 的关系。
- 强词和对应：cautious（谨慎的），unadorned（朴素的）和 short 同义重复，因此空格 (i) 体现二者的正向关系。critical of 对…批判（错），superior to 优先于…（错），bolder than 比…大胆（错），consistent with 与…一致（对），influenced by 被…影响（对）。综合空格 (i)，答案选 D。

翻　译　Rousseau 的短篇演讲从整体来看与当时谨慎、朴素的散文风格相一致，但他在自然科学相关的讨论中展现出的冗长却与这一风格大相径庭。

1-7　答案：D

难　度　★

思　路
- 方程等号：but 表示转折，前后反义重复。
- 强词和对应：Murray 对编辑《牛津英语词典》的迷恋（preoccupation）产生了一种偏执的狂热（monomania）。根据 but 可知 monomania 指向空格，取反，空格填入一个正向词。tame 平淡的，tendentious 有偏见的，meretricious 俗艳的，beneficent 有益的，sincere 真诚的。答案选 D。

翻　译　毫无疑问，Murray 全身心投入到编写《牛津英语词典》中，以至于产生了一种偏执的狂热，但是这必须被视作一种有益的或至少无害的症状。

注　释　sincere 体现人性格的真诚，而题干中的 it 指代的是 monomania（狂热）。

1-8　答案：A

难　度　★

思　路
- 方程等号：Although 尽管，反义重复。
- 强词和对应：前半句说尽管未来会有数周以来的谈判和挫折（setbacks）以及出乎意料（surprises），这都是不好的情况，所以主句根据 Although 取反，而主句中的 their differences can be resolved 已经对前面的负面情况取反，所以空格填入一个不改变方向的单词。optimistic 乐观的，perplexed 困惑的，apprehensive 担忧的，incredulous 怀疑的，uncertain 不确定的。答案选 A。

翻　译　尽管未来的谈判需要数个星期，或许还会有挫折和新的出乎意料的事情出现，但是两党的领袖们对彼此之间的意见分歧能得以解决持乐观态度。

1-9 答案：A

难 度 ★

思 路 空格 (ii)：
- 方程等号：and 连接平行结构，前后同义重复。
- 强词和对应：根据 and 可知 recognized（承认）指向空格 (ii)，空格 (ii) 填入一个正向词。accept 接受，avoid 避免，reaffirm 再肯定，condone 宽容，duplicate 复制。A、C、D 三项合适。

空格 (i)：
- 方程等号：by 表示方式方法，前后取同。
- 强词和对应：失败的动物通过（by）空格 (i) 的方法来拯救自己，save 指向空格 (i)，填入与 save 同方向的词。submission 屈服（对），hostility 敌意（错），bluffing 虚张声势（错），anger 愤怒（错），hatred 仇恨（错）。综合空格 (ii)，答案选 A。

翻 译 动物打斗中失败的一方会通过一种屈服的行为使自己幸免于难，这种行为通常是被胜利方所认可和接受的。

1-10 答案：C

难 度 ★★

思 路 空格 (ii)：
- 方程等号：dismiss...as... 即 dismiss X as Y，意思是认为 X 具有 Y 的特征而不考虑 X。X 具有让人不予理会的特征，Y 填入负评价词。
- 强词和对应：根据 dismissed...as... 可知，第一个空就是对 estimate of his ability 的负评价。irony 讽刺，propaganda 宣传，hyperbole 夸张，exaggeration 夸张，understatement 保守陈述。对能力的负评价可以高估可以低估，所以 C、D、E 都合适，但是由于 my estimate 就是同义重复 wisdom，wisdom 显然是对能力的高估，所以 C 和 D 合适。

空格 (i)：
- 方程等号：and 连接平行结构，前后同义重复。never 取反。
- 强词和对应：the wisdom 和 my estimate 同义重复。never+ 空格 (i) 和空格 (ii) 同义重复，带入选项。因为空格 (ii) 是一个负向词，所以空格 (i) 是一个正向词。repudiate 否认（错），inhibit 抑制（错），demonstrate 显露（对），mask 掩盖（错），vindicate 证明…正确（对）。综合空格 (ii)，答案选 C。

翻 译 他从来没有表现出我认为他应有的智慧，我的朋友很快因我对他能力的判断是一种夸大其词而不予理会。

1-11 答案：D

难 度 ★★

思 路 空格 (ii)：
- 方程等号：of 介词结构倒装修饰空格 (ii)，同义重复。
- 强词和对应：time and circumstance 和 absolute 体现相对和绝对的对立，time and circumstance 指向空格 (ii)，取同，体现"相对性"。pattern 模式，absence 缺乏，welter 混乱，context 背景，milieu 环境。选项 D 和 E 候选。

空格 (i)：

- 方程等号：逗号前后同义重复，逗号后的 that 前省略了 it would seem。time and circumstance 和 absolute 构成对立。
- 强词和对应：viewing 指向空格 (i)，取反，体现艺术的绝对性让我们"无法审视"相对艺术，空格填入一个负向词。enlighten 启发（错），frighten 使恐慌（对），confuse 使困惑（错），elude 使无法理解（对），deceive 欺骗（错）。综合空格 (ii)，D 选项正确。

翻 译 看起来艺术的绝对特性让我们无法理解，而且我们无法脱离时代和环境的背景来理解艺术作品。

注 释 这句话非常抽象，里面涉及与艺术相关的背景知识。所谓的艺术品的 absolute quality（绝对价值）就是指艺术品的本身属性，不受时代、社会背景、和审美者自身的喜好、情感影响，而事实上我们对艺术品的评价是不可能脱离这些 context 来绝对评判的。比如著名法国先锋派艺术家杜尚的作品《泉》，如果从 absolute quality 来看，它只不过是一个工厂生产的小便池签上了杜尚的名字，但是我们如果了解因为这件作品，杜尚引发了现代派对于艺术品的定义，从而这件作品也被赋予了重要的含义，便可以理解题目中的这句话——我们在审视艺术作品的时候无法脱离时代和环境的背景。

1-12 答案：A

难 度 ★

思 路 空格 (i)：

- 方程等号：not only...but also... 连接平行结构，前后同义重复。
- 强词和对应：根据 but also 后面的内容，新的政府要实施新的乡村发展计划，implementing development program 指向空格 (i)，填入一个正向词。manage 管理，offset 补偿，bolster 支持，challenge 挑战，modernize 使现代化。A、C、E 三项合适。

空格 (ii)：

- 方程等号：to 表示目的，前后同义重复。
- 强词和对应：乡村要发展繁荣，所以人口不应向城市流动，空格 (ii) 要体现农村工人不要流向城市，填入一个负向词。stem 阻止（对），harness 利用（错），transmit 传递（错），measure 测量（错），subsidize 资助（错）。综合空格 (i)，答案选 A。

翻 译 新政府不仅面临着要管理经济，而且要实施新的乡村发展计划以阻止农村劳动者向城市流动的任务。

1-13 答案：C

难 度 ★

思 路
- 方程等号：when 引导时间状语从句，同义重复。
- 强词和对应：空格描述 GRE 常考的一组对象，即形式和内容的关系。when 前面说形式和对象的关系是 compels，表达使发生 to make something happen，促进发生。when 前后方向一致，所以空格应该选一个带有 to drive, to cause 的意思的词。symptomatic 有症状的，delineated 被描绘的，integrated 整合的，conspicuous 明显的，distinctive 与众不同的。答案选 C。

翻 译 对小说思想的分析促使对作品的形式进行分析，尤其是在像 *The House of the Seven Gables* 这种将形式和内容整合为一体的书中。

1-14 答案：A

难度 ★★

视频讲解

思路 空格 (ii)：
- 方程等号：too...to... 表示因果，太…以至于不…，说明前后反义重复。
- 强词和对应：根据 too...to... 可知，conservative 指向空格 (ii)，取反，体现对先前美的标准表现出"不传统"的态度。flout 无视，ignore 忽视，dispel 消除，assess 评估，incorporate 吸收。A、B、C 三项候选。

空格 (i)：
- 方程等号：but 表示转折，前后取反。
- 强词和对应：设计师保守（conservative），根据 but 可知 conservative 指向空格 (i)，取反，前后反义重复，体现新汽车设计图乍看之下"不保守"。striking 异乎寻常的，impractical 不切实际的，impeccable 无瑕疵的，influential 有影响力的，confusing 令人困惑的。选项 A 的英文释义为 something that is striking is very noticeable or unusual，这里的 unusual 对应 conservative，所以答案选 A。

翻译 新汽车的设计图乍看之下异乎寻常，但是设计师却过于传统以至于没有无视先前的美的标准。

注释 选项 C 容易误选，impeccable 表示完美的，但如果说这个车的设计图完美，那么后面就不应该有 but 取反，故排除。

····················⊕····················

1-15 答案：C

难度 ★

思路
- 方程等号：because 表示因果，同义重复。
- 强词和对应：因为这个国家每年的降雨量仅四英寸（four inches），only 体现降雨量很少，所以空格体现这个国家需要寻找水源解决水少的问题。discontinuous 不连续的，natural 自然的，supplementary 补充的，pervasive 普遍的，initial 起初的。答案选 C。

翻译 因为年降雨量仅有四英寸，因此这个国家所面临的主要任务之一就是去寻找补充的水源。

····················⊕····················

1-16 答案：A

难度 ★

思路
- 方程等号：逗号，one 指代 view，前后同义重复。
- 强词和对应：most of us can probably not attain 指向空格，体现"不能达到"。unrealistic 不切实际的，imprudent 不明智的，standardized 标准化的，perplexing 令人困惑的，banal 陈腐的。答案选 A。

翻译 电视广告和节目都展现了一种不切实际的物质世界观，这种观点宣传了一种我们大多数人都无法达到的生活标准。

1-17 答案：B

难 度　★

思 路　空格 (i)：
- 方程等号：Although 表示转折，句中 unusual 和 common 根据 Although 构成反义重复，于是不需再使用 Although，寻找同义对应即可。
- 强词和对应：去博物馆的人（museum-goers）指向空格 (i)，museum-goers 是指参观博物馆的人，空格 (i) 也应该体现"观看者"。artist 艺术家，spectator 观众，athlete 运动员，scholar 学者，commentator 评论家。答案选 B。

空格 (ii)：
- 强词和对应：不会画画（not painting）指向空格 (ii)，由 athletic 得知空格 (ii) 与"不会运动"有关。ignorance 无知，inactivity 不活跃，snobbery 势利，apathy 冷漠，partiality 偏见。再次确认答案选 B。

翻 译　尽管谴责艺术馆参观者不会作画这样的事很罕见，但是，即使对于那些并不怎么热衷于体育活动的人来说，去批评体育观众在体育上的不活动，这样的事却相当普遍。

1-18 答案：D

难 度　★★

思 路　空格 (ii)：
- 方程等号：constitutes 表示组成，前后同义重复。
- 强词和对应：constitutes 前后取同，departure 指向空格 (ii)，体现偏离语序构成对自然法则的"偏离"。transformation 改变，transgression 违反，prototype 原型，violation 违反，formulation 规划。选项 B 和 D 合适。

空格 (i)：
- 方程等号：Because 表示因果，前后同义重复。
- 强词和对应：Because 部分说语序是由 custom 所决定的，主句部分说语序的偏离构成了对 natural law 的违背。在这里，custom 是人规定俗称的习惯，nature law 是自然法则，二者是取反的。所以空格 (i) 应该填入一个负向词，表示对 custom 所决定的语序的偏离并不体现对于 natural law 的违背。traditional 传统的（错），conventional 传统的（错），necessary 必要的（错），unjustifiable 不合理的（对），unreasonable 不合理的（对）。选项 D 和 E 合适，综合空格 (ii)，答案选 D。

翻 译　在任何一种特定语言的句子结构中，因为语序仅仅是由约定俗成的惯例所决定的，因此，认为任何一种与此语序的偏离都是违反自然法则的观点都是不合理的。

注 释　这句话的通俗版本就是：因为语序是人定的规矩，所以违反了语序也算不上违反自然规律。

1-19 答案：C

难 度　★★

思 路　空格 (i)：
- 方程等号：逗号，前后同义重复。
- 强词和对应：curious 指向空格 (i)，根据逗号前后取同，体现人们"好奇"的特点。prig 正经的人，critic 评论家，voyeur 刺探隐私的人，exhibitionist 好自我表现的人，ingrate 忘恩负义的人。答案选 C。

空格 (ii):
- 方程等号：逗号，前后同义重复。
- 强词和对应：空格 (ii) 修饰 curious about，shameless 指向空格 (ii)，根据逗号取同，填入一个负评价单词。secretly 秘密地（错），endlessly 无尽地（对），insatiably 贪得无厌地（对），blatantly 明目张胆地（对），selfishly 自私的（对）。综合空格 (i)，答案选 C。

翻 译 在涉及富人的场合，大多数人成为无耻的窥探隐私者，对富人如何赚钱以及如何花钱充满了贪得无厌的好奇之心。

⸺⸺⸺⸺⸺⸺⸺⸺⸺⸺⸺⸺⸺⸺⊛

1-20 答案：D

难 度 ★

思 路
- 方程等号：therefore 表示因果，前后同义重复。difficult 是负向词，取反。
- 强词和对应：gradually 或 erratically 指向空格，根据 difficult 可知空格取反。fluctuation 波动，generation 一代，predisposition 倾向，milestone 里程碑、重要时刻，manifestation 显示。milestone 的释义为：a significant point in development，描述的是"点"，和 gradually（逐渐地）的时间段取反。答案选 D。

翻 译 一些生物学家认为人类的每一种特征必须是逐渐地、不规则地形成，并且他们认为因此分离物种进化中明确的重要时刻是困难的。

⸺⸺⸺⸺⸺⸺⸺⸺⸺⸺⸺⸺⸺⸺⊛

1-21 答案：B

难 度 ★★

思 路 **空格 (i):**
- 方程等号：though 表示转折，反义重复。far from 相当于 not，表示取反。两次取反后，最终取同。
- 强词和对应：slender（薄弱的）指向空格 (i)，取同。unconvincing 不可信的，nonexistent 不存在的，indispensable 不可缺少的，intricate 复杂的，imposing 壮观的。选项 A 和 B 合适。

空格 (ii):
- 方程等号：分号，前后同义重复。
- 强词和对应：根据句意，"某个要点上薄弱的证据要支撑巨大的（vast）、隐晦的（implication）＿＿＿"是勉强的。cacophony 刺耳的声音，superstructure 上层结构，array 排列，network 网络，compendium 摘要。选项 B 和 D 合适，用一个"点"（point）去支撑巨大的"面"是勉强的。综合空格 (i)，答案选 B。

翻 译 最终而言，此书的可信度很勉强；尽管不是不存在，它指望用在某个要点上所提出的一系列薄弱的证据网要去支撑一个庞大的隐晦的上层结构。

Exercise 02

从没想过这么容易、这么快就能和 GRE 告别，我会一直记得在微臣听到的一句话：找对的人帮助你做对的事。对 GRE 而言，微臣就是正确的选择。

——刘宇诚

微臣教育 2016 年春季 325 计划学员
2016 年 6 月 GRE 考试 Verbal 162, Quantitative 170

EXERCISE ⓿2

核心词汇

1.《GRE 核心词汇考法精析》收录单词（共 40 词）

absolute	ambiguous	anomalous	aspect
candor	compendium	compromise	congenial
considerable	crucial	decipher	derelict
deter	diplomatic	enigma	ephemeral
frustrate	harmonious	implement	innovative
intangible	lag	measured	mediocre
menial	military	obdurate	ordeal
overwrought	paucity	pertinent	prerequisite
provisional	random	soliloquy	substitute
subtle	vague	visionary	welter

2. 基础单词补充（共 8 词）

ambitious　　*adj.* 有雄心的，有野心的：determined to be successful, rich, powerful, etc.

antagonist　　*n.* 敌手，对立的人：one who opposes and contends against another; an adversary

coherence　　*n.* 一致性：the quality or state of cohering, especially a logical, orderly, and esthetically consistent relationship of parts

opacity　　*n.* 难以理解：obscurity; impenetrability

permeate　　*v.* 漫布：to spread or flow throughout; pervade

reverse　　*v.* 反转：to turn backward in position, direction, or order

revolutionary　　*adj.* 革命性的：revolutionary ideas and developments involve great changes in the way that something is done or made

routine　　*n.* 常规，老一套：a set of customary and often mechanically performed procedures or activities

练习解析

2-1　　答案：C

难　度　　★

思　路　　● 方程等号：unlike 表明逗号前后反义重复，thus 表示因果，前后同义重复。minimizing 表示减少，取反。

- 强词和对应：陪审团是 as a group（作为团队的），根据 thus 和 minimize，将 group 指向空格，空格中填入 group 的反义词。legal 合法的，professional 专业的，individual 个体的，unexpected 意外的，unarticulated 不清楚的。答案选 C。

翻 译 与独立行动的法官不同，陪审团以团队的形式讨论案例，达成决定，从而减少个体偏见所带来的影响。

注 释 这道题目可以变成两空题，可以在 group 处设空，因为 unlike 前后取反，judge 的特征是独立行动（act alone），所以与 jury 根据 unlike 取反，空格填入 group，表示集体行动。

2-2 答案：C

难 度 ★

思 路 空格 (i)：
- 方程等号：One reason why...is that... 表示因果，同义重复。
- 强词和对应：difficult to explore 指向空格 (i)，根据 one reason why...is that... 前后取同，体现"困难"。unique 独一无二的，unconcealable 无法隐藏的，uncommon 不常见的，recent 最近的，prominent 显著的。选项 A 和 C 合适。

空格 (ii)：
- 方程等号：so 表示因果，前后同义重复。
- 强词和对应：their 指代 fossils，difficult 指向空格 (ii)，and so 表示前后取同，表示化石勘探很"困难"，填入一个负义词。result 结果（错），decline 减少（对），lag 滞后（对），resume 恢复（错），fail 失败（对）。综合空格 (i)，答案选 C。

翻 译 相关的化石不常见的原因是，化石关键的演化阶段发生在难以探测到它们的热带地区，因此对于这些化石的发现滞后。

2-3 答案：D

难 度 ★★

思 路 空格 (i)：
- 方程等号：exemplifies 体现，说明前后同义重复。
- 强词和对应：harmonious accommodation 指向空格 (i)，根据 exemplifies 取同，选 harmonious 的同义词。candor 坦率，tension 紧张，agreement 同意，compromise 妥协，coexistence 共存。C、D、E 三项合适。

空格 (ii)：
- 方程等号：even 即使，句内反义重复。
- 强词和对应：空格 (ii) 与空格 (i) 根据 even 取反，而空格 (i) 和 harmonious 取同，因此 harmonious 指向空格 (ii)，根据 even 取反，选表示"意见不一致"含义的词。indistinguishable 难以区分的（错），congenial 友善的（错），unequivocal 明确的（错），antagonistic 敌对的（对），fixed 固定的（错）。综合空格 (i)，答案选 D。

翻 译 交战派系之间达成的和谐一致体现了一条公理：即使善良的人之前持有非常敌对的观点，但是他们之间还是有可能妥协。

注 释 此题还能通过 previous 时间前后对比来做，空格 (ii) 与空格 (i) 反义重复。

2-4 答案：A

难 度 ★

思 路
- 方程等号：but 表示转折，前后反义重复。
- 强词和对应：根据 but 可知，tried to act（设法行动）指向空格，根据 but 取反，空格选表示"无法行动"含义的词。frustrate 阻挠，discuss 讨论，embellish 装饰，overlook 忽视，unleash 发泄。答案选 A。

翻 译 总理设法想要行动，但是计划却遭到她的内阁成员的阻挠。

注 释 在 GRE 考试中，在没有明确说明姓名的情况下，如果出现职位，ETS 往往会用女性进行指代。这一方面是为了捍卫女权，另一方面是为了让考生分不清对应关系，增加题目难度。

2-5 答案：A

难 度 ★

思 路
- 方程等号：like 表示像…，说明前后同义重复。
- 强词和对应：根据 like 可知，volcano 和 character 相似，所以 by mistake 指向空格，体现这座火山令人不安（disturbingly）的什么样的特质。anomalous 反常的，overwrought 过于激动的，obdurate 顽固的，ephemeral 短暂的，derelict 废弃的。答案选 A。

翻 译 在那些不断崩塌或已经失控的机械装置中间，那座猛烈喷发的火山具有一种令人不安的异常性质，仿佛一位戏剧演员，由于阴差阳错，跌跌撞撞地冒失登台了。

2-6 答案：C

难 度 ★★

思 路
空格 (ii)：
- 方程等号：into 表现一种状态的改变，说明前后反义重复。
- 强词和对应：空格 (ii) 体现状态从 isolated（孤立的）到 unify（统一的）的改变。所以空格体现一种从分离到统一的变化。conjure 召唤，convert 转变，fuse 融合，shunt 躲避，integrate 整合。B、C 和 E 三项合适。

空格 (i)：
- 方程等号：分号，前后同义重复；error 表示错误，取反。
- 强词和对应：分号后面说，即使想象力会摧毁或者改变，但是想象力也有融合的能力。分号后面强调想象力的融合能力；分号前后相同，error 相当于 not，所以分号前面强调想象力的改变能力，revolutionary 对应 alter。visionary 空想的，beneficial 有利的，negative 消极的，synthetic 综合的。综合空格 (ii)，答案选 C。

翻 译 把想象力视为一种主要的变革性力量是错误的；即使想象力会毁灭和改变，但是它也会把迄今为止孤立的意见、见解和思想习惯融合为强有力的、统一的系统。

注 释 这里 if 表示的含义相当于 even if（即使）。例如：If I'm wrong, you are not right. 即使我错了，你也不对。

2-7　答案：C

难 度　★

思 路
- 方程等号：分号，前后同义重复。
- 强词和对应：difficult to decipher（难以破解）指向空格，根据分号取同。aspect 外貌，pattern 模式，opacity 难懂，intention 目的，erudition 博学。答案选 C。

翻 译　古代文件语义的晦涩难懂不是独一无二的；即使在我们的时代，很多文件也是难以解读的。

注 释　这里的 ancient is not unique（古代不是独一无二的）和分号后面的 our own time 对应。

2-8　答案：A

难 度　★

思 路　空格 (ii)：
- 方程等号：depends on 取决于，说明前后同义重复。
- 强词和对应：success 指向空格 (ii)，根据 depends on 取同，体现政府"成功的"能力，空格填入一个正向词。implement 实施，distribute 分配，complete 完成，violate 违反，subsidize 资助。A、B、C、E 四项合适。

空格 (i)：
- 方程等号：depends on 取决于，说明前后同义重复。
- 强词和对应：foreign and domestic policies（国内外政策）指向空格 (i)，根据 depends on 取同。political 政治的，military 军事的，social 社会的，essential 重要的，diplomatic 外交的。military 和 diplomatic 是对外政策，social 是对内政策。只有 political 既表示对内，也表示对外。所以答案选 A。

翻 译　任何政府在政治方面的成功，都取决于它贯彻执行其内外政策的能力。

2-9　答案：C

难 度　★★

思 路
- 方程等号：Although 尽管，反义重复。
- 强词和对应：duties 与 responsibility 同义重复。把 considerable 指向空格，根据 Although 取反，空格体现责任"不重大"。ambiguous 不清楚的，provisional 暂时的，menial 卑下的，unique 独特的，mediocre 平庸的。所以答案选 C。

翻 译　尽管布朗女士发现她的某些职责很卑微，但她对四十多个工人的监管却是一项相当重大的责任。

注 释　C 选项的 menial 和 E 选项的 mediocre 看起来貌似都合适，但是在描述 job 和 duty 的时候，menial 是 considerable 的直接反义。例如，美国有这样的新闻标题：How, in a large company, can someone with considerable but unharnessed skills and knowledge, performing a relatively menial job, make it know that he or she has these abilities and can do more?

2-10 答案：A

难 度 ★★

思 路　空格 (ii)：
- 方程等号：is 前后状态一致，同义重复。
- 强词和对应：根据 is 可知，the best treatment（最好的治疗）指向空格 (ii)，取同。prevention 预防，remission 缓解，explanation 解释，detection 侦查，containment 遏制。A、B、D、E 四项合适。

空格 (i)：
- 方程等号：Since 表示因果，同义重复。cannot 取反。
- 强词和对应：the best treatment 指向空格 (i)，根据 not 取反，强调这个病的过程对人"不好"。reverse 逆转，discover 发现，define 规定，alleviate 减轻，precipitate 加速。如果选 B，则句内出现矛盾，如果疾病不能被发现，那就不可能有缓解。综合空格 (ii)，答案选 A。

翻 译　因为动脉粥样硬化的过程在人体内不可逆，所以目前已知的最佳医治方法只能是对此病的预防。

2-11 答案：B

难 度 ★

思 路　空格 (ii)：
- 方程等号：into 表示状态的转变。
- 强词和对应：空格 (ii) + into 转变为 whole（整体），whole 指向空格 (ii)，体现这个动作有"整合"或"改变"之意。change 改变，integrate 整合，update 更新，dramatize 戏剧化，compress 压缩。选项 A 和 B 合适。

空格 (i)：
- 方程等号：and 连接平行结构，同义重复。
- 强词和对应：difficult（困难的）指向空格 (i)，根据 and 取同。important 重要的（错），subtle 不易察觉的（对），intellectual 智力的（对），rewarding 令人满意的（对），ornamental 装饰的（错）。subtle 的释义：hard to detect，hard 体现 difficult 的特征。综合空格 (ii)，答案选 B。

翻 译　后现代主义建筑不是回到过去，而是旨在将历史的形式整合为一个崭新且复杂的整体，这个目标是难以察觉且困难的。

2-12 答案：D

难 度 ★★★

思 路　空格 (ii)：
- 方程等号：but 表示转折，前后句意反义重复。
- 强词和对应：pollen dating 的方法是通过彼此来确定，in terms of each other 表示的是相对的概念。根据 but 可知，in terms of each other（相互之间）指向空格 (ii)，取反，空格体现"绝对"。selective 选择的，usable 可用的，relative 相对的，absolute 绝对的，calculable 可计算的。选项 D 合适。

空格 (i)：
- 方程等号：and 连接平行结构，前后同义重复。
- 强词和对应：pollen dating 的方法可以根据 each other（彼此）来确定，根据 so far 可知，取反，in terms of each other 指向空格 (i)，取反，体现"不相对"。random 随机的，irrelevant 不相关的，vague 模糊的，independent 独立的，imaginary 想象的。答案选 D。

翻译 在孢粉定年法（pollen dating）中，对地质事件年代的断定是依照一个地质事件与另一个地质事件的彼此关系来进行的；研究者通过将这些互为独立的地质序列匹配起来，也就只能走到这一步而已；而在放射碳断代法（radiocarbon dating）中，时间的规模则是以世纪或年份的绝对尺度来衡量。

2-13 答案：E

难度 ★

思路
- 方程等号：substitute X for Y，用 X 替换 Y，X 和 Y 取反。
- 强词和对应：single 指向空格，根据 substitute X for Y 取反，空格填入一个 "不单一的" 含义单词。paucity 缺少，core 核心，functionalism 建筑实用主义，participation 参与，welter 混乱。同时根据 of 介词结构后置定语 overlapping 修饰空格，正确答案选 E。

翻译 许多福利改革者将会用一个单一的联邦财政收入支持系统取代现存的相互交叠的项目的混乱局面。

2-14 答案：A

难度 ★

思路
- 方程等号：Because 表示因果，同义重复。instead 取而代之，取反。
- 强词和对应：根据 instead 可知，much more information（太多信息）指向空格，取反，空格体现"信息量不大"。compendium 摘要，soliloquy 独白，treatise 论文，prerequisite 前提，critique 批判。答案选 A。

翻译 因为这篇报道包含的信息太多，远远超出评论家所需要的，所以这个作者被要求递交一份摘要。

2-15 答案：C

难度 ★

思路
- 方程等号：in spite of 尽管，句内取反。
- 强词和对应：根据 in spite of 可知，empty 指向空格，根据 in spite of 取反，空格体现"不空"或者"多"。diminishing 减少的，varying 变化的，enormous 相当多的，unusual 不同寻常的，limited 有限的。答案选 C。

翻译 尽管在宇宙中星星的数量相当多，但她的演讲还是展现了宇宙是如此空旷。

2-16 答案：E

难 度 ★★

思 路 空格 (i)：

- 方程等号：in that 表示因果，相当于 because，同义重复。
- 强词和对应：it 指代 the wilderness，使得人们面对一个重要的现实。important 指向空格 (i)，根据 in that 前后取同，空格填入一个正向词。foreign 外来的，intangible 无法感知的，stimulating 刺激的，discouraging 令人沮丧的，valuable 有价值的。选项 C 和 E 合适。

空格 (ii)：

- 方程等号：not 表示前后取反。
- 强词和对应：individuals 和 machines（个体和机器）反义重复，空格 (ii) 不改变句子的逻辑方向，填入一个不改变方向的单词。necessarily 必要地，physically 物理上地，creatively 创新地，neutrally 中立地，merely 只不过。因为 machine 只能是重复和复制，不能够 creatively（创新地），因此排除选项 C。答案选 E。

翻 译 荒野是很有价值的，因为它让人们面临一个重要现实，这个现实需要的是能思考、反应和工作的个体，而不仅仅作为有人性的机器。

2-17 答案：A

难 度 ★

思 路 空格 (ii)：

- 方程等号：hitherto 表示时间对比，时间前后状态反义重复。
- 强词和对应：random 指向空格 (ii)，构成时间反义重复，所以空格填入一个表示"不随机"含义的单词。coherence 一致性，continuity 连续性，confusion 混乱，diversion 转移，rigidity 严格。选项 A 和 B 合适。

空格 (i)：

- 方程等号：and 连接平行结构，并列 the event 和空格 (i)。
- 强词和对应：biographers 认为 the Civil War 是重要的（central）经历，空格 (i) 能同时体现战争和重要。A 选项中的 ordeal 指严峻的考验（释义：a test of faith, patience, or strength），合适。interruption 中断，climax 顶点，escape 逃离，hiatus 中断。综合空格 (ii)，答案选 A。

翻 译 为 Ambrose Blerce 写传记的作者们认为内战是他生命中一次重要的经历，这次事件不断重复出现，并且这次严峻的考验给他随性的青年时期带来一些一致性。

2-18 答案：B

难 度 ★★

思 路
- 方程等号：but 表示转折，反义重复。not 表示取反。两次取反后，最终取同。
- 强词和对应：根据 but 和 not 取反两次后，aimed at 指向空格，取同，空格填入一个正向词。enigma 谜，extension 延伸，sacrifice 牺牲，condemnation 谴责，attenuation 减少。but 前的对象是说母语的人，but 后是说任何语言或方言的人，后者是对前者的一种延伸。答案选 B。

翻 译	自由言论的合法保证可能旨在保护以英语为母语的人免于审查，但是将其解释为旨在保护人们以任何自然语言或者方言表达他们的观点是一种不合适的延伸。

2-19 答案：D

难 度 ★

思 路
- 方程等号：although 尽管，反义重复。
- 强词和对应：空格后面说 Darwinism（it 指代 Darwinism）是 passive（被动的），根据 although 可知，passive 指向空格，取反，体现"主动"，空格填入一个正向词。limited 限制的，repressive 压迫的，debatable 有争议的，innovative 创新的，paradoxical 矛盾的。只有 D 是正向词，所以答案选 D。

翻 译	尽管达尔文进化论是一种深刻创新的世界观，但是这种观点在本质上是被动的，因为它没有规定采取的步骤，没有规定庆祝征服自然的胜利，也没有规定接下来获得成功的计划。

2-20 答案：B

难 度 ★★

思 路 **空格 (ii)：**
- 方程等号：not...but... 表示转折，前后反义重复。
- 强词和对应：keep from 和 deter from 同义重复，changing jobs 和 accepting offers 同义重复，因此 better（更好的）指向空格 (ii)，根据 not...but... 取反，空格 (ii) 体现"不好"，填入一个负向词。preferable 更好的，routine 普通的，inferior 低劣的，superior 较好的，advantageous 有利的。选项 B 和 C 合适。

空格 (i)：
- 方程等号：for 表示目的。
- 强词和对应：空格 (i) 描述 executives（高管），因为要阻止 executives 跳槽，所以对这些 executives 应该给予正评价，空格填入正向词。discontented 不满意的（错），ambitious 有雄心壮志的（对），unqualified 不合格的（错），experienced 有经验的（对），dedicated 专注的（对）。综合空格 (ii)，答案选 B。

翻 译	人力资源专家表示单靠优厚的薪水并不能阻止那些有雄心壮志的高管为了有更好的长期发展的机会而跳槽，但他们承认这些诱惑能够防止高管们接受其他公司的普通工作邀请。

2-21 答案：E

难 度 ★★

思 路
- 方程等号：paradoxical 表示矛盾，反义重复。
- 强词和对应：timelessness 的释义是 having no beginning or end。duration 的释义：a period of existence or persistence。timelessness（永恒）和 duration（限期）已经构成反义重复，对应 paradoxical。所以空格填入一个正向词，表示成年人意识中"有" duration 的概念。intrigue 密谋，repel 反抗，measure 测量，accelerate 加速，permeate 充满。答案选 E。

翻 译	永恒的概念从一开始就是矛盾的，因为"凡事都有其限期"这一意识已在成年人脑中根深蒂固。

Exercise 03

唯有穿过黑暗和沮丧，才能看见光明，拥抱无限可能。备考 GRE 之路虽磕磕绊绊，却也收获了充实的成就感。谢谢微臣的一路陪伴，祝微臣越来越好！

——杨琴
微臣教育线上全程班学员
2016 年 3 月 GRE 考试 Verbal 160

EXERCISE ⓪3

核心词汇

1.《GRE 核心词汇考法精析》收录单词（共 46 词）

accommodate	adamant	affectation	agility
alloy	argument	authority	belligerent
cognizant	compelling	conceal	conscientious
content	decorum	deliberate	discharge
eclectic	enigma	exceptional	exodus
germinate	hoard	incentive	indifferent
indulgent	inevitable	ingenuity	inherent
insolent	mellifluous	paradox	partisan
pretense	propriety	provoke	purity
refute	secular	stock	subject
tact	tangible	trivial	valid
viable	wanderlust		

2. 基础单词补充（共 8 词）

atrocity　　　　*n.* 残暴：appalling or atrocious condition, quality, or behavior; monstrousness

bereft　　　　　*adj.* 失去⋯的：lacking something needed or expected

earthy　　　　　*adj.* 朴实的：hearty or uninhibited; natural

elegance　　　　*n.* 优雅：refinement, grace, and beauty in movement, appearance, or manners

succeed　　　　*v.* 接着发生：to come next in time or succession; follow after another, replace another in an office or a position

suspicious　　　*adj.* 怀疑的：tending to suspect; distrustful

uneasy　　　　　*adj.* 不安的：lacking a sense of security; anxious or apprehensive

unfounded　　　*adj.* 没有事实依据的：not based on fact or sound evidence

练习解析

3-1 答案：B

难度 ★

思路 空格 (i)：
- 方程等号：after 表示时间对比，前后反义重复。
- 强词和对应：dormancy（休眠）指向空格 (i)，根据 after 时间对比取反，体现"没有休眠"。revive 复活，germinate 发芽，endure 忍耐，erupt 爆发，proliferate 激增。A、B、E 三项合适。

空格 (ii)：
- 方程等号：but 表示转折，前后反义重复。
- 强词和对应：true 指向空格 (ii)，根据 but 取反可知，空格 (ii) 体现"不真实"。empirical 基于观察实验的（错），unfounded 没有根据的（对），irrelevant 不重要的（对），reasonable 合理的（错），substantiated 可证实的（错）。结合空格 (i)，答案选 B。

翻译 诚然，某些植物的种子在经过了 200 年的休眠状态之后可以发芽，但是关于在诸如金字塔等古代坟墓中已寻找到可发芽的种子的报告则是毫无依据的。

注释 这道题目中 but 前后的取反其实应该是一个程度上的取反，but 前面说休眠了 200 年的种子可以发芽是真的，but 后面说如果是休眠了几千年（金字塔）后依旧可以发芽，那就是没有依据的。这里 200 年和几千年程度差异取反了。

3-2 答案：D

难度 ★★

思路
- 方程等号：Even though 尽管，反义重复。
- 强词和对应：curtain call 谢幕，是演员对观众表示谢意的方式。jeered（嘲笑）和 curtain calls 根据 even though 取反，因此空格不改变前后句子的逻辑方向，填入一个正向词。refuse 拒绝，adore 崇拜，delay 延迟，appear 出现，balk 畏缩。答案选 D。

翻译 尽管观众席中有很多人一直嘲笑这位明星的表演，但她还是出现在谢幕中。

3-3 答案：C

难度 ★

视频讲解

思路 空格 (i)：
- 方程等号：indeed 表示递进，前后逻辑同向。
- 强词和对应：been responsible for 和 be in direct proportion to 同义重复，savagery（野蛮暴行）指向空格 (i)，取同，填入一个负向词。war 战争，catastrophe 灾难，atrocity 邪恶暴行，invention 发明，triumph 成功。A、B、C 三项合适。

空格 (ii)：
- 方程等号：indeed 表示递进，前后逻辑同向。
- 强词和对应：technologically advanced societies（科技先进的社会）指向空格 (ii)，取同，空

23

格填入"先进"的同义词。viciousness 邪恶（错），ill-will 敌意（错），development 发展（对），know-how 专门知识（对），civilization 文明（对）。综合空格 (i)，答案选 C。

翻 译 技术最为发达的社会必须对最大的残暴行为负责；的确，野蛮似乎与技术的发展构成正比。

3-4 答案：D

难 度 ★★

思 路 空格 (i) + 空格 (ii)：
- 方程等号：startling 表示令人吃惊的，空格 (i) 和空格 (ii) 取反。when 引导时间状语从句，前后同义重复。
- 强词和对应：空格 (i) 和空格 (ii) 分别和 juicy vulgarity（绘声绘色的俗语）及 the mellifluous circumlocutions of a gentlemen（一个绅士悦耳的话语）同义重复。tact 机智...innocence 清白，不取反，排除；raciness 下流...ribaldry 下流，不取反，排除；piousness 虔诚...modesty 谦虚，不取反，排除；elegance 优雅...earthiness 粗俗，正确；propriety 礼貌...bashfulness 害羞，不取反，排除。答案选 D，elegance 能展现 gentleman 的特点。

翻 译 在 Edmund 的言谈中，优雅与粗俗的掺杂混合真是让人惊叹不已，尤其当他在旧派绅士甜美流畅的委婉语中，神不知鬼不觉地插入某些绘声绘色的粗俗之词。

3-5 答案：D

难 度 ★★

思 路
- 方程等号与强词：根据句意，disgust with the excesses of American culture（对美国奢靡文化的厌恶）会导致 exodus abroad（大批人出国）；而 wanderlust（漫游癖）也会导致 exodus abroad，因此空格为方程等号，体现两个原因之间的关系，空格应该填入不改变句子的逻辑方向的词。stymie 阻挠，overwhelm 淹没，reflect 反映，combine with 与...联合，conflict with 与...冲突。选项 C 和 D 合适。
- 排除 C，因为这两个原因之间是并列关系，而且厌恶美国文化并不能反映出漫游癖，因此排除选项 C，答案选 D。

翻 译 对于美国咆哮的二十年代的许多年轻人来说，一种对美国文化奢靡之风的厌烦，与一种漫游癖相结合，从而引发了一场大规模的出国潮。

3-6 答案：E

难 度 ★★

思 路 空格 (i)：
- 方程等号：not only...but also... 表示不但...而且...，前后同义重复。
- 强词和对应：the valid predictions（合理的预测）和 those predictions 同义重复。explain 指向空格 (i)，根据 not only...but also... 取同，空格填入一个正向词。organize 组织，generate 产生，promote 推动，refute 反驳，accommodate 适应。A、B、C、E 四项合适。

空格 (ii)：

- 方程等号：not only...but also... 表示不但…而且…，说明前后同义重复。
- 强词和对应：根据 not only...but also，空格 (ii) 和空格 (i) 取同，空格 (ii) 填入一个正向词。fail 失败，falter 畏缩，function 起作用，evolve 进化，succeed 接着发生。选项 C 和 E 合适。
- C 选项代入为不仅要推动（promote），还要解释为什么起作用（function）。前后逻辑倒置，正确应为：不仅要解释，并且要推动。因此排除选项 C，答案选 E。

翻 译 每一个新理论不仅必须顺应旧理论的合理预测，而且还要解释这些预测是如何在旧理论的范围中接着发生的。

3-7 **答案：** B

难 度 ★★★

思 路 空格 (i)：

- 方程等号：分号说明前后句意同义重复。
- 强词和对应：空格 (i) + sensations 和 sensible presences（可感受的存在）同义重复。sensible 指向空格 (i)，取同，空格体现"可感知的"。disturbing 烦扰的，material 物质的，emotional 感情的，definitive 决定性的，familiar 熟悉的。选项 B 合适。

空格 (ii)：

- 方程等号：分号，句意同义重复。
- 强词和对应：空格 (ii) 体现"realm of thought"（思想）。ordinary 普通的，remote 遥远的，impersonal 客观的，controversial 有争议的，symbolic 象征性的。这里 remote facts 表示抽象的概念，代入题目中表示更高的道德生活，也就意味着物质给我们的影响比起遥远的思想给我们的影响更小。综合空格 (i)，答案选 B。

翻 译 人类对思维领域的反应常常与对可感觉的存在物的反应是同等强烈的；我们更高层次的道德生活以这样的一个事实为基础，即那些实际存在的物质感受对我们的行为所产生的影响，有可能比遥远事实的思想所产生的影响更弱。

3-8 **答案：** B

难 度 ★

思 路
- 方程等号：Even though 尽管，反义重复。
- 强词和对应：injured（受伤）指向空格，根据 Even though 取反，主句部分应该是一个正面结果，所以空格 +championship 是正向词。ignore 忽视，win 赢得，overcome 克服，demand 要求，refuse 拒绝。答案选 B。

翻 译 尽管六名运动员受伤了，教练还是向聚集的记者宣布团队会获得冠军。

3-9 答案：C

难 度 ★★

思 路 空格 (ii)：
- 方程等号：Although 尽管，反义重复。not 取反。两次取反后最终取同。
- 强词和对应：detected 指向空格 (ii)，根据 although 和 not 两次取反后取同，所以空格填入一个正向词。question 质疑，prove 证实，discover 发现，conceal 隐藏，understand 理解。B、C、E 三项合适。

空格 (i)：
- 方程等号：Although 尽管，反义重复。not 取反。两次取反后最终取同。
- 强词和对应：主句部分说但是 Jungius 没有发现真正的形式是什么，所以 Although 部分提到的 Galileo 也不可能发现真正的形式，所以 Jungius 应该对 Galileo 持负态度，空格填入一个负向词。wisdom 智慧（错），rational 理由（错），error 错误（对），sincerity 真诚（错），ingenuity 独创性（对）。综合空格 (ii)，答案选 C。

翻 译 尽管 Jungius 发现了 Galileo 认为一条假设被悬挂在任意两个支点的曲线是抛物线的观点中的错误，但他却没能发现真正的形式是什么。

3-10 答案：A

难 度 ★★

思 路 空格 (ii)：
- 方程等号：since 表示因果，句内同义重复；who 引导定语从句，前后同义重复。
- 强词和对应：空格 (ii) 描述 presidents 的特征，present 同义重复前面的 great leader，综合 who 后面 president 的特征和 great leader 的特征知道，空格 (ii) 填一个表达出色能力的同向词，exceptional 杰出的，famous 著名的，indomitable 不服输的，traditional 传统的，influential 有影响力的。选项 A 和 E 合适。famous 是指知名度，为他人所知，不合适。

空格 (i)：
- 方程等号：空格 (i) 填副词，表达后面句子的关系。
- 强词和对应：communicate effectively 的这个 trait 与 most notable inaugural addresses 的关系是有效交流能带来很好的就职演讲，所以空格 (i) 填一个副词表达这种"导致"关系，predictably 可预测地，invariably 不变地，undeniably 不可否认地，reciprocally 相互地，impractically 不切实际地。A、B、C 合适。综合空格 (ii)，所以答案选 A。

翻 译 或许可以预料的是，因为有效沟通的能力是任何伟大领袖都具有的一个重要特征，所以那些杰出的总统能发表出最引人瞩目的就职演说。

3-11 答案：D

难 度 ★

思 路 空格 (ii)：
- 方程等号：第三个逗号，前后同义重复。
- 强词和对应：scholarship（奖学金）与 trophies（奖杯）共同指向空格 (ii)，根据逗号取同。academic 学术的，monetary 金钱的，unanticipated 没有预料的，tangible 实质的，

well-deserved 当之无愧的。monetary 只体现金钱（scholarship），不包括奖杯（trophies）。repeatedly defeated 和 unanticipated 矛盾。因此选项 D 和 E 合适。

空格 (i)：

- 方程等号：第一个逗号，前后同义重复
- 强词和对应：athletic（体育的）指向空格 (i)，根据逗号取同。sportsmanship 运动员精神（错），agility 敏捷（对），modesty 谦虚（错），speed 速度（对），patience 耐心（错）。综合空格 (ii)，答案选 D。

翻译 当她不断重复击败学校里年纪比她大的孩子时，她那不同寻常的速度首次展现出来，并最终为她赢得了一些实质性的奖赏，包括一项全额体育奖学金和几个第一名的奖杯。

3-12 答案：D

难度 ★★

思路 **空格 (i)：**

- 方程等号：is，前后相同；illegitimate 不合规则的，取反。
- 强词和对应：is 前面说一种不合规则的论证方法，所以 is 后面的内容也要体现 illegitimate。is 后面强词是 same，所以空 (i) 和 same 取反，选一个表示"不相同"的单词，unsuitable 不合适的，disputable 有争论的，irrelevant 不重要的，dissimilar 不同的，indeterminate 不确定的。答案选 D。

空格 (ii)：

- 因为已经体现了 illegitimate，所以空格 (ii) 填入一个不改变方向的单词。impression 印象，stipulation 规定，assumption 假设，pretense 借口，rationale 合理性。综合空格 (i)，答案选 D。

翻译 不合规则论辩方法的一个实例是，在错误的假设——以同样的原则能适用于每一种情形之下，故意将不同的情况混为一谈。

3-13 答案：D

难度 ★★

思路

- 方程等号：when 引导时间状语从句，前后句意同义重复。achievement（成就）和 compelling（吸引人的）同义重复，感情色彩正向。空格 (i) 和空格 (ii) 形成联动。

空格 (i) + 空格 (ii)：

- 如果空格 (ii) 为负向，体现她"没有成就"。D 选项的 bereft 意为丧失…的，E 选项的 despairing 意为绝望的，是负向词；空格 (i) 体现对立矛盾，D 选项 paradox 矛盾，正确；E 选项 epitome 体现，错误。
- 如果空格 (ii) 为正向，体现她"有成就"。assured 确定的，certain 确定的，cognizant 认知的，都是正向词；空格 (i) 不改变句子逻辑方向，irony 讽刺，dilemma 进退两难，enigma 谜，都是负向词，A、B 和 C 都不对，排除，答案选 D。

翻译 她的学术生涯中的一个矛盾点是，在她获取最大学术成就的同时却根本没有一个具有说服力的研究课题。

3-14 答案：C

难度 ★★

思路
- 方程等号：Although 尽管，反义重复。skeptical 表示怀疑，取反。not 表示取反。三次取反后最终取反。
- 强词和对应：purity 指向空格，三次取反后最终取反，体现动机不纯，即 generosity（慷慨）和 personal gain（私利）的关系。当慷慨和私人利益结合时，动机不纯（skeptical about the purity），因此空格不改变前后逻辑方向，体现它们有关系。lack in 缺少…，contrary to 与…对立，alloyed with 与…混合，mitigated by 被…减轻，repudiated by 被…否定。答案选 C。

翻译 尽管 Jenkins 通常都怀疑 Robinson 的动机的纯粹性，但这一次他并不认为 Robinson 的慷慨中混杂着个人利益。

- ⊛

3-15 答案：A

难度 ★★

思路
- 方程等号：since 表示因果，同义重复。
- 强词和对应：since 后说的是迅速变化的环境限制使得任何要想获得有利可图收益的投资显得极其困难，也就是说投资是没有意义的。所以 since 前面应该也体现空格投资没有意义。incentive 动机，arrangement 安排，explanation 解释，condition 条件，procedure 程序。答案选 A。

翻译 人们根本没有动机去购买特定行业的股票，因为迅速变化的环境限制使得任何要想获得有利可图收益的投资显得极其困难。

注释 simply 用于强调（to emphasize），表示"简直，根本"。

- ⊛

3-16 答案：B

难度 ★

思路
- 方程等号：because 表示因果，同义重复。
- 强词和对应：空格描述这个人的特点，distrust of human nature and human motives（怀疑人的本性和动机）指向空格，取同。disrespectful 不尊重的，cynical 反人类的，confused 困惑的，misinformed 被误导的，fanatical 狂热的。cynical 的释义是 contemptuously distrustful of human nature and motives。答案选 B。

翻译 他被公认是一个反人类的人，因为他每天都表现出对人类的本性和动机的怀疑。

- ⊛

3-17 答案：D

难度 ★

思路
- 方程等号：nonetheless 表示转折，反义重复。
- 强词和对应：too powerful（权力太大）和 not act decisively（行动不果断）根据 nonetheless 取反，

因此 Suspicious 指向空格，取同，空格填入一个负向词。unified 统一的，indifferent 冷漠的，content 满足的，uneasy 不安的，adamant 坚定的。选项 B 和 D 合适。suspicious 怀疑，体现的是一种"不冷漠"的态度，因此排除选项 B。答案选 D。

翻 译 尽管美国人对过分强势的总统持有怀疑态度，但当总统出现犹豫不决的行为时，他们内心还是很不安的。

3-18 答案：C

难 度 ★★

思 路 空格 (i)：
- 方程等号：逗号表示前后句意同义重复，not 取反。
- 强词和对应：withdrawal from world（从现实世界退出）指向空格 (i)，根据 not 取反，体现"现实世界的""世俗的"。practical 务实的，inherent 内在的，secular 世俗的，earthly 世俗的，trying 难以应付的。选项 C 和 D 合适。

空格 (ii)：
- 方程等号：not...but...，表示 not 后和 but 后的句意反义重复。
- 强词和对应：withdrawal 指向空格 (ii)，与后面的 from the world 体现"逃离世俗"，空格 (ii) 对其取反，表达不逃离世俗。mystification 神秘化，manipulation 操纵，discharge 履行，disavowal 否认，moderation 适度。discharge duties 意为履行职责。综合空格 (i)，答案选 C，履行职责。

翻 译 对于那些相信世俗的职责是神的意志强加在身上的清教徒来说，正确的行动方式不是脱离现实世界，而是尽职尽责地履行日常的义务。

3-19 答案：E

难 度 ★

思 路 空格 (i)：
- 方程等号：not...but... 表示 not 后和 but 后的句意反义重复。
- 强词和对应：assault 指向空格 (i)，根据 not...but... 取反，体现"没有攻击性"。belligerent 好斗的，serious 严重的，insolent 无礼的，deliberate 深思熟虑的，trivial 不重要的。选项 E 合适。

空格 (ii)：
- 方程等号：essential to 介词结构倒装修饰空格 (ii)，同向。
- 强词和对应：essential to 表示重要的，指向空格 (ii)，取同，空格填入一个正向词。fallibility 错误（错），propriety 得体（对），sociability 社交（对），affectation 做作（错），decorum 得体（对）。综合空格 (i)，答案选 E。

翻 译 许多哲学家认为一些激进报刊上用亵渎言辞进行的文字攻击不是无关紧要或者幼稚的，而是对得体礼仪的一种抨击，这种得体礼仪对革命者的目的来说是重要的。

3-20　答案：B

难度　★

思路　空格 (i)：
- 强词和对应：空格 (i) 具有 store（储藏）的特征。supply 供应，hoard 贮藏，reservoir 储藏，provision 供应，contribution 贡献。"供应"表示主动的供给，与 store 矛盾。所以选项 B 和 C 合适。

空格 (ii)：
- 方程等号：that 引导定语从句，从句和空格 (ii) 同义重复。
- 强词和对应：them 指代 plants，这种形式（form）让植物度过它们在野外必须经历的干旱。carry through 指向空格 (ii)，取同。tolerance 容忍（对），insurance 安全保证（对），accommodation 住所（错），restoration 恢复（错），support 支持（对）。accommodation 指向房屋（building or rooms），与句意不符。综合空格 (i)，答案选 B。

翻译　植物将水分存储在它们的叶子、茎或树干中，来提供一种安全保障，使得它们能安全度过在野外不可避免的干旱。

3-21　答案：B

难度　★★★

思路
- 方程等号：Although 表示转折，说明句内反义重复。deny 取反。两次取反后最终同向。空格 (i) 和空格 (ii) 联动。

空格 (i) + 空格 (ii)：
- 如果空格 (i) 和 single 同义重复，体现"单一"或"少"，空格 (ii) 不改变前后逻辑方向，正向。但是选项中没有表示"单一"或者"少"的单词，这种可能性不成立，排除。
- 如果空格 (i) 和 single 反义重复，体现"不少"或"多"，空格 (ii) 改变前后逻辑方向，负向。选项中，eclectic 表示多元的，同时 suspicious of 怀疑，是一个负向词，B 为正确答案。
- dogmatic 教条的...impatient with 对…无耐心；partisan 偏袒的...hostile toward 对…有敌意；capricious 善变的...intrigued by 被…吸引；indulgent 放纵的...indebted by 感恩。答案选 B。

翻译　尽管这位戏剧评论家用多元的方法对这部剧做出评论，但矛盾的是，她却怀疑那些否定"一个评论家只能用单一的评论方法"的人。

注释　although 和 paradoxically 一起出现，句内只根据 although 取反一次。

Exercise 04

生活到最后总会有答案，但从不会在一开始就告诉你。理想从来不会迟到，改变总会超出预期。考 G 路上，谢谢微臣的陪伴，谢谢自己够勇敢。

——王荣
微臣教育 2015 寒假 325 计划学员
2015 年 11 月 GRE 考试 Verbal 161, Quantitative 170
录取院校：密歇根大学安娜堡

EXERCISE 04

核心词汇

1.《GRE 核心词汇考法精析》收录单词（共 40 词）

abundant	acknowledge	brittle	callous
clarity	contempt	convenience	corroborate
debacle	deleterious	derivative	donor
endorse	equivalent	exquisite	gainsay
hasten	impromptu	inconsequential	ingenuous
intensify	intrinsic	justify	liability
misfortune	novel	perceptive	prevalent
profusion	redundant	repress	sophisticated
stratagem	substantial	substitute	superfluous
supplement	temporal	underscore	vocation

2. 基础单词补充（共 10 词）

affection　　　*n.* 喜爱：a tender feeling toward another; fondness

conventional　　*adj.* 传统的：based on or in accordance with general agreement, use, or practice; customary

divergence　　　*n.* 分离：a divergence is a difference between two or more things, attitudes, or opinions

economy　　　　*n.* 节约：efficient, sparing, or conservative use

immediacy　　　*n.* 直接性：lack of an intervening or mediating agency; directness

keen　　　　　　*adj.* 敏锐的：sharp; vivid; strong

publicize　　　　*v.* 使…关注：to make widely known to the public

representative　*adj.* 代表性的：like or typical of others of the same class

retrospect　　　*n.* 回顾：a review, survey, or contemplation of things in the past

undoing　　　　*n.*（失败的）原因：a cause or source of ruin; downfall

练习解析

4-1 答案：A

难度 ★

思路 空格 (ii)：
- 方程等号：but 表示转折，前后反义重复。no 取反。两次取反后最终取同。
- 强词和对应：them 指代 dreams，increase our understanding（增加理解）指向空格 (ii) 取同，空格填入一个正向词。explain 解释，simplify 简化，replace 代替，identify 识别，eradicate 根除。选项 A 合适，explain 的释义是 to make something clear or easy to understand。

空格 (i)：
- 方程等号：分号，同义重复；分号前的句意和分号后 but 部分的句意同义重复。
- 强词和对应：particular 与 single 同义重复，but 后省略 she believes，believes 指向空格 (i)，空格填入一个正向词。endorse 支持（对），discuss 讨论（对），mention 提及（对），evaluate 评估（对），criticize 批判（错）。综合空格 (ii)，答案选 A。

翻译 Faraday 不支持任何一个特定的理论，她认为每一个理论都可能增进我们对于某些梦的理解，但是没有任何一种单一的理论能解释所有的梦。

4-2 答案：E

难度 ★

思路 空格 (i)：
- 方程等号：Although 尽管，反义重复。
- 强词和对应：had no choice but to 相当于 had to，fought bravely 和 defeat 根据 Although 构成反义重复，因此空格 (i) 填入不改变句子的逻辑方向的词。hasten 加速，seek 寻求，oversee 监督，overcome 克服，acknowledge 承认。hasten，seek 和 oversee 都体现了"主动自愿"的行为，与 had no choice but to（别无选择，只能…）矛盾。因此排除选项 A、B、C 和 D，选项 E 合适。

空格 (ii)：
- 方程等号：and 连接平行结构，并列空格 (i) 和空格 (ii)，前后同义重复。
- 强词和对应：空格 (i) 和空格 (ii) 构成同义重复。and 前面说"承认失败"，所以 and 后面也要表达"失败"，retreat 表示撤退，所以空格填入一个不改变句子逻辑方向的词。suggest 建议（对），try 尝试（对），reject 拒绝（错），request 要求（对），order 下令（对）。综合空格 (i)，答案选 E。

翻译 尽管他的数量处于劣势的部队作战英勇，但将军感到他已别无选择，只能承认失败并下令撤退。

4-3 答案：B

难度 ★★

思路
- 方程等号：分号表示前后逻辑同义重复。分号前的 Despite 尽管，引导分号前句内反义重复。therefore 表示因果，前后逻辑同义重复。

- 强词和对应：空格 (i) 和空格 (ii) 联动，方向相同，与分号前句意取同。career 和 vocation 同义重复，one's parents 和 familiar lines 同义重复。

空格 (i) + 空格 (ii)：

- 如果空格 (i) 和 develop along 构成反义重复，表示"不跟从"，选项中 disagreement with 不一致，divergence form 不一致，都是"不跟从"；空格 (ii) 填入一个负向词，forbidden 被禁止，limited 受限制的，都是负向词，但是 A 选项 forbidden 和分号前的 allowances（许可）矛盾，排除 A 选项，答案是 B。
- 如果空格 (i) 和 develop along 构成同义重复，表示"跟从"，preparation for 为…准备，reliance on 依赖，assumption of 假设都是正向词，空格 (ii) 为正向词。但 difficult 困难的，unanticipated 未曾预料的，premature 不成熟的，都是负向词。因此正确答案选 B。

翻 译 尽管允许一定的职业流动性，但 17 世纪英国社会通常都期望孩子们从事的职业与家族的保持一致；因此，孩子从事与父母不同的工作是被限制的。

4-4 答案：C

难 度 ★

思 路
- 方程等号：is similar to 表示前后情况相似，同义重复。
- 强词和对应：but 表示强调，强调 rapidly expanding，rapidly expanding 指向空格，根据 similar to 取同，体现"迅速扩张"。recent 最近的，impromptu 即兴发挥的，publicized 被广泛宣传的，ingenuous 天真纯朴的，secure 安全的。publicize 的释义是 make widely known。因此正确答案选 C。

翻 译 计算机在绘图方面的应用鲜为人知，但其正在迅速扩展，这在技术层面与另一种更被广泛宣传的用途相似，这种用途包括从螺栓到卫星的各种各样的设计。

4-5 答案：D

难 度 ★★

思 路 **空格 (i)：**
- 方程等号：too...to... 太…以至于不…，表示因果，to 前后反义重复。
- 强词和对应：its 指代 recently published collection，late 指向空格 (i)，根据 too...to... 取反，体现"早"。foresight 先见之明，research 研究，assuredness 确信，immediacy 时效性，veracity 诚实。选项 A 和 D 合适。

空格 (ii)：
- 方程等号：too...to... 太…以至于不…，表示因果，to 前后反义重复。
- 强词和对应：soon 和 historical 根据 too...to... 取反。historical + 空格 (ii) 体现"晚"。anxiety 焦虑，consistency 一致性，skepticism 怀疑，curiosity 好奇，respect 尊重。选项 A 与句意不符，因此排除。答案选 D。

翻 译 最近发表的关于上届总统竞选的论文集的影响正被它的时机削弱；它出版得太晚以至于它的时效性不能影响我们，同时它出版得太早以至于我们无法出于对历史的好奇而去研究它。

4-6　答案：D

难　度　★★

思　路　**空格 (ii)：**
- 方程等号：冒号，同义重复。misleading 有误导性的，负向。
- 强词和对应：冒号前体现 generalize 是 misleading 的（归纳具有误导性）。the play 指代 a published play，generalize 指向空格 (ii)，取反，体现戏剧"不能归纳"的特点。unusual 不同寻常的，unsophisticated 简单的，untraditional 非传统的，unrepresentative 没有代表性的，unliterary 非文学的。因为不同寻常、非传统、没有代表性，所以无法归纳。选项 A、C 和 D 合适。

空格 (i)：
- 方程等号：冒号，同义重复。
- 强词和对应：the very fact of publication 和冒号前面的 a published play 同义重复。根据冒号取同，体现"用出版的作品去做归纳"的"误导性"，空格填入一个负向词。qualification 资格（错），manifestation 显示（错），restatement 重申（错），warning 警告（对），demonstration 证实（错）。综合空格 (ii)，答案选 D。

翻　译　用已经出版的戏剧作品去概括 15 世纪的戏剧是有误导性的：被出版的戏剧的内容应该是对那些不具代表性的角色的一个警告。

注　释　generalize 的释义是 to state an opinion about a larger group that is based on a smaller number of people or things within that group。因此，小部分应该具有代表性才能对大多数进行概括。

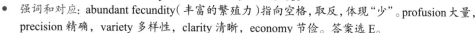

4-7　答案：E

难　度　★

思　路
- 方程等号：be contradicted by 表示前后对比，反义重复。
- 强词和对应：abundant fecundity（丰富的繁殖力）指向空格，取反，体现"少"。profusion 大量，precision 精确，variety 多样性，clarity 清晰，economy 节俭。答案选 E。

翻　译　新柏拉图学派（Neoplatonists）对神的概念认为完美是通过丰富的繁殖力来衡量的，这一观点遭到亚里士多德学派（Aristotelians）的反对，他们认为完美是通过创造力的节俭表现出来的。

4-8　答案：C

难　度　★

思　路　**空格 (ii)：**
- 方程等号：when 引导时间状语从句，说明句内同义重复。
- 强词和对应：空格 (ii) 体现 environment（环境）和 individual's resources（个人资源）的关系，从而产生了 stress（压力）。stress 的释义是 one of bodily or mental tension resulting from factors that tend to alter an existent equilibrium。空格 (ii) 要体现环境和个人资源的对立以及它们的"不平衡"。intensify 加剧，exclude 排除，exceed 超过，imply 暗示，reveal 揭露。选项 A 和 C 合适。

空格 (i):

- 方程等号：when 引导时间状语从句，说明句内同义重复。
- 强词和对应：代入各个选项，circumstance 环境，detail 细节，demand 要求，facet 方面，benefit 好处。综合空格 (ii)，答案选 C，表示环境的要求超过个人的资源，从而产生压力。

翻 译 当一个人感到环境的要求已经超过他掌控的资源时，就会有压力。

4-9 答案：C

难 度 ★

思 路
- 方程等号：逗号，同义重复。
- 强词和对应：compensate for 解释为"补偿"：to provide something good as a balance against something bad or undesirable。要补偿燃料的 decline（下降），decline 指向空格，取反，体现"相等"或者"更多"。anticipated 被期待的，official 官方的，equivalent 相等的，derivative 非原创的，redundant 多余的。由 at least "至少"可排除 E 选项，正确答案选 C。

翻 译 为了弥补未来几年化石燃料可用量的大幅度下降，我们将不得不提供至少一种同等的替代能源。

4-10 答案：E

难 度 ★★

思 路 空格 (ii)：
- 方程等号：did not 表示一般过去时，seem 表示一般现在时，时间前后对比。
- 强词和对应：空格 (ii) 体现过去 not recognize（没有认识到）和现在 apparent（明显）的时间对立关系。combination 结合，conclusion 结论，application 应用，potential 潜力，retrospect 回顾。选项 E 合适。

空格 (i)：
- 方程等号：did not 表示一般过去时，seem 表示一般现在时，时间前后对比。
- 强词和对应：空格 (i) 体现过去的时间点。obvious 明显的（错），early 之前的（对），direct 直接的（错），future 未来的（错），prior 之前的（对）。综合空格 (ii)，答案选 E。

翻 译 研究 1929 年股市大崩盘的学生从来不明白为什么即便是消息最灵通的观察者都没有察觉和注意到之前的经济危险信号，而现在回顾起来时这些信号是那么的明显。

4-11 答案：A

难 度 ★

思 路 空格 (i)：
- 方程等号：While 表示转折，说明句内反义重复。not 取反（两次）。三次取反后仍然取反。
- 强词和对应：available 指向空格 (i)，取反，体现杀虫剂"有风险"，填入一个负向词。inconsequential 不重要的，unusual 不同寻常的，increasing 增加的，indeterminable 无法确定的，proven 证实的。选项 A、B 和 D 合适。

空格 (ii)：

- 方程等号：While 表示转折，说明句内反义重复。not 取反（两次）。三次取反后仍然取反。
- 强词和对应：根据空格 (i)，尽管杀虫剂会带来风险，但没有有效的空格 (ii)。risk 指向空格 (ii)，取反，空格填入一个正评价。substitute 替代品（对），alternative 替代品（对），procedure 程序（错），safeguard 保护措施（错），antidote 解药（错）。答案选 A。

翻译 尽管承认使用杀虫剂所带来的危险并不是轻微的，但制造商的发言人认为得到有效的替代品并不容易。

4-12 答案：E

难 度 ★

思 路
- 方程等号：Because 和 since 都表示因果，说明句内同义重复。
- 强词和对应：nouns 和 statically 同义重复，verbs 和 dynamically（动态地）同义重复。rather than 强调前者，statically 指向空格，取同，体现"静止"。paradoxical 矛盾的，prevalent 流行的，temporal 世俗的，successive 连续的，stable 稳定的。答案选 E。

翻译 由于时间在印度人看来是静态的而不是动态的，因此印度语注重名词而不是动词，因为名词所表达的是事物的稳定性。

4-13 答案：B

难 度 ★

思 路
- 方程等号：分号说明前后句意同义重复。
- 强词和对应：belief 和 different beliefs 同义重复，establishment 和 give rise 同义重复，they 指代 beliefs。modes of action（行为方式）指向空格，根据分号取同。love 爱，practice 实践，trust 信任，commitment 承诺，allegiance 忠诚。答案选 B。

翻译 信仰的本质在于实践的确立；不同的信仰通过这些信仰所导致的不同行为的方式来加以区分。

4-14 答案：E

难 度 ★★

思 路 空格 (ii)：
- 强词和对应：explain the most recent observations 指向空格 (ii)，取同。"新的理论"才能解释"新的观察"，因此空格 (ii) + the assumptions of the theory 体现"新"。accept 接受，qualify 限定，consider 考虑，reject 拒绝，supplement 补充。选项 A 和 C 只是停留在已有的 theory 层面，无法解释最近的"recent"。选项 E 合适，增补 theory 的 assumption，让其能解释最近的观察。

空格 (i)：
- 方程等号：for 表示因果，同义重复。
- 强词和对应：空格 (i) 和 for 后面的句子构成同义重复。only by 后的句子倒装，正确的语序是 it is possible to explain the most recent observations made by researchers only by ____ the

assumptions of the theory。只有不断让 theory 变"新"才能解释最近的观察，因此体现 theory 是"有缺陷的"，空格 (i) 是一个负向词。liability 责任（错），virtue 优点（错），downfall 衰落（对），glory 荣耀（错），undoing 失败的原因（对）。综合空格 (ii)，答案选 E。

翻 译 这个理论的简单性——它的主要诱人之处同时也是它的失败之处，因为只有通过不断补充该理论的假设，才能解释研究者们最近所进行的观察。

4-15 答案：B

难 度 ★★

思 路 空格 (i)：
- 方程等号：逗号，句意同义重复。
- 强词和对应：whose 引导的定语从句修饰 people，sensitivities 和 response 同义重复，immediate（立刻的）指向空格 (i)，取同，体现反应"快"。native 本土的，keen 敏锐的，dull 迟钝的，impartial 有偏见的，sophisticated 精密的。选项 B 合适。

空格 (ii)：
- 方程等号：not yet 取反。
- 强词和对应：空格 (ii) 和空格 (i) 根据 not yet 取反，空格 (i) 确定形容反应"快"，空格 (ii) 体现"不快"。excited 激动的（错），callous 麻木的（对），numbed 麻木的（对），objective 客观的（错），perceptive 有洞察力的（错）。综合空格 (i)，答案选 B。

翻 译 我们的年轻一代，其敏锐的感受力还尚未变得麻木迟钝，与我们相比，他们对环境具有一种更为纯洁和更为直接的反映。

注 释 keen 在 Webster 词典中的释义为 very strong and sensitive, showing a quick and ardent responsiveness。

4-16 答案：A

难 度 ★★

思 路 空格 (i)：
- 方程等号：to 表示目的，前后取同。
- 强词和对应：具有报复性的法律是为了"报复"清教徒，所以空格 (i) 根据 to 和 retaliatory 取同，空格填入一个负向词。restrict 限制，regulate 管制，benefit 有益于，repress 镇压，evade 躲避，选项 A、B 和 D 合适。

空格 (ii)：
- 方程等号：not only...but also... 表示不但…而且…，前后句意同义重复。
- 强词和对应：空格 (i) 和空格 (ii) 根据 not only...but also... 取同，与 retaliatory 构成同义重复，填入一个负向词。contempt 蔑视（对），regard 认为（错），affection 喜爱（错），respect 尊重（错），hatred 仇恨（对）。综合空格 (i)，因此确定正确答案选 A。

翻 译 在 17 世纪的英国，对清教主义的抛弃不仅体现在那些限制清教徒的报复性法律中，而且还体现在对清教徒的普遍蔑视中。

4-17　答案：E

难　度　★★

思　路　空格 (i)：
- 方程等号：is，前后取同。
- 强词和对应：It 引导形式主语，真正的主语为 to be able to...的内容。transfer useful genes 指向空格 (i)，根据 is 取同，体现转移有用的基因是"有用的"，填入一个正向词。misfortune 不幸，disappointment 失望，convenience 便利，accomplishment 成就，advantage 优势。C、D 和 E 三项合适。

空格 (ii)：
- 方程等号：in addition to 除了…之外还，前后取反，
- 强词和对应：desirable genes 根据 in additional to 取反，所以空格填入一个负向词。unpredictable 不可预测的（对），superfluous 多余的（对），exquisite 精致的（错），profound 深刻的（错），deleterious 有害的（对）。综合空格 (i)，答案选 E。

翻　译　能将有用的基因和尽可能少的多余基因物质进行转移将是一个很大的优势，因为捐献者的基因中不仅含有值得要的基因，而且还有另一些有害的基因。

· · · · · · · · · · · · · · · · · · · ◈ · · · · · · · · · · · · · · · · · · ◈

4-18　答案：D

难　度　★

思　路
- 方程等号：Because 表示因果，同义重复。no 取反。the least 取反。一次取同，两次取反，最终同向。
- 强词和对应：distinct 或 recognizable 指向空格，取同，体现"独特的""容易识别的"。misuse 滥用，imprecision 不精确，inquiry 调查，definition 定义清楚，innovation 创新。答案选 D。definition 的英文释义为 the act of making clear and distinct。

翻　译　因为没有独特的且易识别的印刷形式和极少的重现式的叙述风格，这本小说在所有的文学体裁中是最不受清晰定义影响的。

· · · · · · · · · · · · · · · · · · · ◈ · · · · · · · · · · · · · · · · · · ◈

4-19　答案：E

难　度　★

思　路
- 方程等号：so that 表示因果，同义重复。
- 强词和对应：break easily 指向空格，根据 so that 取同，体现植物"容易损害"。admire 爱慕，overrate 高估，disparage 蔑视，blunt 使迟钝，ruin 损害。选项 C 和 E 同为负向，而 disparage 多用来形容对他人鄙视的态度，因此答案选 E。

翻　译　由于波士顿蕨类植物脆弱的叶子容易折断并且变得枯黄，所以如果不将折断的叶子砍掉，植物的整个外观会被破坏。

4-20 答案：A

难度 ★★

思路
- 方程等号：分号，句意同义重复。no 取反。
- 强词和对应：the relationship 和 connection 同义重复，intrinsic 指向空格，取反，体现"非本质内在的"。conventional 约定俗成的，consistent 一致的，strategic 战略上的，illustrative 说明的，problematical 有问题的。intrinsic 的释义是 belonging to the essential nature of a thing，指事物本质内在的特点。conventional 的释义是 formed by agreement or compact，指人和人之间通过协议形成的，是外界形成的。答案选 A。

翻译 某个词语与其所指的事物之间并不存在必然的内在联系，它们之间的关系纯粹是约定俗成的。

4-21 答案：B

难度 ★★

思路 空格 (ii)：
- 强词和对应：extraordinary 非凡的，做空格 (ii) 的定语，暗示空格 (ii) 填一个正评价词。rapidity 快速，cleverness 聪明，determination 决心，brutality 残忍，ineptitude 不合适。B、C 两项合适。

空格 (i)：
- 方程等号：transformed...into... 表示状态的改变。brilliant 和 debacle 反义重复。not 取反。
- 强词和对应：出色的策略变成溃败，没有空格 (i) 对目击者关于指挥家"好的策略"的报告。justify 证实，gainsay 否认，corroborate 支持，invalidate 使无效，underscore 强调。综合空格 (ii)，答案选 B。

翻译 第三营 50% 的伤亡率使得对 306 高地的进攻从一个卓越的战略变成一次惨败，但这不能否认目击者的报告，该营的指挥官在部署部队方面体现出一种非凡的聪明才能。

Exercise 05

考 GRE 是为数不多的只要努力就会有所收获的一件事，是一种证明自己的方式。愿微臣的学子都能在 GRE 的考场上令自己骄傲。

——王菁

微臣教育 2015 暑假线下 6 天突破学员

2016 年 9 月 GRE 考试 Verbal 162

EXERCISE 05

核心词汇

1.《GRE 核心词汇考法精析》收录单词（共 40 词）

abstruse	antipathy	authority	callous
cherished	connoisseur	consent	conviction
credit	cryptic	decipher	disinterested
dubious	enthusiasm	explicit	flaw
frivolous	impunity	infirm	innovative
minute	novel	novice	original
parody	precedent	preoccupation	propriety
qualify	reflect	reluctant	rudimentary
scourge	specific	specious	spurious
strength	unassailable	vex	willful

2. 基础单词补充（共 11 词）

demographic   *adj.* 人口统计的：of or relating to the study of changes that occur in large groups of people over a period of time

disinterested   *adj.* 无偏见的：free of bias and self-interest; impartial

intricate   *adj.* 难以理解的：solvable or comprehensible only with painstaking effort

intrinsic   *adj.* 本质上的：of or relating to the essential nature of a thing; inherent

irrational   *adj.* 不理智的：marked by a lack of accord with reason or sound judgment

notorious   *adj.* 众所周知（坏）的：known widely and usually unfavorably; infamous

overemphasize   *v.* 过分强调：to give something more importance than it deserves or than you consider appropriate

provocative   *adj.* 挑衅的：something makes people react angrily or argue against it

repugnance   *n.* 特别反感：extreme dislike or aversion

sympathetic   *adj.* 赞同的：favorably inclined

vulnerable   *adj.* 易受伤害的：be easily harmed or affected by something bad

练习解析

5-1 答案：E

难度 ★

思路
- 方程等号：in that 表示因果，同义重复。
- 强词和对应：building blocks 指向空格，根据 in that 取同，体现 Hydrogen 为其他元素提供建筑模块。steadiest 最稳定的，expendable 可消耗的，lightest 最轻的，final 最后的，fundamental 基本的。答案选 E。

翻译 氢元素是宇宙中的基本元素，因为它提供了构建其他元素的基本单位。

5-2 答案：B

难度 ★

思路
- 方程等号：indeed 表示递进，同义重复。few 表示否定，取反。
- 强词和对应：take the pains to（费力去）指向空格，根据 few 取反，所以空格填入一个负向词。aptitude for …的资质，repugnance to 厌恶…，interest in 对…有兴趣，ignorance of 对…无知，reaction after …之后的反应。这里应该是愿不愿意的问题，而不是知不知道，所以排除 D，答案选 B。

翻译 我们当中很少有人费力去研究我们珍爱的信仰；实际上，我们对这种做法几乎有一种本能的反感。

5-3 答案：A

难度 ★★★

思路
- 方程等号：what 引导宾语从句，that 引导同位语从句，两个从句都在 proved 的后面，同义重复。
- 强词和对应：the age of sixty-four 与空格一起同义重复 what 后面内容，即没有人会否定的事实，对 age of sixty four 没人会否定的特征就是老、成熟。maturity 成熟，fiction 虚构，inventiveness 创造力，art 艺术，brilliance 卓越。正确答案选 A，64 岁的人是成熟的。

翻译 他总是不受待见地证明一些已经既定的事实，比如证明 Romero 在 64 岁时的写作带有所有成熟的特征。

注释
1. dubious distinction 不要用中文强行翻译，这是一个短语，意思为：a reputation for a not so desirable thing。dubious distinction 就是说一个人在别人眼里总是喜欢做一些不太令人高兴的事情，有点像 notorious（臭名昭著），比如说一个老师总爱让学生挂科就可以翻译为：This professor has the dubious distinction for failing students.
2. his 指代的不是 Romero，这里的 his 和 Romero 是两个不同的人。his 是指的一位评论家。

5-4 答案：C

难 度 ★

思 路 空格 (i)：
- 方程等号：for 表示目的，前后同义重复。
- 强词和对应：criterion 指向空格 (i)，根据 for 取同，体现（判断的）标准为了"判断"。evaluate 评估，investigate 调查，judge 评判，improving 提升，administer 管理。investigate 的释义是 to try to find out the facts about something, such as a crime or an accident, in order to learn how it happened，指调查不好的事情。选项 A 和 C 合适。

空格 (ii)：
- 方程等号：冒号，前后取同。
- 强词和对应：冒号前面说评判学校的标准是其最近的表现，所以冒号后面应该也要依据最近的表现，但是冒号后面出现了 earlier victories，所以空格填入一个负向词。prone 有…倾向的（错），hesitant 犹豫的（对），reluctant 不愿意的（对），eager 渴望的（错），persuaded 被说服的（错）。综合空格 (i)，C 选项正确。

翻 译 评判学校的主要标准是它最近的表现：评论家们不愿因其过去的成就而增加赞扬。

5-5 答案：E

难 度 ★

思 路 空格 (ii)：
- 方程等号：but 表示转折，前后逻辑取反。
- 强词和对应：空格 (ii) + difficult 和 tantalizingly simple（诱人地简单）构成反义重复，空格 (ii) 修饰 difficult，体现"困难"。deceptively 欺骗性地，equally 相等地，ostensibly 表面上地，rarely 几乎不，notoriously 臭名昭著地。deceptively/ostensibly/rarely + difficult 实则体现"不难"，与 simple 矛盾。选项 B 和 E 合适。

空格 (i)：
- 方程等号：冒号，同义重复。
- 强词和对应：difficult 指向空格 (i)，根据冒号取同，体现"困难"，所以空格填入一个负向词。cryptic 神秘的（对），spurious 假的（错），abstruse 深奥难懂的（对），elegant 优雅的（错），vexing 恼人的（对）。综合空格 (ii)，答案选 E。

翻 译 数论中充满了非常恼人的问题，这些问题表述起来诱人地简单，但却臭名昭著地难以解决。

5-6 答案：D

难 度 ★★

思 路 空格 (i)：
- 方程等号：rather than 而不是，反义重复。
- 强词和对应：establishing a precedent 指向空格 (i)，根据 rather than 取反，体现"没有建立"先例，establish 指建立的是新的（即之前没有的），所以空格 (i) + previous decision（先前"已有"的决定）是持"认可"的态度，空格填入一个正向词。synthesize 综合，overturn 推翻，endorse 支持，qualify 使合格，recapitulate 重述要点。A、C、D、E 四项合适。

空格 (ii)：

- 方程等号：逗号前后句意同义重复。failing to 取反。
- 强词和对应：see 指向空格 (ii)，根据 failing to 取反，所以空格填入一个没有看到事物本质的同义词。limit 限制（错），misunderstand 误解（对），nullify 使无效（错），overemphasize 夸大（对），define 定义（错）。综合空格 (i)，答案选 D。

翻译 没有看到法官的判决只不过是认可了以前的先例而非真正地建立先例，所以这位新法官助理夸大了法官判决的范围。

注释 qualify 除了有"使具有资格"的意思外，还有"限制"的意思，相当于 limit。

5-7 答案：A

难度 ★★

思路 空格 (i)：

- 方程等号：formerly 和 are found 体现时态差异，前后时间对比，反义重复。
- 强词和对应：bias 指向空格 (i)，根据时间对比取反，体现"不偏见"。disinterested 公正客观的，callous 冷漠无情的，verifiable 可证实的，convincing 有说服力的，unassailable 无懈可击的。选项 A 和 E 合适。

空格 (ii)：

- 方程等号：A gives way to B 表示让位，A、B 取反。
- 强词和对应：neutrality（中立）指向空格 (ii)，根据 give way to 取反，体现"偏见"。construction 解释说明（对），error 错误（错），prejudice 偏见（对），imperative 必要的事（错），fantasy 幻想（错）。综合空格 (i)，答案选 A。construction 的释义：the act or result of construing, interpreting, or explaining，理解为人的主观性的思维产物，体现"偏见"。

翻译 当那些过去在科学客观性方面曾被认为是客观公正的理论，现在被发现仅反映了一个永恒的观察和评价偏见时，已认定的科学公正性只能让位于一个认识，该认识是：所有知识都是人类的主观解释。

5-8 答案：B

难度 ★

思路 空格 (i)：

- 方程等号：Although 尽管，前后取反。
- 强词和对应：simple 指向空格 (i)，体现"不简单"。progressive 进步的，intricate 复杂的，rudimentary 基本的，minute 微不足道的，entertaining 娱乐的。选项 B 合适。

空格 (ii)：

- 方程等号：before 体现前后时间对比，反义重复。
- 强词和对应：空格 (ii) 体现 minuet 在经过仔细研究之后的结果，代入选项，reveal 揭露，execute 表现，allow 允许，discuss 讨论，stylize 使…风格化。答案选 B。

翻译 尽管小步舞看似简单，但是它复杂的步法却必须在仔细研究之后才能在公众面前优雅地表现。

5-9　**答案：A**

难度　★

思路　空格 (ii)：
- 方程等号：not only...but also... 不但…而且…，同义重复。
- 强词和对应：challenged 和 called into question 同义重复表示质疑，old 指向空格 (ii)，根据 not only...but also... 取同，具有"老的、旧的、被质疑的"特征。prevailing 盛行的，contemporary 当代的，traditional 传统的，projected 被预测的，original 原创的。选项 A 和 C 合适。

空格 (i)：
- 方程等号：because 表示因果，同义重复。
- 强词和对应：challenged（或 called into question）指向空格 (i)，根据 because 取同，体现挑战和质疑带来的结果。provocative 挑衅的（对），predictable 可预测的（错），inconclusive 无定论的（错），intriguing 吸引人的（错），specious 假的（错）。综合空格 (ii)，答案选 A。

翻译　由 Elizabeth Hazen 和 Rachel Brown 所做的实验结果是挑衅的，不仅仅因为这些结果挑战了传统的假设，而且因为它们质疑了盛行的方法论。

注释　GRE 的填空和阅读中，往往会对 traditional（传统的）或 prevailing（盛行主流的）观点持批判的态度。

5-10　**答案：D**

难度　★

思路　空格 (i)：
- 方程等号：Despite 尽管，反义重复。
- 强词和对应：key 指向空格 (i)，根据 despite 取反，填入一个负向词。antipathy 反感，discernment 洞察力，pedantry 迂腐，skepticism 怀疑，enthusiasm 热情。A、C、D 三项合适。

空格 (ii)：
- 方程等号：for 介词结构倒装，前后同义重复。
- 强词和对应：key 指向空格 (ii)，根据 for 取同，诀窍是用来"解决"myth（神话）、hope（希望）和 fear（担忧）。entangle 纠缠（错），evaluate 评估（错），reinstate 恢复（错），decipher 破解（对），symbolize 象征（错）。综合空格 (i)，答案选 D。

翻译　尽管他们的很多同事表示怀疑，但是一些学者已经开始强调"流行文化"是破解当代社会的神话、希望和担忧的一个诀窍。

5-11　**答案：E**

难度　★

思路
- 方程等号：be regarded as 被认为，前后取同；even 甚至，表示递进，程度取反。
- 强词和对应：flouting generally accepted system 指向空格，体现反常理；同时 even 表示递进，even 后面是 madness，所以空格应该是一个反常理但不至于疯狂的单词。adventurous 好冒险的，frivolous 不严肃的，willful 固执的，impermissible 不允许的，irrational 非理性的。答案选 E。

翻 译 在 17 世纪，对被普遍接受的价值体系的直接嘲弄被看成是不理智的甚至是一种疯狂的标志。

注 释 这道题容易误选的选项是 adventurous 和 frivolous，但是看一看它们的英文解释，这道题就一目了然了，adventurous 的意思是 not afraid of do new and dangerous things；frivolous 的意思是 not serious；irrational 的意思是 lacking usual or normal mental clarity or coherence，跟 flout generally accepted 最相近的只有 lacking usual clarity or coherence，所以 E 正确。

5-12 答案：C

难 度 ★

思 路
- 方程等号：because 表示因果，同义重复。
- 强词和对应：patronage 指向空格，根据 because 取同，体现 Queen Elizabeth I 是一个"赞助艺术"的人。connoisseur 鉴赏家，critic 评论家，friend 赞助者，scourge 灾难，judge 法官。正确答案选 C。friend 的释义是 a person who helps or supports someone or something (such as a cause or charity)。

翻 译 Queen Elizabeth I 被非常恰当地称为艺术的赞助者，因为很多年轻的艺术家收到了她的赞助。

5-13 答案：B

难 度 ★★

思 路 空格 (i)：
- 方程等号：Because 表示因果，同义重复。
- 强词和对应：them 指代 outlaws 罪犯，任何人可以动手痛打罪犯，因为罪犯被剥夺了空格 (i)，空格 (i) 应该体现处理的权利。propriety 适当，protection 保护，collusion 共谋，right 权利，provision 供应。选项 B 和 D 合适。

空格 (ii)：
- 方程等号：Because 表示因果，同义重复。
- 强词和对应：Because 部分说罪犯被剥夺了权利，所以任何人在处理罪犯的时候都是法律＋空格 (ii) 的，空格 (ii) 应该填入一个正向词，表示合法。authority 权威（对），impunity 免责（对），consent 赞同（对），collaboration 合作（错），validity 合法性（对）。综合空格 (i)，答案选 B。

翻 译 因为在中世纪的法律下罪犯被剥夺了保护权，所以任何人都可以在法律的免责下动手痛打他们。

5-14 答案：E

难 度 ★

思 路
- 方程等号：rather than 前后句意反义重复。
- 强词和对应：enhancing 和 increase 同义重复，security（安全）指向空格，根据 rather than

取反，体现"不安全"。boldness 大胆，influence 影响，responsibility 责任，moderation 适度，vulnerability 易受攻击性。答案选 E。

翻 译 成功研发核武器不会增加一个国家的安全性，反而从一开始就增加了这个国家的易受攻击性。

· ·

5-15　**答案：C**

难 度　★

思 路　**空格 (ii):**
- 方程等号：because 表示因果，同义重复。
- 强词和对应：because 前面说物理学家拒绝了这个创新的实验技术，所以 because 后面的主句部分应该对于这个技术是负面评价。把 reject 指向空格 (ii)，根据 because 取同，空格填入一个负向词。data 数据，interpretation 解释，complication 复杂情况，hypothesis 假设，inconsistency 矛盾，C 和 E 合适。

　　空格 (i):
- 方程等号：although 尽管，反义重复。
- 强词和对应：although 后面对于这个技术是负评价，although 前面应该是正评价，所以应该减少问题，空格填入一个负向词。clarify 澄清（对），ease 减轻（对），resolve 解决（对），cause 导致（错），reveal 揭露（错）。综合空格 (ii)，答案选 C。

翻 译 物理学家反对这个创新的实验技术，因为尽管它解决了一些问题，但也产生了新的复杂情况。

· ·

5-16　**答案：E**

难 度　★

思 路
- 方程等号：once 体现时间对比，反义重复。
- 强词和对应：曾经拥有 skills，空格体现现在"不拥有"，possessed 指向空格，时间对比取反，填入一个负向词。regain 重新获得，deny 否认，pursue 追求，insure 确保，lose 失去。答案选 E。

翻 译 长期生病时，病人会变得虚弱，失去工作的能力，并且失去他们曾经拥有的许多专业技巧。

注 释 这道题目可以变成两空题，逗号前面的 infirm 可以挖空，因为逗号后面说人们失去了能力，所以根据逗号取同，填入 infirm。

· ·

5-17　**答案：A**

难 度　★

思 路　**空格 (i):**
- 方程等号：consequently 表示因果，同义重复。
- 强词和对应：consequently 前认为人口对资源的压力是理解历史的关键（key），historical writing 和 history 同义重复，population on available resources 指向空格 (i)，体现"和人口对于资源压力"相关。demographic 人口统计学的，ecological 生态的，cultural 文化的，psychological 心理的，political 政治的。选项 A 和 B 合适。

空格 (ii)：
- 方程等号：consequently 表示因果，同义重复。no 取反。
- 强词和对应：key 和 flawed 根据 no 构成反义重复，空格 (ii) 修饰 flawed，体现"有缺陷的"，所以空格填入一个不改变方向的词。intrinsically 本质上地（对），marginally 边缘地（错），substantively 真正地（对），philosophically 思想上地（对），demonstratively 论证地（对）。综合空格 (i)，答案选 A。

翻 译 人口对有限资源的压力是理解历史的关键；因此，任何没有注意到人口统计学事实的历史作品在本质上都是有缺陷的。

5-18 答案：E

难 度 ★★

思 路 空格 (ii)：
- 方程等号：is 前后逻辑同向，句意同义重复。
- 强词和对应：relentlessly rigid 指向空格 (ii)，根据 is 取同，体现这种"极度僵化的"特点，空格填入一个负向词。preoccupation 全神贯注，characteristic 特点，disparity 不同，contradiction 矛盾，flaw 缺陷。选项 B 和 E 合适。

空格 (i)：
- 方程等号：recently 和 traditionally 构成时间对比，反义重复。
- 强词和对应：its 指代 novel's，framework 和 structure 同义重复。传统观点认为小说的框架是僵化的（rigid）和刻板的（schematic），所以最近的评论家认为小说不僵化、不刻板，但是因为 criticize，所以空格 (i) 依旧是一个负评价。attention to 关注（错），speculation about 推测（错），parody of 恶搞（错），violation of 对…违反（对），lack of 缺少（对）。综合空格 (ii)，答案选 E。

翻 译 令人困惑的是 Jones 的小说最近因其缺乏结构而受到批评，因为评论家过去认为他的小说最明显的缺陷是它的极度僵化、甚至刻板的框架。

5-19 答案：B

难 度 ★

思 路
- 方程等号：on the other hand 表示"另一方面"，是换对象的标志词，句意反义重复。no 取反。两次取反后最终同向。
- 强词和对应：surprise 指向空格，两次取反后取同，体现"令人惊讶的"。predictable 可预测的，unexpected 出乎意料的，admirable 令人崇拜的，explicit 清楚的，confusing 令人困惑的。答案选 B。

翻 译 社会都有其行为规则，这一点不会让人感到惊奇；相反，规则的特点却通常是出乎意料的。

5-20 答案：D

难度 ★★

思路 空格 (ii)：
- 方程等号：逗号，同义重复。not 取反。
- 强词和对应：以小说的形式分析历史这种观点不被接受，空格 (ii) 体现历史"不是"小说或者历史和小说"没有联系"。significant 重要的，shifting 变化的，unusual 不同寻常的，distinct 不同的，realistic 现实的。选项 C 和 D 合适。

空格 (i)：
- 方程等号：空格 (ii) 修饰 received，体现接受的特点，同向。
- 强词和对应：received 指向空格 (i)，取同，空格填入一个正向词。quietly 安静地，enthusiastically 热情地，passively 被动地，sympathetically 赞同地，contentiously 争论地。passive 体现的是被迫的行为，与 receive 所表达的"主动地"接受相矛盾，因此排除 C。综合空格 (ii)，答案选 D。

翻译 将历史分析描绘成小说的形式不可能被历史学家和文学家赞同地接受。他们一致认为历史和文学涉及不同的经验顺序。

注释 sympathetic 除了同情的，还有赞同的意思：if you are sympathetic to a proposal or action, you approve of it and are willing to support it。

5-21 答案：D

难度 ★★

思路
- 方程等号：冒号说明前后句意同义重复。not 取反。
- 强词和对应：everybody has an angle（每个人都有自己的立场）指向空格，根据 not 取反，所以空格应该填入一个"不主观"含义的词。rationality 理性，flexibility 灵活性，diffidence 缺乏自信，disinterestedness 公正客观，insincerity 不真诚。答案选 D。

翻译 一段时间以来，公正客观被假定为不存在的：每个人都有私心的信仰被认为是一种智慧的见解。

Exercise 06

Sometimes it is the very people who no one imagines anything of, who do the things that no one can imagines.

——林晨语
微臣教育首期 330club 学员
2015 年 5 月 GRE 考试 Verbal 160

EXERCISE 06

核心词汇

1.《GRE 核心词汇考法精析》收录单词（共 39 词）

abstract	acute	anachronistic	anomalous
apprehension	assess	axiomatic	bound
censure	compelling	compromise	conducive
confident	demonstrate	diversity	doctrinaire
eclectic	incessant	methodical	monotonous
neutralize	nurture	pragmatic	prerequisite
prophetic	quixotic	rational	refractory
restitution	salutary	sensitive	severe
subsidiary	superfluous	surrogate	tedious
therapeutic	timely	undermine	

2. 基础单词补充（共 12 词）

capricious　　*adj.* 善变的：characterized by or subject to whim; impulsive and unpredictable

continual　　*adj.* 不间断的：not interrupted; steady

dissolution　　*n.* 瓦解：termination or extinction by disintegration or dispersion

frugal　　*adj.* 节俭的：practicing or marked by economy, as in the expenditure of money or the use of material resources

hardheaded　　*adj.* 顽固的：stubborn; willful

idiosyncrasy　　*n.* 个性：a structural or behavioral characteristic peculiar to an individual or a group

imperceptible　　*adj.* 无法察觉的：impossible or difficult to perceive by the mind or senses

inexhaustible　　*adj.* 用之不竭的：that cannot be entirely consumed or used up

mechanism　　*n.* 机制：an instrument or a process, physical or mental, by which something is done or comes into being

propitiatory　　*adj.* 安慰的：of or offered in propitiation; conciliatory

reciprocity　　*n.* 互利：a mutual or cooperative interchange of favors or privileges, especially the exchange of rights or privileges of trade between nations

reenact　　*v.* 重新制定：to enact again

练习解析

6-1 答案：E

难度 ★

思路 空格 (i)：
- 方程等号：定冠词 the，定冠词之后的内容在前文有出现。
- 强词和对应：new expansion 指向空格 (i)，根据 the 取同，体现大众识字的"新的发展"。building 建立，reappearance 再现，receipt 收据，selection 选择，emergence 出现。reappearance 和 new 矛盾，表示"之前已有的再出现"，因此排除选项 B，选项 A 和 E 合适。

空格 (ii)：
- 方程等号：nurture 培养，同义重复。
- 强词和对应：nurture 前面提到读写能力的发展与更廉价的印刷，这二者应该对于大众文学有正向作用。因此 expansion 指向空格 (ii)，取同，体现"发展"。mistrust 怀疑（错），display 展现（对），source 根源（对），influence 影响（对），rise 兴起（错）。综合空格 (i)，答案选 E。

翻译 大众识字状态的出现与第一次工业革命同时发生；相应地，这种读写能力的新发展和更廉价的印刷有助于培养大众文学的兴起。

6-2 答案：D

难度 ★

思路 空格 (i)：
- 方程等号：Although 尽管，反义重复。
- 强词和对应：enough have survived 有足够多的保存下来，根据 Although 取反，体现古代工具"保存得不好"，填入一个负向词。partially 部分地，superficially 肤浅地，unwittingly 不知不觉地，rarely 很少地，needlessly 不需要地。选项 A 和 D 合适。

空格 (ii)：
- 方程等号：but 表示转折，反义重复。
- 强词和对应：interrupted 指向空格 (ii)，根据 but 取反，体现"不被打断的"。noticeable 显而易见的（错），necessary 必要的（错），documented 被记载的（错），continual 连续的（对），incessant 不间断的（对）。综合空格 (i)，答案选 D。

翻译 尽管古代的工具很少被保存下来，但仍有足够多的工具能让我们展现出一个偶尔被打断但总体上却连续的贯穿史前时期的过程。

6-3 答案：B

难度 ★

思路
- 方程等号：so...that... 表示因果，同义重复；not 取反。
- 强词和对应：know 指向空格，根据 so...that... 取同，not 取反，最终取反，体现人在冰上走却"不知道"的状态。permanently 永久地，imperceptibly 无法感知地，irregularly 不规则地，precariously 危险地，slightly 轻微地。因此正确答案选 B。

翻 译 在北极的部分地区，陆地逐渐变成附着于陆地的冰，这种变化是如此的无法感知，以至于你走出海岸线却不知道自己已经站在隐藏的海洋之上了。

⬤ .... ✦

6-4 答案：A

难 度 ★★

思 路
- 方程等号：or 表示并列，or 前后被修饰成分（中心语）同义重复，修饰成分反义重复。
- 强词和对应：childhood unhappiness（童年的不幸）和 adolescent anxiety（青春期焦虑）根据 or 构成反义重复，因此 harbingers 指向空格，根据 or 取同，体现"预兆"。prophetic 预示的，normal 正常的，monotonous 单调的，virtual 虚拟的，typical 典型的。正确答案为 A。

翻 译 Kagan 坚持认为婴儿对他第一次感到压力的经历的反应是自然成长过程的一部分，并不是童年不幸的预兆，也不是青春期焦虑症的预示的标志。

注 释 harbingers 和 natural process 还根据 not 构成反义重复。

⬤ .... ✦

6-5 答案：B

难 度 ★

思 路
- 方程等号：but 表示转折，前后逻辑取反。
- 强词和对应：yield（产生）和 appearance（出现）构成同义重复，such facts 指代 new facts，definite（明确的）指向空格，根据 but 取反，体现"不明确的"。timely 合乎时宜的，unguided 无导向的，consistent 一致的，uncomplicated 简单的，subjective 主观的。答案选 B。

翻 译 一项没有导向的调查偶尔能够产生新的事实，甚至是些值得注意的事实，但是通常这些事实的出现是一项具有明确方向的研究的结果。

注 释 如果这道题目中没有了 but，在不考虑语法的情况下，答案是不会发生变化的，是因为这里的 occasionally 和 typically 换对象取反。

⬤ .... ✦

6-6 答案：C

难 度 ★★

思 路 空格 (ii)：
- 方程等号：Like 像…，句意同义重复。
- 强词和对应：those in power 和 the high and mighty 同义重复，指有权有势的人。cultivating 指向空格 (ii)，取同，体现和这些人"打交道"。intrigue with 与…勾结，familiarity with 与…熟悉，involvement with 参与…，questioning of 质疑…，sympathy for 对…同情。A、B 和 C 三项合适。

空格 (i)：

- 方程等号：of 介词结构后置定语修饰，前后同义重复。
- 强词和对应：comradeship 指向空格 (i)，取同，体现"友爱"的姿势。quixotic 不切实际的（错），enigmatic 谜一样的（错），propitiatory 讨好的（对），salutary 有益的（错），unfeigned 不做作的（对）。综合空格 (ii)，答案选 C。

翻 译 正如通过奉迎讨好有权势的人来谋生的 18 世纪的很多学者一样，Winckelmann 忽略了通过一些谋求好感的友爱姿态来消除他的同伴的憎恨情感，这种情感因 Winckelmann 与有权势的人接近而必然产生。

6-7 答案：B

难 度 ★★

思 路 空格 (i)：

- 方程等号：第一个 that 引导定语从句，修饰 society，同义重复。
- 强词和对应：worship efficiency 指向空格 (i)，根据 that 取同，体现一个"崇尚效率"的社会具有"崇尚效率"的特征。bureaucratic 官僚的，pragmatic 务实的，rational 理性的，competitive 竞争性的，modern 现代的。efficiency 的释义是 the ability to do something or produce something without wasting materials, time, or energy。选项 B、C 和 D 合适。

空格 (ii)：

- 方程等号：第二个 that 引导定语从句，修饰 decision，同义重复。
- 强词和对应：such a society 指崇尚效率的社会，所以这里的被崇尚效率的社会所定义的成功就是崇尚效率。因此 success=efficiency 指向空格 (ii)，根据 that 取同，体现在崇尚效率的社会中做出"有效率的"决定。edifying 教育性的（对），hardheaded 讲求实际的（对），well-intentioned 用心良好的（错），evenhanded 公平的（错），dysfunctional 功能失调的（错）。综合空格 (i)，答案选 B。

翻 译 在一个务实的崇尚效率的社会中，一个敏感并且带有理想主义的人难以做出讲求实际的决策，这种决策自身被这种社会定义为成功。

6-8 答案：E

难 度 ★★

思 路
- 方程等号：not confused with，不应混为一谈，说明二者取反，但是有相似性。
- 强词和对应：miserliness 指向空格，取反，填入一个和"小气"类似但是有差异的词。intemperance 无节制，intolerance 不容忍，apprehension 担忧，diffidence 不自信，frugality 节俭。答案选 E。

翻 译 她的节俭不该和吝啬混为一谈；据我对她的了解，她总是愿意帮助那些有需要的人。

注 释 这里的 miserliness 是吝啬小气的含义，而 frugality 是节俭，表面看二者一致，都是花钱少，但是吝啬是负向词，节俭是正评价，二者在情感色彩取反。

6-9 答案：A

难度 ★

思路 空格 (i)：

- 方程等号：consequently 表示因果，同义重复。
- 强词和对应：hereditary diseases 和 inherited diseases 同义重复，指遗传病，that 引导定语从句修饰 hereditary diseases，severe 指向空格 (i)，取同，体现病是"严重的"。lethal 致命的，untreated 未得到治疗的，unusual 不同寻常的，new 新的，widespread 普遍的。untreated 表示病"没有得到治疗"，不体现病"严重"，untreatable 才是"无法治疗的"。因此选项 A 合适。

空格 (ii)：

- 方程等号：consequently 表示因果，前后逻辑同向，句意同义重复。
- 强词和对应：自然选择消除（eliminate）严重的疾病，eliminate 指向空格 (ii)，根据 consequently 取同，体现病被"消灭"。rare 罕见的，dangerous 危险的，refractory 顽固的，perplexing 令人困惑的，acute 剧烈的。综合空格 (i)，答案选 A。

翻译 自然选择倾向于消除会导致遗传病的基因，在最严重的疾病方面作用最强烈；因此，那些致命的遗传疾病预计会非常罕见，但让人惊讶的是，这些疾病并不少。

注释 but 和 surprisingly 同时出现，只取一次反，前后句意反义重复，they are not 后省略 rare。but 前面说预期病会少，但是现实中并不少。

······

6-10 答案：B

难度 ★

思路
- 强词和对应：整句话描述的就是对 policy 的 attack 和对 policy 的 acceptance 的关系，空格体现的就是这个关系，空格填入一个负向词。supplement 补充，undermine 削弱，waste 浪费，divert 娱乐，redeem 弥补。divert 和 unfortunately 矛盾，因此正确答案选 B。

翻译 不幸的是，他对经济政策结果的破坏性攻击被他全心全意地接受那项政策的根本前提所削弱了。

······

6-11 答案：C

难度 ★

思路
- 方程等号：逗号，同义重复。
- 强词和对应：without necessary relation 指向空格，根据逗号取同，体现和之前的部分"没有联系"。tedious 单调乏味的，melodious 旋律悠扬的，capricious 变化无常的，compelling 有说服力的，cautious 小心谨慎的。答案选 C。

翻译 在这个歌剧最著名的咏叹调当中，由乐团指挥选择的节奏看上去变化无常，与之前演奏过的部分没有必然的联系。

注释 capricious 在 Webster 词典中的解释就是 changing often and quickly，即 without necessary relation to what had gone before 的同义重复，就是表达 changeable, unpredictable。

6-12 答案：A

难度 ★

思路 空格 (i)：
- 方程等号：逗号，前后同义重复。
- 强词和对应：machinelike（机器般的，无人性的）和 human intellect（人的智慧）构成反义重复，空格 (i) 体现人和机器不一样的特征。anomalous 反常的，abstract 抽象的，anachronistic 时代错误的，enduring 持久的，contradictory 矛盾的。A 和 E 两项合适。

空格 (ii)：
- 方程等号：since 表示因果，同义重复。not 取反。
- 强词和对应：mechanical nature（机械的本质）和 machinelike（机械般的）同义重复，creative reasoning（创造性推理）和 human intellect（人类智慧）同义重复。因为机械和人类智力相矛盾，所以机械的本质就不需要创造性的推理，空格填入一个正向词。allow for 允许（对），speak to 体现（对），deny 否认（错），value 重视（对），exclude 排除（错）。综合空格 (i)，答案选 A。

翻译 在经典物理学机械般的世界里，人的智慧显得反常。因为经典物理学机械的本质不允许任何创造性推理，而恰恰是这种能力却使得经典物理学原则的形成变为可能。

6-13 答案：D

难度 ★★

思路 空格 (i)：
- 方程等号：shift from A to B 表示状态的改变，A、B 取反。
- 强词和对应：it 指代 the family（家庭），之前对家庭的评价是支持的，因此 endorsement 指向空格 (i)，取反，体现之后"不支持"，空格填入一个负评价。flight from 从…逃离，fascination with 对…迷恋，rejection of 拒绝…，censure of 谴责…，relinquishment of 放弃…。A、C、D、E 四项合适。

空格 (ii)：
- 方程等号：whose 引导定语从句，前后取同。
- 强词和对应：whose 前面说家庭变成了一个压抑的、毫无价值的机构，所以后面应该体现出对于这个机构是一个负评价，空格填入一个负向词。restitution 赔偿（错），corruption 腐败（对），vogue 时尚（错），dissolution 解散（对），ascent 上升（错）。综合空格 (i)，答案选 D。

翻译 在 20 世纪 60 年代，对家庭的评价发生巨大的改变，从普遍地支持其作为一个有价值的、稳定的机构到广为传播地将其谴责为一个压抑的、毫无价值的机构，这种机构的解散是迫在眉睫且大受欢迎的。

注释 bankrupt 的释义：if you say that something is bankrupt, you are emphasizing that it lacks any value or worth。

6-14 答案：B

难　度　★★

思　路
- 方程等号：since 表示因果，同义重复。空格 (i) 和空格 (ii) 联动。

空格 (i) + 空格 (ii)：
- 如果空格 (i) 和 "use" 同义重复，证明 science 和 philosophy 有关。选项中 influence on 对…的影响，reliance on 依赖，dependence on 依赖，都是正向词。空格 (ii) 和 axiomatic 构成同义重复，表示 "不需证明的"，B 选项中，superfluous（多余的），正确；inappropriate（不合适的）和 difficult（困难的），都是负向词，排除。答案选 B。
- 如果空格 (i) 和 "use" 反义重复，证明 science 和 philosophy 无关。选项中 distrust of 对…不相信，difference from 与…不同，是负向词。空格 (ii) 和 axiomatic 构成反义重复，表示 "需要证明的"，即 "存在争议的"。而 elementary（基本的）和 impossible（不可能的），都不符合，排除。答案选 B。

翻　译　证明科学影响哲学是多余的，因为许多哲学家使用科学的观点作为他们哲学思考的基础，这是无须证明的公理。

6-15 答案：A

难　度　★

思　路
- 方程等号：although 尽管，反义重复。
- 强词和对应：changed 指向空格，根据 although 取反，体现 "不变"。preserve 维持，shorten 缩短，preempt 抢先占有，revise 修改，improve 提升。答案选 A。

翻　译　许多古老英语单词的拼写在今天现存的语言中被保存下来，尽管它们的发音改变了。

6-16 答案：D

难　度　★

思　路
- 方程等号：逗号，前后取同。
- 强词和对应：only a few have been utilized 指向空格，根据逗号前后取同，空格填入一个表示 "只有很少被使用" 含义的单词。exploited 被开发利用的，quantifiable 可以量化的，controversial 有争议的，inexhaustible 用之不竭的，remarkable 显著的。quantifiable 的释义：to find or calculate the amount of (something)，是指可以 "用数字表示" 的含义，与多样性（diversity）无关。因此正确答案选 D。

翻　译　热带植物的十足多样性体现了一个看上去用之不竭的原材料资源，在这当中只有很少被利用了。

注　释　本题还可以根据 represents 前后同义重复来解题，diversity 体现 "多样"，所以选 D。

6-17 答案：E

难 度 ★

思 路
- 方程等号：later 表现时间对比，前后句意反义重复。
- 强词和对应：空格和 use 构成反义重复，之后在人身上使用，所以之前在人身上"不使用"药，在动物身上使用药物，所以动物就是人类的替代品。benefactor 捐赠者，companion 同伴，example 例子，precedent 先例，surrogate 替代品。答案选 E。

翻 译 几个世纪以来，动物在实验室中被当作人的代替品，以此来评估以后可能会用于人的治疗方案以及其他的药物所产生的效果。

注 释 precedent 的英文释义是 if there is a precedent for an action or event, it has happened before, and this can be regarded as an argument for doing it again。我们在实验中对动物采取的一些残忍行为，不可能作为先例再一次应用于人类，所以 D 选项错误。

6-18 答案：D

难 度 ★★

思 路 空格 (i)：
- 方程等号：but 表示转折，反义重复。no 取反。两次取反后最终取同。
- 强词和对应：tensions 和 conflict 同义重复，指冲突，空格 (i) 体现对冲突的动作，根据 but 和 no 两次取反，与 resolving 构成同义重复，体现"解决"。intensify 加剧，complicate 使…复杂，frustrate 挫败，adjust 调节，reveal 揭露。选项 D 合适。

空格 (ii)：
- 方程等号：for 表示目的，前后取同。
- 强词和对应：为了解决他们之间的冲突，所以需要空格 (ii)，空格 (ii) 就是能够解决冲突的东西。attitude 态度（错），relief 安慰（对），justification 正当理由（错），mechanism 机制（对），opportunity 机会（对）。mechanism 的释义：a way of acting, thinking, or behaving that helps or protects a person in a specified way。综合空格 (i)，答案选 D。

翻 译 成年人派系间的社会冲突可以通过政治调节，但青少年和儿童却没有这样的机制来解决他们与成人独有的世界之间的冲突。

6-19 答案：E

难 度 ★

思 路 空格 (i)：
- 方程等号：逗号，同义重复。
- 强词和对应：exchanged benefits and beliefs 指向空格 (i)，根据逗号取同，体现 network 的"互换好处和信仰"的特点，填入一个正向词。compromise 妥协，interdependence 相互依赖，counterpoint 对立，equivalence 相等，reciprocity 互惠互利。选项 B 和 E 合适。

空格 (ii)：
- 强词和对应：空格 (i) 基于法律和程序，所以法律和程序应该对国家政权有基础的作用，所以空格 (ii) 填入一个正向词。inimical 有害的（错），subsidiary 次要的（错），incidental

次要的（错），prerequisite 必要的（对），conducive 有益的（对）。综合空格 (i)，答案选 E。

翻 译 国家是一个由相互交换的利益和信仰构成的体系，这也是一个基于那些法律和程序，存在于统治者和人民之间的互惠体系，这个体系对社区的维系是有益的。

6-20 答案：B

难 度 ★

思 路
- 方程等号：逗号说明前后句意同义重复。
- 强词和对应：空格和 fill the young with his political orthodoxy while censoring ideas he did not like（给年轻人灌输政治正统观念同时删除不认同的想法）同义重复，体现 Jefferson 的特点，根据逗号取同。adventurous 爱好冒险的，doctrinaire 教条主义的，eclectic 多样的，judicious 明智的，cynical 愤世嫉俗的。答案选 B。

翻 译 20 世纪 60 年代的历史学家并没将 Jefferson 看成一个具有怀疑精神但更具有启蒙精神的知识分子，而是将他描述成一个教条的思想家，他热衷于给年轻人灌输他正统的政治思想，同时删除他自己不喜欢的思想。

注 释 还可以根据 Far from 取反来做，空格和 enlightened 构成反义重复，体现"不开明"的。此处 but 连接两个形容词表示 intellectual 的两个方面，起强调作用，不取反。

6-21 答案：C

难 度 ★★

思 路 空格 (ii)：
- 方程等号：冒号，同义重复。
- 强词和对应：disciples 和 other people 同义重复，指追随者。leader 和 thinker 同义重复，指领导者。空格 (ii) 体现 disciple 的特征，true disciple 应该要跟随、模仿导师的思想，所以空格 (ii) 填入一个正向词。dismiss（认为不重要而）不考虑，interpret 解读，reenact 重复执行，revitalize 使复兴，discourage 使沮丧。选项 B、C 和 D 合适。

空格 (i)：
- 强词和对应：为了拥有真正的追随者，一个思想家就不能不好，所以空格 (i) 应该填入一个负向词。popular 受欢迎的（错），methodical 井井有条的（错），idiosyncratic 特立独行的（对），self-confident 自信的（错），pragmatic 务实的（错）。综合空格 (ii)，答案选 C。

翻 译 为了拥有真正的追随者，一个思想家就不能太特立独行：任何有效的精神领袖依赖其他人来重复执行本不是由他们所产生的思想过程的能力。

Exercise 07

送给此时捧着"3000"的你：愿你为它付出光阴和汗水，愿它化作你青葱岁月的回忆，愿这本伴我走过备考时光的伙伴，助你实现飞跃重洋的梦想。

——段晓宇

北京大学 / 哥伦比亚大学

2012 年 10 月 GRE 考试 Verbal 169

EXERCISE

核心词汇

1.《GRE 核心词汇考法精析》收录单词（共 29 词）

abeyance	alloy	altruism	belie
circumscribe	compose	denude	dispatch
disregard	exonerate	flourish	forthright
fraudulent	hubris	imperious	imprudent
innocuous	inquisitive	myopic	obsequious
palliate	prestige	serene	soak
soporific	stipulate	tactile	tangible
vulnerable			

2. 基础单词补充（共 23 词）

acclamation   *n.* 赞扬：a shout or salute of enthusiastic approval

adroit   *adj.* 熟练的：dexterous; deft

amalgam   *n.* 混合物：a combination of diverse elements; a mixture

anodyne   *adj.* 不冒犯的：not likely to offend or arouse tensions: innocuous

concert   *v.* 协同完成：to act together in harmony

dexterity   *n.* 熟练：skill and grace in physical movement, especially in the use of the hands; adroitness

disposal   *n.* 销毁：the act or process of getting rid of something

distension   *n.* 肿胀：abnormal swelling in a person's or animal's body

divulge   *v.* 泄露（秘密）：to make known

encroach   *v.* 侵蚀：to enter by gradual steps or by stealth into the possessions or rights of another

hagiographic   *adj.* 拍马屁的：seeking favor or attention by flattery and obsequious behavior

impregnable   *adj.* 无懈可击的：difficult or impossible to attack, challenge, or refute with success

impulsive   *adj.* 易冲动的：inclined to act on impulse rather than thought

indomitable   *adj.* 不屈不挠的：incapable of being overcome, subdued, or vanquished; unconquerable

ineptitude   *n.* 无能：the quality of being inept; ineptness

insolvent   *adj.* 破产的：unable to meet debts or discharge liabilities; bankrupt

manifesto   *n.* 宣言：a public declaration of principles, policies, or intentions, especially of a political nature

narrow-minded   *adj.* 眼光狭窄的：not willing to accept opinions, beliefs, or behaviors that are unusual or different from your own

plaudit   *n.* 喝彩：an act or round of applause

prompt   *adj.* 立刻的：carried out or performed without delay

scent   *n.* 香气：a distinctive, often agreeable odor

| speculation | *n.* 推测：reasoning based on inconclusive evidence; conjecture or supposition |
| temper | *v.* 削弱：to dilute, qualify, or soften by the addition or influence of something else: moderate |

练习解析

7-1 答案：C

难度 ★

思路 空格 (i)：
- 方程等号：逗号，同义重复。
- 强词和对应：refuting skeptics 指向空格 (i)，根据逗号取同，体现研究者"驳斥了怀疑者"，空格填入一个正向词。doubt 怀疑，estimate 估计，demonstrate 证实，assume 假设，suppose 假定。选项 C 合适，体现研究者通过"证实"自己的观点来反驳。

空格 (ii)：
- 方程等号：not only...but also... 平行结构，同义重复。
- 强词和对应：it 指代 gravitational radiation，exists 和 does...it should do 根据 not only...but also... 取同，空格 (ii) 不改变逻辑方向，填入一个正向词。warrant 保证（对），accept 接受（对），predict 预测（对），deduce 推断（对），assert 断言（对）。综合空格 (i)，答案选 C。

翻译 研究者们清楚地驳斥了怀疑者，他们不但证实了引力辐射存在，还证明了引力辐射的作用正如理论预测它所应该做的一样。

7-2 答案：D

难度 ★

思路
- 方程等号：because 表示因果，同义重复。
- 强词和对应：because 后面说提案在被签署生效为法律之前并未遭到反对，所以空格体现提案人面临"没有反对"的态度。unreliable 不可靠的，well-intentioned 出于好意的（但结果不理想），persistent 坚持的，relieved 安心的，detained 被扣留的。persistent 和 no opposition 矛盾（没有反对，自然无须坚持）。答案选 D。

翻译 这个议案的提案人如释重负，因为这个提案在被签署生效为法律之前并未遭到反对。

7-3 答案：B

难度 ★

思路
- 方程等号：paradoxical 矛盾的，反义重复。
- 强词和对应：tranquil 或 serene 指向空格，根据 paradoxical 取反，体现她寻找女儿时"不安静"的态度。extended 延伸的，agitated 不安的，comprehensive 广泛的，motiveless 无动机的，heartless 无情的。答案选 B。

翻译 关于 Demeter 女神的神话中的矛盾方面，体现在当我们认为她的主要形象是一个宁静安详的女神时，她却不安地寻找她的女儿。

7-4 答案：E

难度 ★★

思路 空格 (i)：

- 方程等号：and 连接平行结构，前后同义重复。
- 强词和对应：前文描述 1793 年黄热病在费城造成 4000 多人死亡，因此 killed 指向空格 (i)，根据 and 取同，体现疾病在孟菲斯同样"夺走"或对人的生命造成"损害"。terrorize 威胁，ravage 摧毁，disable 使伤残，corrupt 使堕落，decimate 大批杀害。terrorize 体现的是威胁，没有强调疾病带来的不好结果；corrupt 指的是道德上的败坏。因此排除选项 A 和 D，选项 B、C、E 合适。

空格 (ii)：

- 方程等号：after nearly two decades 表示时间对比，反义重复。
- 强词和对应：reappeared 指向空格 (ii)，根据时间对比取反，体现疾病之前"没有出现"。contention 争论（错），secret 秘密（错），quarantine 隔离（错），quiescence 静止（对），abeyance 中止（对）。因此综合空格 (i)，答案选 E。

翻译 黄热病，这种曾在 1793 年夺走 4000 个费城人生命的疾病，这种曾造成田纳西州孟菲斯市的大批人口死亡以至于这座城市丧失了其自治市资格的疾病，在西半球销声匿迹将近 20 年后又重新出现了。

7-5 答案：D

难度 ★

思路 空格 (i)：

- 方程等号：逗号，同义重复。
- 强词和对应：self-effacing 指向空格 (i)，根据逗号取同，体现他"不爱出风头"。conventional 传统的，monotonous 单调的，shy 害羞的，retiring 害羞的，evasive 闪烁其词的。选项 C 和 D 合适。

空格 (ii)：

- 方程等号：Although 尽管，反义重复。
- 强词和对应：前面描述这个人私底下很"不爱出风头"，publicity and controversy 与 self-effacing 根据 Although 取反，因此空格 (ii) 不改变句子逻辑方向，体现他"倾向"或"喜欢"出风头。interest in 对…有兴趣（对），reliance on 依赖于（对），aversion toward 厌恶（错），penchant for 喜爱（对），impatience with 对…不耐烦（错）。综合空格 (i)，答案选 D。

翻译 尽管他很害羞，在个人生活中几乎不抛头露面，但却在他的戏剧和散文作品中表现出一种强烈的爱出风头并且爱争论的偏好。

7-6 答案：A

难度 ★

思路
- 方程等号：although 尽管，反义重复。few 体现否定，相当于"没有"，取反。两次取反后最终同向。

- 强词和对应：laugh at themselves 指向空格，根据 although 和 few 两次取反后取同，体现"嘲笑"。self-deprecation 自我嘲笑，congeniality 趣味相投，cynicism 愤世嫉俗，embarrassment 窘迫，self-doubt 自我怀疑。答案选 A。

翻译 相比而言，很少有摇滚乐手愿意嘲笑自己，尽管少量的自嘲可以非常好地促进唱片的销量。

7-7 答案：B

难度 ★★

思路 空格 (i)：
- 方程等号：not necessarily 表示未必，if you say that something is not necessarily the case, you mean that it may not be the case or is not always the case。体现对某种特征的否定，例如"好的未必就好"，"做坏事的未必就是坏人"。
- 强词和对应：pleasure garden 不一定意在看上去欢乐，所以把 pleasure 指向空格，空格填入一个 pleasure 的同义词。beautiful 美丽的，cheerful 愉悦的，colorful 多姿多彩的，luxuriant 茂盛的，conventional 传统的。B 选项合适。

空格 (ii)：
- 方程等号：resulting from 表示因果，同义重复。
- 强词和对应：agreeable 与 natural beauty and human glory 构成同义重复，melancholy 指向空格 (ii)，体现哀伤来源于"哀伤"，填入一个负向词。immutability 不变（错），transitoriness 短暂易逝（对），abstractness 抽象（错），simplicity 简单（错），wildness 野蛮（对）。综合空格 (i)，正确答案选 B，体现美好的东西转瞬即逝。

翻译 部分 17 世纪的中国园林并没打算建得看起来令人愉悦，它们的设计很明显是想唤起一种令人愉悦的忧伤，这种感情来自于自然美好与人类荣光的短暂易逝。

7-8 答案：E

难度 ★★

思路 空格 (i)：
- 方程等号：since 表示因果，同义重复。
- 强词和对应：plausible 指向空格 (i)，根据 since 取同，填入一个正向词。unprecedented 前所未有的，difficult 复杂的，permitted 被允许的，mandatory 强制的，routine 常规的。选项 C 和 E 合适。

空格 (ii)：
- 方程等号：since 表现因果，同义重复。
- 强词和对应：a single silicon chip 和 other miniature structures 同义重复。built 和 fabricated 同义重复。ways 和 using 同义重复体现方式，前文描述将复杂的处理系统构建在单硅晶片上是"可能的"，因此空格 (ii) + ways 和 using 同义重复，体现两种方式的"一致性"。undiscovered 未被发现的（错），related 相关的（对），unique 独特的（错），congruent 一致的（对），similar 相似的（对）。综合空格 (i)，答案选 E。

翻译 因为现在使用光刻法以及化学腐蚀的方法将复杂的计算机中央处理器（CPU）制作在一个单硅晶片上已经是常规的，这样看来以类似的方法制造其他的微观结构也是可行的。

7-9 答案：E

难 度 ★

思 路
- 方程等号：Given 考虑到…，同义重复。incorrect 不正确的，负向，取反。
- 强词和对应：independent 指向空格，根据 incorrect 取反，体现埃及和巴比伦与希腊文明有关系，也就是说希腊文明是 "不独立的"，即 "有联系的"。disdain for 鄙视…，imitation of 模仿…，ambivalence about 对…的矛盾情绪，deference to 对…遵从，influence on 对…有影响。因此正确答案选 E。

翻 译 因为存在埃及和巴比伦对后来的希腊文明产生影响的证据，将希腊科学家的作品看作完全独立的创造是不正确的。

注 释 选项 B 是干扰项，关键在 later 这个词，因为之前的不能模仿之后的，所以排除选项 B。

7-10 答案：D

难 度 ★★

思 路 **空格 (i)：**
- 方程等号：since 表示因果，同义重复。not 取反。
- 强词和对应：前面说法律不能保证社会秩序，ensure 指向空格 (i)，根据 not 取反，体现法律具有 "不能保障的" 特征。contest 反对，circumvent 避免，repeal 废除，violate 违反，modify 改进。modify 指 "正向的改进"（If you modify something, you change it slightly, usually in order to improve it.），因此 A、B、C、D 四项合适。

空格 (ii)：
- 方程等号：逗号，前后取同。
- 强词和对应：逗号前面说法律不能保证社会秩序，这会使得法律空格 (ii)，所以空格 (ii) 应该填入一个表示 "无效" 含义的单词。provisional 临时的（错），antiquated 过时的（错），vulnerable 易受攻击的（错，多形容人或者动物），ineffective 无效的（对），unstable 不稳定的（对）。因此综合空格 (i)，答案选 D。

翻 译 法律不能保障社会秩序是因为法律总会被违反，这使得法律失去效力，除非权威机构有意愿和能力来发现并惩罚犯罪行为。

7-11 答案：E

难 度 ★

思 路
- 方程等号：Since 表示因果，同义重复。refused 表示拒绝，取反。
- 强词和对应：candid 或 trustworthy 指向空格，根据 refuse 取反，体现她拒绝认为他的陈述是 "不真诚的" 或 "不可靠的"。irrelevant 不重要的，facetious 爱开玩笑，mistaken 错误的，critical 关键的，insincere 不真诚的。答案选 E。

翻 译 因为她认为他是坦诚并且可靠的，所以她拒绝考虑他的言论不真诚的可能性。

7-12 答案：D

难度 ★★

思路
● 方程等号：Ironically 嘲讽地，表示矛盾对立，取反。no greater A than B，否定词＋比较级＝最高级。所以这句话的意思是在建立一个激进党的努力中，党派的领导人遇到的最大的空格 (i) 就是来自于已经被选入立法机构的激进分子的空格 (ii)。

空格 (i) ＋ 空格 (ii)：
● 强词和对应：正常来说，激进分子对于建立激进党应该是正向支持的态度，但是因为出现了 ironically，所以正常情况相反，所以空格 (ii) 应该填入一个负向词，而空格 (i) 和空格 (ii) 一致，所以填入一组同义词。
● 综上所述，空格 (i) 和空格 (ii) 同义重复，都是负向词，都体现"不认可"或"不支持"。代入选项，support for 对⋯支持，advocacy 支持；threat to 对⋯有威胁，promise 承诺；benefit from 从⋯中获益，success 成功；obstacle to 对⋯的阻碍，resistance 抵制；praise for 表扬，reputation 名誉。答案选 D。

翻译 具有嘲讽意味的是，这个政党的领导人在建立一个激进党的努力中，他们遇到的最大的障碍就是来自于已经被选入立法机构的激进分子的抵制。

7-13 答案：C

难度 ★★

思路 **空格 (i)：**
● 方程等号：逗号，同义重复。
● 强词和对应：their 指代 canyons，后文说峡谷禁锢的内壁被雕刻而成，carved out 指向空格，根据逗号取同，体现峡谷具有"被雕刻的"特征。cleaved 劈开的，rooted 根深蒂固的，incised 被切开的，ridged 隆起的，notched 有凹口的。选项 A、C 和 E 合适。

空格 (ii)：
● 方程等号：by 表示方式，前后取同。
● 强词和对应：canyon 的释义是 a deep valley with steep rock sides and often a stream or river flowing through it。因此空格 (ii) 体现峡谷的内壁是被"和水有关的东西"雕刻而成。eruption 喷发（错），flood 洪水（对），river 河流（对），ocean 海洋（错），mountain 山丘（错）。综合空格 (i)，答案选 C。

翻译 奇怪的是，语言如何塑造了我们的思想，又如何将我们困在深不可测的、被雕刻而成的思维峡谷的底部，这种思维峡谷禁锢的内壁是被语言的过往使用的河流雕刻而成的。

7-14 答案：C

难度 ★★

思路 **空格 (i)：**
● 方程等号：intransigence（固执）和 no open disagreement（没有反对意见）构成同义重复，空格 (i) 不改变前后逻辑方向。
● 强词和对应：elicit 引出，engender 产生，brook 容忍，embody 体现，forbear 容忍。5 个选项都可以成立。

空格 (ii)：

- 方程等号：thus 表示因果，同义重复。no 取反。
- 强词和对应：their opinions 和 disagreement 构成同义重复。open 指向空格 (ii)，根据 no 取反，体现精明的下属会表达"不公开的"反对。quash 镇压，recast 改正，intimate 间接指出，instigate 煽动，emend 校订。答案选 C。

翻 译 他做决策时的顽固性格不容忍任何人的公开反对，这是众所周知的，因此聪明的下属们学会了在随意的谈论中间接指出自己观点的技巧。

7-15 答案：C

难 度 ★★

思 路
- 方程等号：now 表示前后时间对比，反义重复。空格 (i) 和空格 (ii) 联动。

空格 (i) + 空格 (ii)：
- 如果空格 (ii) 和 serve 取反，体现木质结构的盒子如今"不代表"美，因此空格 (i) 和 beauty 取同，过去表现"美"。选项中没有 serve 的反义词，所以这种可能性不成立。
- 如果空格 (ii) 和 serve as 取同，体现木质结构的盒子如今"代表"美，因此空格 (i) 和 beauty 取反，过去表现"不是美"。
- 代入选项，environment 环境...accept 接受；owner 所有者...employ 利用；function 功能...value 重视；reality 现实...transform 转变；image 形象...see 视作。答案选 C。

翻 译 在美国震颤派教区所制作的这些木储物箱当初是为了尽可能完美地实现它们日常的功能，而现在却因它们的美而受到重视。

注 释 美体现物品的外观表现，功用体现物品的内在本质特点，构成反义重复。

7-16 答案：A

难 度 ★

思 路
- 方程等号：In order to 表示结果，前后句意同义重复。后文说科学家的实验展现热的第一次热量反应比第二次热量反应高出两倍还多，空格 (ii) 描述反应的特征，空格 (i) 体现对这个理论的态度，因此空格 (i) 和空格 (ii) 联动。

空格 (i) + 空格 (ii)：
- 如果空格 (ii) 和 more than twice 取同，体现两次反应是"不一样的"，选项中 different 不同的，合适；那么空格 (i) 为正向，体现"支持"或"证实"了这个理论，A 选项的 support 满足题目要求，正确。
- 如果空格 (ii) 和 more than twice 取反，体现两次反应是"一样的"，选项 B 的 constant 不变的，合适；空格 (i) 为负向，体现"否定"或"反驳"了这个理论，但是 B 选项的 comprehend 理解，是一个正向词，排除 B。答案选 A。
- 其他选项，evaluate 评价 ...concentrated 集中的；capture 获得 ...valuable 有价值的；demonstrate 证实 ...problematic 有问题的。

翻 译 为了支持自己的理论，即这些反应是不同的，这位科学家做了许多实验，所有这些实验都证明第一次反应产生的热量是第二次反应产生的热量的两倍多。

7-17 答案: C

难 度　★

思 路
- 方程等号: for 介词结构修饰 accounts，前后同义重复。
- 强词和对应: 前文说来自媒体的大量数据看上去让我们无法承受，后文说为了简单并且容易消化的部分信息。easily and readily digestible 指向空格，根据 for 取同，体现让信息"简单易读"的方法。insular 狭隘的，investigative 调查的，synoptic 概要的，subjective 主观的，sensational 耸人听闻的。synoptic 的释义是 affording a general view of a whole，体现概括性的观点。答案选 C。

翻 译　来自大众传媒的大量数据看似让我们无法承受，并且驱使我们得到概括性的报道以获取一部分简单并容易理解的消息。

7-18 答案: B

难 度　★★

思 路
- 方程等号: 分号前后句意同义重复。lacked 表示没有，取反。without 取反。两次取反后最终取同。空格 (i) 和空格 (ii) 联动，同义重复，体现他对于父亲的死的态度。

空格 (i) + 空格 (ii):
- 强词和对应: 代入选项，longing for 对…渴望...regret 后悔，反向，排除；awe of 对…敬畏...inhibition 节制，同向，正确；curiosity about 对…好奇 ...rancor 憎恨，反向，排除；apprehension of 担忧...eloquence 口才，反向，排除；anticipation of 期待...commiseration 同情，反向，排除。答案选 B。

翻 译　William James 缺乏对死亡常有的敬畏；在给他垂死的父亲写信时，他毫无节制地谈论这位老人日益逼近的死亡。

7-19 答案: E

难 度　★

思 路
- 方程等号: although 表示转折，说明句内逻辑取反。
- 强词和对应: 后文说恐惧和进攻是有区别的，因此空格与 distinct 根据 although 取反，体现它们"不是完全不同"和"有相关性"。simultaneous 同时发生，serious 重要的，exceptional 杰出的，partial 偏见的，transitional 过渡的。transition 的释义是 things are changing from one state to another。因此证明两者是可以"转变"的，即"有关系的"。答案选 E。

翻 译　当前数据表明，尽管恐惧和进攻之间存在过渡状态，但无论是在生理上还是在心理上，恐惧和进攻都是有明显区别的。

注 释　A 为错误选项。simultaneous 的释义: happening at the same time，表示同时发生，指的是发生的时间段一样，而恐惧和进攻是不可能同时发生的，所以排除 A。

7-20 答案：C

难度 ★★★

思路 空格 (ii)：
- 方程等号：his 指代 critic，因此空格 (ii) 和前面提到的这位评论家的特点同义重复。
- 强词和对应：of 介词结构修饰 critic，描述评论家具有强烈的虚荣心。vanity 指向空格 (ii)，根据 his 取同，体现这个人是"虚荣的"。self-proposing 自我建议，self-righteousness 自以为是，self-adulation 自我吹捧，self-sacrifice 自我牺牲，self-analysis 自我分析。选项 B 和 C 合适。

空格 (i)：
- 方程等号：ironic 讽刺的，取反。
- 强词和对应：前文描述这个自负的人遭到别人的遗忘，to which 修饰 oblivion，现在他被遗忘，suffers from 指向空格 (i)，根据 ironic 取反，体现他过去"没有被遗忘"。dedicate (to) 奉献于（错），lead (to) 导致（错），consign (to) 打发到（对），relegate (to) 降级到（对），condemn (to) 打发到（对）。consign (to) 的释义是 to consign something or someone to a place where they will be forgotten about, or to an unpleasant situation or place, means to put them there，体现他过去是"遗忘别人"。因此综合空格 (ii)，答案选 C。这里的 ironic 体现在一个过去让别人被遗忘的人，现在自己被人遗忘。

翻译 具有讽刺意味的是，一个具有如此强烈虚荣心的批评家现在一定程度上承受着被人遗忘的痛苦，而这种痛苦向来是他施加在别人身上的；最终，他所有的自我吹捧都在他身上起了反作用。

7-21 答案：C

难度 ★★

思路

视频讲解

空格 (i)：
- 方程等号：逗号，同义重复。its 指代 the company，空格 (i) 和逗号后面的内容取同。
- 强词和对应：后文说这家公司除了丰厚的薪水，每年还给管理者发奖金。generous 指向空格 (i)，根据逗号取同，体现这家公司的"慷慨"。magnanimity 宽宏大量，inventiveness 创造性，largesse 慷慨，discernment 洞察力，altruism 无私。magnanimity 的释义是 loftiness of spirit enabling one to bear trouble calmly, to disdain meanness and pettiness, and to display a noble generosity，指对不好行为的容忍，和题目无关，排除 A 选项。altruism 体现的是对他人的无私，而公司给员工发福利是利己，排除 E 选项。因此选项 C 合适。

空格 (ii)：
- 方程等号：A, B and C 平行结构，三者方向相同。
- 强词和对应：and 前面出现了丰厚的薪水，年终奖，所以 and 应该和前两者取同，填入一个表示"福利""好处"之类的词汇。reparation 赔偿（错），benefit 好处（对），perquisite 福利（对），prerogative 特权（对），credit 贷款（错，credit 无法体现后文的 cars）。perquisite 的释义是：a privilege, gain, or profit incidental to regular salary or wages，指除薪水外的好处。因此综合空格 (i)，再次确定正确答案选 C。

翻译 这家公司在求职者中以其慷慨大方著称，除了丰厚的薪水之外，公司还给予它的主管们年度奖金，以及诸如低息的房屋贷款和公司用车等的特殊福利。

Exercise 08

GRE 这种标准化的考试，只要你智商中等，基础尚可，努力用功，方法科学，用一月余打好单词基础，两月余针对各单项集中突破，就一定能获得一个体面的分数。而关于刷单词，我推荐"再要你命 3000"。我刷了 20 遍，你呢?

——赵锋
中国科学院心理研究所
2012 年 5 月 GRE 考试 Verbal 164

EXERCISE 08

1.《GRE 核心词汇考法精析》收录单词（共 44 词）

abstract	accessible	arable	argument
banal	caustic	cellular	conspicuous
contradict	convenience	convey	correlate
dichotomy	discomfit	dispassionate	dramatic
enthusiasm	facilitate	feign	forfeit
fortify	heretical	hoard	imperial
insight	mastery	merited	movement
outgrowth	perfunctory	preeminent	preoccupation
project	redundant	relentless	relevant
retrieve	stabilize	substitute	superficial
supplant	tentative	transitory	wicked

2. 基础单词补充（共 7 词）

consult	*v.* 查阅：to look information to
credulity	*n.* 轻信：a disposition to believe too readily
expediency	*n.* 应急手段：a means; an expedient
impiety	*n.* 不虔诚：the quality or state of being impious
overpower	*v.* 压倒：to overcome or vanquish by superior force; subdue
reclaim	*v.* 开拓：to bring into or return to a suitable condition for use, as cultivation or habitation
reside	*v.* 存在：to be inherently present; exist

练习解析

8-1　答案：C

难度　★

思路
- 方程等号：分号，同义重复。no 取反。
- 强词和对应：creatures 和 every form of life 同义重复，solitary 或 free-living 指向空格，根据 no 取反，体现 "不独立生存的"。segregated from 从…分离，parallel to 与…平行，dependent on 依赖，overshadowed by 使…黯然失色，mimicked by 被…模仿。答案选 C。

翻译　没有单独的、独立生存的生物；每种生命形式都依赖于其他生命形式。

8-2 答案：D

难度 ★★

思路 空格 (ii)：
- 方程等号：and 平行结构，同义重复。
- 强词和对应：short of cash（没有钱）和 unable+ 空格 (ii) 同向，因此空格 (ii) 填入一个正向词，体现俄国不能"支持"它的海岸线。fortify 加强，maintain 维持，stabilize 使稳定，defend 保护，reinforce 加强。空格 (ii) 中，5 个选项都可以。

空格 (i)：
- 方程等号：that 引导定语从句，前后取同。
- 强词和对应：that 后面说俄国缺钱而且无法捍卫其海岸线，所以空格 (i) 根据 that 取同，填入一个负向词。negligence 疏忽（错），custom 惯例（错），convenience 便利（错，这是一个正向词），expediency 权宜之计（对），exigency 紧急（错）。答案选 D。

翻译 阿拉斯加的出售与其说是美国人精妙成功的策略，不如说是沙皇俄国缺少现金并且无法保护自己的大陆海岸线的权宜之计。

8-3 答案：D

难度 ★

思路
- 方程等号：and 连接的平行结构并列。no 取反。
- 强词和对应：前面说科学技巧和人文主义间没有必然联系，link 指向空格，根据 no 取反，体现"没有联系"。generality 概括，fusion 融合，congruity 一致性，dichotomy 对立，reciprocity 互惠。答案选 D。

翻译 尽管有各式各样的对反面观点的认同情绪，但是科学技巧和人文主义之间没有必然联系，并且非常可能的是，两者之间存在着对立。

8-4 答案：A

难度 ★

思路
- 方程等号：空格前说艺术家将技术屈服于强烈的感情，空格后说观众感情的直接交流。前后都强调感情，空格填入一个不改变逻辑方向的词。
- 强词和对应：facilitate 促进，avert 避免，neutralize 抵消，imply 暗示，repress 镇压。前面是艺术家的感情，后面是观众的感情，艺术家让技术服从感情，应该是"有助于"和观众感情的交流，因此排除选项 D。答案选 A。

翻译 一个普遍的观点认为，在民间艺术中，艺术家使技术上的精湛技巧服从于强烈的感情，从而促进和观众在感情上的直接沟通。

8-5 答案：B

难 度 ★★

思 路
- 方程等号：While 尽管，反义重复。not 取反。两次取反后最终取同。
- 强词和对应：前半句说演说家没有被观众尖酸刻薄的反应弄得彻底尴尬（completely nonplussed），nonplussed 指向空格，两次取反后取同，体现他的"尴尬"。humiliate 使丢脸，discomfit 使尴尬，delude 欺骗，disgrace 使丢脸，tantalize 挑逗。答案选 B。

翻 译 尽管演说家没有被来自一些观众的尖酸刻薄的反应弄得彻底尴尬，但他仍然很明显地被观众激烈的批评搞得很尴尬。

注 释 while 和 nonetheless 同时出现，表示"虽然…但是"，只取反一次。

8-6 答案：B

难 度 ★

思 路 空格 (i)：
- 方程等号：rewarded with 表示被奖励，做了"值得奖励的事"，因此被奖励，取同。
- 强词和对应：空格 (i) 填入一个正向词，体现人们因为对荒地做了"正向"的努力而被奖励。conserve 保护，reclaim 开垦，cultivate 耕作，irrigate 灌溉，locate 定位。荒地无须保护，因此排除选项 A 和 E。B、C、D 三项合适。

空格 (ii)：
- 方程等号：shortage of 缺少，取反。
- 强词和对应：开垦荒地是为了增加耕地，也就是为了克服空格 (ii) 土地的短缺，所以空格和 wasteland 根据 shortage of 取反，表示"可以耕种的"含义。forested 树木丛生的（错），arable 可耕种的（对），domestic 国内的（错），accessible 可获得的（错），desirable 值得的（对）。答案选 B。

翻 译 在 8 世纪的日本，开垦荒地的人被授予官衔来作为他们克服可耕地短缺做出努力的一部分。

8-7 答案：B

难 度 ★★

思 路 空格 (ii)：
- 方程等号：who 引导的定语从句修饰 people，前后同义重复。
- 强词和对应：one 和 people 同义重复，后面说人是有权力的，powerful 指向空格 (ii)，根据 who 取同，体现人对未来事件发展方向的"权力"。understanding of 对…的理解，control over 对…的控制，involvement in 参与，preoccupation with 全神贯注于，responsibility for 对…的责任。选项 B 合适。

空格 (i)：
- 方程等号：If 引导条件状语从句，同义重复。
- 强词和对应：后文说不论人是否喜欢都要承担责任，whether they like it or not 指向空格 (i)，取同，体现责任是无法以喜好决定的。correlate 相关物，outgrowth 自然结果，determinant 决定因素，mitigant 缓和物，arbiter 裁决者。综合空格 (ii)，答案选 B。

翻 译 如果责任是指一个人控制未来事件发展方向的自然结果的话，那么有权力的人就应承担责任且不论他们是否喜欢。

8-8 答案：B

难 度 ★

思 路
- 方程等号：By 表示方式方法，前后取同。
- 强词和对应：前文说前国王剥夺（divest）自己的君权，divesting 指向空格，根据 by 取同，体现国王"放弃"保护君主的考虑因素。merit 值得，forfeit 放弃，debase 降低，conceal 隐藏，extend 延伸。答案选 B。

翻 译 这位前国王通过剥夺自己所有的君权，放弃了通常用来保护君王的考虑因素。

8-9 答案：D

难 度 ★

思 路 **空格 (i)：**
- 方程等号：逗号，同义重复。
- 强词和对应：infer...from... 和 relate...to... 同义重复，form 或 organization 指向空格 (i)，根据逗号取同，体现有机体的"物理形式"和"细胞组织"。age 年龄，classification 分类，size 尺寸，structure 结构，location 位置。选项 D 合适，structure: the way that something is built, arranged, or organized。

空格 (ii)：
- 方程等号：逗号，同义重复。
- 强词和对应：function 指向空格 (ii)，根据逗号取同，体现有机体的"功能"。ancestry 祖先（错），appearance 外表（错），movement 运动（错），behavior 行为（对），habitat 栖息地（错），behavior 的英文释义为 the way something (such as a machine or substance) moves, functions, or reacts。综合空格 (i)，答案选 D。

翻 译 动物学的一个永恒的目标是从结构中推断功能，即将一个有机体的行为和它的物理形式及细胞组织方式联系起来。

8-10 答案：B

难 度 ★★

思 路
- 方程等号：by 表示方式方法，同义重复。
- 强词和对应：后面说社会学家通过指出她的理论没有违背公认的原则来回应指控。所以可以推断出指控的内容是她的理论违背了公认的原则。所以空格填入一个表示"违背公认原则"含义的单词。banal 陈腐的，heretical 异端的，unproven 未经证实的，complex 复杂的，superficial 表面上的。答案选 B。

翻 译 这位社会学家对认为她的新理论是异端学说的指控做出了回应，指明她的理论事实上并没有与公认的社会学原则相矛盾。

8-11　答案：E

难度　★

思路　空格 (i)：

- 方程等号：as 作为，前后取同。
- 强词和对应：工业作为生产的支配性形式，preeminent 指向空格 (i)，根据 as 取同，体现工业 "支配" 作用。sabotage 蓄意破坏（体现阴谋），overtake 超越，topple 摔倒，join 联结，supplant 取代。选项 B 和 E 两项合适。

空格 (ii)：

- 方程等号：分号，同义重复。previously 表示时间对比。
- 强词和对应：such power 指代 economic power（经济权力），land ownership 和 agriculture 同义重复。前文说工业占支配地位之后工业家获得了经济权力，所以之前经济权力是归农业 "掌握" 的，空格填入一个正向词。threaten 威胁（错），produce 生产（错），culminate in 达到顶峰（对），rely on 依赖于（对），reside in 归属于（对）。综合空格 (i)，答案选 E。

翻译　只有在工业取代了农业成为占支配地位的生产方式之后，工业家们才获得了经济权力；在此之前，这种权力归属于地主。

8-12　答案：E

难度　★

思路

- 方程等号：even 即使，反义重复。
- 强词和对应：前文说谣言存在很多年没有被否定也没有被肯定，之后它们被接受为事实，accepted as fact 指向空格，even 和 not 两次取反后取同，体现人们 "相信" 谣言。insight 洞察力，obstinacy 固执，introspection 反省，tolerance 容忍，credulity 轻信。credulity 的释义：ability or willingness to believe something。答案选 E。

翻译　被细节添枝加叶的谣言存在了数年，既不被否定，也不被肯定，直到即使那些不轻易相信谣言的人都认为它们是事实时，谣言才被确定下来。

8-13　答案：B

难度　★★

思路　空格 (i)：

- 方程等号：that 指示代词，指代内容与前文同义重复。
- 强词和对应：certainty 的释义是 something that is certain。that lost certainty 和 the belief 构成同义重复。lost 表示失去，为负向，和 No longer 构成同义重复，因此空格 (i) 填入不改变句意和逻辑方向的词，体现确信（信仰）失去，人们不相信。satisfy 满足，sustain 支持（to give support or relief to），reassure 再次确认，hamper 阻碍，restrict 限制。A、B 和 C 三项合适。

空格 (ii)：

- 方程等号：逗号，同义重复。
- 强词和对应：前文说人们不再相信一种信仰，人们试图寻找这种 "不相信的信仰" 的空格 (ii)，空格 (ii) 体现人们寻找 "其他相信的信仰"。reason 推理（错），substitute 替代品（对），

justification 正当的理由（错），equivalent 相等的东西（对），parallel 类似物（对）。信仰已经丢失，人们无须为其找"理由"，因此排除选项 A 和 C。综合空格 (i)，答案选 B。

翻 译 不再被这种信仰所支撑，即不再相信围绕着我们的世界是专门为人而设计的，许多人试图在占星术和神秘主义当中寻求精神的替代品来代替那个丢失的信仰。

8-14 答案：C

难 度 ★★★

思 路 空格 (i)：
- 方程等号：if 引导条件状语从句，同义重复。lack 取反。
- 强词和对应：they 指代 people，if 后描述如果人们缺少空格 (i) 的精力就被作为他们的美德，lack 取反，virtue 指向空格 (i) 根据 lack 取反，体现"恶行"，填入一个负向词。depraved 堕落的，cruel 残酷的，wicked 邪恶的，unjust 不公平的，iniquitous 极度邪恶的。所有选项都合适。

空格 (ii)：
- 方程等号：分号，前后取同。
- 强词和对应：goodness 和 virtue 同义重复体现美德，前面描述不应该被"表扬"，空格 (ii) 体现"不应该被表扬"的特征。hesitation 犹豫，effortlessness 毫不费力，indolence 懒惰，boredom 厌倦，impiety 不尊敬，都是负向词，但 C 选项呼应分号前的 lack the energy，所以答案选 C。

翻 译 人们如果缺乏精力来作恶的话，就不应该因为他们的美德受到表扬；在这种情况下，善行仅仅是懒惰的作用而已。

8-15 答案：A

难 度 ★

思 路
- 方程等号：on the basis of 根据，表示因果，同义重复。
- 强词和对应：their 和 them 指代 unpalatable plants（不好吃的植物），conspicuous 指向空格，根据 on the basis of 取同，体现"因为特征明显带来的行为"。recognize 识别，hoard 贮藏，trample 践踏，retrieve 取回，approach 处理。答案选 A。

翻 译 那些尝过难吃植物的动物以后会根据这些植物的最显眼特征，比如花，来识别它们。

8-16 答案：D

难 度 ★★

思 路 空格 (ii)：
- 方程等号：逗号，同义重复。
- 强词和对应：alleged 的释义是 accused of having done something wrong or illegal but not yet proven guilty，因此专家的观点是"靠不住的"。后文说在很多领域寻找这些观点失败的证据，

因此空格 (ii) 体现证据具有"能证明"错误观念的特征，填入一个正向词。questionable 有问题的，circumstantial 详细的，possible 可能的，strong 强有力的，problematic 有问题的。B、C、D 三项合适。

空格 (i)：

- 方程等号：to 表示目的，前后同义重复。
- 强词和对应：evidence 和 government records 构成同义重复，后文说去看这些观点失败的证据，see 指向空格 (i)，根据 to 取同，填入一个正向词。inspect 检查（对），retain 保持（错），distribute 分配（错），consult 查阅（对），evaluate 评价（错）。结合空格 (ii)，答案选 D。consult 的释义是 to look for information in。

翻 译 在谈到靠不住的专家观点的价值时，一个人只需要查阅政府的档案即可知这种观点在许多领域失败的强大证据。

8-17 答案：A

难 度 ★★

思 路 空格 (i)：

- 方程等号：expose...to... 使…暴露于…，同义重复。
- 强词和对应：空格 (i) 修饰 hypothesis，与 every possible kind 取同，体现假设"有各种可能"。tentative 暂时的，debatable 有争议的，well-established 确立已久的，logical 符合逻辑的，suspect 可疑的。hypothesis 的释义是 an idea or theory that is not proven but that leads to further study or discussion，指未经证实的（存在各种可能性的）思想。A、B、E 三项合适。

空格 (ii)：

- 强词和对应：将不确定的假说暴露在各种可能的空格 (ii) 成为了科学调查的义务，所以空格 (ii) 体现 inquiry 的特征，即"调查"。examination 检查，approximation 近似值，rationalization 合理化，elaboration 详尽，correlation 相关。综合空格 (i)，答案选 A。

翻 译 在科学的调查研究中，将一个暂时的假说暴露于各种各样的可能的检验当中已经成为一种责任。

8-18 答案：C

难 度 ★

思 路 空格 (ii)：

- 方程等号：retain 保留，表示状态的延续，同义重复。
- 强词和对应：前文说 Charlotte Salomon 的传记表明个人生活的趋势仍然对记录这些趋势的空格 (ii) 产生影响。private life 指向空格 (ii)，根据 remain 取同，体现"个人的"。culture 文化，majority 大多数，individual 个人，audience 观众，institution 机构。选项 C 合适。

空格 (i)：

- 方程等号：by 表示方式方法，同义重复。
- 强词和对应：公众事件具有能转移、偏离和扭曲私人生活的特征。所以 public events "具有扭曲私人生活的影响力"。transitory 短暂的（错），dramatic 戏剧性的（对），overpowering 压倒性的（对），conventional 传统的（错），relentless 不间断的（对）。综合空格 (ii)，答案选 C。

翻 译 Charlotte Salomon 的传记是一个提示：个人生活的趋势，无论如何被压倒性的公共事件所转移、偏离还是扭曲，这些生活经历仍然会保持对于记录它们的个人的影响。

8-19 答案：D

难 度 ★

思 路
- 方程等号：though 尽管，反义重复。
- 强词和对应：in common 指向空格，根据 though 取反，体现"不同"。relevant 重要的，elementary 基本的，abstract 抽象的，diverse 不同的，controversial 有争议的。答案选 D。

翻 译 当人们问出尽管差异很大但却具有某种共同特征的问题时，哲学问题就产生了。

8-20 答案：D

难 度 ★

视频讲解

思 路 空格 (ii)：
- 方程等号：so...as to... 表示因果，同义重复。
- 强词和对应：so...as to... 后面说兴趣几乎不存在，nonexistent 指向空格 (i)，根据 so...as to 取同，体现"没兴趣"或"兴趣低"。redundant 多余的，preemptive 先发制人的，indiscriminate 无区别的，perfunctory 不感兴趣的，dispassionate 客观公正的。perfunctory 的释义是 used to describe something that is done without energy or enthusiasm because of habit or because it is expected。选项 D 合适。

空格 (i)：
- 方程等号：Although 尽管，反义重复。
- 强词和对应：great enthusiasm 和 nonexistent 根据 Although 取反，因此空格 (i) 不改变逻辑方向，体现尽管"有"兴趣。generate 产生（对），display 展现（对），expect 预料（错），feign 伪装（对），demand 要求（对）。综合空格 (i)，答案选 D。

翻 译 尽管 Johnson 对下属提出的方案伪装出极大的热情，但现实中他对这个方案的兴趣是如此敷衍以至于几乎等同于不存在。

注 释 feign 假装，相当于 display，"假装热情"依然是在表面表现出热情。

8-21 答案：B

难 度 ★★

思 路 空格 (i)：
- 方程等号：result from 来源于，表示因果，前后取同。
- 强词和对应：integration 指向空格 (i)，根据 result from 取同，体现"整合"来源于"整合"。imitative 模仿的，uniform 统一的，temporary 临时的，expressive 富有表现力的，schematic 纲要的。选项 B 合适。

空格 (ii):

- 方程等号：逗号，同义重复。Not 取反。
- 强词和对应：convey（表现）和 perceived（被接受）同义重复，depth（纵深）和 three-dimensional（三维立体）同义重复。前文说不是所有的因素同时传递画的纵深效果，simultaneously 指向空格 (ii) 根据 Not 取反，体现对画的感官接收"不是同时的"。coincidentally 同时地（错），successively 先后相继地（对），comprehensively 全面地（错），sympathetically 具有同情心地（错），passively 被动地（错）。综合空格 (i)，答案选 B。

翻 译 不是所有的因素都必须同时表达一幅画的纵深效果；这幅画整体统一的三维立体形象的视觉图景依赖于观众对各个因素的先后整合而得以实现。

Exercise 09

想放弃的时候再给自己一次机会，你会感激曾经那么努力的自己。

——魏柯欣

微臣教育 2015 春季 325 计划学员
2015 年 10 月 GRE 考试 Verbal 162, Quantitative 170
录取院校：哥伦比亚大学

EXERCISE ⑨

核心词汇

1.《GRE 核心词汇考法精析》收录单词（共 39 词）

adversity	ambiguous	apparition	commensurate
compromise	construct	credit	dispassionate
disregard	efficacious	forestall	hyperbole
imitation	implicit	incentive	ingenuous
institute	latitude	meager	movement
novel	original	paradigm	playful
pragmatic	presumptuous	prevail	propensity
religion	repudiate	reverberate	sensitive
solicitous	stratagem	susceptibility	synthesis
uphold	vindictive	wrongheaded	

2. 基础单词补充（共 9 词）

amalgam   *n.* 混合物：a combination of diverse elements; a mixture
coercion   *n.* 强权：power or ability to achieve by force or threat
devoid   *adj.* 缺乏的：completely lacking; destitute or empty
elusive   *adj.* 难以理解的：difficult to define or describe
hieroglyph   *n.* 象形符号：a picture or symbol used in hieroglyphic writing
impair   *v.* 削弱：to cause to diminish, as in strength, value, or quality
uninformative *adj.* 信息少的：providing little or no information; not informative
whimsy   *n.* 古怪的念头：an odd or fanciful idea
withdrawal   *n.* 退步：a retreat or retirement

练习解析

9-1   答案：D

难 度   ★

思 路
- 方程等号：逗号，同义重复。
- 强词和对应：将 intervention 指向空格，根据逗号取同，体现平衡被"干扰"。celebrate 赞美，predict 预测，observe 观察，disturb 干扰，question 质疑。答案选 D。

翻 译   捕食者和被捕食者之间的自然平衡已经日益受到干扰，而最频繁的是人类的干扰。

9-2 答案：A

难 度 ★

思 路
- 方程等号：for 表示原因，同义重复。
- 强调词和对应：American Indian culture 和 Native American art 同义重复，她在充满印第安文化氛围的区域长大，在成年之后才培养对这种文化的兴趣。正常情况应该是小时候就培养出对于印第安文化的兴趣，所以这是一个矛盾，因此空格表示对立，体现"矛盾"。irony in 矛盾，satisfaction in 满意，doubt about 对…怀疑，concern about 对…关注，presumptuousness in 自以为是。答案选 A。

翻 译 这个事实是矛盾的，一个像 *Indian Artisans* 这本书的作者一样敏感和博学的作者直到成年才开始培养对美国印第安艺术的兴趣，因为她成长在一个充满美国印第安文化氛围的地区。

9-3 答案：A

难 度 ★

思 路
- 方程等号：like 像，同义重复。
- 强调词和对应：economics 指向空格，根据 like 取同，体现"和经济相关的"。commodity 商品，dividend 红利，communication 交流，nutrient 营养，artifact 工艺品。根据 producers and consumers（生产者和消费者）的关系，排除选项 B。答案选 A。

翻 译 正如经济学一样，生态学关心有价值的商品在一个由生产者和消费者构成的复杂网络中的流通。

9-4 答案：C

难 度 ★★

思 路
- 方程等号：冒号，同义重复。no longer 取反。it 指代 psychoanalysis（精神分析）。空格 (i) 和空格 (ii) 联动，体现精神分析不再能解决我们的情感问题了。

空格 (i) + 空格 (ii)：
- 强调词和对应：代入选项，divergence 分歧 ...certainty about 对…确定（错，因为有分歧的意思是有些人支持，有些人不支持，和冒号后面信息矛盾）；confrontation 对抗 ...enigmas in 谜题（错）；withdrawal 撤退 ...belief in 相信（对）；defense 防御 ...weakness in 弱点（错）；failure 失败 ...rigor in 严谨（错）。答案选 C。

翻 译 我们文化中的一个显而易见的趋势是从对精神分析学说的信仰的全面撤退：我们不再认为它可以解决我们的情感问题。

注 释 题干中正确的语序应为：A withdrawal of belief in psychoanalysis is as observable as a tendency of our culture。因为 observable 被提前，所以省略了第一个 as，句子倒装。

9-5 答案: C

难度 ★

思路
- 方程等号: therefore 表示因果, 同义重复。presumptuous 专横放肆的 (if you describe someone or their behavior as presumptuous, you disapprove of them because they are doing something that they have no right or authority to do), 负向。
- 强词和对应: struggle 和 rivalry 同义重复, generations 和 young and old 同义重复。constants 指向空格, 取反, 体现 "不一样"。perennially 永恒地, disturbingly 令人不安地, uniquely 独一无二地, archetypally 典型地, captiously 吹毛求疵地。答案选 C。

翻译 一代人与一代人之间的冲突是人类事件中明显的持续不变的事件之一; 因此, 这样的观点就显得专横放肆, 近十年中, 西方社会年轻一代与年老一代之间的竞争是尤其地重要的。

9-6 答案: C

难度 ★★

思路
- 方程等号: 逗号, 同义重复。rhetoric (修辞) 和 hyperbole (夸张) 同义重复。空格 (i) 和空格 (ii) 联动, 取同。

空格 (i) + 空格 (ii):
- 如果空格 (i) 正向, 体现修辞 "强过" 推理, 选项中 cloud 遮盖, prevail 战胜, triumph 战胜, trample 践踏, 都是 "强过"; 那么空格 (ii) 正向, 体现双方 "用" 修辞, 而选项中 subside 减弱, yield 放弃, engage 参与, tangle 纠缠。tangle 表示使复杂、使不理解, 排除 E, C 是正向词, 答案选 C。
- 如果空格 (i) 负向, 体现修辞 "弱于" 推理, 那么空格 (ii) 正向, 体现双方 "不用" 修辞。但是选项中没有相关选项, 排除这种可能性。
- 其他选项: reverberate 回应, clamor 喧闹。

翻译 在激烈的辩论中修辞看似总是战胜推理, 因为辩论双方都参与到夸张之辞之中。

9-7 答案: E

难度 ★★

思路
- 方程等号: because 表示因果, 前后取同。they 指代 melodramas (情节剧)。空格 (i) 和空格 (ii) 联动。

空格 (i) + 空格 (ii):
- 如果空格 (ii) 和 oppositions 同义重复表示 "对立", 选项中 theatricality 戏剧化, polarity 对立, 都是 "对立"; 所以空格 (i) 为正向, 体现情节剧为观众提供一个 "对立的" 世界。而选项中, bereft (of) 失去…的, deprived (of) 被剥夺…的, 都是负向词, 排除选项 A 和 D。
- 如果空格 (ii) 和 oppositions 反义重复表示 "不对立", 选项 E 的 neutrality 中立, 合适; 空格 (i) 为负向, 体现情节剧为观众提供一个 "不是不对立的" 世界, 而 devoid (of) 缺乏…的, 是负向, 正确, 答案选 E。
- 其他选项, composed (of) 由…组成 ...adversity 不幸逆境; full (of) 充满…的 ...circumstantiality 详尽。

| 翻 译 | 在情景剧中总是表现出无辜和罪恶、美德和堕落、善和恶之间的完全对立，这是非常受欢迎的，主要是因为它们给观众提供了一个缺乏中立的世界。 |

9-8 答案：C

难 度 ★

思 路 空格 (i):
- 方程等号：for 介词结构修饰空格 (i)，同义重复。
- 强词和对应："tree size, bloom density, fruit size, ... and resistance"指向空格(i)，体现树本身的"尺寸、密度、果实大小和抵抗性"的特点。circumstance 环境，regulation 调节，condition 条件，auspice 吉兆，configuration 外形。circumstances 指外部环境因素，故排除。选项 C 合适。

空格 (ii):
- 方程等号：to 介词结构修饰空格 (ii)，同义重复。
- 强词和对应：空格 (ii) 和 size, density, resistance 同义重复，而土壤对苹果树是有利的，填入一个正向词。proximity 接近，conformity 一致，adaptability 适应性，susceptibility 易受影响性，propensity 倾向。propensity 指性格上的倾向，因此正确答案选 C。

| 翻 译 | 在目前的研究项目中，苹果树的新品种在不同的农业条件下针对以下方面受到评估，果树大小、花蕾密度、果实大小、对不同土壤的适应力以及对虫害和病害的抵抗能力。 |

9-9 答案：C

难 度 ★★

思 路
- 方程等号：but 表示转折，前后逻辑取反。
- 强词和对应：前文说她的严肃"令人生畏"，gravity 指向空格，根据 but 取反，体现她"不严肃"的特点。seriousness 严肃，confidence 自信，laughter 笑容，poise 镇定，determination 决心。答案选 C。

| 翻 译 | 一开始，我发现她的严肃认真令人非常害怕；但是，当我对她了解更多之后，我发现她的笑容才是真实的。 |

| 注 释 | near the surface 表示"接近表面""呼之欲出"的真实；on the surface 指表面上看，后面如果和 actually 等表示"实际上"的词连用，前后反义重复。 |

9-10 答案：D

难 度 ★★

思 路 空格 (ii):
- 方程等号：Even though 即使，反义重复。little 取反。两次取反后最终取同。
- 强词和对应：前文说神职人员有特权，power and privileges 指向空格 (ii)，普通人没有（little）特权。opportunity 机会，obligation 义务，inclination 倾向，latitude 自由，incentive 动机。选项 A 和 D 合适。

空格 (i)：

- 方程等号：根据句意，两种神职人员的对比，一种有特权，一种没有特权
- 强词和对应：laity and the rank-and-file clergy 俗人和普通神职人员没有特权，指向空格 (i)，换对象取反，指"非普通"神职人员。practitioner 从业者，dissident 反对者，adversary 对手，leader 领导人，traditionalist 传统主义者。答案选 D。

翻译 在苏联，即使神职人员的领导人已经被授予了权力和特权，俗家弟子和普通教徒仍然没有自由来实践他们的宗教信仰。

9-11　答案：D

难度　★

思路
- 方程等号：this 指示代词，与前文被指代的内容同义重复。
- 强词和对应：后文说支持者为了阻止更严格的控制做出妥协，controls 和 regulation 同义重复，compromise 指向空格，根据 this 取同，体现"妥协"，正向。protest 抵抗，institute 建立，deny 否认，encourage 支持，disregard 忽视。compromise（妥协）的英文释义为 to adjust or settle by mutual concession，是双方的共同支持，所以答案选 D。

翻译 DNA 重组研究的支持者们决定支持联邦政府对他们工作的管制；他们希望通过妥协能阻止提议中的州和当地政府可能的更加严格的控制。

9-12　答案：E

难度　★

思路
- 方程等号：逗号，同义重复。without 取反。
- 强词和对应：前文说小说的情节是真实的，realistically 指向空格，根据 without 取反，体现"不真实"。or 前后连接两个形容词修饰 tricks，同义重复，空格也和 playful 同义重复。elucidation 解释，discrimination 歧视，artlessness 率真，authenticity 真实性，whimsy 奇思妙想。答案选 E。whimsy 的释义是 a playful or amusing quality。

翻译 这是小说家的功劳：她的小说中所有情节都真实地表现出来，没有任何奇思妙想的表达方式，也没有任何顽皮的、超自然的小花招。

9-13　答案：E

难度　★★

思路　空格 (i)：
- 方程等号：though 表示尽管，反义重复。
- 强词和对应：powerful 指向空格 (i)，根据 though 取反，体现"不强大"，填入一个负向词。pragmatic 务实的，inelegant 不雅的，explanatory 解释性的，wrongheaded 坚持错误的，simplistic 过分简单的。选项 B、D、E 合适。

空格 (ii)：
- 方程等号：where 引导定语从句，同义重复。
- 强词和对应：where 前面说在经济学和政治科学中，强大的系统分析工具会导致不好的理论，根据 where 前后取同，所以在这种学科中，有效的方法就应该"不存在"，空格 (ii) 填入一个负向词。speculative 猜测的（错），efficacious 有成效的（错），intuitional 直觉的（错），convergent 汇合的（错），elusive 难以得到的（对）。综合空格 (i)，答案选 E。

| 翻 译 | 尽管我们的新系统分析工具可能是强大的，却得出了十分简单的理论，尤其不出所料的是在经济学和政治科学中，这两个学科领域中富有成效的方法长期以来一直是非常难得的。

9-14　答案：E

难　度　★★

思　路　空格 (ii)：
- 方程等号：blending 分词结构修饰空格 (ii)，同义重复。
- 强词和对应：blending 指向空格 (ii)，取同，具有"混合"的特征。appropriation 挪用，synthesis 综合，annexation 兼并，construct 建造，amalgam 混合物。选项 B 和 E 合适。

空格 (i)：
- 方程等号：magical 修饰空格 (i)，同义重复。
- 强词和对应：magical 指向空格 (i)，取同，体现"魔术般的"特征。stratagem 策略，exemplar 典范，conversion 转变，paradigm 典范，apparition 特异景象。magical 在 Webster 词典中解释是 a power that allows people to do impossible things by saying special words or performing special actions。综合空格 (ii)，正确答案为 E。

| 翻 译 | 通过检查早期几何学风格的希腊艺术，19 世纪的学者们发现古希腊艺术并不是一个魔术般的特异景象，也不是一个融合着古埃及和亚述艺术的辉煌的混合体，而是由希腊人在希腊独立发展而成的。

9-15　答案：A

难　度　★

思　路
- 方程等号：but 表示转折，反义重复。
- 强词和对应：they 指代 dreams，tell us much about 指向空格，根据 but 取反，体现梦境让我们"知道的不多"。uninformative 不提供信息的，startling 令人吃惊的，harmless 无害的，unregulated 未受约束的，uncontrollable 不受控制的。答案选 A。

| 翻 译 | 梦本身是没有信息的，但是与其他数据结合起来时，梦会告诉我们很多关于做梦者的信息。

9-16 答案：D

难 度 ★

思 路
- 方程等号：冒号，同义重复。
- 强词和对应：they 指代 Muses，冒号后面的内容说她们报复人们。avenge 指向空格，根据冒号取同，体现她们"报复性的"特征。rueful 后悔的，ingenuous 天真的，solicitous 关心的，vindictive 报复性的，dispassionate 客观公正的。答案选 D。

翻 译 缪斯是报复性的神：她们毫不怜悯地为自己报复那些对她们的魅力感到厌烦的人们。

注 释 avenge oneself on someone 为自己报复某人，所以常见的表达 avenge me 是替我报仇的意思。

--- ● ---

9-17 答案：E

难 度 ★

思 路 空格 (i)：
- 方程等号：and 连接平行结构，trust 和 communication 并列，同义重复。
- 强词和对应：limited 指向空格 (i)，根据 and 取同，体现信任"受限"，填入一个负向词。implicit 含蓄的，ambiguous 不清楚的，prevented 被阻碍的，assumed 假设的，impaired 受损的。B、C、E 三项合适。

空格 (ii)：
- 方程等号：even though 尽管，反义重复。
- 强词和对应：前文说保密是宝贵的（precious），it 指代 confidentiality，precious 指向空格 (ii)，根据 even though 取反，体现保密"不珍贵"，填入一个负向词。extend 延伸（错），apply 应用（错），uphold 支持（错），examine 检查（错），sacrifice 牺牲（对）。综合空格 (i)，答案选 E。

翻 译 如果没有心理治疗医生对保密的承诺，信任就受到了破坏，并且病人的交流也受到了限制；尽管保密在治疗中被视作是非常珍贵的，有时需要愿意牺牲道德责任感才能保密。

--- ● ---

9-18 答案：E

难 度 ★

思 路 空格 (i)：
- 方程等号：A is preferable to B，A 比 B 更好。
- 强词和对应：运动的领袖更乐意接受采用说服方式的政府，persuasion 指向空格 (i) 取反，体现"不说服"。intimidation 恐吓，participation 参与，proclamation 宣布，demonstration 游行示威，coercion 压制。demonstration 游行示威，是公众发出的动作，不是政府的行为，因此选项 A 和 E 合适。

空格 (ii)：
- 方程等号：逗号，同义重复。
- 强词和对应：persuasion 和 totalitarianism 构成对立，embrace 指向空格 (ii)，取反，体现支持说服，"不支持"集权主义，填入一个负向词。issue 发布（错），moderate 缓和（对），

codify 编成法典（错），deliberate 深思熟虑（错），repudiate 否认（对）。综合空格 (i)，答案选 E。

翻译 运动的领导人们完全接受了这样的观点，即采用说服方式的政府比强迫压制方式的政府更可取，他们最近否认了自己之前支持集权主义的大部分声明。

9-19 答案：B

难度 ★

思路
- 方程等号：though 尽管，前后取反。
- 强词和对应：few 和 meager 指向空格，根据 though 取反，体现"不少"。simultaneous with 与…同时发生，commensurate with 与…相称，substantiated by 被…证实，circumscribed by 被…限定，ruined by 被…破坏。答案选 B。

翻译 原始人的能力和满足感尽管少且不足，但却和他们少而简单的欲望相称。

9-20 答案：D

难度 ★

思路
- 方程等号：resulting from 表示因果，同义重复。
- 强词和对应：unending 或 different 指向空格，根据 resulting from 取同，体现"多或不同"的特点。deviation 偏离，stability 稳定，reproduction 繁殖，variety 多样性，invigoration 精力充沛。答案选 D。

翻译 有些科学家认为碳的化合物在地球上的生命中扮演着一个重要的角色，这是由于其多样的可能性所导致的，这种可能性又来源于碳原子形成无穷无尽系列的不同分子的能力。

9-21 答案：C

难度 ★★

思路
空格 (ii)：
- 方程等号：that 引导的定语从句修饰空格 (ii)，同义重复。
- 强词和对应：空格 (ii) 具有需要解释的特征。aberration 错误、偏差，symbol 象征，hieroglyph 象形文字，imitation 仿制品，illusion 错觉。illusion 本身就是不真实的，无须解释。象形文字需要解码才能知道其含义，因此选项 A、B 和 C 合适。

空格 (i)：
- 方程等号：空格 (i) 修饰 feat，具有 feat 的特征。
- 强词和对应：feat 壮举（an act or achievement that shows courage, strength, or skill），空格 (i) 具有 original 和 wonderful 的特征，正向，且艺术评论家认为画有"艺术的"特征。collaborative 合作的（错），historical 历史的（错），technical 技术的（对），mechanical 机械的（错），visual 视觉的（对）。综合空格 (ii)，答案选 C。

翻译 相比于艺术批评家 Vasari 将名为《蒙娜丽莎》的这幅画看成是一项独创的并且绝妙的技术成就，是对自然物体的一种再现，审美学家却认为它是一种需要解码的象形文字。

Exercise 10

每次想放弃的时候念一遍：有一种落差，
你配不上自己的野心，也辜负了所受的苦难。

——邵秦
微臣教育线上课程学员
2015 年 10 月 GRE 考试 Verbal 161
录取院校：耶鲁大学

EXERCISE ⑩

核心词汇

1.《GRE 核心词汇考法精析》收录单词（共 39 词）

adamant	allure	ballad	balm
bask	complicate	consensus	considerable
desperate	diminish	discrete	disinterested
enthusiasm	ethos	exorbitant	extrapolate
forestall	gloat	heterodox	impede
incipient	innovative	meager	novel
overbearing	pitfall	precedent	reluctant
reproach	ridicule	rift	severe
shift	shrug	sophisticated	subject
tentative	wary	weather	

2. 基础单词补充（共 8 词）

accuse	*v.* 指责：to make a charge of wrongdoing against another	
conspiracy	*n.* 共谋：an agreement between two or more persons to commit a crime or accomplish a legal purpose through illegal action	
deprive	*v.* 剥夺：to take something away from	
lavish	*adj.* 奢华的：characterized by or produced with extravagance and profusion	
mediocrity	*n.* 平庸：the state or quality of being limited or average quality	
prompt	*v.* 鼓励：to move to act; spur; incite	
savor	*v.* 享受：to taste or smell, especially with pleasure	
scent	*n.* 香味：a distinctive, often agreeable odor	

练习解析

10-1 答案：C

难 度　★

思 路　空格 (i)：
- 方程等号：rather than 而不是，反义重复。
- 强词和对应：natural ability 指向空格 (i)，根据 rather than 取反，体现"非自然能力"。

instruction 教导，effort 努力，learning 学习，science 科学，luck 运气。选项 A、B、C、D 合适。

空格 (ii)：

- 方程等号：since 表示因果，同义重复。
- 强词和对应：前文说农业是自然能力的结果，而在这里 education 属于"非自然能力"和 natural ability 取反，所以教育不重要，空格填入一个负向词。vital 至关重要的（错），difficult 困难的（错），useless 无用的（对），intellectual 智力的（错），senseless 没有意义的（对）。综合空格 (i)，答案选 C。

翻 译 直到1891年，一个演讲者使他的听众相信，因为有利可图的农业是自然能力而不是学习的结果，所以农业上的教育是没有用的。

10-2 答案：B

难 度 ★

思 路
- 方程等号：In spite of 尽管，反义重复。free from 取反，相当于 not。空格 (i) 和空格 (ii) 联动，两次取反后构成同义重复，两空取同。

空格 (i) + 空格 (ii)：
- 强词和对应：代入选项，rocky 多岩石的 ...weather 气候，无关，排除；mountainous 多山的 ...grade 斜坡，取同，正确；uncharted 未被标记的 ...flooding 洪水，无关，排除；unpredictable 不可预测的 ...damage 损害，无关，排除；landlocked 内陆的 ...slipperiness 光滑，无关，排除。unpredictable 和 damage 虽同为负向，但是二者不构成同义重复。答案选 B。

翻 译 尽管苏格兰的地势特点是多山，但它的主要道路却出人预料的没有陡坡。

10-3 答案：A

难 度 ★

思 路 **空格 (i)：**
- 方程等号：分号，同义重复。none 取反。
- 强词和对应：this 指代 never out of print，分号前描述 Walpole 的小说一直再版（卖得很好），分号后面的描述体现了 Victorians（维多利亚时代的人）的态度。mattered 指向空格 (i)，根据 none 取反，体现对 Walpole 的负评价。dismiss 认为不重要而不考虑，judge 判断，revere 尊敬，revile 辱骂，taunt 嘲笑。A、D、E 三项合适。

空格 (ii)：
- 方程等号：分号，同义重复。none 取反。
- 强词和对应：at best 充其量，由 as 得知空格 (ii) 同样是负评价。insignificant 不重要的（对），worthwhile 有价值的（错），talented 天才的（错），meager 不足的（错），dangerous 危险的（错）。meager 的释义是 deficient in quantity，描述的是数量的不足。综合空格 (i)，答案选 A。

翻 译 Walpole 的艺术藏品不仅总量巨大而且具有吸引力，并且他的小说 *The Castle of Otranto* 一直再版；所有这些对维多利亚时代的人毫无影响，他们认为他充其量也只是个无足轻重的人，因而把他忽略了。

10-4 答案：E

难度 ★★

思路 空格 (i)：
- 方程等号：Since 表示因果，同义重复。
- 强词和对应：主句部分说，他对于驳斥的反对是不相关的，说明他平时经常会驳斥，所以空格 (i) 应该填入 dispute 的同义词，support 支持，provoke 激怒，quote 引用，ignore 忽视，attack 攻击。选项中 E 合适，E 为正确答案。

空格 (ii)：
- 方程等号：not only...but also... 不仅…而且…，平行结构，同义重复。
- 强词和对应：空格 (ii) 应该和 irrelevant 根据平行结构取同，填入一个负向词。overbearing 傲慢的，frightening 令人恐惧的，curious 好奇的，peevish 易怒的，surprising 令人吃惊的。综合空格 (i)，答案选 E。

翻译 由于这位作者经常攻击别人的学者，因此他对驳斥的反对不仅不相关，而且是让人吃惊。

10-5 答案：D

难度 ★

思路 空格 (i)：
- 方程等号：such 指示代词，指示代词所指代的内容与前文相同。
- 强词和对应：coincidence 指向空格 (i)，根据 such 取同。coincidence 的释义是 the state of two or more things being the same。空格 (i) 体现 mitochondria(线粒体)和 chloroplasts(叶绿体)"共同的"特征。manufacture 生产，reveal 揭露，exhibit 展现，share 共享，maintain 维持。选项 D 合适。

空格 (ii)：
- 强词和对应：the two system 指代 mitochondria 和 chloroplasts，空格 (ii) 填入一个不改变方向的词。accomplish 完成(对)，repeat 重复(对)，determine 决定(对)，explain 解释(对)，contradict 反驳(错)。综合空格 (i)，答案选 D。

翻译 Longdale 和 Stern 发现线粒体和叶绿体共享着一种长的、相同的 DNA 序列；这种巧合只有通过两个系统之间 DNA 的转让才能解释。

10-6 答案：B

难度 ★

思路
- 方程等号：Until 直到…（相当于 before），时间对比，反义重复。
- 强词和对应：当下变暖趋势超过了正常气候波动范围，空格体现之前科学家对大气二氧化碳增加导致长时间变暖效果的可能性（possibility）的态度。warming trend 和 warming effects 同义重复，根据时间对比，空格填入一个负向词。interest in 对…感兴趣，uncertainty about 对…不确定，enthusiasm for 对…乐观，worry about 对…担忧，experimentation on 在…上做实验。如果选 D，那么句意就是在温室效应发生之前，科学家很担忧，发生后，他们不担忧。这明显不合逻辑，排除 D 选项，答案选 B。

| 翻 译 | 在目前变暖的趋势超过正常气候波动范围之前，科学家对大气层中持续增加的二氧化碳能导致长期变暖的可能性持不确定态度。 |

· ·

10-7 答案：E

| 难 度 | ★ |

| 思 路 | · 方程等号：第二个逗号，同义重复。 |
| | · 强词和对应：conventionality 指向空格，根据逗号取同。ethos 气质，idealism 理想主义，romance 浪漫，paradox 矛盾，commonplace 平庸。答案选 E。 |

| 翻 译 | 并不是看上去的超凡脱俗，William James 看起来完全摆脱了学术界的平庸——学术界的传统之见。 |

· ·

10-8 答案：A

| 难 度 | ★ |

| 思 路 | · 方程等号：when 引导的时间状语从句，同义重复。 |
| | · 强词和对应：前文说收藏家喜爱浓香的白色的花，Heavily perfumed 指向空格，根据 when 取同，体现"香味"的价值高。scent 香味，beauty 美，elegance 优雅，color 颜色，variety 多样。答案选 A。 |

| 翻 译 | 具有浓郁香味的白花，比如栀子花，在 18 世纪的收藏者中是非常受欢迎的，那时候对香味的重视比现在更高。 |

| 注 释 | 选项 D 为干扰项，原文只说明是 white color，color 的范围更广。 |

· ·

10-9 答案：C

| 难 度 | ★★ |

思 路	**空格 (ii)：**
	· 方程等号：performing 表现，同义重复。
	· 强词和对应：folk singer 民谣歌手表演"民谣"，因此 folk singer 指向空格 (ii)，体现民谣歌手最喜欢"民谣"。recital 独奏会，chorale 圣歌，ballad 民谣，chantey 船歌，composer 作曲家。选项 C 合适。
	空格 (i)：
	· 方程等号：normally 通常地，a tenor 泛指一般的男高音歌手，和 Pavarotti 对象取反。
	· 强词和对应：Pavarotti 能够轻松地（sailed through）完成 Verdi's "Celeste Aida"，sailed though 指向空格 (i)，换对象取反，表示其他人"不轻松完成"。pitfall 陷阱（对），glory 荣耀（错），nightmare 噩梦（对），delight 快乐（错），routine 惯例（错）。综合空格 (ii)，答案选 C。

| 翻 译 | 在一场令人印象深刻的表演中，Pavarotti 以一个民谣歌手表演其最喜爱的民谣的那种随意的热情轻松完成了 Verdi 的 "Celeste Aida"，这首歌通常是一个男高音歌手的噩梦。 |

10-10 答案：B

难度 ★★

思路 **空格 (ii)：**
- 方程等号：remains 体现状态的延续，前后取同。
- 强词和对应：前文说美国重金属资源依赖外国，Dependence on foreign resource 指向空格 (ii)，根据 remains 取同，体现"依赖"一直延续，而对外国资源的依赖是"不好的"，因此空格 (ii) 填入一个负向词。challenge 挑战，problem 问题，dilemma 困境，embarrassment 尴尬，precedent 先例。选项 A、B、C、D 合适。

空格 (i)：
- 方程等号：though 尽管，反义重复。
- 强词和对应：根据空格 (ii)，依赖保持"依赖"，Dependence on 指向空格 (i) 取反，体现"不依赖"或"依赖减少"。deepening 加深的（错），diminishing 减少的（对），excessive 过度的（错），debilitating 衰弱的（错），unavoidable 必然的（错）。debilitating 指身体或力量的衰弱，与 dependence 语义不当。因此综合空格 (ii)，答案选 B。

翻译 尽管对外国重金属资源的依赖正在减少，但这依旧是美国外交政策的一个问题。

10-11 答案：E

难度 ★★

思路 **空格：**
- 方程等号：in order to 表示目的，同义重复。
- 强词和对应：praised 和 compliments 同义重复，指赞扬，空格中人们对赞扬的动作是为了被表扬第二次，因此空格体现"没有接受"第一次赞扬，才会被表扬第二次，填入一个负向词。bask in 享受，give out 分发，despair of 对…绝望，gloat over 沾沾自喜，shrug off 对…置之不理。答案选 E。

翻译 犬儒主义认为那些拒绝表扬的人之所以这样做是为了得到第二次表扬。

注释 Cynical（犬儒主义）的观点是 GRE 常考的观点。cynical 的释义是 believing that people are generally selfish and dishonest。所以，cynical 的特征是"唱反调"，与一般大众观点相反。在大众看来，拒绝赞扬是一种谦逊的表现，但是 cynical 却认为这是一种虚荣的行为，因为想要被再次表扬。

10-12 答案：A

难度 ★★

思路 **空格 (ii)：**
- 方程等号：by 表示方式方法，同义重复。
- 强词和对应：by 后面说对煤炭运输要价过高，"要价过高"对从石油到煤炭的转型是"不利的"，空格 (ii) 体现对"要价过高"的负评价。impede 阻碍，accelerate 加速，delay 延迟，contribute to 有助于，interfere with 干扰。A、C、E 三项合适。

空格 (i)：

- 方程等号：by 表示方式方法，同义重复。
- 强词和对应：通过要过高（exorbitant）的价钱，空格 (i) 体现 freight railroads "要价过高"的行为。exorbitant 的释义是 not coming within the scope of the law，因此空格 (i) 是一种 "法律范围之外" 的行为。accuse (of) 指控（对），proud (of) 自豪（错），guilty (of) 愧疚（错），conscious (of) 意识到（错），wary (of) 警惕（错）。综合空格 (ii)，答案选 A。

翻 译 尽管从这个事实中无法得出任何进一步的结论，但是铁路货运部门被指责因为征收了过高的运煤费用而阻碍了这个国家从油到煤的转变。

10-13 答案：E

难 度 ★★

思 路
- 方程等号：Although 尽管，反义重复；lack of 取反。not 取反。空格 (i) 和空格 (ii) 联动，取反三次后最终取反。

空格 (i) + 空格 (ii)：

- 强词和对应：代入选项，prudcncc 谨慎...tolerance 容忍，不取反，排除；detachment 客观...foreknowledge 先知，不取反，排除；exoneration 免罪...impropriety 不得体，不取反，排除；prejudice 偏见...preference 偏好，不取反，排除；disinterestedness 公正客观...partiality 偏见，取反，正确。答案选 E。

翻 译 尽管一名参赛者是其朋友的消息使得这位裁判公开面临缺乏客观公正的指责，但这位裁判仍继续坚持她的观点，即熟悉的人并不一定意味着偏见。

10-14 答案：B

难 度 ★★

思 路 空格 (ii)：
- 方程等号：within the next decade 和 incipient 时间对比，反义重复。
- 强词和对应：因为未来会决定是否大陆真的在移动，所以起初的观点就是不确定的，所以空格 (ii) 填入一个表示 "不确定" 含义的单词。consensus 共识，rift 分歧，debate 争论，speculation 推测，rumor 谣言。选项 B、C、D 合适。

空格 (i)：
- 方程等号：第二个逗号，前后取同。
- 强词和对应：逗号前面说未来精密的望远镜就可以确定大陆是否真的移动，对于起初的不确定性进行了排除，所以空格填入一个负向词。obviate 排除（正确），forestall 阻止（正确），escalate 扩大（错误），engender 产生（错误），resolve 解决（正确）。综合空格 (ii)，答案选 B。

翻 译 在未来的十年中，现在正围绕地球旋转的、精密的望远镜将判断大陆是否真的在移动，并阻止地质学家之间的、初期的关于大陆漂移学说理论正确性的分歧。

10-15 答案：C

难度 ★

思路
- 强词和对应：因为立法机构的原因，所以委员会 charging 大量合格的年轻人 _____（空格）继续深造的教育机会。因为是指责，所以空格填入一个负向词。entitle to 享有，strive for 努力争取，deprive of 剥夺，uninterested in 没有兴趣，participate in 参与。支付能力是外部因素，而 uninterested in 是内部因素，因此选项 D 不合适。答案选 C。

翻译 委员会批评立法机构，因为其使得大学的入学依赖于能否支付学费的能力，因此，委员会指责这样的结果会导致大量的合格青年被剥夺继续教育深造的机会。

10-16 答案：E

难度 ★★

思路 空格 (i)：
- 方程等号：冒号，同义重复。
- 强词和对应：冒号前说祭祀仪式中的物品过分注重细节上的丰富性，it 指代 article，decorated 和 is made with 同义重复，extraordinary attention to richness of detail 指向空格 (i)，根据冒号取同，体现物品"装饰多"。delicately 精致地，colorfully 色彩丰富地，creatively 有创造力地，subtly 不易觉察地，lavishly 奢侈浪费地。选项 E 合适。

空格 (ii)：
- 方程等号：more...than... 表示是…而不是…，比较级取反。
- 强词和对应：it 指代 article，前面是宗教和仪式的物品，prayer or ritual 指向空格 (ii)，根据比较级取反，体现"非宗教仪式"的物品。vocational 职业的（对），festive 节日的（对），religious 宗教的（错），commercial 商业的（对），everyday 日常的（对）。综合空格 (i)，答案选 E。

翻译 在绝大部分土著美洲文化中，在宗教祈祷和宗教仪式上所使用的物品在制作时特别注意细节的丰富性：它比一件类似的、用于日常生活的物品装饰得更加奢侈。

10-17 答案：C

难度 ★★

思路 空格 (i)：
- 方程等号：Having no sense，取反。as little...as... 表示像…都不，取反。
- 强词和对应：前文描述 Shipler 没有道德约束感，因此空格 (i) + conscience（良心）和 moral obligation 同义重复，体现他在行动之后没有"道德约束"。reward 表扬，balm 止痛剂，reproach 谴责，ridicule 嘲笑，qualm 不安。选项 C 和 E 合适。

空格 (ii)：
- 方程等号：by 表示方式方法，同义重复。
- 强词和对应：its 指代 conscience，motivated 指向空格 (ii)，根据 by 取同，体现在他行动前不受到良心的"促使"。chastisement 谴责（错），eloquence 口才（错），prompting 驱使（对），allure 引诱（错），atonement 弥补（错）。综合空格 (i)，答案选 C。

翻 译	由于没有道德约束感，Shipler 在行动之后很少受道德良心的谴责，同样他在行动之前也不是由于道德良心的驱使而产生动机的。

- ·⟨

10-18	答案：A

难 度	★

思 路	**空格 (i)：**

- 方程等号：冒号，同义重复。
- 强词和对应：前文说 Freud 间接得到童年精神分析的知识，derived indirectly 指向空格 (i)，根据冒号取同义体现"间接获得"。reconstruct 再现，condone 宽恕，incorporate 包含，release 释放，infer 推断。选项 A 和 E 合适。

空格 (ii)：

- 方程等号：冒号，同义重复。
- 强词和对应：前文说 Freud 间接地得到童年精神分析的知识，psychoanalytic knowledge 指向空格 (ii) 取同，体现从成人"心理"获得孩童的心理情况。memory 记忆，experience 经验，behavior 行为，monotony 单调乏味，anticipation 期望。anticipation 是对未来的希望，分析是对存在的过去的分析，不能从"未来"得出"过去"，所以排除选项 E。答案选 A。

翻 译	Freud 间接地获知童年的精神分析学情况：他从成年后的回忆中再现童年。

- ·⟨

10-19	答案：E

难 度	★

思 路	**空格 (ii)：**

- 方程等号：initially 一开始，时间对比，反义重复。
- 强词和对应：前文说这个人一开始遭受同行的不理解（incomprehension），once（曾经）表示之前的状态，和 initially 同义重复，因此 incomprehension 指向空格 (ii)，取同，体现之前她的科学理论是"不被理解的"，填入一个负向词。innovative 创新的，insignificant 不重要的，tentative 实验的，authoritative 权威的，heterodox 异类的。选项 B 和 E 合适。

空格 (i)：

- 方程等号：While 尽管，反义重复。
- 强词和对应：前文说这个人遭受同行的不理解（incomprehension），后来胜利（triumph）了，triumph 和 incomprehension 根据 while 取反，因此空格 (i) 填入一个正向词。descry 看见（对），regret 后悔（错），perpetuate 永存（错），enjoy 享受（对），savor 享受（对）。因此综合空格 (ii)，答案选 E。

翻 译	尽管她当初遭受很多先驱人物的命运——不被她的同行所理解，但这位八十多岁的诺贝尔奖获得者 Barbara McClintock 一直活到了享受她的曾经是异端的科学理论的胜利。

10-20   答案：E

难 度   ★★★

思 路   空格 (i)：

- 方程等号：inured to 的释义是 to cause (someone) to be less affected by something unpleasant，表示习惯于令人不悦的事，前后同义重复。
- 强词和对应：因为百老汇的观众已经习惯于 "unpleasant thing"，空格 (i) 为负评价，同时后文说这个作品让他们的掌声毫无意义（meaningless），因此空格 (i) 和 meaningless 取同，填入一个负向词。sentimentality 多愁善感，condescension 屈尊俯就，histrionics 装腔作势，cleverness 聪明，mediocrity 平庸。选项 B、C 和 E 合适。

空格 (ii)：

- 方程等号：and 平行结构，同义重复；so...as to... 表示因果，同义重复。
- 强词和对应：后文说观众的掌声作为这个作品质量的指示是毫无意义的，根据空格 (i) 可知，他们已经习惯了这种 "不好的" 的表演。inured to 指向空格 (ii)，根据 and 取同，体现对表演的 "负评价"。reluctant 勉强的，disinclined 不情愿的，unlikely 不可能的，eager 渴望的，desperate 绝望的（suffering extreme need or anxiety）。综合空格 (i)，答案选 E。

翻 译   百老汇的听众已经对平庸的作品习以为常，因此对被取悦是如此绝望以至于使得他们欣然的热烈掌声失去了为面前演出作品的质量评价的意义。

10-21   答案：E

难 度   ★★★

思 路
- 方程等号：in the sense that 表示因果，同义重复。
- 强词和对应：it 指代 experience 经验，conspiracy 和 collective attempt 同义重复，指共同的企图，因此 against 指向空格，取同，体现语言 "反" 经验。同时 by 表示方式状语，前后同义重复，后面说语言把经验降低成不联系的部分，空格和 reducing 取同，填入一个负向词。extrapolate 推测，transcribe 誊写，complicate 使复杂化，amplify 增大，manage 控制。因为是 reduce，所以排除 C 和 D，答案选 E。

翻 译   语言是反对经验的一种阴谋，因为从某种意义上来说，语言是一种通过将经验简化为分离的部分的方式来控制经验的集体企图。

Exercise 11

既然选择远方，便只顾风雨兼程。备考 GRE 的路上，坚持是最好的办法。

——张婧雯

微臣教育线上课程助教

2015 年 4 月 GRE 考试 Verbal 160，Quantitative 170

EXERCISE ⑪

核心词汇

1.《GRE 核心词汇考法精析》收录单词（共 52 词）

affluent	aggravate	argument	assertive
buttress	calculated	chivalrous	clumsy
conflate	conform	constitute	contrived
dependable	deter	diminish	disarray
disregard	distinctive	diversity	dynamic
ephemeral	forebode	grieve	hamper
heretical	imperturbable	inconsequential	ingrained
inquisitive	intuitive	issue	jeopardy
ludicrous	mar	moratorium	neutralize
obscure	plethora	precursor	profundity
random	rejoice	ruthless	spontaneous
sporadic	strength	vague	valid
variance	viable	vicious	vindictive

2. 基础单词补充（共 10 词）

astrology   *n.* 占星术：the study of the positions and aspects of celestial bodies in the belief that they have an influence on the course of natural earthly occurrences and human affairs

defiance   *n.* 公然违抗：the act or an example of opposing or resisting with boldness and assurance; bold resistance to an opposing force or authority

dichotomous   *adj.* 对立的：of or relating to opposition

dispel   *v.* 驱散：to drive away or off by or as if by scatter

outstrip   *v.* 超过：to leave behind; outrun

perennial   *adj.* 持久的：lasting an indefinitely long time; enduring

retreat   *n.* 撤退：an act of moving back or withdrawing

rival   *v.* 比得上：to be the equal of; match

savor   *v.* 享受：to taste or smell, especially with pleasure

siren   *n.* 警报器：an electronic device producing a similar sound as a signal or warning

练习解析

11-1　答案：D

难度　★

思路
- 方程等号：without=not，取反。
- 强词和对应：siren 报警器，it 指代前面的 fog（浓雾），前文说报警器引起人们对浓雾的注意，空格体现报警器没有对浓雾做出动作。describe 描述，cause 导致，analyze 分析，dispel 驱散，thicken 变厚。A、B、C、E 无法描述报警器对 fog 做出的动作。答案选 D。

翻译　在学者诙谐的旧定义中也许存在着一些真理，学者就像报警器一样，可以引起人们对浓雾的注意但却无法做任何事情来驱散浓雾。

注释　在这句话中，作者用比喻的手法对学者进行了嘲讽，说他们只会对问题大呼小叫，引起关注，但并不能解决问题（dispel the fog）。

11-2　答案：A

难度　★

思路　空格 (i)：
- 方程等号：第一个逗号，前后同义重复。
- 强词和对应：逗号后说无论地理或者地质，前面也需要体现地理与地质，geography or geology 指向空格 (i)，根据逗号取同。location 位置，climate 天气，site 地点，proportion 比率，surface 表面。A 和 C 合适。

空格 (ii)：
- 方程等号：energy storage 和 gas storage，hydroelectric storage 换对象，取反。
- 强词和对应：前文说低温能量储存有适应性的优势，factors 是 geography or geology 的同位语，而 energy storage 和 gas storage 和 hydroelectric storage 是不同的对象，换对象取反，suitable 指向空格 (ii) 取反，体现"不适合"，填入一个负向词。limit 限制（对），deter 阻止（对），forebode 预示（错），typify 作为…的典型（错），hamper 阻碍（对）。综合空格 (i)，答案选 A。

翻译　无论地理还是地质情况如何，物理的低温能量存储方式具有在任何地理位置都适用的优势，但这两个因素却会限制地下气体存储方式和泵压水力发电的存储方式。

11-3　答案：D

难度　★★

思路
- 方程等号：第二个逗号，前后取同。
- 强词和对应：逗号后的内容说婴儿渴望主动去关注光和声音。actively + 空格和 eagerly attentive 同义重复（attentive: paying careful attention to something）。active 表示积极，对应 eagerly，所以空格对应 attentive，adaptive 适应的，selective 选择的，inquisitive 好奇的，receptive 善于接受的，intuitive 直觉的。答案选 D。

翻 译 新出生的人类婴儿既不是一个被动的人物，也不是一个主动的人物，而是可被称为一个积极地接收的人物，热切地注意接收着各种情景和声响。

11-4 答案：B

难 度 ★

思 路 空格 (ii)：

- 方程等号：continued 表示状态的延续，同义重复。
- 强词和对应：前文说反对者反对市场经济的扩张，Opponents 指向空格 (ii)，根据 continued 取同，体现"反对"仍然持续，填入一个正向词。inconsequential 不重要的，powerful 强有力的，disciplined 守纪律的，ineffective 无效的，viable 可行的。disciplined 不可以修饰 force。选项 B 和 E 合适。

空格 (i)：

- 方程等号：although 尽管，反义重复。
- 强词和对应：后文说反对依然存在，空格 (i) 根据 although 取反，体现"不反对"或者"反对减少"，填入一个负向词。error 错误（错），retreat 后退（对），disarray 混乱（错），jeopardy 危险（错），command 指挥（错）。综合空格 (ii)，答案选 B。

翻 译 尽管处于后退状态，但市场经济扩张的反对者们却继续组成一股强大的政治势力贯穿整个世纪。

11-5 答案：C

难 度 ★★

思 路 空格 (i)：

- 方程等号：冒号说明前后同义重复。despite 尽管，句内逻辑取反。
- 强词和对应：冒号前说自然能量的效率和人类科技的关系，冒号后说萤火虫的光虽然强度大，但是产生的热是微不足道的。nature's energy 和 the light fireflies 同义重复，空格 (i) 体现自然能量效率"高"。engender 产生，reflect 反映，outstrip 超过，inhibit 阻碍，determine 决定。自然效率不能产生（engender）人类科技，后文也没有体现自然对人类科技的决定（determine）作用。因此选项 C 合适。

空格 (ii)：

- 方程等号：recently 表示时间对比，反义重复。
- 强词和对应：recently 前说自然能量效率比人类高，recently 后面说自然效率没有人类高。nature's energy 和 firefly's system 同义重复指"自然"，human technology 和 light-producing systems 同义重复体现"人类科技"。因此空格 (ii) 体现"自然和人类科技效率一样"或者"人类科技效率更好"。manipulate 操纵（对），simulate 模仿（错），rival 相匹敌（对），match 相匹敌（对），reproduce 复制（错）。综合空格 (i)，答案选 C。

翻 译 大自然的能量效率通常超越人类科技：尽管萤火虫发出的光的强度大，但（产生的）热量是微不足道的；直到最近人类才发展出化学发光系统，这种系统的能量效率可与萤火虫系统相媲美。

11-6 答案：B

难度 ★

思路
- 方程等号：led to，意为导致，因果关系，同义重复。
- 强词和对应：学者对国家核心概念的独特之处（uniqueness）的认识会导致空格的研究方法，将 uniqueness 指向空格，根据 led to 取同，体现研究是"独特的"。thorough 全面彻底的，distinctive 独特的，dependable 可靠的，scientific 科学的，dynamic 动态的。答案选 B。

翻译 在政治科学变成一个学术领域的时候，学者们关于"国家"这个核心概念独特之处的认识就自然导致他们努力追求一个相应的独特的研究方法。

11-7 答案：C

难度 ★★

思路 空格 (i)：
- 方程等号：逗号，同义重复。
- 强词和对应：占星术是反正统，因此具有"反对"的力量。countering 指向空格 (i) 取同，individual 个体的，accepted 被接受的，underground 反对主流的，heretical 异端学说的，unknown 未知的。underground 的释义是 of, relating to, or produced in a social and artistic world that is different and separate from the main part of society。选项 C 和 D 正确。

空格 (ii)：
- 方程等号：so 表示因果，同义重复。
- 强词和对应：前文说占星术反抗（countering）正统力量，an act of ____ the professional sciences 和 the strength of established churches 同义重复，countering 指向空格 (ii)，根据 so 取同，体现对 established 或 professional 的"反抗"。rebellion by 被…反抗（错），antagonism toward 敌对（对），defiance against 向…挑战（对），support for 支持（错），concern about 对…关心（错）。综合空格 (i)，答案选 C。

翻译 正如占星术几个世纪以来一直是一种反抗主流的信仰，它反对已确立的教会的力量，所以今天对占星术的信仰是一种反抗专业科学的行为。

11-8 答案：E

难度 ★

思路
- 方程等号：Despite 尽管，反义重复。
- 强词和对应：前文说两个议员属于不同的政治党派，different 指向空格，根据 Despite 取反，体现有"相同"之处。complicate 使…复杂，avoid 避免，attest to 证实，report on 报道，agree on 一致同意。答案选 E。

翻译 尽管这两个议员属于不同的政党，但他们就如何为这个城镇的债务募集资金的问题达成了共识。

11-9 答案：B

难度 ★

思路
- 方程等号：by 表示方式方法，同义重复。
- 强词和对应：breathing spell 表示喘息的机会，喘息的机会只能由喘息提供，所以后文应描述的是武器运输的空格提供了"喘息"，breathing spell 指向空格取同，体现"喘息"。plethora of 过量，moratorium on 暂停，reciprocation of 互换，concentration on 关注，development of 发展。答案选 B。

翻译 由于武器运输暂停所导致的喘息之机，应该给所有的参战人员一个机会来重新评价他们所处的位置。

11-10 答案：D

难度 ★

思路
- 方程等号：is discredited by 被…反驳，反义重复。
- 强词和对应：后文描述的事实是文化以压倒性力量解释跨人口的差异性，cross-population variance 和 cross-cultural diversity 同义重复。overwhelmingly 指向空格，取反，体现文化对人口多样性的影响是"不具有压倒性影响"。jointly 共同地，completely 完全地，directly 直接地，equally 同样地，eventually 最终地。只有 equally 体现了影响的程度。答案选 D。

翻译 这个事实驳斥了文化和生物影响平等地决定了跨文化差异的观点，即在人类存在的数不尽的方方面面中，是文化因素压倒性地解释了跨人口的差异。

注释 A 是很容易误选的答案，因为即使是文化压倒性解释了跨人口的差异性，文化和生物也在共同影响跨人口的差异性。

11-11 答案：A

难度 ★★

思路 空格 (i)：
- 方程等号：Because 表示因果，同义重复；not，取反。
- 强词和对应：前文说中世纪女人在宗教生活的公开参与是不被允许的，空格 (i) 体现一种补偿性（compensating）的方式是能"参与"的，participation 指向空格 (i) 取同，选"参与"。involvement with 参与，attention to 关注，familiarity with 对…熟悉，dissatisfaction with 对…不满，resistance to 抵制。A、B、C 三项合适。

空格 (ii)：
- 方程等号：Because 表示因果，引导句内逻辑同向。not 取反。
- 强词和对应：前文说中世纪女人在宗教生活的公开（public）参与是不被允许的，its 指代 religious writing，religious writing 的意思是"不冒犯的"（即"被允许的"），因此 public 指向空格 (ii)，取反，体现女性找到一种补偿性的方式——"不公开的"方式，且被认可。privacy 隐私（对），popularity 流行（错），scarcity 缺少（错），profundity 深奥（错），domesticity 家庭生活（错）。综合空格 (i)，答案选 A。

翻译 由于中世纪妇女公开参与宗教生活不受男性当权者们的欢迎，一种由于其隐私性而对当权者们毫无冒犯之处的补偿性方式——参与宗教写作，对很多女性变得尤为重要。

视频讲解

11-12 答案：B

难 度 ★

思 路 空格 (i)：
- 强词和对应：kindliness（友善）和 savage irony（野蛮的讽刺）构成反义重复。因此空格 (i) 体现 kindliness 和 savage irony 的对立，填入一个负向词。illuminate 解释，mar 破坏，untainted 未受污染，exemplify 体现，dilute 削弱。选项 B 和 E 合适。

空格 (ii)：
- 方程等号：bespeak 表明，前后同义重复。
- 强词和对应：前面说文章既有 kindliness（友善）也有 savage irony（野蛮的讽刺），空格 (ii) 同时体现 kindliness 和 savage irony 两个"对立"特征。imperturbable 冷静的（错），dichotomous 对立的（对），vindictive 报复的（错），chivalrous 彬彬有礼的（错），ruthless 无情的（错）。ruthless 只能体现偶尔展现的 savage irony，而题干中说这个人的善良是占主流的（prevailing），因此正确答案选 B。

翻 译 最后这篇散文，其中占主导地位的友善被偶尔闪现的野蛮的讽刺话语破坏了，这表明了作者矛盾对立的性格。

- - - - - - - - - - - - - - - - - ◖➙

11-13 答案：C

难 度 ★

思 路
- 方程等号：Although 尽管，反义重复。so...as to... 如此…以至于…，表示因果，同义重复。空格 (i) 和空格 (ii) 都是在描述前面的 attempts 的行为，两空联动并且同义重复。

空格 (i) + 空格 (ii)：
- 强词和对应：psychotic 和 mental illness 同义，都指代精神病。后文说精神病让他躲过（avoid）因叛国罪带来的审判，说明装疯卖傻是"有用的"，因此前文根据 Although 体现装疯卖傻"没用"，填入负评价。空格 (i)、空格 (ii) 同义重复体现 psychotic 的负面。spontaneous 自发性的...amusing 有趣的；contrived 做作的...believable 可信的；clumsy 笨拙的...ludicrous 荒唐可笑的；stylized 非写实的...distressing 令人沮丧的；sporadic 断断续续的...premeditated 预谋的。答案选 C。

翻 译 尽管他企图假装患了精神病的尝试是如此笨拙以至于几乎是荒唐可笑的，但证据表明 Ezra Pound 能够仅仅通过伪装精神病的症状来避免叛国罪带来的审判。

- - - - - - - - - - - - - - - - - ◖➙

11-14 答案：E

难 度 ★

思 路
- 方程等号：be distinguished from 将…和…区分开来，前后取反。空格 (i) 和空格 (ii) 都是描述 the questions 的，构成反义重复。

空格 (i) + 空格 (ii)：
- that 引导的定语从句修饰空格 (i)，前后同义重复。后面描述这种问题一直构建了历史研究的框架。因此空格 (i) 和 consistently structure the study 同义重复，体现"长久性"。recurrent 复发的，instinctive 本能的，ingrained 根深蒂固的，philosophical 哲学的，perennial 永久的。选项中 A、B 和 E 正确。

- which 引导的定语从句修饰空格 (ii)，前后同义重复，后面描述这种问题有它们繁荣的时期（have their day），但后来被遗忘了，所以空格填入一个"短暂"含义的词。选项中，practical 务实的（错），factual 真实的（错），discriminating 有鉴别能力的（错），random 随机的（错），ephemeral 短暂的（对）。综合空格 (i)，答案选 E。

翻译 那种一直以来构建历史学研究的永恒的问题必须与短暂的问题区分开来，这种问题曾辉煌一时后来就被人们遗忘了。

11-15 答案：B

难度 ★

思路 空格 (ii)：
- 方程等号：Despite 尽管，反义重复。
- 强词和对应：前面描述这个程序具有令人困惑的复杂性（bewildering complexity），complexity 指向空格 (ii)，根据 despite 取反，体现"不复杂"。calculated 精心策划的，elementary 简单的，imaginary 幻想的，effective 有效的，modern 现代的。选项 B 合适。

空格 (i)：
- 方程等号：underlying 修饰空格 (i)，同义重复。
- 强词和对应：空格 (i) 体现"根本性的"。simplicity 简单，principle 原则，confusion 混乱，purpose 目的，theory 理论。综合空格 (ii)，答案选 B。

翻译 尽管这个程序似乎具有令人困惑的复杂性，但是其根本的原则却是相当简单的。

注释 underlying 的释义是 used to identify the idea, cause, problem, etc., that forms the basis of something。principle 的释义是 a basic truth or theory。

11-16 答案：C

难度 ★

思路 空格 (ii)：
- 方程等号：therefore 表示因果，同义重复。
- 强词和对应：后面说更加引起兴趣和思考的题材和主题，因此 challenging 指向空格 (ii)，根据 therefore 取同。challenging 的释义是 arousing competitive interest, thought, or action。因此体现观众是"需要被引起兴趣的"。critical 挑剔的，affluent 富裕的，mature 成熟的，realistic 现实的，general 普遍的。选项 A 和 C 合适。

空格 (i)：
- 方程等号：therefore 表示因果，前后逻辑同向。
- 强词和对应：later viewing time（较晚的收视时间）和 more challenging subjects and themes 同义重复，因此空格 (i) 不改变逻辑方向。require 要求，evince 表明，imply 暗示，eliminate 消除，invite 邀请。电视节目的安排是迎合观众口味的，也就是观众要求相应的电视节目的类型，而不是电视节目的安排"要求"观众的类型，因此排除选项 A。答案选 C。

翻译 在电视节目的安排中，一个较晚的收视时间通常意味着更加成熟的观众，因此也意味着更能引发兴趣和思考的题材和主题。

11-17 答案: E

难 度　★★

思 路
- 方程等号: 逗号说明前后同义重复。前面说感情是"令人愉悦的忧伤", 逗号后内容和 pleasant sorrow 同义重复。not...but... 表示不是…而是…, 前后取反。

空格 (i):
- 强词和对应: the cherry blossoms in full bloom 樱花盛开和 pleasant 对应, 体现"愉悦", 因此空格 (i) 和 pleasant 取同, 对"令人愉悦的"东西持有"愉悦"的态度, 填入一个正向词, mourn 哀痛, honor 尊敬, describe 描述, arrange 安排, savor 欣赏。选项 A、B 和 E 正确。

空格 (ii):
- 强词和对应: the fading, falling flowers 凋零飘落的花和 sorrow 对应, 体现"忧伤", 因此空格 (ii) 和 sorrow 取同, 对"令人悲伤的"东西持有"忧伤"的态度, exclaim over 呼喊（错）, protect 保护（错）, rejoice over 对…感到高兴（错）, preserve 保护（错）, grieve over 对…感到伤心（对）。综合空格 (i), 答案选 E。

翻 译　这种思念的情绪, 可以理解为"令人愉悦的忧伤", 把日本人带到春天的京都去, 并不是来欣赏盛开的樱花, 而是为那些凋零的、飘落的花而悲伤。

注 释　natsukashii 是日语单词, 意思是怀念、思念。

11-18 答案: C

难 度　★

思 路
空格 (ii):
- 方程等号: more A than B, 是 A 而不是 B, 反义重复。
- 强词和对应: 前面说 Adam Smith 的 *Wealth of Nations* 值得一读, 更多应欣赏他对当今经济的有效贡献, 因此 current 指向空格 (ii) 取反, 体现"非当下"。outgrowth 自然结果, concern 担心, precursor 先驱, byproduct 副产品, vestige 遗迹。outgrowths 和 byproducts 体现的是"之后", 和 1776 年表示之前的时间点矛盾。因此选项 C 合适。

空格 (i):
- 方程等号: of 介词结构修饰空格 (i), 同义重复。
- 强词和对应: of 后面说对经济的有效贡献, 因此 valid 指向空格 (i) 取同, 体现对经济产生的有效贡献在当今的"有效性", 并对其要持欣赏（appreciate）的态度, 填入一个正向词。disregard 忽视（错）, reaffirmation 再次肯定（对）, relevance 相关性（对）, acceptance 接受（对）, importance 重要性（对）。综合空格 (ii), 答案选 C。

翻 译　Adam Smith 的 *Wealth of Nations*（1776 年）仍然值得一读, 更多是因为 Smith 对经济学所做的有效贡献在当今仍具有的相关性, 而不是因为将这些贡献看成当今经济学的先驱。

11-19 答案: C

难 度　★

思 路
- 方程等号: when 引导时间状语从句, 同义重复。
- 强词和对应: 后面说当讨论不支持观点的时候, Graves 会根据需要调整证据。因此

tailoring to 指向空格，根据 when 取同，体现"调整"。address 处理，create 创造，alter 改变，suppress 压制，substitute 替代。答案选 C。

翻译 在他谈论的几个观点中，当这些证据不能支持他的观点的时候，Graves 实际上改变了证据，根据自己的需要来调整证据。

11-20 答案：E

难度 ★

思路
- 方程等号：Regardless of 不管，反义重复。nothing 取反。两次取反后，最终取同。
- 强词和对应：后面说没有任何事情要求日常的政治是"清晰的"，因此空格根据 Regardless of 和 nothing 取反两次，和 clear, thorough 或 consistent 同义重复，体现政治提出"清晰"的理论。vague 模糊的，assertive 自信的，casual 随意的，vicious 邪恶的，tidy 有条理的。答案选 E。

翻译 不管清晰的政治学理论会提出什么观点，没有什么能必然导致日常的政治行为清楚、彻底并且富有连贯性，没有什么事物能保证现实依从理论。

11-21 答案：E

难度 ★★

思路 空格 (i)：
- 方程等号：and 连接平行结构，同义重复。
- 强词和对应：blood pressure regulation 和 hypertension 同义重复，前文说暴露在噪音中会增加血压，increase hypertension 指向空格 (i)，根据 and 取同，体现对血压管制系统产生"不好的"影响。sharpen 加剧，increase 增加，aggravate 恶化，disrupt 扰乱，impair 损害。C、D、E 三项合适。

空格 (ii)：
- 方程等号：that 引导的定语从句修饰 result，同义重复。
- 强词和对应：根据题意，不确定的结论具有"不确定的"特征。inconclusive 指向空格 (ii)，根据 that 取同，体现"不确定"。conflate 合并（错），diminish 减轻（错），buttress 支持（错），neutralize 抵消（错），obscure 使模糊（对）。综合空格 (i)，答案选 E。

翻译 暴露在持续的噪声中被认为会破坏人体中的血压控制系统，尤其是增加高血压，即使有些研究者已经获得了尚未确定的、会模糊噪声和血压的关联性结果。

Exercise 12

曾经在 3000 里看到这样一句话"没有考过 GRE 的人生是不完整的",对我而言,如果没有攻克 GRE 的人生是遗憾的。这注定是一段让你重新认识自己潜能奇妙的旅程。

——刘明熙
微臣教育 2015 春季 325 计划学员
2016 年 1 月 GRE 考试 Verbal 161
录取院校:哥伦比亚大学

EXERCISE ⑫

1.《GRE 核心词汇考法精析》收录单词（共 59 词）

abuse	accumulate	adamant	ally
amorphous	antipathy	applicable	appropriate
arbitrary	arcane	awe	belie
categorical	collapse	complicate	conviction
convoluted	dampen	delegate	disabuse
discrete	disinterested	dynamic	elucidate
engender	ephemeral	exorcise	fervent
illusory	impervious	imprecise	indifferent
indulgent	intuitive	misapprehension	mobile
nostalgia	obscure	onset	painstaking
permanent	pertinent	proclivity	project
propensity	rational	relevant	sensitive
sparing	stint	substantiate	subtle
synthesis	tepid	transparent	vitality
volatile	vulnerable	wary	

2. 基础单词补充（共 10 词）

adoration	*n.* 爱慕：profound love or regard
affection	*n.* 慈爱：a tender feeling toward another; fondness
confusion	*n.* 混乱：the act of jumbling or the state of being jumbled
hospitable	*adj.* 善于接受的：having an open mind; receptive
naïveté	*n.* 天真：the state or quality of being artless, credulous, or uncritical
norm	*n.* 典范：a standard, model, or pattern regarded as typical
passionate	*adj.* 热情的：capable of, having, or dominated by powerful emotions
reconstruction	*n.* 重建：the act or result of build again
serenity	*n.* 平静：the state or quality of being calm and unruffled; tranquility
tension	*n.* 紧张：mental, emotional, or nervous strain

练习解析

12-1　答案：D

难度　★

思路
- 方程等号：After 表示时间对比，反义重复。
- 强词和对应：逗号前说 slow sales，逗号后说 gaining favor（获得青睐，说明销售很好），状态已经改变。空格体现 mobile homes 和 conventional housing 对象取反。reaction 反应，addition 增加，introduction 介绍，alternative 替代，challenge 挑战。challenge（挑战）和 gaining favor 矛盾，排除。答案选 D。

翻译　在经历了早期低速的销售之后，移动房屋作为越发昂贵的传统房屋的代替物而获得了青睐。

12-2　答案：A

难度　★

思路
- 方程等号：not...but... 表示不是…而是…，前后取反。
- 强词和对应：elementary 指向空格，根据 not...but... 取反，体现"不基本"，也对应 intricately 体现"复杂"。complicated 复杂的，convoluted 盘旋的，distorted 扭曲的，amorphous 没有固定形状的，illusory 虚幻的。convoluted 的释义是 very complicated and difficult to understand，强调"难以理解"，不能用来形容结构（construction）上的复杂。答案选 A。

翻译　正如那些看上去简单的事物一样，比如石头、云彩和河蚌，它们事实上却是构造复杂的事物，人的自身也是这样，不是一个"基本粒子"而是一个复杂的结构。

12-3　答案：B

难度　★

思路
- 方程等号：curiously 表示令人吃惊地，类似于 surprisingly，反义重复。
- 强词和对应：前面说她渴望见到意大利，根据 curiously 取反，后面应该说不渴望见到意大利，yearn 指向空格取反，体现"不渴望"。meditative 沉思的，tepid 不热情的，categorical 绝对的，unoriginal 非创新的，insightful 有洞察力的。答案选 B。

翻译　考虑到她如此长久地渴望见到意大利，她第一反应却是令人吃惊地不热情。

12-4　答案：C

难度　★★★

思路

空格 (i)：
- 方程等号：of 介词结构修饰空格 (i)，同义重复；require 要求，同义重复。
- 强词和对应：空格 (i) 具有一个考古学遗址的成功特征，所以空格体现"和考古学遗址相关"的特征。evolution 进化，revelation 爆料，reconstruction 重建，analysis 分析，synthesis 综合。

evolution 是进化,而遗址无法进化,排除选项 A。revelation 是指让人们惊讶的内幕的揭露,和考古学遗址无关,排除选项 B。synthesis 综合是面对多个对象,而 site 为单数,排除选项 E。选项 C 和 D 合适。

空格 (ii):

- 方程等号:as well as 引导平行结构,同义重复。
- 强词和对应:空格 (ii) 对应 knowledge(知识),考古学遗址是和"考古学"或者"历史相关"的。cultural + 空格 (ii) 体现"考古学"的特征。awareness 意识,depth 深度,sensitivity 敏感性,aesthetics 美学,understanding 理解。文化美学和考古无关。因此综合空格 (i),答案选 C。

| 翻 译 | 成功地重建考古学遗址需要科学知识和文化敏感性。 |

| 注 释 | 文化美学是指对文化本身以及人类生存方式的思考方式,和考古学遗址无关。因此选项 D 不合适。 |

12-5   答案:C

难 度   ★★

思 路   空格 (i) + 空格 (ii):

- 方程等号:not...rather...,相当于 not...but...,不是…而是…,前后句义取反。空格 (i) 和空格 (ii) 联动,取反。
- 强词和对应:intensity 强烈...boredom 无聊;complacence 自满...detachment 客观;serenity 宁静...tension 紧张;vitality 生机...excitement 兴奋;nostalgia 怀旧...placidity 宁静。A 选项中 bucolic 田园风光不可能 intensity,所以排除 A,答案选 C。

| 翻 译 | 正如 Constable 所画的一样,这个场景描绘的不是一幅乡村田园般的宁静,相反它表现了震撼心灵的感情和思想之间的张力。 |

12-6   答案:C

难 度   ★★

思 路
- 方程等号:because 表示因果,同义重复。空格 (i) 和空格 (ii) 联动并且取同,体现对坏思想的态度。

空格 (i) + 空格 (ii):

- 强词和对应:bad ideas(坏思想)和 untested theories and untried remedies(未证实的理论和未经检验的方法)同义重复。代入选项,impervious 不受影响的...tolerant of 忍受;hostile 敌意的...dependent on 依赖于;hospitable 乐于接受的...vulnerable to 易受…攻击的;prone 倾向于...wary of 小心谨慎的;indifferent 冷漠的...devoid of 缺乏。我们对坏思想冷漠的(indifferent)态度和我们缺少(devoid of)坏思想矛盾,排除选项 E,因此正确答案选 C。

| 翻 译 | 我们的时代看上去尤其愿意接受坏的思想,可能是因为在摆脱了传统思想束缚的同时,我们最终变得容易受到那些未经测试过的思想和未证明过的方法的深刻影响。 |

| 注 释 | hospitable 的释义是 ready or willing to accept or consider something。 |

12-7 答案：D

难 度 ★★

思 路 空格 (ii)：
- 方程等号：remained 表示状态的持续，同义重复。
- 强词和对应：her conviction of his insincerity 和 her judgment 同义重复，指她认为他不真诚（insincerity）。conviction 指向空格 (ii)，体现她持续"确信的"态度。forceful 强有力的，unfeigned 真实的，indulgent 放纵的，adamant 固执的，unsure 不确定的。选项 A 和 D 合适。

空格 (i)：
- 方程等号：Although 尽管，反义重复。
- 强词和对应：分号后说她仍然相信他不真诚，因此分号前 not successful 和 insincerity 取同。因此空格 (i) 填入一个负向词，体现他让她觉得他"不是"不真诚。remind 提醒（错），convince 说服（错），exorcise 去除（对），disabuse 打消错误念头（对），free 释放（错）。综合空格 (ii)，答案选 D。

翻 译 尽管他不断重复尝试打消她认为自己不真诚的这个想法，但他没有成功；她依然顽固地坚持她的判断。

12-8 答案：B

难 度 ★

思 路
- 方程等号：Although 尽管，反义重复。
- 强词和对应：their 指代 adolescent，onset and duration 对应 sequence，orderly 指向空格，根据 Although 取反，体现"没有顺序"。last 持续，vary 变化，falter 蹒跚，accelerate 加速，dwindle 减少。答案选 B。

翻 译 尽管青春期的成熟和发育阶段以有序的顺序发生，但它们关于开始和持续的时间安排却在变化。

12-9 答案：E

难 度 ★

思 路 空格 (i)+ 空格 (ii)：
- 方程等号：so...that... 如此…所以…，同义重复。no longer，表示不再，取反。
- 强词和对应：前面说最早的殖民地时期的房屋已经被如此改造和扩建，所以最早的房屋设计就不会不变。所以空格 (i) 体现"早期"，空格 (ii) 根据 no longer 对 modified 取反，体现不变。pertinent 重要的，intended 故意的，embellished 被装饰过的，appropriate 合适的，initial 起初的。E 选项对应"早"，正确。空格 (ii) 中，relevant 重要的，necessary 必要的，attractive 有吸引力的，applicable 应用的，discernible 可分辨的。再次验证，答案选 E。

翻 译 很多仍然存留的最早时期殖民地时期的房屋已经被如此改造和扩建了，所以再也分辨不出最初的设计。

12-10 答案：B

难度 ★★

思路
- 方程等号：While 尽管，反义重复。stopped short of，相当于 not，取反。两次取反后取同。
- 强词和对应：主句部分的内容是 not collapse，即乐观，和 optimism 同义重复。因为 While 出现要取反，主句说乐观，While 部分说 "不乐观"，因此空格填入一个负向词。substantiate 证明，dampen 抑制、泼冷水，encourage 鼓励，elucidate 解释，rekindle 重新点燃。答案选 B。

翻译 尽管这位代表明确地力图抑制近期出现的乐观情绪，但她却没有表明会议几近失败，而且可能无法产生任何意义。

注释
1. stop short of 的释义是 if you stop short of doing something, you decide not to do something。关于这样高频且作为方程等号的相关短语，读者可以参见《GRE 高分必备短语搭配》进行学习。
2. 本题可以改为一个两空题，在 nothing 处挖空，根据 and 平行结构，将 collapse 取同，填入一个负向词。

12-11 答案：D

难度 ★★

思路
- 方程等号：分号，同义重复。not 取反。空格 (i) 和空格 (ii) 联动。could not have been accused of 表示虚拟语气，体现 "老人不应该因为对自己的爱所做出的行为受到指责"（实则他受到了指责）。

空格 (i) + 空格 (ii)：
- 如果空格 (ii) 和 affection 取同，体现他的 "爱"，选项中 fondness for 喜爱，adoration of 慈爱，满足要求；空格 (i) 和 betrayed 根据 not 取反，体现 "没有表现"，填入一个负向词，lavish 过分给予，stint 吝啬。stint 表示缺少爱，正确，答案选 D。
- 如果空格 (ii) 和 affection 根据 not 取反，体现他 "不爱"，空格 (i) 和 betrayed 取同，体现 "表现"，填入一个正向词，意为老人 "不应该因为他爱孩子而指责他"（实际是人们指责他爱孩子），与常识不符。因此排除此种可能性。
- 其余选项：spare 节俭...tolerance of 忍耐；ration 分配...antipathy for 厌恶；promise 承诺...dislike of 讨厌。答案选 D。

翻译 这位老人不应该被指责为吝啬他的爱；他对这个孩子的行为就表现了他对她的溺爱。

注释 betray 除了 "背叛" 之外的另一个释义是 to show (something, such as a feeling or desire) without wanting or trying to，表现和流露。

12-12 答案：E

难度 ★

思路 空格 (ii)：
- 方程等号：should be 表示虚拟语气，前后取反。
- 强词和对应：in that 后面说混合了本应该具有空格 (ii) 的状态，通过 should be 虚拟语气得出空格 (ii) 和 combines 取反，体现混合了本应该 "不混合的" 概念。interrelated 相互关联的，

intact 完好无损的，inviolate 未受损害的，separate 分离的，discrete 不连续的。选项 D 和 E 合适。

空格 (i)：

- 方程等号：because 表示因果，前后同义重复。
- 强词和对应：前文说科学家认为立体化学是困难的，因此 difficult 指向空格 (i)，根据 because 取同。obscure 难以理解的（对），specialized 特殊化的（对），subtle 不直接的（对），descriptive 描述性的（错），imprecise 不精确的（对）。综合空格 (ii)，答案选 E。

翻 译 一位重要的化学家认为，许多科学家在立体化学方面有困难是因为大量相关的命名是不精确的，因为它结合了一些本应该保持分离的概念。

12-13 答案：E

难 度 ★★

思 路
- 方程等号：分号，前后取同。cannot 取反。空格 (i) 和空格 (ii) 都是描述项目的特征，空格 (i) 和空格 (ii) 联动。

空格 (i) + 空格 (ii)：
- 如果空格 (ii) 和 expense 同向，体现目标被实现的时候"花费多"，那空格 (i) 为正向，体现花费不是项目的"优点"。选项中，没有花费多，所以这种可能性排除。
- 如果空格 (ii) 和 expense 反向，体现目标被实现的时候"不花费"或"花费少"，那空格 (i) 为负向，体现花费不是项目的"缺点"。选项中，saving 和 economy 都是省钱，所以空格 (i) 应该填入一个负向词，B 项的 feature 特征不如 E 选项的 defect 缺点更直观，所以答案选 E。
- 其余选项，highlight 强调的部分...efficiency 效率；disadvantage 缺点...innovation 创新；claim 宣称...speed 速度。答案选 E。

翻 译 费用不能被归结在这个工程项目的诸多缺点之中，这个项目的开发商能够以令人震惊的省钱的方式来实现目标。

注 释 be numbered 意为"被归结"：if someone or something is numbered among a particular group, they are believed to belong in that group。

12-14 答案：D

难 度 ★★

思 路 空格 (ii)：
- 方程等号：enmeshed in，分词结构倒装，同义重复。
- 强词和对应：enmeshed in 陷入，分词结构倒装，修饰 human beings，体现人类具有和个人与社会环境相关的特征。所以空格 (ii) 填入一个和"个人、社会环境网络纠缠"含义的单词。vulnerable 易受攻击的，rational 理性的，careless 粗心大意的，passionate 感情强烈的，dynamic 动态的。只有 D 和人际交往有关，所以答案选 D。

空格 (i)：
- 方程等号：冒号，同义重复；Though 尽管，反义重复。
- 强词和对应：冒号后面说科学家是富有情感的人类，所以冒号前面的主句应该也说科学家富有情感，根据 Although 前后取反，所以空格 (i) 应该填入一个客观公正含义的单词。

fervent 热烈的（错），neutral 中立的（对），painstaking 煞费苦心的（错），disinterested 客观公正的（对），cautious 小心谨慎的（错）。综合空格 (ii)，答案选 D。

翻 译 尽管科学通常被想象成对外部现实的客观公正的探索，但科学家却和其他人没有任何区别：他们是富有情感的人，陷入了一张由人际和社会环境所构成的网络当中。

12-15 答案：C

难 度 ★

思 路 空格 (ii)：
- 方程等号：but 表示转折，反义重复。
- 强词和对应：空格 (ii) 描述 behavior，空格 (ii) 和 clear-cut 根据 but 取反，体现"不清晰"。rigidity 坚硬，indirectness 间接，confusion 混乱，certainty 确定，misapprehension 误会。选项 B、C 合适。

空格 (i)：
- 方程等号：that 引导的定语从句修饰空格 (i)，空格 (i) 和描述内容同义重复。
- 强词和对应：appropriate 指向空格 (i)，根据 that 取同，体现空格 (i) 具有"合适行为"的特征。function 功能（错），estimate 评价（错），norm 准则（对），regulation 法律法规（对），study 研究（错）。norm 的释义是 standards of proper or acceptable behavior。综合空格 (ii)，正确答案选 C。

翻 译 社会科学家已经建立了非常清晰的描绘儿童和成年人正确行为的准则，但是那些组成青少年的正确行为的准则却看上去混乱不堪。

12-16 答案：A

难 度 ★

思 路
- 方程等号：逗号，同义重复。not 取反。
- 强词和对应：逗号前面说只依靠自己无法支配其他国家，空格和 themselves 根据 not 取反，体现"不靠自己"来支配。ally 盟友，resource 资源，freedom 自由，education 教育，self-determination 自决权。答案选 A。

翻 译 如果国家无法依靠自己积累足够多的物质力量来支配其他国家，它们就必须依赖联盟的方式。

12-17 答案：A

难 度 ★★

思 路
- 方程等号：his 是指示代词，指代的内容在前文出现过。
- 强词和对应：but 表示转折，realized（知道）和 surprised（吃惊的）取反。通过指示代词 his 得知，空格和 young and impressionable 同义重复，体现这个人"年轻且易受影响"。naïveté 幼稚，obstinateness 固执，decisiveness 果断，ingeniousness 天才，resolve 决心。答案选 A。

翻 译 我们意识到 John 仍然年轻，而且易受别人的影响，但是仍然惊讶于他的幼稚。

12-18　答案：C

难　度　★★

思　路　空格 (ii)：
- 方程等号：空格 (ii) 体现前后特征的关系，即作为方程等号。
- 强词和对应：long dormancy 和 violent nature 取反。空格 (ii) 体现前后特征的对立。restrain 节制，confirm 确定，belie 掩饰，moderate 缓和，suggest 表明。选项 C 合适。

空格 (i)：
- 方程等号：Although 尽管，反义重复。
- 强词和对应：its 指代前面的 Mount Saint Helens，逗号后强调 dormancy，因此空格 (i) 和 dormancy 取反，体现"不静止"。awe-inspiring 令人畏惧的（对），gaseous 气态的（错），explosive 猛烈的（对），familiar 熟悉的（错），volatile 善变的（对）。答案选 C。

翻　译　尽管圣海伦斯火山在过去的 4500 年中一直比美国国境内其他的火山更加猛烈，但是最近一次爆发之前的长期休眠却掩饰了它的凶猛性质。

12-19　答案：B

难　度　★★

思　路　空格 (i)：
- 方程等号：are 表示前后状态的一致，同义重复。and 前后取同，同义重复。
- 强词和对应：空格 (i) 和 Changes 取同，体现变化在"变"，且空格 (i) 和 resistant to analysis（抵制分析）取同。transparent 清晰易懂的，ephemeral 短暂的，faddish 流行一时的，arbitrary 随意的，permanent 永久的。B、C、D 三项合适。

空格 (ii)：
- 方程等号：yet 表示转折，反义重复。
- 强词和对应：前面说抵制分析，根据 yet 取反，因此空格 (ii) 描述 gauges 为正评价。useful 有用的（对），sensitive 敏感的（对），underutilized 未被充分利用的（错），problematic 有问题的（错），reliable 可靠的（对）。综合空格 (i)，答案选 B。

翻　译　时尚和公众口味的变化通常是稍纵即逝且难以分析的，然而，它们是陈述公众集体意识状态的最敏感的标准之一。

12-20　答案：C

难　度　★★

思　路　
- 方程等号：逗号，同义重复，greatest poets 和 great gifts 同义重复，体现诗人的"天赋"，abuse 和 irresponsible 同义重复。因此空格 (i) 和空格 (ii) 联动，取同，体现诗人"不负责"的行为。

空格 (i) + 空格 (ii)：
- 如果空格 (ii) 为负向，体现"没有滥用"，那么空格 (i) 为负向词，体现"否定""没有""滥用"。选项中没有这种可能性，排除。
- 如果空格 (ii) 为正向，体现"滥用"，那么空格 (i) 为正向词，体现"确实""有""滥用"，即和 irresistible 同义重复。代入选项，negate 否定 ...temptation 诱惑；control 控制 ...resolution 决心；engender 产生 ...propensity 倾向；temper 缓和 ...proclivity 倾向；obviate 消除 ...inclination 倾向。因为第二空都是正向词，而选项 A、B、D 和 E 的空格 (i) 都是负向词，答案选 C。

翻译 诗人 W. H. Auden 认为他那个时代的最伟大的诗人几乎必然地不负责任，他认为拥有伟大的天赋会产生滥用天赋的倾向。

12-21 答案：B

难度 ★

思路
- 方程等号：closed 分词结构倒装修饰 process，前后同义重复。
- 强词：后文描述音乐真正的鉴赏过程对缺乏经验的听众（uninitiated listener）是关闭的（closed to），体现缺乏经验的人"无法鉴赏"。因此空格和 closed to the uninitiated listener 取同，体现这是缺乏经验的人"无法鉴赏音乐"，填入一个负向词。unreliable 不可靠的，arcane 难以理解的，arrogant 傲慢的，elementary 基本的，intuitive 直觉的，正确答案为 B。

翻译 音乐学家们标记在唱片封套上的自以为重要的行话表明，对音乐的真正欣赏是一个对所有缺乏经验的听众关上大门、难以理解的领域，无论他们有多么热情。

Exercise 13

如果我们的人生中有一些"不得不到来的
时刻",如果这些时刻是我们"不得不完
成的时刻",那么,别放下你手中的书。
因为你和我都知道,它们就快来了。

——唐承祚

微臣教育 2015 寒假 325 计划学员
2015 年 4 月 GRE 考试 Verbal 163
录取院校:芝加哥大学社会学

EXERCISE ⑬

核心词汇

1.《GRE 核心词汇考法精析》收录单词（共 46 词）

adapt	altruism	anomalous	antipathy
apprehensive	aversion	circumlocution	cliché
congenial	conscientious	consternation	constrain
consummate	credible	deliberate	delicacy
deter	disguise	elaborate	enamored
euphemism	fickle	hasten	imitation
impede	impenetrable	ingenious	inherent
innovative	issue	jargon	lucid
outmoded	penalty	precipitate	provoke
psychology	redundant	relevant	salient
sound	strength	subject	suppress
synthesis	vague		

2. 基础单词补充（共 10 词）

cease   *v.* 停止：to put an end to; discontinue

charitable   *adj.* 仁慈的：mild or tolerant in judging others; lenient

disenfranchise   *v.* 剥夺（权利）：to deprive of a privilege or right officially granted a person or a group by a government, especially, of a legal right, or of some privilege or immunity

dismiss   *v.* 因为不重要而不考虑：to reject serious consideration

dogmatist   *n.* 教条主义者：one who expresses or sets forth dogma

fanatical   *adj.* 狂热的：possessed with or motivated by excessive, irrational zeal

mask   *v.* 掩盖：to make indistinct or blurred to the senses

perception   *n.* 认识：the effect or product of achieving understanding of

pervasive   *adj.* 到处都是的：having the quality or tendency to pervade or permeate

reconnaissance *n.* 勘察：a preliminary survey to gain information

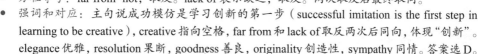

13-1 答案：D

难 度 ★

思 路
● 方程等号：far from=not，取反。lack of 表示缺乏，取反。两次取反后最终取同。
● 强词和对应：主句说成功模仿是学习创新的第一步（successful imitation is the first step in learning to be creative），creative 指向空格，far from 和 lack of 取反两次后同向，体现"创新"。elegance 优雅，resolution 果断，goodness 善良，originality 创造性，sympathy 同情。答案选 D。

翻 译 很多艺术家认为成功的模仿，并不是缺乏创造性的标志，而是学习具有创新的开始。

- -

13-2 答案：C

难 度 ★★★

思 路
● 方程等号：serious as she is 表示让步，反义重复。not 取反。
● 强词和对应：第一个 as 表示"被认为"，尽管她认为斗牛很严肃，it 指代 bullfight，respect 和 serious 同义重复。尽管她认为斗牛很严肃，但是她不需要那么严肃，所以主句的 respect 是一个负态度，填入一个负向词。inspire 激发，provoke 激起，suppress 压制，attack 攻击，satisfy 使满足。attack 的释义是 to act violently against，指表现出一种攻击性，violent 在题目中没有体现。因此正确答案选 C。

翻 译 尽管她认为斗牛很严肃，但作画时她却不允许自己的尊敬压制突发奇想的灵感。

注 释 本题容易把 as serious as 当成像…一样严肃，这里不是同级比较，而是表示让步。当 as 表示"虽然，尽管"时，其引导的状语从句必须倒装，例如：Frightened as she was, Pandora cautiously opened the box in time. 潘多拉尽管害怕，她最终还是小心翼翼地打开了这个盒子。Dangerous as a vet's job is, it is significant to the human race. 兽医的工作尽管危险，但对人类意义重大。

- -

13-3 答案：A

难 度 ★★

思 路
空格 (ii)：
● 方程等号：either A or B 要么 A 要么 B，A 和 B 取反。
● 强词和对应：adulation 指向空格 (ii)，根据 either A or B 取反。adulation 的释义是 excessive or slavish admiration or flattery，空格 (ii) 体现"不崇拜"或"不喜欢"。antipathy 反感，aversion 厌恶，anxiety 焦虑，veneration 尊敬，consternation 惊恐。选项 A 和 B 合适。

空格 (i)：
● 方程等号：分号，同义重复。no 取反。
● 强词和对应：分号后说他在为他工作的人中间引起的要么是崇拜要么是厌恶，因为 no 取反，所以空格 (i) 体现"不极端的态度"，neutral 中立的（对），infuriated 大怒的（错），worried 担忧的（错），enthusiastic 热情的（错），apprehensive 担忧的（错）。综合空格 (ii)，答案选 A。

翻 译 没有人对 Stephens 的态度是中立的；他在那些为他工作的人之间要么激起了盲目的崇拜，要么激起了深深的厌恶。

13-4 答案：B

难 度 ★★

思 路 空格 (ii)：
- *方程等号*：this 为指示代词，指代分号前的观点，this 后指代的内容和前文内容同义重复。
- *强词和对应*：前文说几乎所有的观点都认为大多数的适应是生物种群水平上选择的结果，因此空格 (ii) 描述这个观点的特点，和 all 取同，体现选择的观点是得到"所有"或"广泛"认可的。controversial 有争议的，pervasive 普遍的，unchallenged 未受到挑战的，innovative 创新的，renowned 著名的。选项 B 和 C 合适。

空格 (i)：
- *方程等号*：however 表示转折，反义重复。no 取反。两次取反后最终同向。
- *强词和对应*：however 前说所有的解释都认为适应是选择的产物，however 之后对这种观点取反，因为已经有 no，所以空格填入一个正向词即可。departure from 违反（错），basis for ⋯的基础（对），bias toward 对⋯的偏见（错），precursor of ⋯的先驱（错），criticism of 对⋯批判（错）。综合空格 (ii)，答案选 B。

翻 译 大约在 1960 年之前，几乎所有关于进化论的解释都认为大多数的适应是在生物种群水平上选择的结果；然而，最近的关于进化论的研究却没有发现这个普遍的进化观的基础。

13-5 答案：D

难 度 ★

思 路 空格：
- *方程等号*：and 连接平行结构，act as a catalyst 与空格并列，前后同义重复。
- *强词和对应*：these factors 指代 psychological factors，and 前说心理因素是催化剂（catalyst），因此 catalyst 指向空格，根据 and 取同，体现这些因素"催化"的作用。catalyst 的释义是 an agent that provokes or speeds significant change or action。disguise 伪装，impede 阻碍，constrain 限制，precipitate 加速，consummate 使完成。答案选 D。

翻 译 新的生物精神病学并不否认心理因素在精神病当中确实起了贡献性的作用，但同时也设想这些因素可能在现存的生理条件上起一种催化剂的作用，并且会加速这种疾病的发生。

13-6 答案：A

难 度 ★★

思 路 空格 (i)：
- *方程等号*：逗号，同义重复。
- *强词和对应*：逗号前面说稳定时期许多艺术学院被牢牢地控制，stability 指向空格 (i)，根据逗号取同，体现控制艺术的人有"维持稳定"的特征。dogmatist 教条主义者，manager

管理者，reformer 改革者，imposter 骗子，specialist 专家。教条主义者反对变革，主张对现状的维持。因此选项 A 和 E 合适。

空格 (ii)：

- 方程等号：so...that... 如此…所以…，同义重复。stability 和 creative 取反，因此前后是两种不同的人发出的动作。
- 强词和对应：空格 (ii) 体现艺术主张"创新的人"来完成，controlled 指向空格 (ii)，取反，体现真正的创新艺术必须通过"不被控制的人"（主张创新的人）完成。disenfranchised 被剥夺权利的人，reactionaries 反动者，dissatisfied 不满者，academicians 学者，elite 精英。disenfranchised（理解为：非主流的或非正统）和 art academies（正统艺术学院）取反，正统艺术被控制，因此"非正统的"可以完成伟大的作品。综合空格 (i)，答案选 A。

翻译 在社会和文化稳定的期间，许多艺术学院被教条主义者如此牢牢地控制着以至于所有真正创造性的作品都必须由非主流艺术家来完成。

13-7 答案：C

难度 ★★

思路 **空格 (i)：**

- 方程等号：and 连接平行结构，前后句意取同。
- 强词和对应：前文说第一次世界大战开始于一种充满行业术语和精妙的语言中。jargon 的释义是 language used in special or technical ways by particular groups of people, often making the language difficult to understand。a cloud of 和 a context of 都表示某种环境。因此空格 (i) 和 jargon 即 verbal delicacy，根据 and 取同，体现"用语难懂、微妙"。circumlocution 迂回的话，cliché 陈词滥调，euphemism 委婉语，particularity 特点，subjectivity 主观。选项 A 和 C 合适。

空格 (ii)：

- 方程等号：as 表示因果，同义重复。
- 强词和对应：后文说正如熟练使用的语言和文学能够理解，因此空格 (ii) 需要熟练语言文学才能理解的对象，体现"难以理解"。literal 字面的（错），lucid 清楚的（错），impenetrable 难以理解的（对），deliberate 故意的（错），enthralling 吸引人的（错）。综合空格 (i)，答案选 C。

翻译 第一次世界大战开始于一个充满行业术语和精妙语言的环境中，并且在一个委婉精致的话语环境中继续发展，这些委婉语难以理解的程度到了只有熟练使用语言文字才可以理解它。

13-8 答案：A

难度 ★

思路
- 方程等号：Because 表示因果，同义重复。no 取反，not 取反。两次取反后最终取同。
- 强词和对应：personal reading practices 和 books read in an individual lifetime 同义重复，体现一个人的阅读量。后文说我们不知道在一个人一生中所读的书的最大数量，因此空格和 number 根据 no 和 not 两次取反后取同，体现没有（no）关于个人阅读的"数量"信息。record 记录，instinct 本能，remedy 治疗，proposal 提议，commercial 商业广告。答案选 A。

翻译 因为没有关于人们阅读活动的全面记录，所以我们不知道，比如，在一个人一生中所读的书的最大数量。

⸺⸺⸺⸺⸺⸺⸺⸺⸺⸺⸺⸺⸺⸺⸺⸺⸺⸺⸺⸺⸺⸺⸺⸺⸺⸺

13-9 答案：B

难度 ★

思路 空格 (i)：
- 方程等号：between A and B, between...and... 之前通常表示差异的词。
- 强词和对应：空格 (i) 要体现差异。contrast 差别，difference 差异，variation 差异，resemblance 相似，similarity 相似。因此选项 A、B、C 合适。

空格 (ii)：
- 方程等号：because 表示因果，同义重复。
- 强词和对应：后文说的是公司中 73% 的男性和 34% 女性的观点，因此空格 (ii) 和 believe 取同，体现男女的观点。stereotype 成见（错），perception 认知（对），salary 收入（错），employee 雇员（错），aspiration 目标（错）。因此综合空格 (i)，答案选 B。

翻译 在我们公司里，男性和女性的认知存在着差异，因为投票中有 73% 的男性和 34% 的女性认为我们公司给男性和女性提供了同样的赔偿。

⸺⸺⸺⸺⸺⸺⸺⸺⸺⸺⸺⸺⸺⸺⸺⸺⸺⸺⸺⸺⸺⸺⸺⸺⸺⸺

13-10 答案：D

难度 ★

思路 空格 (i)：
- 方程等号：although 尽管，反义重复。never 取反。
- 强词和对应：it 指代 opium。前面说尽管鸦片在他的生活中占据主导地位，dominate 指向空格 (i)，根据 although 和 never 取反两次后，取同，体现鸦片没有（never）"主导"他的生活。overcome 支配，intimidate 恐吓，distress 使忧虑，conquer 征服，release 释放。distress 指的是对心情的影响，排除。因此 A 和 D 合适。

空格 (ii)：
- 方程等号：indeed 表示递进，同义重复。when 引导时间状语从句，同义重复。
- 强词和对应：indeed 后面的内容说他把鸦片的使用转变成"发表的关于鸦片影响的文章"，且分号前说鸦片没有对他产生"主导影响"。因此 indeed 递进之后，空格 (ii) 体现鸦片对于他是"正向的"作用。altruism 利他主义（错），triumph 成就（对），pleasure 愉快（错），gain 好处（对），necessity 必需品（错）。综合空格 (i)，答案选 D。

翻译 De Quincey 的奇迹是尽管鸦片在他的生活中占据了主导地位，但却从未征服他；事实上，当他在 *London Magazine* 发表关于鸦片的影响的文章时，就已经将它的用途转变为好处。

13-11 答案：E

难 度 ★★

思 路 空格 (i)：
- 方程等号：but 转折，反义重复。more 表示 but 前后的程度差异。
- 强词和对应：but 后面的内容说另外一种消除噪声的方法是增加相反波形的声音，这种方法是更加有效的（more useful）。reduction of noise 和 canceling noise 构成同义重复。根据 more 进一步得知，but 体现程度差异。因此空格 (i) 和 useful 取同。体现 but 前的方法是"有用的"，填入一个正向词。justify 合理化，accomplish 完成，conceive 构想，explain 解释，approach 处理。选项 B 和 E 合适。

空格 (ii)：
- 方程等号：the alternative 可知，but 前后描述的是消除噪声的两种不同的方法，对象取反，特征取反。
- 强词和对应：根据对象取反体现两种减少噪音的方法特征是对立的，the alternative 方法是增加相反波形的声音（adding sound），因此 adding 指向空格 (ii)，根据 alternative 取反，体现"不增加"或"降低"，填入一个负向词。diffuse 扩散（错），track 追踪（错），conceal 隐藏（错），isolate 分离（错），eliminate 消除（对）。综合空格 (i)，答案选 E。

翻 译 消除噪音可以用消除声源的方法实现，但另外一种消除噪音的方法，即增加具有相反波形的声音的方法，可能在实践中更加有用。

13-12 答案：C

难 度 ★★

思 路 空格 (i)：
- 方程等号：While 尽管，反义重复。not 取反。两次取反最终取同。
- 强词和对应：前面说 Parker 是一个对自己关心的问题直言不讳的人。outspoken 指向空格 (i)，两次取反后取同，体现她不是（not）一个"直言不讳"人。fickle 易变的，arrogant 傲慢的，fanatical 盲从的，congenial 意气相投的，unyielding 固执的。选项 B、C 和 E 合适。

空格 (ii)：
- 方程等号：分号，同义重复。when 引导时间状语从句，同义重复。
- 强词和对应：her own 和 opposing arguments 对象取反，因此 weaknesses 指向空格 (ii)，当对立的观点暴露出她自己观点的内在缺陷时，她做出让步，她承认对立观点的"优点"。validity 有效性（对），restraint 约束（错），strength 优点（对），incompatibility 不相容（错），speciousness 似是而非（错）。综合空格 (i)，答案选 C。

翻 译 尽管 Parker 对于自己关注的问题总是非常直言不讳，但她并不盲从；当对立观点暴露出她自己观点的内在缺陷时，她会承认对立观点的优点。

注 释 fanatical and outspoken 经常被用作同义词描述人的性格，例如：Capadose is also notorious as a fanatical and outspoken adversary of cowpox vaccination.

13-13 答案：B

难 度　★★

思 路
- 方程等号：far from 表示 not，取反。空格 (i) 和空格 (ii) 联动并且构成反义重复。
- 强词和对应：the issue 指代 the ancient puzzles about objectivity（古代关于客观性的谜题）。代入选项，adapt 改编…pressing 紧迫的；dismiss 认为…不重要而不考虑…relevant 重要的；rediscover 再次发现…unconventional 反传统的；admire 崇拜…elusive 难以捕捉的；appreciate 欣赏…interesting 有趣的。选项 B 是"不重要"和"重要"的对立，正确答案选 B。

翻 译　Hampshire 的论断，并不是说明我们可以不重视古代关于客观公正性的谜题，反而表明这个议题比我们曾经认为的更加重要。

13-14 答案：E

难 度　★

思 路
- 方程等号：Usually 表示通常情况和 particular（特殊）取反，反义重复。
- 强词和对应：逗号前说通常情况下是她第一个发现和其他结果不一样的数据，slip by（溜走）和 spot 构成反义重复，表示特殊情况下"没有发现"，因此空格和 inconsistent with other findings 取同，体现她没有发现（slip by）"不一致的"数据。inaccurate 不准确，verifiable 能证实的，redundant 多余的，salient 显著的，anomalous 异常的。答案选 E。

翻 译　通常她总是第一个发现与其他发现结果不一致的数据，而在这个特别的实验中她却让许多反常的结果溜走了。

13-15 答案：A

难 度　★

思 路
- 方程等号：that 引导定语从句，修饰 scientific discipline，同义重复。
- 强词和对应：that 后面的内容说心理学现在作为一门与其他科学享有同样特权和责任的独立运作的学科，因此空格和 autonomously 取同，体现学科进化为现在"独立的"状态。independent 独立自主的，unusual 反常的，outmoded 过时的，uncontrolled 不受控制的，inactive 不活跃的。答案选 A。

翻 译　心理学已经缓慢地发展成一门独立的科学学科，这门学科现在以与其他科学享有的同样权利和责任独立运作。

13-16 答案：C

难 度　★★

思 路
- 方程等号：so...that... 如此…所以…，表示因果，同义重复。seldom 取反。
- 强词和对应：前文说法律的主要目标是通过惩罚犯人来威慑潜在的罪犯，这个目标变得没有用了（not served）。the penalty 和 punishing 同义重复。而"惩罚"的目的就是对罪犯构成"威胁"，因此 penalty 和 threat 同义重复。it 指代 penalty。根据 so...that... 空格 (i) 和空格 (ii) 联动，根据 seldom 取反。体现惩罚不构成威胁。

空格 (i) + 空格 (ii)：

- 如果空格 (ii) 为负向，体现"没有"威胁，选项中 deceptive 骗人的，合适；那么空格 (i) 为正向词，体现惩罚"是""没有"威胁。，但是 fail 是负向词，所以排除 D 选项。
- 如果空格 (ii) 为正向，体现"有"威胁，选项中 serious 严重的，real 真正的，credible 可靠的，coercive 强制的，都合适；那么空格 (i) 为负向，体现惩罚"不是""有"威胁，tend 倾向，appear 看起来，seem 看似，都是正向词，排除；只有选项 C 的 cease 停止是一个负向词，所以 C 为正确答案。

翻 译 法律的主要目标，是通过惩罚犯人来威慑潜在犯罪分子，当这些惩罚很少实施以至于法律不能成为一个可信任的威胁（犯罪）的存在时，这个目标并没有起作用。

13-17 答案：A

难 度 ★

思 路 空格 (i)：

- 方程等号：When 引导时间状语从句，同义重复。
- 强词和对应：前面说当人们开心的时候，happy 指向空格 (i)，根据 When 取同，体现他们会对他们目击到的事件做出"开心的"解释，填入一个正向词。charitable 仁慈的，elaborate 详细的，conscientious 认真负责的，vague 模糊的，coherent 连贯的。conscientious 和 coherent 虽为正向，但无法体现心情的愉悦。因此选项 A 合适。

空格 (ii)：

- 方程等号：冒号，同义重复。
- 强词和对应：冒号前说人们开心就会给予事物"开心"的描述，冒号后的 the eye of the beholder 和冒号前的 interpretations of events they witness 同义重复，the emotions of the beholder 和 happy 同义重复，形容心情愉悦。因此空格 (ii) 和 give 根据冒号取同，体现眼睛看到的被情绪所"给予"，填入一个正向词。color 施加影响（对），disquiet 使不安（错），deceive 欺骗（错），sharpen 使锋利（错），confuse 使困惑（错）。综合空格 (i)，答案选 A。

翻 译 当人们开心的时候，他们倾向于给他们目击到的事件以仁慈的解释：观看者的眼睛总是被他的情绪所影响。

注 释 color 的释义是 to exert an influence on; affect。这句话如果用中文来说，就是国学大师王国维在《人间词话》中的名句：以我观物，故物皆著我之色彩。

13-18 答案：E

难 度 ★

思 路
- 方程等号：for 表示因果，同义重复。
- 强词和对应：disagreed with 和 rarely faulted 根据 even 构成反义重复，即使是不同意 Carmen 的观点的那些人也很少去指责她。空格和 rarely faulted 根据 for 取同，体现她采取的立场是"不受指责的"，填入一个正向词。complicated 复杂的，political 政治的，subjective 主观的，commonplace 普通的，thoughtful 深思熟虑的。答案选 E。

翻 译 即使是那些不同意 Carmen 观点的人也很少因为她表达了这些观点而指责她，因为她的观点既是深思熟虑的，又具有争论性。

13-19 答案：A

难度 ★★

思路 **空格 (i)：**
- 方程等号：逗号，同义重复。
- 强词和对应：overlooked 过去分词倒装，修饰 design features，表示这种设计特征通常在大多数分析中被忽视。因此 overlooked 指向空格 (i)，根据逗号取同，体现被忽视的问题有"被忽视的特征"。insignificant 不重要的，inexpensive 便宜的，innovative 创新的，ingenious 聪明的，inopportune 不合时宜的。选项 A 和 E 合适。

空格 (ii)：
- 强词和对应：overlooked 和 profound significance 构成反义重复，因此空格 (ii) 体现前后对立取反的关系，填入一个表示"对立"含义的词。mask 掩盖（对），produce 产生（错），represent 表现（错），permit 允许（错），hasten 促进（错）。综合空格 (i)，答案选 A。

翻译 关于技术和公共政策的新研究关注那些看上去不重要并且通常会在大多数对公共工程项目或工业机械的分析中被忽略掉的设计特征，是如何实际上掩盖了具有深刻意义的社会选择的。

13-20 答案：B

难度 ★

思路
- 方程等号：Paradoxically 意为矛盾的，反义重复。
- 强词和对应：前面描述 Robinson 对早期科幻作品过度否定，空格和 excessive denials 根据 Paradoxically 取反，体现"不否定"，填入一个正向词。reflective about 反思，enamored of 对…迷恋，skeptical of 怀疑，encouraged by 被…鼓励，offended by 被…冒犯。enamor 的释义是 to cause to feel a strong or excessive interest or fascination。答案选 B。

翻译 矛盾的是，Robinson 对早期科幻作品的过度否定表明了她对这些作品非常迷恋。

13-21 答案：D

难度 ★★

思路
- 方程等号：逗号，同义重复。
- 强词和对应：后面说 Cezanne 的水彩画作为一种将主题最终表现在油画之前对信息更全面地收集，因此空格和 gathering fuller knowledge before 取同，体现"之前收集更丰富的信息"。abstraction 抽象概念，enhancement 增加，synthesis 综合，reconnaissance 侦察，transcription 抄写。reconnaissance 的英文释义是 a preliminary survey to gain information。preliminary 和 before 同义重复，gain information 和 gathering fuller knowledge 同义重复。答案选 D。

翻译 Cezanne 精致的水彩画草图常起到侦察主题的作用，这种方法是在艺术家最终将这个主题表现在油画中之前来收集更丰富的信息。

注释 B 和 C 为干扰选项，体现"gather the information"，但没有体现"before"。

Exercise 14

给自己一个"从此以后相信没什么能够打
败你"的机会。

——牟翘楚
微臣教育 2015 寒假 330club 学员
2015 年 3 月 GRE 考试 Verbal 161, Quantitative 170

EXERCISE

核心词汇

1.《GRE 核心词汇考法精析》收录单词（共 41 词）

advocate	beneficent	claim	compromise
content	credit	decorum	disinterested
eccentric	enigma	enthusiasm	errant
fabricate	figurative	flaccid	flag
flexible	fragile	friction	grudge
halfhearted	imperious	impudent	inherent
lethargic	malevolent	military	paradox
playful	pristine	riveting	salvage
scruple	sedentary	substitute	subtle
superfluous	suspend	tacit	tout
treacherous			

2. 基础单词补充（共 9 词）

allusive　　*adj.* 间接指出的：containing or characterized by indirect references

crossfire　　*n.* 激烈的讨论：rapid, heated discussion

incompatible　　*adj.* 不相容的：incapable of associating or blending or of being associated or blended because of disharmony, incongruity, or antagonism

intact　　*adj.* 完整无缺的：remaining sound, entire, or uninjured; not impaired in any way

literal　　*adj.* 字面意思的：avoiding exaggeration, metaphor, or embellishment; factual; prosaic

mask　　*v.* 掩盖：to make indistinct or blurred to the senses

procure　　*v.* 采购：to get by special effort; obtain or acquire

unfetter　　*v.* 使自由：to set free or keep free from restrictions or bonds

well-fed　　*adj.* 吃得好的：adequately or properly nourished

练习解析

14-1 答案：C

难 度 ★

思 路 空格 (ii)：
- 方程等号：for 表示因果，同义重复。
- 强词和对应：for 后面说他忽略了定量分析，空格 (ii) 和 neglect 取同，体现他必须遭到"因忽略定量分析"的对待，填入一个负向词。pardon 原谅，dismiss 认为…不重要而不考虑，criticize 批评，examine 仔细检查，recognize 认识到。选项 B 和 C 合适。

空格 (i)：
- 方程等号：Though 尽管，反义重复。
- 强词和对应：主句部分说因为忽略定量分析所以应该被指责，所以 Though 的部分应该说他不应该被指责，所以期待 Barnard 解决所有缺陷就不现实。unjust 不公正的（对），impudent 粗鲁的（错），unrealistic 不现实的（对），pointless 无意义的（错），inexcusable 不可原谅的（错）。综合空格 (ii)，答案选 C。

翻 译 尽管期待 Barnard 解决他实验的所有缺陷是不现实的，但他必须因为忽略了定量分析而受到批评。

14-2 答案：E

难 度 ★

思 路 空格 (i)：
- 方程等号：is，同义重复。
- 强词和对应：前面说医疗职业的等级制，空格 (i) 和 hierarchy 根据 is 取同，体现医疗等级制是一个"有等级制特点"的系统。health 健康，delivery 快递，regimental 军团，training 训练，caste 社会等级。选项 E 合适。

空格 (ii)：
- 方程等号：and 连接平行结构，同义重复。
- 强词和对应：空格 (ii) 和 little vertical mobility 根据 and 取同，体现等级是"没有纵向流动性的"。skilled 熟练的，basic 基本的，flexible 灵活的，inferior 低劣的，intact 完好无损的。答案选 E。

翻 译 医疗职业的等级制度在很多方面是一个等级制度系统；它的各个阶层保存着完好无损的状态，并且在其中的从业人员纵向流动性很小。

14-3 答案：E

难 度 ★

思 路
- 方程等号：逗号，同义重复。
- 强词和对应：Noting 引导无头句，真正的主语是 she。逗号前说她注意到受害者松弛的肌肉组织和梨形身材，空格和"flaccid musculature, pearlike figure"取同，体现这个人的职业是让人有"松散肌肉"和"梨形身材"的特点，也就是说这个人的职业是缺乏运动的。treacherous 背信弃义的，prestigious 有声望的，ill-paying 低收入的，illegitimate 非法的，sedentary 久坐的。sedentary 的释义是 not doing or involving much physical activity。答案选 E。

> **翻 译** 她注意到这个谋杀案受害者松弛的肌肉和梨形身材，因此推断这个不幸的男子依靠某种久坐不动的职业为生。

14-4 答案：B

难 度 ★

思 路 空格 (i)：

- 方程等号：but 表示转折，反义重复。
- 强词和对应：but 后面的内容说她在说英语的国家是不为人知的，因此 unknown 指向空格 (i)，根据 but 取反，体现她在德国是被"知道的"，填入一个正向词。ignored 被忽视的，admired 被崇拜的，espoused 被拥护的，obscured 不出名的，dispersed 分散的。选项 B 和 C 合适。

空格 (ii)：

- 方程等号：because of 表示因果，同义重复。
- 强词和对应：because of 前面说在德国著名，在英语国家不为人所知。所以应该存在语言转换方面的困难。edit 编辑（对），translate 翻译（对），reveal 揭露（错），comprehend 理解（对），transcribe 转录（对）。综合空格 (i)，答案选 B。

> **翻 译** 她作为小说家的惊人能力在德国受到广泛崇拜，但是她在英语国家几乎是不为人知的，因为翻译她古怪的散文存在难度。

14-5 答案：E

难 度 ★★

思 路 方程等号：better...than...，…比…更好，是比较级。空格 (i) 和空格 (ii) 构成反义重复，构成联动。

空格 (i) + 空格 (ii)：

- 空格 (i) 和 hungry and threatened on its hill 同义重复，空格 (ii) 和 safe and secure in its cage 取同。根据句意，对 Liberty 为正评价，因此 better 后的内容体现"自由"。
- 强词和对应：代入选项，unfriendly 不友好的...fragile 脆弱的；aging 衰老的...young 年轻的；angry 生气的...content 满意的；imperious 专横的...lethargic 没精打采的；unfettered 无拘无束的...well-fed 喂养得好的。只有 E 和自由相关，答案选 E。

> **翻 译** 自由不易，但做一只无拘无束的狐狸，在山上受到饥饿和威胁，也远远强过在笼子里很安全并且有物质保障、被喂养得很好的金丝雀。

14-6 答案：D

难度 ★★

思路
- 方程等号：and 连接平行结构，同义重复，体现"节省成本"(saves)。
- 强词和对应：熔化旧的金属罐头（已有的）和从将海外运回的铝土矿（海外获得的）制作成原生铝，根据 rather than 取反，体现两种不同的获取铝的方式。production 和 making primary aluminum from bauxite ore 同义重复，体现生产，后文说可以在生产成本上节省。因此空格和 shipped from overseas 取同，体现节省"运输"成本。distribution 分配，salvage 抢救，storage 存储，procurement 采购，research 研究。答案选 D。

翻译 熔化旧的金属罐头而不是用海外运回的铝土矿石制作原铝，这种做法为生产商节省了数百万的采购和生产费用。

14-7 答案：D

难度 ★★

思路 空格 (ii)：
- 方程等号：whatever 无论…，表示让步，反义重复。
- 强词和对应：to do so 指代 ignore the standards，忽视公司规定的标准，后文说无论对他的下属产生什么影响，他对上级的遵从都让他忽视标准。证明他对下属是"不关心的"，只听从上级，因此空格 (ii) 体现 Johnson 对上级的"遵从"。tacit 含蓄的，halfhearted 不热心的，direct 直接的，literal 完完全全的，feigned 假装的。选项 C 和 D 合适。

空格 (i)：
- 方程等号：if 引导条件状语从句，同义重复。never 取反。
- 强词和对应：if 后面的内容说 Johnson 对上级遵从，而不管对下级的影响，因此 if 前体现 Johnson 只对上级遵从，the standards of decent conduct mandated by company policy 指的是公司的政策，和 superiors（上级）取反，体现如果"遵从上级"，就忽略公司政策。ignore the standards 和 compliance from superiors 同义重复。never 表示从不，取反。因此空格 (i) 表示负向。deign 屈尊，attempt 尝试，intend 打算，scruple 顾虑，wish 希望。never scrupled to 意为肆无忌惮。综合空格 (ii)，答案选 D。

翻译 如果逐字逐句地遵从上级的指令可以使 Johnson 肆无忌惮地违反由公司政策规定的行为准则，他就会这样做而不管会对他的下级造成什么样的影响。

14-8 答案：C

难度 ★

思路 空格 (i)：
- 方程等号：Although 尽管，反义重复。
- 强词和对应：前文说鲸鱼和海象的觅食活动带来了毁灭性的外观。these activities 指代前文的 feeding activities，因此 devastated 指向空格 (i)，根据 Although 取反，体现这些活动是"没有破坏性的"或"破坏性小的"。destructive 破坏性的，rehabilitative 康复的，beneficial 有利的，detrimental 有害的，superfluous 多余的。选项 B 和 C 合适。

空格 (ii)：

- 方程等号：逗号，同义重复。
- 强词和对应：逗号前面对这些觅食活动是正评价，因此空格 (ii) 和空格 (i) 同义重复，体现对生产率是"有利的"作用。counterbalance 抵消（错），diminish 减少（错），enhance 增加（对），redirect 改变方向（错），encumber 阻碍（错）。综合空格 (i)，答案选 C。

翻 译 尽管鲸鱼和海象的觅食活动给白令海峡海底的外观造成了破坏，但这些活动事实上好像对该地区是有益的，它们增加了海峡的生产率。

14-9 答案：C

难 度 ★

思 路
- 方程等号：逗号，同义重复。
- 强词和对应：前文说在一个没有收音机和录音机的时代，后文说小说获得了优势。print 和 fiction 构成上下义词，同义重复，因此 ascendancy 指向空格，取同，体现印刷"主宰"这个时代。decimate 破坏，denigrate 贬低，dominate 统治，emphasize 强调，resurrect 复活。emphasized by print（被印刷强调）与句意不符，正确表达应为"an age emphasizing print"（一个强调印刷的时代），因此排除选项 D。答案选 C。

翻 译 在一个没有收音机和录音机的时代，一个被印刷所统治的时代，小说获得了它最大的优势。

14-10 答案：D

难 度 ★

思 路

空格 (i)：
- 方程等号：pristine 表示最初的，与 recent（最近的）构成时间对比，反义重复。
- 强词和对应：前文说之前科学家是客观公正地（disinterested）追求真理，后文根据时间对比说明最近科学家"不公正客观"，因此空格 (i) 体现之前"客观"和之后"不客观"的对立关系。reinforce 加强，validate 使生效，exterminate 消灭，compromise 危害，resuscitate 复苏。选项 C 和 D 同义重复。

空格 (ii)：
- 方程等号：pristine 表示最初的，与 recent（最近的）构成时间对比，反义重复。
- 强词和对应：过去是公正客观的，现在是"不客观的"，体现出科学家最近为了职业生涯蓄意（deliberately）做的动作，因此空格 (ii) 和 disinterested 取反，并且体现"deliberately"（释义：done or said in a way that is planned or intended; done or said on purpose）。publish 出版，suppress 压制，replicate 复制，fabricate 捏造，challenge 挑战。fabricate 的释义是 to make up for the purpose of deception，故意捏造即"不客观公正"。因此综合空格 (i)，答案选 D。

翻 译 最近的证据破坏了科学家最初作为追求公正客观真理的奉献者的声誉，这些证据表明有些科学家为了推进自己的职业生涯故意捏造实验结果。

14-11 答案：D

难度 ★★

思路
- 方程等号：Although 尽管，反义重复。
- 强词和对应：逗号后面说他们对决定谁是他们的午餐伙伴给予足够的关注（sufficient attention），attention 和 fascination 构成同义重复，体现"关注"。后面关注，因此 Although 部分应该体现"不关注"，所以空格为负向，体现"不"关注或关注"下降"。revive 复苏，emerge 出现，intensify 加强，flag 下降，persist 持续。答案选 D。

翻译 尽管 Johnson 和 Smith 一开始对那些在律师事务所中不择手段争权夺利的人的命运的兴趣在几个月后衰退了，但是他们两个人仍然对与谁共进午餐给予了足够多的关注。

注释 方法二：initial 和 after a few month 构成时间对比，前后句意取反，一开始有兴趣，空格体现"没有兴趣"或"兴趣下降"，答案选 D。

14-12 答案：C

难度 ★★

思路
空格 (i)：
- 方程等号：even if 即使，反义重复。
- 强词和对应：前文说即使战争是为了个人自由和民主权力而战，these principles 指代 individual liberty and democratic rights。根据 even if 转折，空格 (i) 和 fought for 根据 even if 取反，填入一个负向词。espouse 支持，suppress 压制，suspend 暂时搁置，follow 跟随，reject 抛弃。B、C、E 三项合适。

空格 (ii)：
- 方程等号：for 表示因果，同义重复。
- 强词和对应：they 指代 individual liberty and democratic rights，后文说军事效率必需的组织化和纪律性。liberty（自由）和 regimentation and discipline（组织纪律）取反。因此空格 (ii) 体现前后关系对立。contrary to 与…相反（对），fulfilled through 通过…实现（错），incompatible with 与…矛盾（对），disruptive of 破坏的（对），inherent in 本质的（错）。综合空格 (i)，答案选 C。

翻译 一场战争，即使是为了个人自由和民主权力而战，却通常要求这些原则被暂时搁置，因为它们与军事效率所必需的组织和纪律相矛盾。

14-13 答案：E

难度 ★★

思路
空格 (i)：
- 方程等号：To 表示目的状语，同义重复。
- 强词和对应：后文描述调查的某种程度，extent 的释义是 the point, degree, or limit。因此 extent 指向空格 (i)，根据 to 取同，体现要测试的是"程度"。risk 风险，universality 普遍性，decorum 得体，rate 比率，efficacy 效果。efficacy 的释义是 the power to produce a desired result or effect。选项 D 和 E 合适。

空格 (ii):

- 方程等号：逗号，同义重复。
- 强词和对应：前文说为了测试从一个研究领域借用专业术语来丰富另外一个领域的"好的程度"，根据逗号可知前后同方向，test 和 investigate 同义重复，enrich 指向空格 (ii)，根据逗号取同，体现调查一个领域的术语在另外一个领域的丰富程度。confused with 与…混淆（错），applied to 被应用于（对），illuminated by 被…解释（对），superseded by 被…取代（错），utilized by 被…使用（对）。综合空格 (i)，答案选 E。

翻 译	要测试一个学科受益于另一个学科的程度，只需简单地调查这个领域中的术语在不被强迫的情况下在另一个领域中得到了多大程度的运用。

14-14   答案：B

难 度   ★★

思 路
- 方程等号：for 表示因果，同义重复。
- 强词和对应：前文说小说家认为对罪犯狂热的崇拜（cult）是危险的，以至于他指责 *Oliver Twist* 这本书。dangerous 和 criticized 根据 so...that... 取同，the criminal 和 the characters in the thieves' kitchen 同义重复，因此 cult 指向空格，取同，体现因为 *Oliver Twist* 让罪犯的形象变得令人"狂热"，所以受到了 William Thackeray 的指责（criticized）。threatening 威胁的，riveting 吸引人的，conniving 狡诈的，fearsome 可怕的，irritating 恼人的。答案选 B。

翻 译	英国作家 William Thackeray 认为对罪犯的崇拜是如此危险，以至于指责 Dickens 的 *Oliver Twist*，因为这本书将小偷厨房里的角色塑造得如此迷人。

14-15   答案：A

难 度   ★

思 路
- 方程等号：so...that... 如此…所以…，表示因果，同义重复。
- 强词和对应：前文说所有的物体以同样的速率下降，这个发现的表达和理解都如此简单，所以就会空格其重要性。因为简单，所以就会显得不重要，因此空格应该体现对重要性的"负向"动作。underrate 低估，control 控制，reassess 重新评估，praise 赞扬，eliminate 排除。eliminate 的释义是 to eliminate something, especially something you do not want or need, means to remove it completely。这里的内容就是一个客观的 discovery，不会被 eliminate，这个词程度过强了。答案选 A。

翻 译	这个发现——将摩擦排除在外，所有的物体以相同的速率下降——表达和理解都如此简单，所以有一种低估它的重要性的倾向。

14-16   答案：B

难 度   ★★

思 路   空格 (ii):
- 方程等号：but 表示转折，反义重复。

- 强词和对应：it 指代 teasing（开玩笑），和 hostility（敌意）构成反义重复，因此空格 (ii) 体现前后的对立关系，填入一个负向词。produce 生产，mask 掩盖，contravene 违背，reveal 揭露，avert 避免。contravene 的释义是 to fail to keep（违反）。描述的是对法规的违反：to contravene a law or rule means to do something that is forbidden by the law or rule。B 和 E 两项合适。

空格 (i)：

- 方程等号：but 表示转折，反义重复。
- 强词和对应：后文强调他们之间的互动是有敌意的，因此空格 (i) 和 hostility 取反，体现"不敌对"，同时空格 (i) 和 mutual teasing 构成同义重复，表示相互开玩笑看上去（seem）体现"开玩笑"的特点。aimless 没有目标的（错），friendly 友好的（对），playful 闹着玩的（对），bitter 苦涩的（对），clever 聪明的（错）。综合空格 (ii)，答案选 B。

翻 译 他们相互开的玩笑看上去友好，但实际上掩盖了长期的敌对态度。

· ·

14-17 答案：E

难 度 ★★

思 路
- 方程等号：逗号，同义重复。few 表示没有，取反。complying with the corporation's new safety regulations 和 acceptance of the regulations 构成同义重复。因此空格 (i) 和空格 (ii) 联动，取反。

空格 (i) + 空格 (ii)：

- 强词和对应：根据 at best（最多），可以看出空格 (ii) 应该是一个负向词，所以空格 (i) 是一个正向词。代入选项，aptitude 资质...unavoidable 无法避免的；regard 尊敬...indeterminate 不明确的；respect 尊敬...negotiable 可协商的；patience 耐心...imminent 紧迫的；enthusiasm 热情...grudging 勉强的。综上所述，答案选 E。

翻 译 Peterson 注意到了很少有雇员对遵守公司的新安全规则表现出任何热情，他不得不得出这样的结论：对新规则的接受最多只是勉强的。

· ·

14-18 答案：C

难 度 ★

思 路
- 方程等号：whatever 不论…，体现让步，反义重复。
- 强词和对应：whatever 后面的内容说不论政治的超越实践经验的主张是什么，transcendental 的释义是 things that lie beyond the practical experience of ordinary people, and cannot be discovered or understood by ordinary reasoning。空格和 transcendental 根据 whatever 取反。theory 理论，ideal 理想，practice 实践，contest 争论，enigma 谜。答案选 C。

翻 译 有人指出政治作为一种实践，不论其超越实践经验的主张是什么，总是一种有着共同仇恨的、系统性的组织。

14-19 答案：D

难 度 ★★

思 路 空格 (i)：

- 方程等号：be portrayed as... 被描绘成…，同义重复。
- 强词和对应：opposition 指向空格 (i)，取同，体现对立被描绘为"对立"。fusion 融合，struggle 挣扎，parallel 相似物，conflict 冲突，similarity 类似。选项 D 合适。

空格 (ii)：

- 方程等号：be portrayed as... 被描绘成…，同义重复。
- 强词和对应：the errant will of a depraved intellectual（堕落的知识分子的邪恶意愿）和 evil 同义重复，指代"恶"；technology 和 good 同义重复，指代"善"，空格 (ii) 修饰 technology 和 good 取同，体现"善"。useful 有用的（对），dehumanizing 没有人性的（错），unfettered 无拘无束的（错），beneficent 行善的（对），malevolent 恶毒的（错）。综合空格 (i)，答案选 D。

翻 译 在许多科幻电影中，善良与邪恶的对立被描绘成向善的技术和堕落的知识分子的邪恶意愿之间的冲突。

14-20 答案：D

难 度 ★★

思 路 空格 (i)：

- 方程等号：more...than... 前后对比，反义重复。
- 强词和对应：后面描述小说的比喻性语言，空格 (i) 和 figurative 根据比较级取反，figurative 的释义是 used with a meaning that is different from the basic meaning，空格 (i) 体现报告的语言是"非比喻性的"。ornamental 装饰的，unidimensional 单一维度的，symbolic 象征的，literal 逐字逐句的，subjective 主观的。literal 的释义是 adhering to fact or to the ordinary construction or primary meaning of a term or expression（原本的含义）。因此选项 D 合适。

空格 (ii)：

- 方程等号：Although 尽管，反义重复。
- 强词和对应：前文说科学报告的"逐字逐句"的语言更加精确，the language of science（科学语言）和 language of their reports（报告语言）构成同义重复，因此空格 (ii) 和 precise 根据 Although 取反，形容科学语言是"不精确的"。subtle 微妙的（对），unintelligible 无法理解的（错），complex 复杂的（错），allusive 间接暗示的（对），metaphorical 隐喻的（对）。allusive 的释义是 an implied or indirect reference especially in literature。综合空格 (i)，答案选 D。

翻 译 尽管科学家认为他们的报告中看似逐字逐句的语言比小说的比喻性语言更精确，但科学的语言和其他所有语言一样是间接暗示的。

14-21 答案：A

难 度 ★★

思 路 空格 (ii)：
- 方程等号：between A and B，A 和 B 取反。
- 强词和对应：and 前说艺术历史学家赞扬 Braque 的创造。空格 (ii) 和 credit 取同，体现其他人赞扬 Picasso，这里的取反体现在赞扬了不同的人。tout 吹嘘，advocate 支持，prefer 更喜欢，attribute 归功于，substitute 替代。A、B、C、D 四项合适。

空格 (i)：
- 方程等号：分别赞扬 Cezanne、Braque 和 Picasso 的三种不同观点形成对立。
- 强词和对应：后文说一部分人支持 Braque，另外一部分人支持 Picasso，因此空格 (i) 体现支持 Cezanne 的人的观点和后两种观点的对立。crossfire 交叉火力（对），interplay 交互（错），paradox 矛盾（错），deliberation 深思熟虑（错），tussle 激烈的斗争（对）。paradox 体现的是两方的对立，而题干是三个对象；interplay 体现积极地相互作用，排除。因此综合空格 (ii)，答案选 A。

翻 译 最近这十年以来，Cezanne 影响了立体主义的思想被卷入了两拨人的争端中——分别是那些因 Braque 的创造而赞扬 Braque 的艺术历史学家，和那些极力吹捧 Picasso 的艺术历史学家。

注 释 be caught in the crossfire（被卷入争端）：if you are caught in the crossfire, you become involved in an unpleasant situation in which people are arguing with each other, although you do not want to be involved or say which person you agree with.

Exercise 15

祝微臣能帮助更多想要飞跃重洋的考生，
推倒 GRE，拉开美国门。

——张方舟
微臣教育 2016 寒假 325 计划学员
2016 年 11 月 GRE 考试 Verbal 160

EXERCISE ⑮

核心词汇

1.《GRE 核心词汇考法精析》收录单词（共 43 词）

acute	anomalous	arbitrary	archaic
arid	barren	benign	bogus
bombast	calculated	complementary	compound
diminish	diversity	dramatic	embrace
emulate	enmity	enthusiasm	estimable
euphemism	formidable	glide	justify
lethargic	magnitude	marginal	obsolete
orthodox	painstaking	pinpoint	presage
quiescent	reconcile	resilience	revise
salutary	squander	superficial	tranquility
trivial	undermine	versatile	

2. 基础单词补充（共 6 词）

dissipation *n.* 浪费：wasteful expenditure or consumption
equivocal *adj.* 不确定的：of a doubtful or uncertain nature
interplay *n.* 相互作用：reciprocal action and reaction; interaction
restless *adj.* 不平静的：never still or motionless
subtlety *n.* 细微：the quality or state of being difficult to understand or perceive
urbanity *n.* 举止文雅：refinement and elegance of manner; polished courtesy

练习解析

15-1　答案：A

难　度　★

思　路　空格 (ii)：
- 方程等号：第二个逗号，同义重复。
- 强词和对应：逗号后面说，这些荒地不能养活土地上的人，所以空格 (ii) 和 unable to support the people 取同，体现土地无法养活人类，填入一个负向词。barren 贫瘠的，blooming 繁荣的，thriving 繁荣的，marginal 贫瘠的，saturated 饱和的，选项 A 和 D 合适。

空格 (i):

- 方程等号：turning...into... 将…转变为…，前后状态取反。
- 强词和对应：空格 (ii) 和空格 (i) 根据 turning...into... 取反，所以空格 (i) 应该表示土地"肥沃的"。fertile 肥沃的（对），productive 多产的（对），arid 干旱的（错），poorest 最贫乏的（错），largest 最大的（对）。综合空格 (i)，答案选 A。

翻 译 农学家越来越担心"沙漠化"，这种现象正将世界上肥沃的土地和牧场转变为贫瘠的荒地，无法养活在这块土地上生活的人们。

- ◈

15-2 答案：C

难 度 ★

思 路 **空格 (ii):**

- 方程等号：冒号，同义重复。
- 强词和对应：冒号前说老的观念根深蒂固，the long-standing fear 和 old beliefs 同义重复，空格 (ii) 和 die hard 根据冒号取同，体现担忧"根深蒂固"。perish 死亡，change 改变，persist 一直存在，subside 减弱，recede 减弱。选项 C 合适。

空格 (i):

- 方程等号：even 即使，反义重复。
- 强词和对应：后文说担忧失业立刻就会复发，根据 even 取反，因此空格 (i) 体现"没有失业"，即"有"工作机会。vacant 空缺的（错），easier 更简单的（对），plentiful 充足的（对），protected 被保护的（对），available 可用的（对）。综合空格 (ii)，答案选 C。

翻 译 老的观念根深蒂固：即使当工作机会很多的时候，长期存在的失业立刻就会复发的担忧也一直存在。

- ◈

15-3 答案：A

难 度 ★★

思 路 **空格 (i):**

视频讲解

- 方程等号：caused 表示因果，同义重复。
- 强词和对应：后文说他匆匆忙忙闯入一些情况中，空格 (i) 和 rush pell-mell 根据 caused 取同，体现他"匆匆忙忙闯入"的状态。restlessness 心神不宁，agitation 不安，resilience 恢复力，tranquility 安静，curiosity 好奇。选项 A、B 和 E 合适。

空格 (ii):

- 方程等号：less=not，取反。
- 强词和对应：缺少空格 (ii) 的精神就会犹豫不决，所以空格 (ii) 根据 less 取反，填入 hesitate 的反义词。adventurous 爱冒险的（对），passive 消极的（错），quiescent 平静的（错），versatile 多才多艺的（错），lethargic 没精打采的（错）。综合空格 (i)，答案选 A。

翻 译 思想上的心神不宁以及想要逃离无聊导致他匆匆忙忙地冲进了很多局面当中，而一个缺乏冒险精神的人会犹豫不决。

15-4 答案：C

难度 ★★

思路 空格 (ii)：
- 方程等号：and 连接平行结构，同义重复，and 后省略了 each new conceptual scheme。
- 强词和对应：and 后面的内容说新的概念体系增加了新的东西，空格 (ii) 和 adds to 根据 and 取同，体现"增加"，填入一个正向词。decry 公开谴责，vitiate 削弱，embrace 包括，capture 体现，question 质疑。选项 C 和 D 合适。

空格 (i)：
- 方程等号：in that 表现因果，同义重复。
- 强词和对应：and 后面的内容说新的概念体系增加了新的东西，空格 (i) 和 adds to 根据 in that 取同，体现科学以"增加"的方式取得进展（advances）。discontinuous 不连续的（错），repetitive 重复的（错），widening 变宽的（对），anomalous 非常规的（错），explosive 爆炸性的（错）。综合空格 (ii)，答案选 C。

翻译 科学以逐渐变宽的螺旋的方式取得进步，因为每一个新的概念体系都包括被之前的体系解释过的现象，同时对这些解释加以补充。

15-5 答案：A

难度 ★★

思路 空格 (i)：
- 方程等号：not...but... 不是…而是…，反义重复。
- 强词和对应：后文说礼貌是一个重要美德，因此空格 (i) 和 central 根据 not...but... 取反，体现"不重要"。superficial 无关紧要的，pervasive 普遍的，worthless 没有价值的，precious 宝贵的，trivial 不重要的。A、C、E 三项合适。

空格 (ii)：
- 方程等号：one 指代 central virtue，并作其同位语，同义重复。
- 强词和对应：by 后面提到流行的要求"有话直说"。faddish 的释义是 If you describe something as faddish, you mean that it has no real value and that it will not remain popular for very long。而 politeness 的释义是 an act or utterance that is a customary show of good manners。在这里有话直说其实是一种不符合礼貌的行为，所以 faddish requirement 对于 politeness 是一个负向动作。threaten 威胁（对），undercut 削弱（对），forestall 阻止（对），repudiate 否认（对），affect 影响（错）。forestall 是终结性动作，不可能 increasingly，排除选项 C。综合空格 (i)，答案选 A。

翻译 礼貌并不是人类行为中的一种无关紧要的品质，而是一种重要的美德，这种美德的存在正逐渐被一种流行的要求所威胁，即"有话直说"。

15-6 答案：E

难度 ★★

思路
- 方程等号：for 表示因果，同义重复。
- 强词和对应：前文说（实际上）画比看上去要更大，appeared to be 和 perspective（透视法）同义重复，指"看上去的画"，it 指代 painting，因此空格和 larger than 取反，体现画看上去比实际"小"。improve 提升，aggrandize 增大，embellish 装饰，jeopardize 破坏，diminish 缩小。答案选 E。

翻 译 这幅画实际上比它看上去更大一些，因为挂在教堂黑暗的壁龛里面时，它由于透视法缩小了。

15-7 答案：E

难 度 ★

思 路
- 方程等号：Because 表示因果，同义重复。
- 强词和对应：前面说民间艺术不完全被反对，也不完全被接受，因此空格体现"不反对也不支持"。arbitrary 随意的，estimable 值得尊敬的，orthodox 正统的，unspoken 未说出口的，equivocal 不明确的。答案选 E。

翻 译 因为作为一种艺术形式，民间艺术既没被艺术史学家们完全接受，也没被他们完全反对，所以他们对民间艺术的最终评价一直是不明确的。

15-8 答案：A

难 度 ★

思 路 空格 (i)：
- 方程等号：Because 表示因果，同义重复。not 取反。
- 强词和对应：后文说对费用数量的精确估算是不容易的，因此空格 (i) 和 easily 根据 not 取反，体现"不容易"。difficult 困难的，impossible 不可能的，improper 不合适的，useless 没用的，necessary 必要的。后文说费用无法简单地计算，其实还是可以计算的，因此 impossible、improper、useless 与题干逻辑不符，都表达的是不能计算的意思。可知选项 A 合适。

空格 (ii)：
- 方程等号：Because 表示因果，同义重复。
- 强词和对应：these costs 指代 all the business costs，空格 (ii) 体现对 costs 的动作，与 calculated 取同，体现"计算"商业成本。measure 衡量（对），justify 证明…有理（错），overlook 忽视（错），discover 发现（错），pinpoint 精准确定（对）。综合空格 (i)，答案选 A。

翻 译 因为衡量与雇员不满有关的商业费用是很难的，所以对这些费用数量的精确估计是不容易计算出来的。

15-9 答案：C

难 度 ★★

思 路
- 方程等号：逗号，同义重复。
- 强词和对应：逗号前说海洋中普遍存在的同类相食，空格 + one another 与 cannibalism 构成同义重复，而 one another 体现"互相"，体现生物的"捕食"形式。hide from 躲避，ferret out 搜索出，prey on 捕食，glide among 滑行，compete against 与…对抗。答案选 C。

翻 译 考虑到海洋中普遍存在的同类相食现象，所有生物都在捕食别的生物。

15-10 答案：E

难度 ★★

思路 空格 (i)：

- 方程等号：individually（单独地）和 combined in group（结合成小组），换对象取反。
- 强词和对应：individually 与 combined in groups 构成反义重复，combined in groups 可以 create obscurity，那么空格应该表达 not obscurity（不晦涩难懂）。indefinite 不明确的，conventional 传统的，unlikely 不可能的，archaic 过时的，precise 精确的。选项 E 合适。

空格 (ii)：

- 方程等号：and 连接平行结构，前后同义重复。prevent from 阻止，取反。
- 强词和对应：当单词被组合成整体时会变得晦涩难懂，空格 (ii) 和 obscurity 根据 prevent from 取反，体现组合的词语不被（prevent from）"理解"。articulated 清晰表达的（对），conceivable 可以想象的（错），classified 被归类的（错），expressed 明确的（对），communicable 可传达的（对）。综合空格 (i)，答案选 E。

翻译 每个单词都被局限于字典里确切注明的精确含义，而当它们被结合成一个整体时，这些单词最终是如何创造出了晦涩难懂并使思维无法被传达的呢？

15-11 答案：E

难度 ★★

思路 空格 (i)：

- 方程等号：Even though 即使，反义重复。
- 强词和对应：后文内容说 15 世纪的欧洲人没有自动将空格 (ii) 和危险联系起来。they 指代 Europeans，空格 (i) 和 danger 构成同义重复，体现欧洲人认为陌生人是"危险的"。trusting of 对…信任的，haughty with 对…傲慢的，interested in 对…有兴趣的，antagonistic to 对…敌对的，hostile to 对…有敌意的。选项 D 和 E 合适。

空格 (ii)：

- 方程等号：Even though 即使，反义重复。
- 强词和对应：根据空格 (i) 得知欧洲人认为陌生人是"危险的"，空格 (ii) 和 stranger 取同，即"陌生人"。diversity 多样性（错），nonconformity 不符常规的行为（错），enmity 敌意（错），rudeness 粗鲁（错），foreignness 外来（对）。答案选 E。

翻译 即使他们倾向于对陌生人采取敌对的态度，15 世纪的欧洲人并不会自动地将外来和危险联系起来。

15-12 答案：E

难度 ★

思路
- 方程等号：but 表示转折，前后取反。
- 强词和对应：but 前面说现代是一个思想能被清楚表达的时代，因此空格和 explicitly 根据 but 取反，体现"不清楚"。garrulousness 话多，exaggeration 夸张，excoriation 严厉的指责，bombast 浮夸的言语，euphemism 委婉语。euphemism 的释义是 a mild or pleasant word or phrase that is used instead of one that is unpleasant or offensive。因此答案选 E，体现一种"不

直接"的表达。

翻 译 现代是一个宽容的时代,在这个时代里事物可以直接清晰地被表达出来,但委婉语的古老风俗却很难消失。

15-13 答案:D

难 度 ★★

思 路 空格 (i):
- 方程等号:Although 尽管,反义重复。not 取反。两次取反后最终同向。
- 强词和对应:前文说苏联和美国金星探测器的许多发现是互补的, the two sets of atmospheric results 和 many findings 同义重复,空格 (i) 和 complementary 根据 Although 和 not 取反两次后取同,体现"相互补充"。obtain 获得, complete 完成, match 匹配, reconcile 相互调和, produce 生产。选项 C 和 D 合适。

空格 (ii):
- 方程等号:or 连接的平行结构并列 change 和空格 (ii),同义重复。
- 强词和对应:or 连接一组同义词,空格同义重复 data, data 是用来证实、解释的。experimentation 实验(对), position 位置(错), implementation 实施(错), interpretation 解释(对), falsification 弄虚作假(错)。综合空格 (i),答案选 D。

翻 译 尽管苏联和美国的金星探测器的许多发现结果是互为补充的,但若没有对数据进行重要的修改或解释,这两套大气观测结果显然是不能相互调和的。

15-14 答案:E

难 度 ★★

思 路 空格 (i) + 空格 (ii):
- 方程等号:While 尽管,反义重复。lives of workers 和 traditional roles of women 同义重复。空格 (i) 和空格 (ii) 联动并根据 While 取反。
- 强词和对应:salutary 有利的...improve 提升;dramatic 剧烈的...undermine 削弱;benign 好的...revise 改进;debilitating 使衰弱的...weaken 削弱;revolutionary 革命性的...reinforce 加强。reinforce traditional 就是 revolutionary 的反义词,综上所述,答案选 E。

翻 译 尽管有人认为工作的机械化对工人的生活产生了革命性的影响,相反,有证据表明机械化却起到了增强妇女传统角色的作用。

注 释 on the contrary 和转折连接词,例如 but、yet、however、nevertheless、while 等同时出现,只取一次反。

15-15 答案:B

难 度 ★

思 路
- 方程等号:Although 表尽管,反义重复。

- 强词和对应：前文说科学家传统上认为这个地区完全只是一个农业区域，agricultural 和 occupations 构成上下义词，同义重复。因此，空格和 solely 根据 Although 取反，体现这个地区"不仅仅"只是农业。productivity 生产率，diversity 多样性，predictability 可预测性，profitability 盈利，stability 稳定性。答案选 B。

翻 译 尽管经济学家们传统上认为这个地区完全是一个农业区，但是当地居民职业的多样性使得这种分类过时了。

15-16　答案：B

难 度　★★

思 路　**空格 (i)：**
- 方程等号：in order to 表示目的，同义重复。
- 强词和对应：前文说书的作者忽略或减少了一些问题和缺点是故意的，因此空格 (i) 和 in order to 取同，体现他是"有目的性的"忽略。accidentally 意外地，purposely 故意地，occasionally 偶尔地，intentionally 故意地，cleverly 聪明地。选项 B 和 D 合适。

空格 (ii)：
- 方程等号：in order to 表示目的，同义重复。problems and shortcomings 和 the points on which they excel 对象取反。
- 强词和对应：problems and shortcomings 和 the points on which they excel 对象取反，因此空格 (ii) 和 overlooks 取反，体现忽视缺点是为了"不忽视"优点。exaggerate 夸大（对），emphasize 强调（对），counterbalance 抵消（错），confuse 使困惑（错），compound 使恶化（错）。综合空格 (i)，答案选 B。

翻 译 这本书的作者故意忽略或弱化外国工业的问题和缺点，而这些外国工业在其他方面都享有很高的成就，这样做的目的是为了强调它们所擅长的，而且我们可以试着模仿并超越这些优点。

15-17　答案：D

难 度　★★

思 路　**空格 (i)**
- 方程等号：逗号，同义重复。
- 强词和对应：前文说 Crosby 的同事从未了解到，至少他们没有（not）及时避免（avoid）他们的尴尬，因此逗号后的内容和 embarrassing 构成同义重复，体现他们的判断让他们尴尬，即判断是"错误的"，填入一个负向词。genuine 真实的，alert 警惕的，acute 激烈的，bogus 假装的，painstaking 煞费苦心的，只有 D 选项合适，答案选 D。

空格 (ii)：
- 强词和对应：逗号前面说 Crosby 的同事的判断会使得自己很尴尬，说明这些人的判断有问题，而且对 Crosby 是一个正评价。dominate 占优势（错），contradict 对立（错），preclude 阻碍（错），presage 预示（对），succeed 成功（错）。答案选 D。

翻 译 Crosby 的同伴们从来不知道，至少他们没有及时避免使自己尴尬，她偶尔假装出来的糊里糊涂的样子预示了她令人恐惧的智慧。

15-18 答案：A

难 度 ★

思 路
- 方程等号：nevertheless 表示转折，反义重复。
- 强词和对应：空格和 distinct 根据 nevertheless 取反，体现为了保证新科技的发展，让有区别的活动"没有区别"，即"产生联系"。interplay 相互作用，implementation 执行，comprehending 理解，improvement 提升，exploration 探索。答案选 A。

翻 译 为了确保新技术的开发和利用，就必须不断让那些在其他情况下有区别的活动产生相互作用。

15-19 答案：C

难 度 ★

思 路
- 方程等号：however 然而，反义重复。at home（国内）和 abroad（国外）构成反义。
- 强词和对应：分号前面的内容说一些风俗传播得很好（travel well），所以 however 后面的句意和 well 取反，体现"传播得不好"。空格和 rude 或 bizarre 取反，体现行为在国外是"粗鲁的"而在国内是"不粗鲁的"。novelty 新颖，eccentricity 古怪，urbanity 有礼貌，coarseness 粗鲁，tolerance 宽容。答案选 C。

翻 译 有些风俗传播得很好：但是通常在国内被认为是优雅的典范行为却会在国外被视为无法忍受的粗鲁，或者至少也是无伤大雅的古怪。

15-20 答案：E

难 度 ★★

思 路 **空格 (i)：**
- 方程等号：led to 导致，体现因果，同义重复。
- 强词和对应：后文内容说早期希腊哲学家企图的空格 (i) 行为导致了后来的思考者对人类的推理产生怀疑。inquire 的释义是 to put a question or questions to。human reason 和 attempts to explain 同义重复。因此空格 (i) 和 inquire 根据 led to 取同，体现早期希腊哲学家解释的企图具有让后来思想家对其产生"怀疑的"特征。difficulty 困难，meaning 意义，complexity 复杂性，equivocation 模棱两可，failure 失败。A、C、D、E 四项合适。

空格 (ii)：
- 方程等号：led to 导致，体现因果，同义重复。
- 强词和对应：综合前文，早期哲学家解释的"不好"导致后来思想家质疑人类的推理，空格 (ii) 和 attempts 取同，体现思想家质疑人类解释的"尝试"。origin 起源，supremacy 霸权，reality 现实，subtlety 微妙，efficacy 有效性。efficacy 的释义是 power or capacity to produce a desired effect。答案选 E。

翻 译 早期的希腊哲学家尝试解释宇宙运转的失败导致某些后来的思想家们对人类推理认知的有效性产生了怀疑。

15-21　答案：D

难度　★★

思路　空格 (ii)：
- 方程等号：his 表示指示代词，指示对象特征前后同义重复。
- 强词和对应：后文说他挥霍的能力让围观者震惊，因此空格 (ii) 和 extravagance 根据 his 取同，体现 "挥霍" 的特点。enthusiasm 热情, selectiveness 选择性, affability 亲切, dissipation 浪费, genius 天赋。选项 D 合适。

空格 (i)：
- 方程等号：nonetheless 表示转折，反义重复。
- 强词和对应：后文说他 "挥霍" 的行为提高了他的声誉，unworthy 和 enhanced reputation 根据 nonetheless 取反。空格 (i) 描述他的行为，与 extravagance 取同，体现他的行为有 "挥霍的" 特征。undermine 削弱, isolate 使孤立, display 展现, squander 挥霍, implicate 牵涉。综合空格 (ii)，答案选 D。

翻译　尽管他曾因各种突发奇想的冲动而在大量毫无价值的项目上浪费了自己的才华，但却因此提升了自己的名声，因为他那尽情挥霍自己才华的劲头令旁观者惊诧不已。

注释　prey to（受到影响）：if someone is prey to something bad, they have a tendency to let themselves be affected by it.

Exercise 16

希望当你回头看的时候，会发现和 GRE 相
处的时光，也是人生中一道风景。

——李佳璐
微臣教育 2015 "填空 400 题" 学员
2015 年 10 月 GRE 考试 Verbal 161

EXERCISE ⑯

核心词汇

1.《GRE 核心词汇考法精析》收录单词（共 51 词）

chaos	compatible	complacent	condemn
consequence	contempt	correlate	denigrate
despicable	disparate	disprove	dissonance
divulge	dubious	flag	harmonious
illuminate	impenetrable	inconsequential	indispensable
inevitable	interim	list	mastery
misfortune	mockery	movement	obviate
partial	pragmatic	project	redundant
repress	resplendent	revise	sanction
sarcasm	specific	substitute	superficial
supersede	symmetry	tacit	treacherous
trenchant	turbulent	unproductive	unruly
verify	veritable	versatile	

2. 基础单词补充（共 8 词）

conservatism　*n.* 守旧：caution or moderation, as in behavior or outlook

derive　*v.* 得到：to obtain or receive from a source

dramatize　*v.* 使引人注目：to show (something that might not be noticed) in a clear and effective way

hinder　*v.* 阻碍：to obstruct or delay the progress of

primacy　*n.* 首先：the state of being first or foremost

prime　*adj.* 主要的：first in degree or rank; chief

unanticipated　*adj.* 意料之外的：not anticipated

uniformity　*n.* 统一性：conforming to one principle, standard, or rule; consistent

练习解析

16-1 答案：C

难 度 ★

思 路
- 方程等号：Given 表示因果，同义重复。unrealistic 不现实的，负向，取反。
- 强词和对应：前文说这个领域中存在很多的派系，faction 的释义是 a group within a larger group that has different ideas and opinions than the rest of the group。因此，空格和 factions 根据 unrealistic 取反，体现期待观点的"统一"是不现实的。freedom 自由，reassessment 重新评估，uniformity 统一，expression 表达，formation 形成。答案选 C。

翻 译 鉴于在这个领域中存在如此多的派系，Anna Freud 对任何统一的观点的期待是不现实的。

- -

16-2 答案：A

难 度 ★

思 路
- 方程等号：Although 尽管，反义重复。
- 强词和对应：前文说明确的关注会决定研究项目的意图，因此，空格和 determine the intent 根据 Although 取反，体现"无法决定意图的"。unanticipated 出乎意料的，beneficial 有利的，expensive 昂贵的，spectacular 引人注目的，specialized 专门的。答案选 A。

翻 译 尽管明确的关注会决定一个研究项目的意图，但它的结果往往是出乎人们意料的。

- -

16-3 答案：B

难 度 ★

思 路 空格 (i)：
- 方程等号：for 因为，表示因果，同义重复。
- 强词和对应：空格 (i) 和 distracts 取同，体现这种做法具有"分散注意力的"特点，填入一个负向词。unproductive 没有效率的，misleading 有误导性的，pragmatic 实际的，logical 符合逻辑的，inevitable 不可避免的。选项 A 和 B 合适。

空格 (ii)：
- 强词和对应：fragmentary 和 distracts 同义重复，根据题意这种做法是会分散注意力的。from 体现从一种状态中分散，因此空格 (ii) 和 distracts 取反，体现将我们的注意力从"不分散的"或"不应该分散的"主题中分散出来。disparate 完全不同的（错），integrating 统一的（对），comprehensive 广泛的（错），important 重要的（错），unsetting 没有安装的（错）。综合空格 (i)，答案选 B。

翻 译 将 Reilly 的成就用碎片式的方式列举出来是具有误导性的，因为这种做法将我们的注意力从她的作品的统一主题上分散开来。

16-4 答案：D

难度 ★★

思路 **空格 (i)：**
- 方程等号：as 表示作为，同义重复。
- 强词和对应：前文说人们诋毁关于最近灾难的书。因此，空格 (i) 和 denigrate 根据 as 取同，体现人们认为书是具有道德"诋毁性的"，填入一个负向词。inopportune 不合时宜的，fortuitous 偶然的，treacherous 背信弃义的，despicable 可鄙的，corrupt 堕落的。选项 C、D 和 E 合适。

空格 (ii)：
- 方程等号：but 表示转折，前后反义重复。
- 强词和对应：but 前面的内容说人们诋毁灾难性的书籍，them 指代 books about recent catastrophes，denigrate 指向空格 (ii)，根据 but 取反，体现我们对于这些书的态度是"不诋毁的"，填入一个正向词。encourage 鼓励（对），foster 促进（对），safeguard 保护（错），legitimize 使合理化（对），generate 产生（错）。legitimize 的释义是 to legitimize something, especially something bad, means to officially allow it, approve it, or make it seem acceptable，表示可接受的。safeguard 一般是指有形的保护，不是这种无形的支持，排除 C。因此综合空格 (i)，答案选 D。

翻译 人们总是诋毁内容涉及近期灾难的书，认为它们是一种道德上可鄙的企图，想从灾难中赢利，但是我认为，我们对这种书的渴求，和这些书所属的令人尊敬的传统一起，使得它们的存在具有合理性。

16-5 答案：D

难度 ★★

思路 **空格 (ii)：**
- 方程等号：are 前后同义重复。
- 强词和对应：空格 (ii) 和 results 构成同义重复，体现结果是"结果"。foundation 基础，predecessor 前辈，adjunct 附属物，consequence 结果，essence 本质。选项 C 和 D 合适。

空格 (i)：
- 方程等号：designed to 过去分词结构倒装修饰 laws，同义重复。
- 强词和对应：空格 (i) 和 laws of science 取同，体现科学法则对现象进行"科学法则应有的作用"。analyze 分析（对），disprove 反驳（错），alter 改变（错），illuminate 解释（对），verify 证实（对）。综合空格 (ii)，答案选 D。

翻译 许多重大的科学定理是在本来计划阐明其他现象的科学实验中发现的，这说明实验结果是不可避免的自然因素的结果，而不是人为计划的结果。

16-6 答案：E

难度 ★★

思路 **空格 (ii)：**
- 方程等号：Although 表示转折，反义重复。

- 强词和对应：literacy 和 active cultural life 同义重复（文化生活），rise of such consumerism 和 middle-class consumerism 同义重复（消费主义）。因此，空格 (ii) 和 accompanied 根据 Although 取反，体现文化和消费"不同时发生"或"没有联系"。reconciled 相互调和的，inconsistent 不一致的，combined 结合的，compatible 协调的，uncorrelated 不相关的。选项 B 和 E 合适。

空格 (i)：
- 方程等号：of 介词结构倒装修饰空格 (i)，literacy 指代 cultural life，前后描述特征同义重复。
- 强词和对应：active 指向空格 (ii)，取同，体现文化的"积极性"。repudiation 拒绝（错），renewal 复兴（错），promotion 促进（对），spread 扩散（对），degree 程度（对）。renewal 表示再次开始，这里仅仅是开始，没有一个开始结束再开始的过程，与句意不符，因此排除选项 B。综合空格 (ii)，答案选 E。

翻译 尽管在 18 世纪的英格兰，一种积极的文化生活伴随中产阶级的消费主义的出现而同时发生，但是，在这个国家的不同地区，识字能力的程度却与这种消费主义的兴起不相关。

16-7 答案：E

难度 ★★

思路
- 方程等号：for 表示目的，同义重复。
- 强词和对应：根据句意，受到训练的人被给予一些完成手册的副本是为了创造更多这样指示性的材料。因此空格体现 rules 是从 finished manual（已有的）概括而来。design 设计，revise 修改，disrupt 破坏，standardize 使标准化，derive 衍生。A、B、D 三项强调的是"新的规则"，与 finished manual 无关，故排除。答案选 E。

翻译 给接受训练的人一份已经完成的手册的副本，来看一看他们能否开始自己衍生出尽管不言而喻但却僵化的规则，以创作更多这样的指导材料。

16-8 答案：D

难度 ★

思路 空格 (ii)：
- 方程等号：equally 体现同样地，后面的特征在前文出现过，同义重复。
- 强词和对应：前文说氧气对动物生命是很重要的（essential），essential 指向空格 (ii)，根据 equally 取同，体现二氧化碳对植物生命是同样"重要的"。optional 可选择的，selective 选择的，exchangeable 可互换的，necessary 必要的，harmful 有害的。选项 D 合适。

空格 (i)：
- 方程等号：is，同义重复。
- 强词和对应：前面说氧气的可获得性，空格 (i) 体现氧气对动物生命的"可获得性"，availability 指向空格 (i) 取同。choice 选择（错），duplication 复制（错），conversion 转变（错），condition 条件（对），luxury 奢侈（错）。氧气的多少是生命"无法选择的"，因此排除选项 A。condition 的释义是 an environmental requirement。因此正确答案选 D。

翻译 可获得氧气是动物生命的重要条件，然而二氧化碳对于植物同样必不可少。

16-9 答案：C

难度 ★★

思路 空格 (i)：
- 方程等号：actually 和 is supposed to 表示实际情况和被期待的情况，取反。
- 强词和对应：前文说过分拘谨的行为实际上（actually）把注意力吸引到邪恶上，it 指代 Prudery，draws attention to 指向空格 (i)，取反，体现过分拘谨本应该（is supposed to）是 "不吸引的"。condemn 谴责，monitor 监控，repress 抑制，obviate 阻止，divulge 泄露。选项 C 合适。

空格 (ii)：
- 方程等号：分号，同义重复。
- 强词和对应：the very act 指代 Prudery（过分拘谨），what is hidden 和空格 (i) 构成同义重复（不吸引），因此空格 (ii) 和 draws attention to 根据分号取同，体现拘谨让隐藏的东西 "引人注目"。distort 扭曲（错），signal 发出信号（对），dramatize 使引人注目（对），foster 促进（错），conceal 隐藏（错）。综合空格 (i)，答案选 C。

翻译 过分拘谨的行为实际上把注意力吸引到它本应该隐藏的邪恶上；恰好是这种禁止语言表达或者禁止观看的行为使它隐藏的事物变得引人注目。

16-10 答案：D

难度 ★

思路
- 方程等号：if 引导条件状语从句，同义重复。
- 强词和对应：前文说人们都变成了 "速度观看者"，空格和 lingers 根据 if 取同，体现如果摄像机停滞，观众的兴趣也 "停滞"，填入一个负向词。broaden 扩宽，begin 开始，vary 变化，flag 衰退，clear 消除。答案选 D。

翻译 电视兴起 30 年之后，人们已经变成了 "速看者"；因此，如果电视画面停滞不动的话，观众的兴趣便会下降。

16-11 答案：C

难度 ★

思路
- 方程等号：空格体现前后句意的逻辑关系。
- 强词和对应：逗号前面的内容说相比抽烟和驾驶，几乎所有的事情都是没有风险的（risk-free），逗号后面的内容说没有什么事情值得监管。前后句意同义重复，因此空格不改变句子逻辑方向。yet 但是，since 因为，so 所以，even though 即使，as long as 只要。since 和 as long as 后面的部分是原因，而根据题意，题干空格前是原因，空格后是结果，"因为没有风险，所以不值得监管"。答案选 C。

翻译 从数学角度来看，与抽烟和驾车相比较，几乎所有其他事物都显得相对没有风险，因此几乎没有什么事情值得监管了。

16-12 答案：A

难度 ★★

思路
- 方程等号：Ironically 讽刺地，反义重复。
- 强词和对应：前文说 Carver 对人物绝望生活的描述使得他的小说被读得太狭隘。much as 表示像…一样，举例说明 Dickens 的社会改革角色的"矛盾的特征"（ironically）。因此，broader 指向空格，根据 Ironically 取反，体现广泛的关注"不广泛"。ignore 忽略，reinforce 加强，contradict 被反驳，diminish 减少，diversify 多样化。答案选 A。

翻译 具有讽刺意味的是，Carver 对绝望边缘的人的精确描写导致他的小说有时被读得太狭隘；正如 Dickens 的社会改革家的人物角色曾经导致他的更广泛担忧被忽略掉了。

注释 选项 D 为干扰项，而填进去表现的是被动语态"关注被减弱"。和 Dickens' social-reformer role 搭配不当，不可能是作品被（读者）削弱，只可能读者自己没有关注到这种主题。

16-13 答案：E

难度 ★★

思路 空格 (i) + 空格 (ii)：
- 方程等号：result...from... 表示因果，前后同义重复。空格 (i) 和空格 (ii) 联动。
- 强词和对应：result from 之前说高中的严谨的学术课程消失了，所以后面体现严谨的课程消失了。有两种可能性：
- 如果空格 (i) 填入"支持"，选项中 advocate 支持，enhance 加强，sanction 批准，满足要求，那么空格 (ii) 应该填入一个和 rigorous 相反的单词，表示"不严谨的"，necessary 必要的，indispensable 必要的，inappropriate 不合适的，只有 E 选项的空格 (ii) 是负向词，满足要求，答案选 E。
- 如果空格 (i) 填入"不支持"，选项中 restrict 限制，undermine 削弱，满足要求，所以空格 (ii) 应该填入一个和 rigorous 同方向的单词，填入一个正向词。而 impractical 不切实际的，popular 受欢迎的。尽管 popular 是一个正向词，但是受欢迎的课未必体现学术的严谨，所以排除 D，答案选 E。

翻译 高中的严谨的学术课程的消失，部分是由激进的言论导致的，这种激烈的言论批准了过去被认为是不合适的教学内容。

16-14 答案：D

难度 ★★

思路 空格 (ii)：
- 方程等号：by 作方式状语，同义重复。
- 强词和对应：前文说恶作剧的目的是去破坏这个世界，因此 disrupt 指向空格 (ii)，根据 by 取同，体现通过把所有的过程转变为"具有破坏性"的方式来破坏这个世界。confusion 混乱，symmetry 对称，dissonance 不和谐，chaos 混乱，uniformity 统一。A、C、D 三项合适。

空格 (i)：
- 方程等号：that 引导的定语从句修饰 world，同义重复。
- 强词和对应：前文说将恶作剧视作能够控制世界的愿望，空格 (i) 体现这个世界是"需要被控制的"。dubious 不靠谱的（错），disorderly 混乱的（对），harmonious 和谐的（错），unruly 难以控制的（对），turbulent 混乱的（对）。综合空格 (ii)，答案选 D。

翻 译 尽管有些人把恶作剧看成一个愿望，以微观的方式来控制这个看上去混乱的世界，但是其他人认为恶作剧的目的是通过将所有过程变混乱来破坏这个世界。

16-15 答案：E

难 度 ★★

思 路 空格 (ii)：
- 方程等号：逗号，同义重复。
- 强词和对应：it 指代 Aspartame，描述在高温下 Aspartame 会分解并且丧失甜分，空格 (ii) 和 loss 取同，体现对于烘焙，Aspartame 是"不好的"，填入一个负向词。ideal 理想的，excellent 卓越的，versatile 多才多艺的，problematic 有问题的，unsuitable 不合适的。选项 D 和 E 合适。

空格 (i)：
- 方程等号：because 表示因果，同义重复。
- 强词和对应：空格 (i) 和空格 (ii) 根据 because 取同，体现对 Aspartame 的负评价。interim 临时的（对），apparent 明显的（错），potential 潜在的（对），significant 重要的（错），partial 部分的（对）。综合空格 (ii)，答案选 E。

翻 译 阿斯巴甜，一种新的人工蔗糖替品，仅仅是糖精的部分代替物，因为它和糖精不一样，在高温的时候会分解并且失去使别的东西变甜的特性，从而使得它不适合烘焙。

16-16 答案：C

难 度 ★★

思 路
- 方程等号：逗号，同义重复。
- 强词和对应：前文说气泡被困在南极冰中数千年。history 和 thousands of years 构成同义重复，因此空格不改变方向，体现多年空气泡和充满历史的时间胶囊之间的正向关系。inconsequential 不重要的，broken 破碎的，veritable 名副其实的，resplendent 华丽灿烂的，impenetrable 不能穿透的。答案选 C。

翻 译 最近被发现的空气泡是名副其实的时间胶囊，它们被封存在几千年前的南极之冰中，充满了科学家所需要的记录大气层历史的信息。

16-17 答案：C

难 度 ★

思 路 空格 (ii)：
- 方程等号：which 引导的定语从句修饰空格 (ii)，同义重复。
- 强词和对应：which 后面的内容说空格 (ii) 帮助书的销量，因此空格 (ii) 体现对书的销量是"有帮助的", 与 helped 取同, 填入一个正向词。opinion 意见, guidance 指导, publicity 宣传, opposition 反对, criticism 批判。选项 B 和 C 合适。

空格 (i):
- 方程等号: which 引导的定语从句修饰空格 (ii), 同义重复。and 连接平行结构, 同义重复。
- 强词和对应: Every burned book 和 censorship 同义重复, 后文说审查制度启蒙了世界, enlightens 指向空格 (i), 根据 which 取同, 体现审查制度是一种 "启发性的" 来源。respected 被尊敬的(对), constant 持续的(错), prime 首要的(对), unnoticed 未引起注意的(错), unpromising 没有前途的(错)。排除选项 B, 答案选 C。

翻 译 在书籍的大规模市场化之前, 审查制度是一种首要的宣传途径, 它有利于书的销售并激发了 Ralph Waldo Emerson 的评论: "每本被烧毁的书都照亮了这个世界。"

16-18 答案: C

难 度 ★★

思 路 **空格 (ii):**
- 方程等号: 分号, 同义重复。
- 强词和对应: 后文说经典物理学家声称大陆移动是不可能的, idea that the Earth's continents were moving plates 和 continental movement 同义重复, 指大陆漂移。impossible 指向空格 (ii), 根据分号取同, 体现地质学家认为大陆漂移是 "不可能的", 填入一个负向词。challenge 质疑, deter 阻止, hinder 阻碍, hasten 加速, mandate 命令。A、B、C 三项合适。

空格 (i):
- 方程等号: of 介词结构修饰空格 (i), 同义重复。
- 强词和对应: 根据空格 (ii) 得知地质学家认为大陆移动这种革命性学说的发展是 "不可能的" (impossible), 因此这些人是 "反对" 革命性的发展的。空格 (i) 根据 of 取同, 应该体现对革命性 (revolutionary) 的反对。indecisiveness 犹豫不决(错), radicalism 激进主义(错), conservatism 保守主义(对), assumption 假设(错), resistance 抵抗(对)。综合空格 (ii), 答案选 C。

翻 译 不仅仅是地质学家的保守主义阻碍了早期关于地球陆地是漂移的板块的这个革命性思想的发展, 而且无法解释这个机制的经典物理学家也宣称大陆移动是不可能的。

注 释 conservatism 的释义是 dislike of change or new ideas in a particular area。

16-19 答案: D

难 度 ★★

思 路
- 方程等号: equal 表示同样的, 同义重复。
- 强词和对应: extremely critical of 指向空格, 根据 equal 取同, 选 "极端批评"。impetuosity 冲动, sarcasm 讽刺, mockery 嘲笑, contempt 轻蔑, condescension 傲慢。答案选 D。

翻 译 尽管人们通常会对医疗职业整体持极端的批评态度, 但却很少用同样轻蔑的态度对待自己的私人医生。

| 注 释 | condescension（傲慢）：the attitude or behavior of people who believe they are more intelligent or better than other people。题目中的人们并没有觉得自己比医生好，对象不可比较。contempt 的同义词为 dislike、disapproval、disrespect 等等，表达不尊敬，同时也有不喜欢、认为错误的意思，所以其同义重复句中 critical（批评的）。 |

16-20 答案：D

难 度 ★★

思 路 **空格 (i)：**

- 方程等号：consequently 表示因果，同义重复。
- 强词和对应：前文说 Aalto 认为形式遵从功能，human needs 和 function 同义重复，因此空格 (i) 体现功能"优于"形式，功能更重要。universality 普遍性，importance 重要性，rationale 解释，primacy 首要，variability 变化。选项 B 和 D 合适。

空格 (ii)：

- 方程等号：and 连接平行结构，同义重复。
- 强词和对应：前文说 Aalto 的家具设计坚持形式遵循功能，human use 和 function 同义重复，因此 follows 指向空格 (ii)，根据 and 取同，体现形式"遵从"功能。refined by 被…提升（错），relegated to 被降级为（错），emphasized by 被…强调（错），determined by 被…决定（对），reflected in 被反映在（错）。综合空格 (i)，答案选 D。

| 翻 译 | Aalto 和其他现代主义者一样，认为形式应遵从功能；因此，他的家具设计肯定了人类需求的首要地位，并且根据人类的用途来决定家具的形式。 |

16-21 答案：C

难 度 ★★★

思 路 **空格 (ii)：**

- 方程等号：in conflict with 与…相冲突，前后取反。
- 强词和对应：the present age 和 contemporary forms 同义重复。根据前文内容描述对当代的形式是接受的，因此空格 (ii) 和 acceptance 取反，体现和当代冲突的价值观是"不被接受的"。reliable 可靠的，trenchant 锐利的，superseded 被取代的，redemptive 拯救的，redundant 多余的。选项 C 和 E 合适。

空格 (i)：

- 强词和对应：根据句意，对当代的接受会对与当下冲突的价值观产生误导，空格 (i) 体现这种"只对当下接受"的态度，填入一个负向词。casual 随意的（对），superficial 肤浅的（对），complacent 自满的（对），cautious 谨慎的（错），plaintive 悲哀的（错）。综合空格 (ii)，答案选 C。

| 翻 译 | 对当代社会行为模式的自满的接受已经误导了一些人，使得他们相信与当今年代冲突的价值观实际上都是应当被取代的。 |

Exercise 17

To be a dream chaser is not enough, you need to be the dream realizer.

——王小安
微臣教育线上课程学员
2015 年 8 月 GRE 考试 Verbal 160

EXERCISE 17

核心词汇

1.《GRE 核心词汇考法精析》收录单词（共 44 词）

abate	articulate	assail	berate
chivalrous	cogent	commensurate	compatible
complaisance	condone	conserve	convenience
covert	craven	derivative	devoted
discretion	diversity	dominant	eclectic
facilitate	fatuous	finicky	foil
garrulous	idiosyncrasy	labyrinthine	maverick
measured	nurture	oblivious	original
placid	precursor	reckless	redundant
sanction	shift	sincere	specific
spurious	subject	turmoil	undermine

2. 基础单词补充（共 9 词）

controversial　*adj.* 有争论的：of, producing, or marked by controversy

customary　*adj.* 约定俗成的：based on custom or tradition rather than written law or contract

enflame　*v.* 激起：to arouse to passionate feeling or action

idolatry　*n.* 过分崇拜：blind or excessive devotion to something

insatiable　*adj.* 无法满足的：impossible to satiate or satisfy

intertwine　*v.* 使缠绕在一起：to join or become joined by twining together

justifiable　*adj.* 有理由的：being acceptable or correct because there is a good reason for it

parasite　*n.* 寄生虫：an organism that grows, feeds, and is sheltered on or in a different organism while contributing nothing to the survival of its host

platitude　*n.* 陈词滥调：a trite or banal remark or statement, especially one expressed as if it were original or significant

练习解析

17-1   答案：A

难 度   ★

思 路
- 方程等号：分号，同义重复。
- 强词和对应：分号后的 the author 指代 Shere Hite，分号前面说她的书 more widely debated，所以将 widely debated 指向空格，根据分号取同，体现作者的观点是"受到广泛讨论的"。controversial 有争论的，authoritative 权威的，popular 流行的，conclusive 决定性，articulate 表达清晰的。答案选 A。

翻 译   因为对这个课题的标新立异的研究方法，Shere Hite 的书受到了相比以往更为广泛的讨论；全国的媒体让作者富有争议的观点引起了公众的注意。

- ⊛ - - - - - - - - - - -

17-2   答案：C

难 度   ★★

思 路   空格 (i)：
- 方程等号：第二个逗号，同义重复。
- 强词和对应：such bequests 指代前文的 devotional books，因此 scarce 指向空格 (i)，根据逗号取同，体现这种遗赠是"少的"。unselfish 无私的，tangential 次要的，customary 约定俗成的，covert 秘密的，spurious 假的。customary 的释义是 customary is used to describe something that a particular person usually does or has。选项 C 和 D 合适。

空格 (ii)：
- 方程等号：and 连接平行结构，同义重复。no 取反。
- 强词和对应：根据前文得知有关遗赠的正式记录是稀少的。scarce 和 no 构成同义重复，因此空格 (ii) 和 formal written evidence 取同，体现不（no）需要"书面记录"。rationalization 理由（错），approval 同意（错），documentation 文献证据（对），discretion 谨慎（错），record 记录（对）。综合空格 (i)，答案选 C。

翻 译   尽管很多中世纪的女性所拥有的与宗教相关的书曾经属于她们的母亲，但是关于女性将书遗赠给她们女儿的正式书面证据却很稀少，这说明这种遗赠行为是约定俗成的，并不需要文件记录。

- ⊛ - - - - - - - - - - -

17-3   答案：C

难 度   ★

视频讲解

思 路   空格 (ii)：
- 方程等号：continued 表现状态的持续，同义重复。
- 强词和对应：前文说他们一开始是愤怒的，因此 anger 指向空格 (ii)，根据 continued 取同，体现"愤怒"的态度。assail 指责，appease 缓和，berate 严厉斥责，condone 宽恕，torment 折磨。A、C、E 三项合适。

空格 (i)：
- 方程等号：Although 尽管，反义重复。

- 强词和对应：后文说他们依旧是愤怒的，空格 (i) 和 anger 根据 Although 取反，体现"不愤怒"或"愤怒减轻"。blaze 充满（错），diminish 下降（对），abate 减轻（对），subside 下降（对），intensify 加剧（错）。B、C、D 三项合适。综合空格 (ii)，答案选 C。

翻译 尽管他们起初的愤怒在某种程度上减轻了，但是他们仍然严厉斥责那个粗心的毁坏了机器的工人。

17-4 答案：C

难度 ★★

思路 空格 (i)：
- 方程等号：by 表示被…，介词结构倒装修饰 theft，同义重复。
- 强词和对应：根据题意，从图书馆借用一本有版权的书是一种根深蒂固的、风俗认可的偷盗，空格 (i) 和 entrenched 根据 by 取同，体现这种形式的偷盗是"根深蒂固的"。engender 产生，anticipate 预见，sanction 批准，provoke 激起，perpetrate 犯罪。A、C、D 三项合适。

空格 (ii)：
- 方程等号：冒号，同义重复。without 取反。
- 强词和对应：后文说作者的著作权可以被重复地使用而没有（without）对这种使用的行为进行空格 (ii) 的动作。空格 (ii) 和 theft 根据 without 取反，所以空格体现"不偷盗"的特征。application 应用（错），acknowledgement 承认（错），compensation 补偿（对），adjustment 调整（错），permission 许可（对）。theft 的释义是 the felonious taking and removing of personal property with intent to deprive the rightful owner of it。综合空格 (i)，答案选 C。

翻译 从图书馆里借一本受版权保护的书，其实相当于是一种被根深蒂固的社会习俗所认可的盗窃行为：版权作者的财产，即书籍，以这种方式反复被使用，却没有任何形式的补偿。

17-5 答案：D

难度 ★

思路
- 方程等号：indeed 表示递进，同义重复。not 取反两次。
- 强词和对应：空格和 fiction 根据 not 两次取反，构成同义重复，体现这个现象其实不是（not）"虚构的"（即假的或不存在的）。observable 可观测的，real 真实的，comprehended 被理解的，rare 罕见的，imaginable 可想象的。答案选 D。

翻译 寄生虫会改变宿主生物的行为的观点并不是虚构；事实上，这个现象甚至并不罕见。

17-6 答案：E

难度 ★★

思路
- 方程等号：Although 尽管，反义重复，little 取反，两次取反后取同。
- 强词和对应：formal education 和 work of classical authors 构成同义重复体现知识。前文说

莎士比亚受到很少的正规教育，后文则需要体现莎士比亚是受过正规教育的。空格 (i) 和空格 (ii) 取同，形成联动。

空格 (i) + 空格 (ii)：

- 如果空格 (ii) 和 received little 取同，体现他"不了解"古典作家的作品，选项中 unimpressed by 对…没有印象的，oblivious to 忘记，unfamiliar with 不熟悉，符合要求；空格 (i) 为负向，体现近几年的学者对这种观点是"反对的"，选项中 substantiate 证明，support 支持，undermine 削弱，答案选 E。
- 如果空格 (ii) 和 received little 取反，体现他"了解"古典作家的作品，选项中 obsessed by 被…迷住，influenced by 被…影响，符合要求；空格 (i) 为正向，体现近几年的学者对这种观点是"支持的"，选项中 erode 削弱，question 质疑，都是负向词，排除。答案选 E。

翻 译 尽管莎士比亚只受到过很少的正规教育，但近几年来学者们反对这种观点，即莎士比亚对古典作家的作品很不熟悉。

17-7 **答案：A**

难 度 ★★

思 路 **空格 (ii)：**

- 方程等号：even 即使，反义重复。
- 强词和对应：即使更重要的物种的概念也只不过是空格 (ii)，因此 central 指向空格 (ii)，根据 even 取反，体现"不重要"。convenience 便利性，measurement 测量，practice 实践，validation 有效性，fact 事实。theoretical convenience 是学术用语中的固定搭配，表达理论上的便利性，放在这里表达不足以被正式定义为概念，A 选项合适。

空格 (i)：

- 方程等号：分号，同义重复。
- 强词和对应：后面描述种族的观点是一种理论上"不重要的存在"，和分号前 not + important 同义重复，因此空格 (i) 不改变句子逻辑方向，填入一个正向词。require 要求（对），apply 应用（对），exclude 排除（错），subsume 归纳（对），reject 拒绝（错）。综合空格 (ii)，正确答案为 A。

翻 译 Darwin 的方法并没有真正要求"种族"的概念成为一个重要的概念分类；甚至是更加重要的"物种"这一概念，也只不过是因为理论上的一种便利而存在的。

17-8 **答案：A**

难 度 ★

思 路 **空格 (i)：**

- 方程等号：so...that... 如此…所以…，表现因果，同义重复。
- 强词和对应：根据句意，使用手、眼、脑就能促进孩子的整体发育，entire 同时体现了 hands, eyes, and brain，因此空格 (i) 体现手、眼睛和大脑之间有相互关系。intertwined 相互交织的，unalterable 不可改变的，enigmatic 神秘的，regulated 调节的，individualized 个性化的。选项 A 合适。

空格 (ii)：

- 方程等号：so...that... 如此…所以…，表现因果，同义重复。
- 强词和对应：entire 修饰空格 (ii)，entire 同时体现了 hands, eyes, and brain，因此空格 (ii) 和 entire 构成同义重复，体现孩子的手、眼睛和大脑的发育阶段。perceptual 感知的，intellectual 聪明的，psychological 精神上的，adolescent 青春期的，social 社交的。perceptual 的释义是 relating to the way people interpret and understand what they see or notice。综合空格 (i)，答案选 A。

翻 译　手、眼睛和大脑的功能是如此交织在一起，以至于在孩童早期使用手有助于促进小孩整体感观发育。

17-9　**答案：D**

难 度　★

思 路
- 方程等号：分号，同义重复。
- 强词和对应：分号前面的内容说 1500 年之前的北美有超过 300 个文化部落，而且习俗各不相同，分号后面出现了指示代词 such，diversity 指代前面的 different，多样性空格单一，所以空格填入一个负向词。complement 补充，imply 暗示，reiterate 重申，argue against 反对，explain away 敷衍地解释。答案选 D。

翻 译　在 1500 年之前北美居住着 300 多个文化部落，每一个文化部落都有不同的风俗、社会结构、世界观和语言；这种多样性反驳了只存在一个土著美洲印第安文化的说法。

17-10　**答案：C**

难 度　★★

思 路　**空格 (i)：**
- 方程等号：enough to nurture 修饰 dealers，前后描述特征同义重复。
- 强词和对应：空格 (i) 后强调 nurture 否定 plunder，空格 (i) 对应 nurture，体现画商是 "有培养的" 特点的，nurture 的释义是 if you nurture something such as a young child or a young plant, you care for it while it is growing and developing，体现 grow 和 develop 的特征，即培养需要 "时间"，空格 (i) 填入一个正向词。chivalrous 彬彬有礼的，magnanimous 宽宏大量的，patient 耐心的，cynical 反人类的，reckless 鲁莽的。选项 B 和 C 合适。

空格 (ii)：
- 方程等号：but 表示转折，反义重复。
- 强词和对应：but 前描述 nurture a young modern painter's career（培养一个年轻的画家的职业生涯）是 not impossible（可能的），nurture 指向空格 (ii)，根据 but 取反，体现公众的兴趣是 "无法让画商培养画家的"，体现公众没有耐心。discriminating 有区分能力的（错），quirky 离奇的（错），insatiable 无法满足的（对），finicky 过分讲究的（错），zealous 热心的（对）。综合空格 (i)，答案选 C。

翻 译　有足够耐心来培养一个年轻的现代画家的职业生涯而不是掠夺其职业生涯的交易商的存在并不是不可能的，但是公众对现代艺术无法满足的需求使得这样的交易商的存在越来越不可能。

17-11　答案：E

难　度　★★

思　路　空格 (ii)：
- 方程等号：but 前后连接两个 communities 的两个特征，but 起强调作用，前后词义取同，感情色彩取反。
- 强词和对应：空格 (ii) 对应 enervating，体现没有活力的。frantic 发狂的，naïve 天真的，ignorant 无知的，intrusive 入侵的，placid 平静的。选项 E 合适。

空格 (i)：
- 方程等号：In the absence of 表示缺乏，意思为 not，反义重复。
- 强词和对应：enervating 指向空格 (i)，根据 In the absence of 取反，体现"有活力的"，正向。turmoil 混乱（对），mistrust 怀疑（对），amelioration 改善（错），decimation 大量毁灭（对），stimulation 刺激（对）。amelioration 的释义是 if someone or something ameliorates a situation, they make it better or easier in some way。by 后面的 danger, hardship 和 cultural difference 强调不好的方面，所以排除选项 C。综合空格 (ii)，答案选 E。

翻　译　因为缺少任何由危险、困境或者文化差异所造成的刺激，大多数理想主义的国家衰退成平静但失去活力的一潭死水。

- ⟲

17-12　答案：C

难　度　★★

思　路　空格 (i)：
- 方程等号：逗号，同义重复。
- 强词和对应：no wisdom 指向空格 (i)，取同，体现"没有智慧"，填入一个负向词。irresolute 犹豫不决的，corroborative 支持的，platitudinous 陈腐的，homogeneous 相同的，labyrinthine 复杂的。选项 A、C 和 E 合适。

空格 (ii)：
- 方程等号：so...as to... 如此…以至于…，表示因果，同义重复。
- 强词和对应：空格 (ii) 对应 devoid of specific advice（缺乏明确的指导），体现行为"没有指导"。unlikely 不太可能的（错），redundant 多余的（错），justifiable 合理的（对），impartial 公平的（错），unacceptable 不可接受的（错）。综合空格 (i)，答案选 C。选项 C 的意思是因为缺乏明确的指导，所以什么都可以做。

翻　译　正如 Juanita 所认为的一样，这个新的行为规则是可笑的；它的条款或者是陈腐的，没有任何智慧而且是显而易见的，或者是如此缺乏明确的指导以至于使得任何行为都正当合理。

- ⟲

17-13　答案：E

难　度　★★

思　路　空格 (ii)：
- 方程等号：分号，同义重复；cannot 取反。
- 强词和对应：分号后强调 facilitate，分号前也强调 facilitate。空格 (ii) 对应 facilitate 根据

cannot 取反，填入一个负向词。retain 保持，aid 帮助，enhance 增加，promote 促进，foil 破坏。选项 E 合适。

空格 (i)：

- 方程等号：through 表示方式方法，同义重复。
- 强词和对应：空格 (i) 和空格 (ii) 通过 through 取同，体现"不促进"。design 设计（错），produce 生产（错），develop 发展（错），select 选择（错），conserve 保存（对）。综合空格 (ii)，答案选 E。

翻 译 攻击异体组织的组织相容性抗原（Histocompatibility antigens）不可能通过演变保留下来专门去破坏器官移植；相反，它们被发现促进了很多关键的生理功能。

17-14 答案：E

难 度 ★

思 路
- 方程等号：for 表示因果，同义重复。
- 强词和对应：for 前面说他们赢得的赞扬是不应得的，所以 for 后面应该说不是真的赞扬，所以他们的勇敢其实是胆小。所以空格填入 gallantry 的反义词。poignant 辛酸的，sincere 真诚的，plaintive 悲哀的，laudable 值得赞美的，craven 懦弱的。答案选 E。

翻 译 他们愉快的自我牺牲以及无休止地讨好为他们赢得了不应得的赞扬，因为他们看起来的勇敢完全是由一种想要避免一切冲突的胆怯愿望所激发的。

17-15 答案：A

难 度 ★

思 路
- 方程等号：Though 尽管，反义重复。
- 强词和对应：根据题意，作者揭露关于俄国人生活的信息会让美国人惊讶，因此空格和 surprise 根据 Though 取反。familiar 熟悉的，thorough 完整的，vital 至关重要的，original 新颖的，interesting 有趣的。答案选 A。

翻 译 尽管这位作者所揭示出的一些关于俄国人生活的消息会让美国人惊讶，但她的主题确实是为人们所熟悉的。

17-16 答案：D

难 度 ★★

思 路 **空格 (i)：**
- 方程等号：分号，同义重复。
- 强词和对应：idolized 指向空格 (i)，根据分号取同，填入一个正评价。storm 猛攻，horrify 使反感，tax 耗尽，enflame 激发，escape 逃离。选项 D 合适。

空格 (ii)：
- 方程等号：not only...but (also)...，不仅…而且…，同义重复。

- 强词和对应：空格 (ii) 对应 idolized，取同，体现 radium 的价值要被"崇拜"的，即价值"高"。sink to 下沉（错），approach 被处理（错），is equal to 与…一样（对），exceed 超过（对），is comparable to 能与…相称的（对）。综合空格 (i)，答案选 D。

翻 译 在 20 世纪早期，镭的发现激发了大众的想象力；不仅仅是它的发现者 Marie Curie 受到了偶像般地崇拜，而且镭的市场价格超过了最稀缺的宝石。

17-17 答案：B

难 度 ★

思 路 空格 (i)：
- 方程等号：and 连接平行结构，前后同义重复。
- 强词和对应：both 指代前面的 secretary and his chief aide。adored 指向空格 (i) 根据 and 取同，体现总统的秘书和首席助理对总统的"崇敬"。fatuous 愚昧的，devoted 忠诚的，garrulous 话多的，candid 坦白的，rancorous 憎恨的。选项 B 合适。

空格 (ii)：
- 方程等号：however 表示转折，反义重复。
- 强词和对应：however 后面的内容体现崇拜不好（not make for 不利于），因此空格 (ii) 和 adored 取同。frankness 坦白（错），idolatry 崇拜（对），confidentiality 机密（错），discretion 谨慎（错），criticism 批判（错）。答案选 B。

翻 译 总统的秘书和他的第一助理都崇拜他，两个人都写了令人难忘的忠诚的关于总统的个人回忆录；然而不幸的是，崇拜并不有利于真正的亲密。

17-18 答案：E

难 度 ★

思 路 空格 (i)：
- 方程等号：Despite 尽管，反义重复。
- 强词和对应：several 指向空格 (i)，根据 Despite 取反，体现他的哲学的源头是"单一的"。particular 特别的，schematic 简要的，dominant 显著的，authoritative 权威的，single 单一的。选项 E 合适。

空格 (ii)：
- 方程等号：and 引导平行结构，同义重复。
- 强词和对应：and 前说他的哲学实际上利用了好几个传统和方法论，空格 (ii) 和 several 根据 and 取同，体现"多"。consistent 一致的（错），multifaceted 多方面的（对），cogent 有说服力的（错），derivative 非原创的（错），eclectic 多元的（对），综合空格 (i)，答案选 E。

翻 译 尽管有这样的观点，即他的哲学可以被追溯到一个单一的源头，但是这位哲学家事实上自由地利用了好几个传统和方法论，因而可以被理所当然地定义为多元的。

17-19 答案：E

难 度 ★

思 路
- 方程等号：分号，同义重复；not 取反。
- 强词和对应：分号后面说 Du Bois 会在国内和国外旅行，所以分号前面只说到国外旅行就"是重点，不是全部"，因为他的旅行既包含国内也包含国外。idiosyncrasy 特点，result 结果，precursor 前辈，culmination 顶点，totality 全部。答案选 E。

翻 译 Du Bois 的外国旅行是最精彩的部分，但不是他旅行的全部；他总是习惯性地在美国国内四处旅游，也会穿越到美国之外去旅游。

17-20 答案：E

难 度 ★

思 路 空格 (i)：
- 方程等号：when 引导时间状语从句，同义重复。
- 强词和对应：when 前面说通常认为商业预测是非常精准的，accurate 和 be much like 根据 when 取同，因此空格 (i) 和 reasonably 取同，体现假设是"合理的"，填入一个正向词。specify 明确提出，question 质疑，contradict 反驳，entertain 接受，satisfy 满足。选项 E 合适。

空格 (ii)：
- 方程等号：however 表示转折，反义重复。
- 强词和对应：前文说满足未来像过去高度相似这一假设，那么是商业预测是准的，accurate 和 wrong 根据 however 取反。所以目前就不满足之前的假设，也就是说过去和未来不一致，也就意味着商业环境多变。discontinuity 不连续性（对），surge 猛增（错），improvement 改善（错），risk 风险（错），shift 改变（对）。综合空格 (i)，答案选 E。

翻 译 当满足未来会和过去高度相似的假设时，总可以证实商业预测是相当精确的；然而在商业环境大变动的时代里，商业预测可能是危险的错误。

17-21 答案：B

难 度 ★★

思 路
- 方程等号：if 引导条件状语从句，前后同义重复。not 取反。
- 强词和对应：一般来说，投入越多产量越多。题干中说投入不增加而产量增加的情况是受欢迎的（desirable），因此空格不改变逻辑方向。predetermined 预先决定的，commensurate 同等比例的，compatible 兼容的，measured 深思熟虑的，equivocal 不清晰的。答案选 B。

翻 译 如果可以增加稻谷的产量而不需要同比例地增加能量、人力以及其他的稻谷生产的投入，这种情况是受欢迎的。

Exercise 18

GRE 是青春的试金石，是一场斗智斗勇的突围。有志者定能今日播种汗水，与 3000 为伴；明日收获欢笑，迈入人生新境界！

——张羽东
中国人民大学 / 芝加哥大学
2012 年 10 月 GRE 考试 Verbal 166

EXERCISE ⑱

核心词汇

1.《GRE 核心词汇考法精析》收录单词（共 53 词）

accessible	ambivalent	anachronistic	apprehension
ardor	caricature	chronic	circumspect
coerce	compromise	congruent	constitute
cumbersome	deliberate	devoted	diminish
discredit	erroneous	exploit	extol
feckless	guile	gullible	hierarchical
immutable	impending	industrious	insipid
interim	intimidate	intrigue	lackluster
momentous	obtuse	ossify	penchant
permanent	pertinent	probity	reassure
remorse	reproof	resign	retard
revise	supplement	susceptibility	tout
tractable	undermine	vapid	weather
wit			

2. 基础单词补充（共 8 词）

foolhardy　　*adj.* 鲁莽的：unwisely bold or venturesome; rash

impassivity　　*n.* 冷漠：revealing no emotion; expressionless

incongruous　　*adj.* 不一致的：lacking in harmony or compatibility or appropriateness

overhaul　　*v.* 彻底修订：examine it carefully and make many changes in it in order to improve it

perpetuate　　*v.* 继续：to continue

personification　　*n.* 化身：a person or thing typifying a certain quality or idea; an embodiment or exemplification

prize　　*v.* 重视：to value highly; esteem or treasure

univocal　　*adj.* 没有歧义的：having only one meaning; unambiguous

练习解析

18-1　答案：A

难　度　★

思　路　空格 (i)：

- 方程等号：or 连接平行结构，方向相同但是有差异。
- 强词和对应：前文描述工作失败的三种状态，其一是被解雇（被迫离开），其二是被要求辞职（间接被迫离开），因此空格 (i) 体现"不被迫"离开，即"主动"离开。voluntarily 自愿地，abruptly 突然地，knowingly 故意地，understandably 可理解地，eventually 终于。knowingly 的释义是 if you knowingly do something wrong, you do it even though you know it is wrong，指的是故意做坏事，与句意不符，故排除选项 C。因此选项 A 合适。

空格 (ii)：

- 方程等号：because 表示因果，同义重复。
- 强词和对应：前面描述三种工作失败的三种状态，that one of the first two 指代被解雇（fired from a job），其二是被要求辞职（being asked to resign），空格 (ii) 体现前两种方式"被迫"离职要出现了。impending 逼近的，significant 重要的，operative 有效率的，pertinent 相关的，intentional 故意的。综合空格 (i)，答案选 A。

翻　译　工作的失败就意味着被解雇、被要求主动辞职，或者自愿离开来保护自己，因为你自己有强烈的证据表明前两者之一正在逼近。

18-2　答案：A

难　度　★★

思　路　空格 (ii)：

- 方程等号：that 引导的定语从句修饰 wit and pride，同义重复。impossible 取反。
- 强词和对应：that 后面的内容说机智的言语和骄傲会使得对同情的空格请求是不可能，一个骄傲的人是不会直接请求别人的同情的。direct 直接的，needless 不需要的，circumspect 谨慎的，intentional 故意的，untimely 不合时宜的。A、C、D 三项合适。

空格 (i)：

- 方程等号：and 连接平行结构，同义重复。
- 强词和对应：and 前面说 Carlyle 是一个谨慎的人，and 后面也要体现她的谨慎，所以空格 (i) 和 guarded 取同。mask 掩盖（对），bolster 支持（错），control 控制（错），enhance 加强（错），color 扭曲（对）。综合空格 (ii)，答案选 A。

翻　译　Jane Carlyle 的信的语调是谨慎的，而且她的感情总是被机智的言语和骄傲所掩盖，这使得她不可能直接请求别人的同情。

18-3 答案：C

难 度 ★★

思 路 空格 (i)：
- 方程等号：correspond to 与…相呼应，同义重复。
- 强词和对应：that 引导的定语从句修饰空格 (i)，因此空格 (i) 和 setting 取同，体现法国民间故事发生的基本"环境"。context 环境，structure 结构，framework 框架，chronology 年代顺序，narrative 故事。A、B、C 三项合适。

空格 (ii)：
- 方程等号：冒号，同义重复。
- 强词和对应：冒号后面通过 on the one hand 和 on the other 描述房屋和道路，因此空格 (ii) 体现"两种"环境。hierarchical 等级制的（错），personal 个人的（错），dual 双重的（对），generic 普遍的（错），ambivalent 纠结的（错，ambivalent 形容的是人心情的纠结）。综合空格 (i)，答案选 C。

翻 译 法国的民间故事总是发生在一个基本的框架内，这个框架与农民生活的双重环境相对应：一方面是指家庭和村庄，另一方面是指宽阔的道路。

18-4 答案：B

难 度 ★★

思 路 空格 (i)：
- 方程等号：because 表示因果，同义重复。
- 强词和对应：前文说培育发展同时保持稳定是困难的（difficult），the latter 指代 preserving its institutional stability。development 指代 nurturing the Royal Ballet's artistic growth。因此空格 (i) 和 difficult 取同，体现培育和保持稳定同时进行是"困难的"，即两者关系的"对立"，负向。ensure 保证，inhibit 抑制，undermine 削弱，modify 改进，supplement 增补。选项 B 和 C 合适。

空格 (ii)：
- 方程等号：分号，同义重复。
- 强词和对应：分号前面说保持稳定很困难，分号前后取同，attaining artistic success 和 nurturing growth 同义重复，因此空格 (ii) 和 preserving 取同，体现"保存"。promote 促进（错），perpetuate 使永存（对），resurrect 复活（错），appreciate 感知（错），confine 限制（对）。综合空格 (i)，答案选 B。

翻 译 培育皇家芭蕾舞剧团的艺术成长，同时又保持它的机制稳定是困难的，因为后者的要求似乎不可避免地抑制发展；很明显，获得艺术的成功比使之永存要简单得多。

18-5 答案：C

难 度 ★

思 路
- 方程等号：逗号，同义重复。
- 强词和对应：逗号后面说政策的灵活性被僵化的政策摧毁了，因此空格和 rigid 取同，体现官僚"僵化的"特征。politicized 政治化的，consolidated 加固的，ossified 僵化的，ungovernable 难控制的，streamlined 流线型的。正确答案选 C。

翻译 临时的对迄今为止未知的问题的反应所激发，罗斯福新政的经济政策因官僚化而变得僵化，它们的灵活性和适应性已在它们转变为僵化的政策时被摧毁。

18-6 答案：E

难度 ★

思路 空格 (ii)：

- 方程等号：be reduced to 释义为 if something is changed to a different or less complicated form, you can say that it is reduced to that form。体现状态的改变，反义重复。
- 强词和对应：前文描述的是混乱复杂的动植物群落，因此空格 (ii) 和 rich hurly-burly 根据 is reduce to 取反，体现混乱的变为"不混乱的"。diverse 多样的，manageable 容易控制的，intimidating 恐吓的，intricate 错综复杂的，tractable 可控制的。选项 B 和 E 合适。

空格 (i)：

- 方程等号：because 表示因果，同义重复。
- 强词和对应：后面说混乱的变为"不混乱的"，such small, laboratory-like settings 指代前文 isolated oceanic islands，因此空格 (i) 体现科学家对 isolated oceanic islands 的正向动作。explore 探索（对），desert 抛弃（错），exploit 利用（对），reject 拒绝（错），prize 珍视（对）。综合空格 (ii)，答案选 E。

翻译 生物学家重视像 Galapagos 这样的与外界隔离的海洋中的小岛，因为在这样小的、实验室一般的环境里，大陆动植物群的大量的混乱复杂被简化为一个科学上可控制的复杂性。

18-7 答案：A

难度 ★★

思路 空格 (i)：

- 方程等号：that 引导定语从句，修饰 finding，同义重复。
- 强词和对应：根据题意，这个发现是令人吃惊的（startling）。depend on 依赖于，因此空格 (i) 和 startling 根据 that 取同，体现地球自转速度的变化对气候的依赖程度是"令人吃惊的"。unexpected 出乎意料的，anticipated 预期的，indeterminate 不明确的，unobservable 无法观测的，estimated 估计的。选项 A 合适。

空格 (ii)：

- 方程等号：necessitate 使…必须，同义重复。
- 强词和对应：根据题意，rotation 和 weather 相关，也和 world's time-keeping 相关。天气影响地球自转速率，因此影响计时方法。空格 (ii) 和 variations 根据 necessitated 取同，体现自转速度变化，使得计时方法也会"变化"。overhaul 彻底修订（对），recalibration 再校准（对），rejection 拒绝（错），review 回顾（对），acceptance 接受（错）。综合空格 (i)，答案选 A。

翻译 这个令人吃惊的发现，地球自转速度的变化对气候的依赖程度出人意料，使得我们必须彻底修订地球的时间记录方法。

18-8 答案：A

难　度 ★

思　路
- 方程等号：but 表示转折，反义重复。not 取反。
- 强词和对应：but 后面的内容说台下的人是默默无闻的（obscurity），getting recognition（获得声誉）和 obscurity 根据 but 取反，因此空格填入一个负向词，与 not 取反两次后取同，体现台上的人们可以获得名声。trouble 麻烦，satisfaction 满足，curiosity about 对⋯好奇，success at 在⋯（方面）成功，fear of 对⋯担忧。题目中没有提到舞台上和舞台下的人的情绪，因此排除选项 E。答案选 A。

翻　译　在英国的剧院里，不到 35 岁的年轻人在舞台上获得声誉并不会遇到多大麻烦，但是在幕后——剧作家、导演、设计师和管理者们总是被降到相对默默无闻的地位。

⊙ • ⊙

18-9 答案：D

难　度 ★

思　路
- 方程等号：because 表示因果，同义重复。
- 强词和对应：分号前描述一个机构的声誉受到其成员的影响。misdeeds 指向空格，根据 because 取同，体现个体的违法行为对机构产生了"负面的影响"，负评价。reform 改革，coerce 强迫，honor 尊敬，discredit 丧失名誉，intimidate 恐吓。intimidate 体现的是对他人的恐吓，与题意不符，因此排除选项 E。答案选 D。

翻　译　一个关心自己声誉的机构受制于其成员的行为；因为个人的错误行为总会被用来损害他们所属机构的声誉。

⊙ • ⊙

18-10 答案：A

难　度 ★★

思　路　空格 (i)：
- 方程等号：and 连接平行结构，同义重复。not 取反。
- 强词和对应：前文说偶尔吸烟的人得了肺癌，空格 (i) 和 casual 根据 not 取反，体现"不偶尔"吸烟的人不会得肺癌，即"经常"。heavy 严重的，chronic 长期的，habitual 习惯的，devoted 挚爱的，regular 有规律的。habitual 和 regular 同时包括偶尔和经常两种情况，因此排除选项 C 和 E。A、B、D 三项合适。

空格 (ii)：
- 方程等号：since 表示因果，同义重复。
- 强词和对应：前文说抽烟少的人会得肺癌而抽烟多的人不会得肺癌，individuals 同时指代两类人，lung cancer 和 cancer-causing 同义重复，因此空格 (ii) 和 develop 取同，体现个体在他们对致癌物导致"患病"方面是不同的（differ）。susceptibility to 易受⋯损害（对），concern about 关注⋯（错），proximity to 在⋯附近（错），reliance upon 依赖⋯（错），exposure to 暴露于⋯（对）。综合空格 (i)，答案选 A。

翻　译　由于许多偶尔吸烟的人得了肺癌，而许多经常抽烟的人却没有，所以科学家认为对受到香烟中存在的致癌物的影响而言，人与人之间是有差别的。

18-11 答案：C

难度　★

思路　空格 (i) + 空格 (ii)：
- 方程等号：that 引导的定语从句修饰 condition，对 condition 的描述同义重复。因此，空格 (i) 和空格 (ii) 联动并且取同。根据 so...that... 如此…所以…，表示因果，同义重复，因此空格 (i) 和空格 (ii) 与 isolated and lonely 取同，同为负向。
- 强词和对应：代入选项，permanent 永久的...postpone 推迟，取反，排除；common 平常的...enter 进入，无关，排除；negative 消极的...escape 逃离，正确；political 政治的...impose 强加，取同正向，排除；irreparable 无法弥补的...avoid 避免，无关，排除。答案选 C。

翻译　我们接受这样的理论，当人们之间变得越来越独立，他们就开始觉得十分孤独寂寞，所以自由变成了一个大多数人都试图摆脱的负面状态。

●∙∙∙∙∙∙∙∙∙∙∙∙∙∙∙∙∙∙∙∙∙∙∙∙∙∙∙∙∙∙∙∙∙∙∙∙∙●

18-12 答案：E

难度　★

思路
- 方程等号：if 引导条件状语从句，同义重复。
- 强词和对应：逗号后面的内容说杜鹃把蛋产在别的鸟巢里，并且让别的鸟来做孵化工作，因此空格和逗号后内容句意同义重复，体现杜鹃"不顾自己后代"的特点。mettlesome 有勇气的，industrious 勤奋的，domestic 驯养的，lackluster 暗淡的，feckless 不负责任的。答案选 E。

翻译　如果用人类的标准来衡量动物的父母，杜鹃就会是大自然中最不负责任的动物之一，它们非常愉快地将蛋产在其他鸟的巢里，并且将孵化和养育的工作留给其他鸟去做。

●∙∙∙∙∙∙∙∙∙∙∙∙∙∙∙∙∙∙∙∙∙∙∙∙∙∙∙∙∙∙∙∙∙∙∙∙∙●

18-13 答案：B

难度　★★

思路　空格 (ii)：
- 方程等号：冒号，同义重复。
- 强词和对应：冒号后面的内容说假设消费者只记住了对手的名字呢？以反问的形式来表现在市场竞争中不利的一面，因此空格 (ii) 为负向，体现贬低对手的行为是"不好的"。inefficient 没有效率的，foolhardy 愚蠢的，insipid 枯燥乏味的，cumbersome 笨重的，gullible 易受骗的。选项 A 和 B 合适。

空格 (i)：
- 方程等号：by 表示方式方法，同义重复。product 指自家的产品，与 rival 取反。
- 强词和对应：空格 (i) 和 denigrating 取反，体现商家在自己的广告中通过诋毁对手来"称赞"自家的产品。criticize 批评（错），tout 吹嘘（对），enhance 增加（对），evaluate 评价（错），flaunt 炫耀（错）。综合空格 (ii)，答案选 B。

翻译　目前通过贬低在广告中以品牌名称出现的对手来吹嘘自己的产品的倾向似乎有点愚蠢：假设消费者只记住了竞争对手的品牌？

18-14 答案：D

难度 ★★★

思路 空格 (ii)：
- 方程等号：分号，同义重复。
- 强词和对应：it 指代 imperturbability, indicating 和 suggesting 同义替换，因此 fraud 指向空格 (ii)，根据分号取同，体现冷静证明了他的"欺诈"。intrigue 密谋, reproof 责备, loquacity 话多, guile 欺诈, compromise 妥协。A 和 D 候选。

空格 (i)：
- 方程等号：分号，同义重复。
- 强词和对应：分号后面说他是一个骗子，所以分号前面说无法使得别人相信他"不是骗子"。所以空格填入一个正向词。culpability 有罪（错），wisdom 智慧（错），remorse 后悔（错），probity 正直（对），combativeness 好斗性（错）。答案选 D。

翻译 他在证明自己故意欺骗的证据面前表现出来的淡定没能使他的支持者们确信他内在的正直；相反，这表明了一种他们从来没有想到的欺诈的天赋。

18-15 答案：C

难度 ★

思路 空格 (i)：
- 方程等号：less 取反。and 连接平行结构，同义重复。
- 强词和对应：less + 空格 (i) 和 easier 根据 and 取同，体现喂食让野生猩猩"便于研究"。interesting 有趣, manageable 可管控的, shy 害羞的, poised 沉着淡定的, accessible 可接近的。因此选项 C 合适。

空格 (ii)：
- 方程等号：Although 表示尽管，反义重复。
- 强词和对应：前文说黑猩猩容易研究，空格 (ii) 和 easier 根据 Although 取反，体现"不容易"。reinforce 加强（错），upset 使不安（对），disrupt 使混乱（对），inhibit 阻止（对），retard 妨碍（对）。综合空格 (i)，答案选 C。

翻译 尽管给黑猩猩提供食物使它们不那么害羞，而且更容易被研究，但这种做法同样也会扰乱它们正常的社会模式。

18-16 答案：D

难度 ★★

思路 空格 (ii)：
- 方程等号：consequently 表示因果，同义重复。
- 强词和对应：and 后面的内容说教堂建筑也因此衰败了（declining），religious ardor 和 church building 构成广义上的同义，declining 指向空格 (ii)，根据 and 取同，体现宗教热情在"下降"。coalesce 合并, change 改变, dissipate 消散, diminish 减轻, diversify 使多样化。选项 C 和 D 合适。

空格 (i)：

- 强词和对应：while 前后体现了 Bavaria 的修道院在激增而西方其他世界的教堂在衰退，因此空格 (i) 体现有对立关系。enigmatic 神秘的（错），destructive 破坏性的（错），immutable 不变的（错），incongruous 不一致的（对），momentous 重要的（错）。综合空格 (ii)，答案选 D。

翻 译 这种现象中有一些不一致的方面，一方面是在 18 世纪的 Bavaria 修道院建筑激增，而另一方面在其他的西方世界地区宗教狂热在减少，同时教堂建筑也随之衰败。

· ·

18-17 答案：A

难 度 ★

思 路 空格 (i)：

- 方程等号：Because 表示因果，引导取同。not 取反。
- 强词和对应：they 指代 "mechanism" and "vitalism"。根据题意，前文说 19 世纪的生物学家认为它们的意思是不同的。空格 (i) 和 various 根据 not 取反，选"相同的"。univocal 单一含义的，problematic 有问题的，intractable 不听话的，congruent 一致的，multifaceted 多方面的。答案选 A。

空格 (ii)：

- 方程等号：thus 表示因果，同义重复。
- 强词和对应：single 和空格 (i) 对应，空格 (ii) 和 ought not to be 取同，现在被视作一定义的术语是不应该的，填入一个负向词。erroneous 错误的（对），anachronistic 过时的（对），obtuse 迟钝的（错），suspect 可疑的（对），vapid 无聊的（错）。综合空格 (i)，答案选 A。

翻 译 因为"机械论"和"生机论"在 19 世纪的生物学思维中有着许多不同的定义，所以它们不应该被视作含义单一的术语；因此，我发现最近认为这两个术语有单一定义的坚持是完全错误的。

· ·

18-18 答案：E

难 度 ★

思 路
- 方程等号：and 连接平行结构，同义重复。
- 强词和对应：and 前面的内容说很多美国人相信个人的进取心成为 19 世纪 90 年代的缩影。that age 指代 1890's，空格和 epitomized 取同，体现个人进取心是这个时代的"缩影"或"典型"。caricature 恶搞地模仿，salvation 抢救，throwback 复古，aberration 偏差，personification 化身典型。personification 的释义是 a perfect example of that thing or that they have a lot of that quality。答案选 E。

翻 译 很多美国人认为个人的进取心体现了美国的 19 世纪 90 年代，而且将企业家看成那个年代的化身。

18-19 答案：C

难 度 ★★

思 路 空格 (ii)：

- 方程等号：分号，前后取同。
- 强词和对应：前文说哲学家或者普通人的实践都不能靠自己（by themselves）对现实做出改变。two 指代 philosophers 和 ordinary people 两者，空格 (ii) 体现不靠"单一的力量"，与两者都有关。divergence 分离，aim 目标，interplay 互动，conjunction 联合，intervention 干涉。选项 C 和 D 合适。

空格 (i)：

- 方程等号：分号，同义重复。
- 强词和对应：空格 (i) 和 changes 取同，体现对现实的"改变"。constitute 组成（错），affect 影响（对），transform 改变（对），preserve 保护（错），alter 改变（对）。综合空格 (ii)，答案选 C。

翻 译 既不是哲学家的思想，也不是普通人的实践活动就可以凭自身的力量来改造现实；真正改变事实并且引发革命的是两者力量的结合。

18-20 答案：E

难 度 ★

思 路
- 方程等号：破折号，同义重复。
- 强词和对应：前文说艺术历史学家不要修改（revise）而要消除（eliminate）文艺复兴的概念。空格和 eliminate 取同，体现"消除"。explain 解释，extol 高度赞扬，transmute 变形，regret 后悔，contest 反对。答案选 E。

翻 译 关于文艺复兴的概念，艺术史学家中存在这样一种趋势：与其说是修正这一概念不如说是消灭它——不但反对文艺复兴的独特性，甚至质疑它的存在。

18-21 答案：B

难 度 ★

思 路
- 方程等号：so...that... 表示因果，同义重复。
- 强词和对应：前文说员工对于公司人事政策的突发奇想已经习以为常。inured to 的释义是 if you are inured to something unpleasant, you have become used to it so that it no longer affects you。形容对"令人不快的事物"司空见惯。announcement of a company-wide dress code 和 top management's personnel policies 同义重复。因此空格和 inured to 取同，体现员工对公司的体制是习以为常的。astonishment 惊讶，impassivity 冷漠，resentment 愤恨，apprehension 担忧，confusion 困惑。答案选 B。

翻 译 雇员们已经对高管理层对人事政策的突发奇想感到麻木了，以至于他们冷漠地对待全公司的着装规定的宣布。

Exercise 19

以玩命的心态对待过程，以平和的心态面对结果。GRE 对于我们的意义不仅仅只是出国求学的一块台阶，更教会了我们人生中面对种种挑战应有的态度。

——王鹏越

微臣教育 2015 寒假 325 计划学员
2015 年 4 月 GRE 考试 Verbal 163, Quantitative 170
录取院校：明尼苏达大学

EXERCISE ⑲

核心词汇

1.《GRE 核心词汇考法精析》收录单词（共 40 词）

accidental	acknowledge	adversity	ameliorate
approbation	circumspect	compatible	complementary
compromise	counterproductive	cowardice	cunning
decry	dictate	evoke	exacerbate
exhaust	explicit	formidable	innovative
intransigent	mundane	negligent	negotiate
neutralize	obsequious	original	parable
plausible	project	prototype	reluctant
sound	stereotype	strip	supplement
telling	transient	unanimous	unexceptionable

2. 基础单词补充（共 9 词）

adoration　　*n.* 崇拜：great admiration and love for someone or something

betray　　*v.* （无意识地）泄露：to make known unintentionally

ferocity　　*n.* 凶猛：the state or quality of being ferocious; fierceness

milestone　　*n.* 里程碑：an important event, as in a person's career, the history of a nation, or the advancement of knowledge in a field; a turning point

rational　　*adj.* 合理的：consistent with or based on reason; logical

recourse　　*n.* 依靠：the act or an instance of turning or applying to a person or thing for aid or security

rigidity　　*n.* 刻板：an instance of being scrupulously maintained or performed

ultimate　　*adj.* 最终的：being last in a series, process, or progression

virtuosity　　*n.* 精湛的技巧：the technical skill, fluency, or style exhibited by a virtuoso

练习解析

19-1　　答案：B

难 度　　★

思 路　　● 方程等号：Even though 即使，反义重复。

- 强词和对应：根据题意，unprepared（没有准备的）和 norm 根据 Even though 取反。所以 formidable 指向空格，取同，体现人们没有准备好应对 1888 年的"可怕的"暴风雪。inevitability 必然性，ferocity 猛烈，importance 重要性，probability 可能性，mildness 温和。答案选 B。

视频讲解

翻 译 即使 Dakotas 可怕的冬天让人习以为常，很多人们仍然没有为 1888 年暴风雪的猛烈做好准备。

19-2 答案：A

难 度 ★

思 路 空格 (ii)：
- 方程等号：although 即使，反义重复。
- 强词和对应：it 指代 the Airflow，所以 immense influence 指向空格 (ii)，根据 although 取反，体现销量"没有影响力"，填入一个负向词。disappointing 令人失望的，significant 重要的，unimportant 不重要的，calculable 可以计算的，tolerable 可容忍的。选项 A 和 C 合适。

空格 (i)：
- 方程等号：and 连接平行结构，同义重复。
- 强词和对应：and 后面的主句部分说 the Airflow 对汽车设计产生了重要影响，空格 (i) 和 immense influence 根据 and 取同，体现 the Airflow 在汽车发展过程中的"重要影响"。milestone 里程碑（对），breakthrough 重大的突破（对），regression 衰退（错），misjudgment 判断错误（错），revolution 革命（对）。综合空格 (ii)，答案选 A。

翻 译 作为第一辆流线型的汽车，the Airflow 代表了汽车发展中的一个里程碑，而且尽管它的销量让人失望，但它却对汽车的设计却产生了巨大的影响。

注 释 milestone 的英文释义是 an important event in the history or development of something/someone。

19-3 答案：A

难 度 ★

思 路
- 方程等号：While 尽管，反义重复。
- 强词和对应：逗号前说养育型父母会对不幸做出补偿。compensate 的释义是 to provide something good as a balance against something bad or undesirable，是为不好的事情做出好的补偿。it 指代 adversity，因此 compensate 指向空格，根据 While 取反，体现冷酷的父母"没有对不幸做出补偿"，填入一个负向词。exacerbate 恶化，neutralize 抵消，eradicate 根除，ameliorate 改善，relieve 缓解。答案选 A。

翻 译 养育型父母会补偿不幸，而冷漠或者善变的父母往往会加重这种不幸。

19-4 答案：C

难度 ★★

思路 空格 (i)：
- 方程等号：by 表示方式方法，同义重复。
- 强词和对应：前文说纽约早期摩天大楼的建筑家，暗示（hinting）这里是 12 世纪的教堂，那里是 15 世纪的宫殿，通过 by 得知 here at a twelfth-century cathedral, there at a fifteenth-century palace 和 history 同义重复。因此空格 (i) 和 hinting 取同，体现建筑师"暗示"历史。reveal 揭露，display 展现，evoke 唤起，preserve 保留，flout 嘲笑。hint 的释义是 a statement conveying by implication what it is preferred not to say explicitly，而 reveal 和 display 都是直接的揭露，因此排除选项 A 和 B。选项 C 合适。evoke 的释义是 to bring to mind or recollection。

空格 (ii)：
- 方程等号：by 表示方式方法，同义重复。not 取反。
- 强词和对应：the city 指代 New York。history 体现之前的历史（12 世纪和 15 世纪）。legitimize 的中文释义为：证明⋯有理，英文释义为：to legitimize something, especially something bad, means to officially allow it, approve it, or make it seem acceptable。既然要让这段历史 legitimize，所以空格 (ii) 体现这段历史是"不存在"的历史。deserve 值得（错），desire 渴望（错），possess 拥有（对），experience 经历（催），believe 相信（错）。综合空格 (i)，答案选 C。

翻译 纽约市早期摩天大楼的建筑家们暗示，在这有一座 12 世纪的大教堂，在那有一座 15 世纪的大宫殿，希望通过唤起这座城市并未真正拥有的历史来使这座城市的努力合法化。

注释 此题是北美考题，涉及背景知识，美国 1776 年发表《独立宣言》，即 18 世纪后才出现美国，因此 12 世纪和 15 世纪的历史对美国自然是不存在的。

19-5 答案：E

难度 ★★

思路 空格 (i)：
- 方程等号：in that 表示因果，同义重复。
- 强词和对应：in that 前面的内容说地球生命历史中的事件是偶然发生的，accidental 指向空格 (i)，根据 in that 取同，体现结果是"偶然的"。coincidence 巧合，relationship 关系，fact 事实，happening 意外发生的事，possibility 可能性。A、D、E 三项合适。

空格 (ii)：
- 方程等号：yet 但是，表示转折，反义重复。
- 强词和对应：accidental 指向空格 (ii)，根据 yet 取反，体现事情能被"不存在偶然性"地理解。randomly 随机地（错），predictably 可预测地（对），readily 欣然地（错），uniquely 独特地（错），rationally 合理地（错）。综合空格 (i)，答案选 E。

翻译 地球生命历史中的真实事件是偶然的，因为任何结果仅仅体现数百万种可能性中的一种；但是每一种结果都可以被合理地解释。

19-6 答案：D

难 度 ★★

思 路 空格 (i)：
- 方程等号：Although 尽管，反义重复。
- 强词和对应：unanimous praise 指向空格 (i)，根据 Although 取反，体现"批评"，填入一个负向词。ignore 忽视，compliment 恭维，welcome 接受，decry 谴责，attack 攻击。选项 A、D 和 E 合适。

空格 (ii)：
- 方程等号：at once A and B = both A and B，连接平行结构，同义重复。
- 强词和对应：空格 (ii) 和 pioneering 根据 at once A and B 取同，填入一个正向词。untrustworthy 不能信赖的（错），foreseeable 可预见的（错），mundane 平凡的（错），unexceptionable 无懈可击的（对），inconclusive 不确定的（错）。综合空格 (i)，答案选 D。

翻 译 尽管她的同行科学家中有一些人贬低她的非正统的实验室方法，这种方法在其他人看来是富有创新性的，但是她的实验结果却受到大家一致的表扬：这个结果是具有开创性并且无懈可击的。

19-7 答案：E

难 度 ★★

思 路
- 方程等号：in fact 事实上，反义重复。
- 强词和对应：mistake X for Y，误把 X 当成 Y。早期对 Emily Dickinson 诗歌的评论家误把表面的天真纯朴当成了头脑简单，surface of artlessness 指向空格，根据 in fact 取同，体现"不朴实无华"。astonishment 惊讶，vexation 激怒，allusion 暗指，innocence 无辜，cunning 精妙。答案选 E。

翻 译 Emily Dickinson 诗歌的早期批评们将诗歌表面上的朴实无华误解为诗人的头脑简单，而事实上诗人独具匠心才营造出这种质朴无华。

19-8 答案：D

难 度 ★

思 路
- 方程等号：逗号，同义重复。
- 强词和对应：逗号后面内容描述这个项目在很多以后的目标。将 still many years off 指向空格，根据逗号取同。cooperative 合作的，reasoned 合乎逻辑的，original 最初的，ultimate 最终的，intentional 故意的。答案选 D。

翻 译 这个项目是一项长期研究计划的第一步，这项研究持续到多年之后的最终目标是创造出新的原型。

19-9 答案：A

难 度 ★

思 路 空格 (ii)：
- 方程等号：because 表示因果，同义重复。
- 强词和对应：because 前面说 Eric 很沮丧，所以 because 后面的主句体现他很沮丧，所以他空格 (ii) 了让他自己被相信的能力，空格 (ii) 和 frustrated 取同，填入一个负向词。lack 缺少，held 持有，found 发现，acquire 获得，claim 宣称，只有 A 是负向词，答案选 A。

空格 (i)：
- 方程等号：although 尽管，反义重复。
- 强词和对应：although 前后取反，主句部分说他失去了让自己被人相信的能力，所以 although 部分应该说他能被人相信，所以空格 (i) 填入一个正向词，plausible 可信的，convincing 可信的，honest 诚实的，true 真的，logic 有逻辑的，都是正向词，综合空格 (ii)，答案选 A。

翻 译 Eric 很沮丧，因为尽管他能很熟练地将谎话编造得让人相信，但当他讲真话时，却缺乏让别人相信的能力。

19-10 答案：B

难 度 ★

思 路
- 方程等号：even though 尽管，反义重复。not 取反。两次取反后，最终同向。
- 强词和对应：effectively communicated 指向空格，根据 even though 和 not 取反两次后取同，体现"有效"。preferred 更喜欢的，explicit 清楚的，inferable 可推导的，discerned 识别的，illustrated 有插图的。inferable 和 discerned 都无法体现传播的"有效"（effective），因此正确答案选 B。

翻 译 在某些特定的体裁中，比如寓言，即使信息的要点并不清晰，但也可以被有效地表达出来。

19-11 答案：C

难 度 ★

思 路
- 方程等号：逗号，同义重复。
- 强词和对应：reluctant to make judgments 和 arriving at a conclusion 根据 but 取反，因此 arriving at a conclusion 指向空格，根据逗号取同，体现"她下定结论的决心"。nonplussed 困惑的，obsequious 拍马屁的，intransigent 固执的，deferential 毕恭毕敬的，negligent 粗心大意的。答案选 C。

翻 译 向来小心谨慎的她不愿意做判断，但是一旦得出一个结论，她就会坚定不移地支持这个结论。

注 释 这道题目可以改成两空题，在 reluctant 挖空，根据 but 取反填出答案。

19-12 答案：D

难 度 ★

思 路 空格 (i)：
- 方程等号：continue to 表现一直持续的状态，同义重复。
- 强词和对应：available 指向空格 (i)，根据 continue 取同，体现现在可用的将会持续（continue）"可用"。fruitful 富有成效的，refined 有教养的，inconvenient 不方便的，used 被使用的，harmless 无害的。fruitful 和 refined 都体现的效果好，但它们是 available 的递进，与 continue 搭配不合适。因此选项 D 合适。

空格 (ii)：
- 方程等号：but 但是反义重复。
- 强词和对应：前文说现有技术可以继续使用，new ones 指代新的技术，空格 (ii) 体现现有科技和新科技的关系，根据题意，空格 (ii) 体现新科技 "好的作用"。reverse 反转（错），upgrade 升级（对），reassess 重新评估（对），supplement 增补（对），improve 提升（对）。综合空格 (i)，答案选 D。

翻 译 家畜饲养者们现在可利用的技术将继续被使用，但是可能会被正在发展中的新技术所增补。

19-13 答案：D

难 度 ★★

思 路 空格 (i)：
- 方程等号：necessitates 使…成为必须，同义重复。
- 强词和对应：increase 和 greater + 空格 (i) 取同，因此空格 (i) 体现人口数量的增长使得蔬菜类食物也要 "增长"。reliance on 依赖，production of 生产，spending on 在…花费，recourse to 依赖，attention to 关注。A、B、C、D 四项合适。

空格 (ii)：
- 方程等号：thus 因此，arises from 表示因果，同义重复。meat 和 vegetable 对象取反。
- 强词和对应：题目说社会选择肉类而不是谷物类食物。cereals 和 vegetable foods 同义重复，the number of people 指代前文出现的 population。meat 和 vegetable 对象取反，因此空格 (ii) 和 increase 取反，体现选择肉类而非蔬菜的能力来源于人口的 "不增加"。replenish 增补（错），estimate 估计（错），conceal 隐藏（错），limit 限制（对），vary 变化（对）。综合空格 (i)，答案选 D。

翻 译 任何超过一定水平的人口增长都使得对蔬菜类食物的更大依赖成为必需；因此，一个社会选择肉食而不选择谷类食品的能力来源于对人口数量的限制。

19-14 答案：E

难 度 ★★

思 路 空格 (i)：
- 方程等号：逗号，同义重复。
- 强词和对应：逗号后面提到学习是 "本能"，而 genetic programming 和 instinctive 同义重复，空格 (i) 为正向，体现学习 "是" 本能（遗传程序）。superseded by 被…替代，compatible

with 与…兼容，complementary to 与…互补，derived from 源自于，dictated by 被…决定。因此选项 B、D 和 E 合适。

空格 (ii)：

- 方程等号：as...as... 表示同级比较，同义重复。
- 强词和对应：根据题意，学习是本能的行为，因此空格 (ii) 和 instinctive 取同，体现"本能的"。primitive 原始的（对），transient 短暂的（错），familiar 熟悉的（对），inventive 善于发明的（错），stereotyped 刻板的（对）。因此综合空格 (i)，答案选 E。stereotyped 体现一成不变，与本能对应。

翻 译 生态学研究者相信许多动物通过学习来生存，但是这种学习是由它们的遗传程序所决定的，这种学习与它们最本能的行为反射一样一成不变。

19-15 答案：A

难 度 ★★

思 路 空格 (i)：

- 方程等号：has constantly（一直以来）和 is（现在）构成时间对比，反义重复。refused to 表示拒绝，取反。两次取反后，最终取同。
- 强词和对应：根据题意，社区被迫去改正非暴力抗议游行产生的冲突。因此 correct 指向空格 (i)，根据时间对比和 refused 取反两次后取同，体现"改正（correct）"，填入一个正向词。acknowledge 承认，decrease 下降，tolerate 容忍，address 处理，explain 解释。A、D、E 三项合适。

空格 (ii)：

- 方程等号：冒号，同义重复。no longer 不再，取反。
- 强词和对应：冒号前面的内容说社区现在被迫承认改正不公正现象，冒号后面应该说不公正的现象不再被忽视。ignore 忽视（对），verify 证实（错），accept 接受（错），eliminate 消除（错），discuss 讨论（错）。综合空格 (i)，答案选 A。

翻 译 非暴力的游行示威总是产生这样的紧张局面，即一个过去一直拒绝承认不公正现象的社区现在被迫来改正这些不公正：不公正现象再也不能被忽视了。

19-16 答案：B

难 度 ★★

思 路 空格 (i)：

- 方程等号：oscillate between A and B 在 A 和 B 之间摇摆，A 和 B 反义重复。
- 强词和对应：condescension 的释义是 the trait of displaying arrogance by patronizing those considered inferior，表现高人一等的（形容自己的优越感即轻蔑的态度）。因此空格 (i) 和 condescension 取反，填入一个正评价。dismissal 不予考虑，adoration 崇拜，disapproval 反对，indifference 冷漠，approbation 赞许。选项 B 和 E 合适。

空格 (ii)：

- 方程等号：more...than... 前后对比，反义重复。
- 强词和对应：前文说后来的作家更加尊重她的作品，因此空格 (ii) 和 later writers 构成对象取反，同时根据 later 得出是不同时期的对象，体现"之前的作者"或"当时的作者"。admirer 崇拜者（错），contemporary 同时代的人（对），reader 读者（对），follower 追随者（对），precursor 先驱（错）。而"之前的作者"是不可能读过之后的书的，因此排除选项 E。答案选 B。

翻译 自从 1813 年以来，对 Jane Austen 小说的反响一直在赞美和谦逊的评价中摇摆不定；但总体来说，后世的作家比大多数她的同时代作家更尊敬她的作品。

19-17 答案：B

难度 ★★

思路 空格 (ii)：
- 方程等号：no longer 不再，取反。两空联动，取反。
- 强词和对应：they 指代 types or ecosystems。体现生态系统的研究程度和生态学家之间的关系。代入选项，perfected 完美...hinder 阻碍，如果研究是完美的，那么 hinder 这个词用在这里就不合适了，都完美了，就不可能讨论拖后腿这种情况，应该更多考虑的是加强未来研究；exhausted 被详尽彻底研究...interest 吸引，正确；prolonged 延长...require 要求，无关，错误；prevented 被阻止...challenge 挑战，两空取同，错误；delayed 被延迟...benefit 有利，无关，错误。答案选 B。

翻译 到目前为止，植物类型和生态系统的研究还没有彻底到这种程度以至于它们不再吸引生态学家。

19-18 答案：E

难度 ★

思路
- 方程等号：which 引导的定语从句修饰 diseases，同义重复。
- 强词和对应：前文说最近研究的人类基因是可以治病的。unsatisfactory 和 correct 取反，human genes 和 treatments 描述不同的治疗方法，因此空格体现两者取反。similar 相似的，most 大多数的，dangerous 危险的，uncommon 不同寻常的，alternative 其他的。答案选 E。

翻译 根据国家卫生研究院最近采用的伦理学指导方针，人类基因只有在其他所有的治疗方案都不能令人满意的情况下才可以用来治疗疾病。

19-19 答案：D

难度 ★

思路
- 方程等号：so that 表示因果，同义重复。
- 强词和对应：them 指代 foreign technocrats，后文说把他们邀请回来会产生相反的效果，因此空格和 counterproductive 取同，体现 foreign technocrats 对这个国家的问题的作用是负面的。foresee 预见，attack 攻击，ascertain 确定，exacerbate 恶化，analyze 分析。答案选 D。

翻译 她认为这个国家的问题已被外国的技术专家们恶化了，因此邀请他们回来将会起相反的作用。

注释 选项 B 为干扰项。attack the problem 表示问题得到解决。

19-20 答案：C

难 度 ★

思 路
- 方程等号：冒号，同义重复。
- 强词和对应：空格和 marvelous draftsmanship and sequencing 根据冒号取同，体现他"令人惊讶的画图技术"。sincerity 真诚, efficiency 效率, virtuosity 精湛技艺, rapidity 快速, energy 精力。答案选 C。

翻 译 漫画家 Winsor McCay 能以令人难以置信的精湛技巧作画：他的关于 Little Nemo 的连环漫画以非同一般的技巧和连续性为特征。

⟶ • ◉

19-21 答案：C

难 度 ★

思 路 空格 (i)：
- 方程等号：initially 表示时间对比，反义重复。
- 强词和对应：agreed to negotiate 和 refusal to compromise 取反。一开始是同义协商，之后是拒绝妥协。空格 (i) 体现 Wilson 现在的立场，因此和 refusal to compromise 取同，体现他实际是"拒绝妥协的"。outcome 结果, logic 逻辑, rigidity 僵化固执, uncertainty 不确定, cowardice 胆小。选项 C 合适。

空格 (ii)：
- 方程等号：by 前后动作同义重复。
- 强词和对应：根据空格 (i)，目前立场是拒绝妥协，与 refusal to compromise 构成同义重复，因此空格 (ii) 体现 by 前后一致，填入一个正向词。foreshadow 预示（对），enhance 增强（对），betray 表露（对），alleviate 减轻（错），highlight 强调（对）。综合空格 (i)，答案选 C。

翻 译 Wilson 在最初同意协商解决之后又拒绝妥协了，这暴露了他实际僵化的立场。

Exercise 20

准备 GRE 的过程中，你会经历不知所措，
煎熬和乏味，但是走过这段备考过程之后，
你会发现收获的不仅仅是一个分数，更多
是自律，毅力甚至一个全新的自我。You
get more than GRE.

——严晶
微臣教育 2015 寒假 325 计划学员
2015 年 11 月 GRE 考试 Verbal 162，Quantitative 170
录取院校：香港大学

EXERCISE ⓴

核心词汇

1.《GRE 核心词汇考法精析》收录单词（共 46 词）

absurd	accessible	acquire	adhere
advocate	appeal	assiduous	censorious
channel	claim	clarity	conjecture
corroborate	crucial	decadence	deference
discredit	disregard	dramatic	equilibrium
frail	gloss	harsh	implicit
innocuous	inquisitive	ludicrous	marginal
mimic	oration	ordeal	original
petulant	presumptuous	project	provincial
reluctant	scrutinize	sound	specific
subject	surmise	uncanny	vague
valiant	weather		

2. 基础单词补充（共 12 词）

assimilate   *v.* 吸收（知识）：to incorporate and absorb into the mind

concentration   *n.* 浓度：the amount of a specified substance in a unit amount of another substance

deviation   *n.* 偏离：the act of deviating or turning aside

differentiate   *v.* 使有差异：to make various or assorted by alteration or modification

empirical   *adj.* 基于实验的：relying on or derived from observation or experiment

futility   *n.* 无效：the quality of having no useful result; uselessness

genre   *n.* 体裁：a category of artistic composition, as in music or literature, marked by a distinctive style, form, or content

homogeneity   *n.* 同质：the state or quality of being uniform in structure or composition throughout

plentiful   *adj.* 丰富的：existing in great quantity or ample supply

recapitulate   *v.* 简述：to repeat in concise form

remarkable   *adj.* 卓越的：attracting notice as being unusual or extraordinary

unscathed   *adj.* 安然无恙的：not injured or harmed

练习解析

20-1　答案：A

难　度　★★

思　路　**空格 (i)：**
- 方程等号：by 被…，前后句意同义重复。
- 强词和对应：by 后面提到渎职行为的虚假指控，因此 false allegations 指向空格 (i)，取同，体现虚假的指控给议员的声誉带来了"不好的影响"，填入一个负向词。shake 动摇，destroy 摧毁，damage 损害，impugn 指责，tarnish 玷污。所有选项都合适，无法排除。

　　空格 (ii)：
- 方程等号：though 尽管，句内取反。
- 强词和对应：空格 (i) 和空格 (ii) 根据 though 取反，因为空格 (i) 是负向词，所以空格 (ii) 应该填入一个正向词。unscathed 未受伤的，intact 完好无缺的，impaired 受损的，unclear 不清楚的，sullied 被玷污的。选项 B 代入句中，意为"尽管名誉被彻底摧毁，但仍完好无损"，句意矛盾，因此排除选项 B。综合空格 (i)，答案选 A。

翻　译　这个议员的声誉，尽管被诬告他渎职的虚假指控所撼动，但又从这次严峻的考验中恢复得完好如初。

- ✦

20-2　答案：E

难　度　★

思　路
- 方程等号：分号说明前后句意同义重复。not 取反。
- 强词和对应：it 指代 this poetry。空格和 international audience 根据 not 取反，空格填入一个表示"非国际的"含义的单词。familiar 熟悉的，democratic 民主的，technical 技术性的，complex 复杂的，provincial 狭隘的。答案选 E。

翻　译　这首诗歌并不是狭隘的；它比那些具有严格地域性主题的诗歌更能吸引到国际读者。

- ✦

20-3　答案：B

难　度　★★

思　路　**空格 (i) + 空格 (ii)：**
- 方程等号：more...than... 比较级，比较对象取反。
- 强词和对应：different points of view 不同的观点和 dogmatically to their own formulations 教条地自己的想法，根据 more...than... 取反，所以空格 (i) 和空格 (ii) 联动，选一组同为正向的词。
- discredit 怀疑...revert 恢复，取反，排除；assimilate 吸收...adhere 坚持，正向取同，正确答案；impose 强加...refer 提到，取反，排除；disregard 忽视...incline 倾向，取反，排除；advocate 支持...relate 讲述，根据题意，effective manager 是需要有执行力的，因此不能仅仅对观点是"支持"的状态，还要有"行动"。因此排除选项 E。答案选 B。

翻　译　有经验的雇主认识到，那些能吸取不同观点的商学院学生作为管理者比那些聪明且有创造力但却教条地坚持自己观点的学生更有成效。

20-4 答案：C

难 度 ★★

思 路 空格 (i)：
- 方程等号：make 使得…，前后句意同义重复。
- 强词和对应：make 后面的内容说 Poe 的评论使我们尊敬他除了众所周知的文学天赋之外的评判能力。因此空格 (i) 和 respect 根据 make 取同，体现 Poe 的文学评论是"让人尊敬的"，填入一个正向词。thorough 彻底的，petulant 易怒的，insightful 有洞察力的，enthusiastic 热情的，harsh 残酷的。选项 A 和 C 合适。

空格 (ii)：
- 方程等号：otherwise 在其他情况下，前后句意取反。
- 强词和对应：which 引导的定语从句修饰 reviews，前文说 Poe 的评论能够发现优点，因此空格 (ii) 和 find 根据 otherwise 取反，体现在其他情况下优点（merit）是"没有被发现的"。completed 完成的（错），unpopular 不受欢迎的（对），unappreciated 未被欣赏的（对），acclaimed 被称赞的（错），undeserving 不值得的（错）。综合空格 (i)，答案选 C。

翻 译 Poe 对当代小说的富有洞察力的评论，总能发现在其他情况下不被人欣赏的文学精品中的巨大优点，这种评论必定会使我们尊敬他除了广为人知的文学天赋之外的评判能力。

20-5 答案：A

难 度 ★

思 路
- 方程等号：not...but... 不是…而是…，前后句意取反。
- 强词和对应：but 后面的内容提到 Magna Carta 的重要性在于它广泛的影响，因此 broader 指向空格，根据 not...but... 取反，空格选"不广泛的"。specific 具体的，revolutionary 革命性的，implicit 含蓄的，controversial 有争议的，finite 有限的。finite 的释义是 something that is finite has a definite fixed size or extent（体现"时间、空间、数量上的有限"），与 broader 无关。答案选 A。

翻 译 Magna Carta 的重要意义并不在于它具体的条款，而在于它更深远的影响上：它第一次使国王受制于法律。

20-6 答案：B

难 度 ★★

思 路 空格 (ii)：
- 方程等号：begun 是过去时，has 是现在时，体现时间对比，前后句意反义重复。
- 强词和对应：simplicity（简单）和 variety（多样）构成反义重复，因此空格 (ii) 体现前后状态的对立。modulate 调节，differentiate 分化，metamorphose 改变，accelerate 加速，develop 发展。B、C、E 三项合适，体现状态"改变"。

空格 (i)：
- 方程等号：and 连接平行结构，同义重复。
- 强词和对应：因此空格 (i) 和 simplicity 根据 and 构成同义重复，体现"简单"；同时，结合 variety 可知一开始的状态是"不多样的"。equilibrium 平衡（错），homogeneity 相同（对），

contrast 对比（错），proportion 比率（错），intelligibility 可理解性（错）。综合空格 (ii)，答案选 B。

翻 译 宇宙进化理论认为：起初处于一种简单相同状态的宇宙，已经分化进入巨大的多样性之中。

20-7 答案：C

难 度 ★★

思 路
- 方程等号：not 取反。refrained from 防止做某事，取反。空格 (i) 和空格 (ii) 联动，根据 not 和 refrained from 两次取反，同向，均体现低级成员（the junior member）对高级成员计划的态度。

空格 (i) + 空格 (ii)：
- 强词和对应：代入选项，reluctant 不情愿的 ...evaluate 评价；inquisitive 好奇的 ...offer 提供；presumptuous 放肆的 ...venture 冒险；censorious 指责的 ...undercut 削弱；moralistic 说教的 ...observe 观察。presumptuous 和 venture 都体现一种不计后果的行为，因此正确答案选 C。

翻 译 不想被看作放肆无礼，研究团队中的初级成员克制自己，不敢对高级成员在整个项目中实行分权责任制的计划提出任何疑义。

20-8 答案：B

难 度 ★

思 路
- 方程等号：because of 表示因果，同义重复。
- 强词和对应：because of 前面的内容提到中国人是勤勉的天文和气候记录者（record-keepers）。natural events 和 astronomical and weather observations 同义重复，longest continuous 和 assiduous 构成同义重复，描述中国人的"勤奋"。因此 record-keepers 指向空格，取同，体现"记录者"的身份。defiance 蔑视，documentation 记录，maintenance 保持，theory 理论，domination 控制。答案选 B。

翻 译 中国人是勤奋的记录者，他们在古埃及人之后不久就开始了系统的天文和大气观测；正因为如此，（中国人）能宣称拥有人类最长的连续对自然现象的记录。

20-9 答案：E

难 度 ★★

思 路 **空格 (i)：**
- 方程等号：where 引导的定语从句修饰 land，前后同义重复。
- 强词和对应：根据题意，在陆地开矿是相对便宜的，因此空格 (i) 和 inexpensive 构成同义，体现在陆地开矿"便宜"。scarce 稀少的，accessible 可得到的，unidentified 无法识别的，conserved 被节约的，plentiful 丰富的。B 和 E 两项合适。

空格 (ii)：
- 方程等号：because 表示因果，同义重复。has yet to 还没有，取反。

- 强词和对应：because 的部分说在陆地挖矿相对便宜，所以 because 后面说在海洋挖矿不便宜，has yet 取反，相当于 not，所以空格 (ii) 和 inexpensive 取同，体现采矿在陆地是便宜的，而海洋是不（has yet to）"便宜的"。common 普遍的（错），marginal 不重要的（错），subsidized 被补助的（错），public 公众的（错），profitable 有利可图的（对）。答案选 E。

翻 译 因为许多在海底发现的矿物质在陆地上仍然很丰富，而在陆地开矿相对而言比较便宜，所以在海底开矿还未成为一项有利可图的业务。

20-10 答案：C

难 度 ★

思 路 空格 (i)：
- 方程等号：逗号说明前后句意同义重复。
- 强词和对应：空格 (i) 做 strict form 的同位语，因此空格 (i) 和 form 取同，体现告别演说成为一种文学"形式"。text 文本，work 作品，genre 形式，oration 演说，achievement 成就。选项 C 和 D 合适。

空格 (ii)：
- 方程等号：逗号说明前后句意同义重复。little 取反。
- 强词和对应：前文提到告别演说成为一种严格的形式，空格 (ii) 和 strict 根据 little 取反，选"不严格的"。clarity 清楚（错），tradition 传统（错），deviation 偏差（对），grandiloquence 夸张的言论（错），rigidity 严格（错）。综合空格 (i)，答案选 C。

翻 译 由于告别演说已经在美国的学院和大学里发展了许多年，现在已经成为一种非常严格的形式，一种不允许有任何偏差的文学形式。

20-11 答案：B

难 度 ★

思 路 空格 (i)：
- 方程等号：for 表示因果，同义重复。
- 强词和对应：逗号后面的内容说理性的外表（the gloss of rationality）是薄弱的并且容易被击碎的，因此空格 (i) 和 thin, often easily breached 根据 for 取同，体现人类是"薄弱的"。logical 合乎逻辑的，frail 脆弱的，valiant 勇敢的，ambitious 有野心的，ludicrous 荒唐的。选项 B 合适。

空格 (ii)：
- 方程等号：and 连接平行结构，同义重复。
- 强词和对应：and 连接平行结构，空格 (ii) 和 fears 构成同义重复，填入一个负向词。problem 问题（对），insecurity 不安全感（对），phobia 恐惧（对），morality 道德（错），laughter 笑（错）。综合空格 (i)，答案选 B。

翻 译 人类是一种非常脆弱的生物，因为掩盖他或她的害怕和不安全感的理性外表是非常薄弱而且很容易被击碎的。

注 释　gloss 的释义：gloss is an appearance of attractiveness or good quality which sometimes hides less attractive features or poor quality.

这句话的主干：A human being is quite a frail creature, for the gloss of rationality is thin and often easily breached.

20-12　**答案：A**

难 度　★

思 路
- 方程等号：although 尽管，反义重复。
- 强词和对应：although 的部分说尽管随着时间的流逝，一开始对于他诗歌的敌意已经减轻，主句部分应该说大家还是对他有敌意。因为有 only a few 的存在，所以空格应该填入一个正向词。praise 赞扬，revile 辱骂，scrutinize 仔细检查，criticize 批评，neglect 忽视。答案选 A。

翻 译　尽管随着时间的流逝，一开始对于他诗歌的敌意已经减轻，但是即使这样也只有一少部分的独立观察家表扬他的作品。

20-13　**答案：D**

难 度　★★

思 路　空格 (i)：
- 方程等号：unlike 表示否定，取反。
- 强词和对应：前文说哲学家构建理论上理想的状态，因此空格 (i) 和 ideal 根据 unlike 取反，体现她的理论是"非理想化的"。reality 现实，intuition 直觉，surmise 猜测，experience 经验，conjecture 猜测。选项 A 和 D 合适。

空格 (ii)：
- 方程等号：thus 表示因果，同义重复。
- 强词和对应：inelegant 和 sound 根据 although 取反，体现她的理论是合情合理的。空格 (ii) 修饰 sound，根据 thus 前后取同，所以体现她的理论是"非理想化的"。aesthetically 美学地（错），intellectually 智力上地（错），scientifically 合乎科学地（对），empirically 实证主义地（对），factually 真实地（对）。答案选 D。

翻 译　与那些构建理论上的理想状态的哲学家不同，她将她的理论建立在经验的基础之上；因此，尽管她的构想不优美，但它们在实证主义上却是合情合理的。

20-14　**答案：E**

难 度　★★

思 路　空格 (i)：
- 方程等号：for 为了，前后句意同义重复。
- 强词和对应：后面提到小鸭子的后天学习，因此空格 (i) 体现 instinctive（先天的）和 additional learning（后天学习）之间的正向关系。impulse 冲动，referent 指示物，force 力量，

inspiration 灵感，channel 渠道。impulse 和 instinctive 构成同义重复，同指本能，排除。因此 B、C、D、E 四项合适。

空格 (ii)：

- 方程等号：since 表示因果，同义重复。
- 强词和对应：后面提到小鸭子可以获得非基因传递的更多信息，因此空格 (ii) 和 not genetically（非基因或非天生）取同，小鸭子"后天学习的"动作让它们获得信息。surpass 超过，recognize 认可，acknowledge 承认，emulate 模仿并超越，mimic 模仿。recognizing 和 acknowledging 体现小鸭子"认识"父母，此为本能（genetically），与后天无关。因此选项 B 和 C 排除。而 D 选项中，模仿的行为应该不能成为先天的纽带对于后天学习的灵感，排除。答案选 E。

翻 译 一旦小鸭子认可了父亲或母亲，先天的纽带就成为后天学习的重要渠道，因为通过模仿它的父亲或母亲，这只小鸭子可以获得非基因传递给它的更多信息。

20-15 **答案：** E

难 度 ★

思 路
- 方程等号：逗号，同义重复。
- 强词和对应：逗号前说这个国家三分之二的蘑菇仅在一个（single）郡生产，因此空格体现整个国家三分之二的蘑菇都是在一个地方产出的，即"集中"。cause of…的原因，agreement among 一致同意，indication of 暗示，interaction between 与…的互动，concentration of 集中。答案选 E。

翻 译 这个国家几乎三分之二的蘑菇产量是由一个郡里的 160 位种植者生产出来的，这个郡汇聚了最多的生产者。

20-16 **答案：** A

难 度 ★

思 路
- 方程等号：reflects 反映，同义重复。
- 强词和对应：disjunction 指向空格，根据 reflects 取同，观点的冲突反映了"冲突"。conflict 冲突，redundancy 冗余，gain 好处，predictability 可预测性，wisdom 智慧。答案选 A。

翻 译 分歧存在于两种教学目标之中，一种强调独立性和个性，另一种强调遵守规则和与其他人的合作。这种分歧反映了因目标基于的价值观而产生的冲突。

注 释 句子结构分析：The disjunction between educational objectives that stress independence and individuality and those that emphasize obedience to rules and cooperation with others reflects a conflict that arises from the values on which these objectives are based.

20-17 答案：B

难度 ★★

思路
- 方程等号：fail to 表示 not，取反，空格 (i) 和空格 (ii) 联动。

空格 (i) + 空格 (ii)：
- 如果空格 (ii) 形容疾病程度较"轻微"，innocuous 无害的，preventable 可以预防的，insignificant 不重要的，满足要求；因此空格 (i) 对政府是"负评价"，体现政府没能消除一个"轻微的"疾病是"不对的"，选项中 folly 愚蠢的，irresponsible 不负责任的，detrimental 有害的，都是负向词。而如果一个疾病是无害的或者不重要的，那么政府就不用去完全消除，所以排除 A 和 E，答案选 B。
- 如果空格 (ii) 形容疾病程度较"严重"，选项中 fatal 致命的，devastating 毁灭性的，满足要求；因此空格 (i) 对政府是"非负评价"，体现政府没能消除一个"严重的"疾病是"不算错误的"，crucial 关键的，instinctive 本能的，代入都不符合题意，答案选 B。

翻译 对于一个政府而言，不尽力去消除可以预防的疾病是不负责任的。

∴ • ∴

20-18 答案：C

难度 ★

思路
- 方程等号：in that 表示因果，同义重复。
- 强词和对应：it 指代 Dramatic literature，in that 后面的内容描述戏剧文学把塑造和引导文化的重要事件拿出来作为主题的素材。因此空格和 takes as its subject matter the important events 根据 in that 取同，体现戏剧文学是"挑重点叙述"的体裁。confound 使混乱，repudiate 否认，recapitulate 扼要简述，anticipate 预见，polarize 使两极分化。recapitulate 的释义是 draw attention to the fact that you are going to repeat the most important points as a summary。答案选 C。

翻译 戏剧文学总是在简明扼要地重述文化史，因为它将那些曾经塑造和引导文化的重大事件当作主题素材。

注释 题干中出现宾语倒装，正确的语序为 take sth. as its subject matter。这里之所以会出现宾语倒装，是因为宾语过长，长的标准是因为出现了后置定语。如果想要更多了解倒装、省略等长难句内容，可以参考《GRE/GMAT/LSAT 长难句 300 例精讲与精练》一书。

∴ • ∴

20-19 答案：C

难度 ★★

思路
- 方程等号：1563 和 the second part 体现时间对比，反义重复。
- 强词和对应：establishing wages 和 reasonable remuneration 构成同义重复，so 后面的内容提到法规的第二步是确立工资，根据时间对比可知之前没有（without）确立工资，因此空格需要体现之前没有确立工资的"不好的结果"，才导致后面开始确立。intricacy 错综复杂，anxiety 焦虑，futility 无效性，necessity 必要性，decadence 衰落。decadence 的释义是 behavior that shows low morals and a great love of pleasure, money, fame，体现道德和行为的衰败。答案选 C。

翻 译 1563 年的立法者们认识到在不保障合理报酬的情况下企图控制劳动力流向的无效性，所以他们在法规的第二部着手确立工资。

20-20 答案：C

难 度 ★★

思 路 空格 (i)：
- 方程等号：and 连接平行结构，同义重复。
- 强词和对应：and 前面的内容说处在科学前沿的科学家必定经常违反常识，因此空格 (i) 和 violate common sense 根据 and 取同，体现科学家做出"违反常识的"假设。radical 激进的，vague 模糊的，absurd 荒谬的，mistaken 错误的，inexact 不精确的。absurd 的释义是 inconsistent with reason or logic or common sense。因此选项 A 和 C 合适。

空格 (ii)：
- 方程等号：because 表示因果，同义重复。not 取反。
- 强词和对应：existing theories 和 common sense 同义重复，因此 violate 指向空格 (ii)，根据 not 取反，选"不违反"，填入一个正向词。confirm 证明，incorporate 包含，explain 解释，reveal 揭露，corroborate 证实。理论是用来解释现象的，而现象则证实了理论，所以这里排除 A 和 E 选项，综合空格 (i)，答案选 C。

翻 译 处于最前沿研究的科学家们必定经常违反常识并且做出看上去荒谬的假设，因为现存的理论确实不能解释新观察到的现象。

20-21 答案：A

难 度 ★★★

思 路
- 方程等号：because 表示因果，同义重复。
- 强词和对应：them 指代 the French aristocracy，because 后面的内容提到 Rousseau 对法国贵族是不尊重的，空格 (i) 体现法国贵族对 Rousseau 的态度。空格 (ii) 体现这种态度的特点，空格 (i) 和空格 (ii) 联动。

空格 (i) + 空格 (ii)：
- 如果空格 (i) 和 little respect 取同，体现"不尊重的"，选项中 suspicion 怀疑，reserve 保留，anger 生气，满足条件；空格 (ii) 填入一个不改变方向的词，uncanny 离奇的，unexpected 没有预料的，ironic 讽刺的，都是改变方向的单词，排除 B、C 和 D。
- 如果空格 (i) 和 little respect 取反，体现"尊重的"，选项中 deference 遵从，appreciation 欣赏，满足要求；空格 (ii) 改变句意逻辑方向，remarkable 引人注目的，deserved 应得的。remarkable 满足题目要求，答案选 A。

翻 译 法国贵族对待中产阶级的 Rousseau 的遵从格外引人注目，因为 Rousseau 对他们一点儿也不尊重。

注 释 短语 all the more=even more，表示更加，一般习惯在后面加 remarkable 或者 unusual 这两个形容词。

Exercise 21

奔向梦想的终点，即使没有胜利的奖牌，
尊严和骄傲，将与我们一路同行。

——杨炀

微臣教育 2015 寒假 330club 学员
2015 年 10 月 GRE 考试 Verbal 160, Quantitative 170
录取院校：哥伦比亚大学

EXERCISE ㉑

核心词汇

1.《GRE 核心词汇考法精析》收录单词（共 41 词）

abandon	aberrant	abreast	abstract
accessible	aggressive	apprise	authority
bane	calamity	confident	conscientious
disinterested	drab	elate	erratic
fickle	flamboyant	flourish	guilt
humility	imperative	license	martinet
persistence	plausible	prerogative	random
reassure	reconcile	reluctant	safeguard
scrupulous	smug	sophisticated	sordid
sporadic	stock	superfluous	trepidation
tyrant			

2. 基础单词补充（共 11 词）

aesthetic   *n.* 美感：a guiding principle in matters of artistic beauty and taste; artistic sensibility

classify   *v.* 分类：to arrange or organize according to class or category

conform   *v.* 使一致：to bring into agreement or correspondence; make similar

detachment   *n.* 客观公正：absence of prejudice or bias; disinterest

excess   *n.* 过度的行为：a behavior or an action that exceeds proper or lawful bounds

hierarchy   *n.* 等次：a series in which each element is graded or ranked

hunch   *n.* 直觉：an intuitive feeling or a premonition

regression   *n.* 退化：relapse to a less perfect or developed state

self-righteousness   *n.* 自以为是：exhibition of pious self-assurance

singularity   *n.* 特点：a trait marking one as distinct from others; a peculiarity

withhold   *v.* 限制：to keep in check; restrain

练习解析

21-1 答案：D

难度 ★

思路
- 方程等号：because 表示因果，同义重复。
- 强词和对应：data only about the planets Jupiter and Saturn 和 wealth information from Neptune 取反，因此空格体现"对立"，体现原本只希望搜集一些土星和木星的数据，"竟然"收获了来自冥王星的信息。disappointed in 对…失望，concerned about 对…关注，confident in 对…有自信的，elated by 兴高采烈的，anxious for 对…焦虑的。答案选 D。elated by 相当于 surprising，体现前后对立取反。

翻译 由于科学家们预期旅行者 2 号宇宙飞船只能收集关于木星和土星的数据，所以他们对于飞船离开地球 12 年后从海王星传送回来的大量的信息感到喜出望外。

21-2 答案：D

难度 ★★

思路 空格 (i)：
- 方程等号：exclusively 修饰空格 (i)，修饰语与被修饰对象同义重复。
- 强词和对应：exclusively 的释义是 not shared; available to only one person or group，独享的，修饰空格 (i)，因此空格 (i) 和 exclusively 取同，体现潮流对有钱人是"独享的"。aspiration 渴望，vexation 生气，bane 祸害，prerogative 特权，obligation 义务。prerogative 的释义是 an exclusive or special right, power, or privilege。选项 D 合适。

空格 (ii)：
- 方程等号：until 时间对比，时间前后取反。
- 强词和对应：根据前文 19 世纪 50 年代之前时尚"只为"富人所有，the wealthy（富人）和 the middle class（中产阶级）是不同对象的取反。因此空格 (ii) 体现之后时尚对中产阶级"不是独有的"。disagreeable to 令人不愉快的（错），superfluous for 多余的（错），profitable to 有利可图的（错），accessible to 可以获得的（对），popular with 受到欢迎的（对）。综合空格 (i)，答案选 D。

翻译 在 19 世纪 50 年代之前，穿着最新的时髦服装一直是富人们的专有特权，从那以后，大规模的生产、有进取心的企业家以及缝纫机的使用使得中产阶级也可获得这些时装了。

21-3 答案：C

难度 ★

思路
- 方程等号：in that 表示因果，同义重复。
- 强词和对应：it 指代 ASL，in that 后描述 ASL 可以表达任何可能的句法关系，因此空格和 every possible 根据 in that 取同，体现"各种可能性的"。limited 受到限制的，economical 节约的，complete 完备的，shifting 改变的，abstract 抽象的。答案选 C。

翻译 语言学家们现在才证实了那些美国手语熟练的使用者们早就心照不宣地知道的一个事实：美国手语是一个在语法上完备的语言，因为它能够表达出任何可能的句法关系。

21-4 答案：A

难度 ★★

思路 空格 (ii)：
- 方程等号：not only...but also... 不仅…而且…，前后句意同义重复。
- 强词和对应：not only 后提到他对严格的纪律是坚持的，strict discipline 和 formal details 构成同义重复，因此空格 (ii) + adherence 和 insistence 取同，体现他的"坚持"。rigid 死板的，sporadic 断断续续的，reluctant 不情愿的，conscientious 认真负责的，maniacal 发狂的。选项 A、D 和 E 合适。

空格 (i)：
- 方程等号：because of 表示因果，同义重复。
- 强词和对应：根据题意，because of 后面说他是恪守纪律的，因此空格 (i) 和 insistence on strict discipline 取同，体现他是一个"坚持纪律的人"。martinet 严格坚守纪律的人（对），authority 权威人士（错），tyrant 专横的人（错），fraud 骗子（错），acolyte 助手（错）。综合空格 (ii)，答案选 A。

翻译 他被他的追随者们看作是某种严格执行纪律的人，不仅因为他严格坚持苛刻的纪律，而且因为他刻板地坚守正式的细节。

21-5 答案：A

难度 ★★

思路 空格 (i) + 空格 (ii)：
- 方程等号：if only because 只不过因为，表示因果，同义重复。空格 (i) 和空格 (ii) 联动，构成同义重复，取同。
- 强词和对应：代入选项，pervasive 普遍的...available 可用的，取同，保留；inestimable 无法估计的...suppressed 受压迫的，取反，排除；unnoteworthy 不显著的...abridged 删节的，取同，保留；underestimated 被低估的...studied 被研究的，取反，排除；circumscribed 受限的...translated 被翻译的，取反，删除。选项 C 为干扰项，如果这部作品是唯一"被删减的"，那么这部作品应该是显眼的，而 C 选项空格 (i) 是 unnoteworthy，排除。答案选 A。

翻译 Titnaeus 在早期哲学家之间的影响是很普遍的，只不过是因为它是整个欧洲一千年以来可获得的唯一一本对话体哲学著作。

21-6 答案：D

难度 ★★

思路 空格 (ii)：
- 方程等号：逗号说明前后句意同义重复。of 前面省略 afraid。
- 强词和对应：根据题意，空格 (ii) 和 unlike 取同，体现"不一样"。absurdity 不合理，mediocrity 平庸，confrontation 对抗，singularity 独特，eccentricity 反常。A、D 和 E 三项合适。

空格 (i)：
- 方程等号：分号说明前后句意同义重复。little 取反。
- 强词和对应：分号后提到 Gibsons 一家不害怕"不一样"，即他们的特征是"与众不同的"，

所以空格 (i) 本来应该填入"与众不同",但是 little 取反一次,所以空格 (i) 填入"与其他人相同"。humility 谦虚(错),excellence 优秀(错),anger 愤怒(错),conformism 从众(对),ostentation 炫耀(错)。综合空格 (ii),答案选 D。

翻 译 Gibson 一家很少习惯于任何形式的从众行为;他们没有人害怕独特,(害怕)显得和周围的邻居们与众不同。

21-7 答案:B

难 度 ★★

思 路 空格 (ii):
- 方程等号:even 尽管,句意反义重复。
- 强词和对应:后文说人文主义学科的重要人物对扩展大众普选权持有怀疑态度。因此空格 (i)+against 体现对大众主权做"不怀疑"的动作。recommendation 推荐,safeguard 保护,argument 争论,provision 准备,law 法律。选项 B 和 E 合适

空格 (i):
- 强词和对应:popular sovereignty 和 suffrage to the masses 同义重复,因为空格 (i) 和 skeptical 已经构成取反,所以空格 (ii) 和 extend 取同。continuation 延续,excess 过度,introduction 引入,advantage 优点,creation 创造。popular sovereignty 是已经存在的概念,不存在"创造",因此排除选项 E。答案选 B。

翻 译 即使在那些防止大众主权过滥的保护措施实施以后,对于是否应该进一步将普选权扩及大众的提议,人文主义学科的重要人物仍然持怀疑态度。

21-8 答案:B

难 度 ★

思 路
- 方程等号:while 尽管,句内取反。
- 强词和对应:前文说调查中公司开设的管理培训课程有 94% 向女性开放,而主句中 seventy-four percent 和 ninety-four percent 根据 while 已经取反,因此空格和 open to 取同,体现女性只"参与"了 74% 的课程,填入一个正向词。protest against 抗议,participate in 参与,displeased by 不开心,allowed in 被允许,refused by 被拒绝。答案选 B。

翻 译 最近的一项调查研究表明,尽管公司开设的管理培训课程有 94% 向女性开放,但是女性只参加了那些项目的 74%。

注 释 选项 D 为干扰项,be allowed in 被允许,如果选 D,主句就变成女性只被允许参加那些项目的 74%,和前文中 94% 的项目开放矛盾,所以排除。

21-9 答案:A

难 度 ★

思 路
- 方程等号:surprisingly 令人惊讶的是,前后句意反义重复。

- 强词和对应：前文说 Thomas Paine 的政治文章是华丽的，flamboyant 指向空格，根据 surprisingly 取反，体现他的私生活是"不华丽的"。simple 简朴的，controversial 有争议的，sordid 卑鄙的，comfortable 舒适的，discourteous 无礼的。答案选 A。

翻 译 Thomas Paine 的政治作品总是很华丽的，但私人生活里却朴素得令人吃惊：他住在租来的房子里，吃得很少，穿着很土的衣服。

注 释 方法二：冒号说明前后句意同义重复，根据后面对他生活状况的描述同义重复，答案选 A。

21-10 答案：B

难 度 ★

思 路
- 方程等号：is 说明前后句意同义重复。
- 强词和对应：根据 first、next、then、finally 得知空格体现的是忠诚对象的"先后顺序"。merging 合并，hierarchy 等级，definition 定义，judgment 判断，cognizance 意识。答案选 B。

翻 译 他们忠诚对象的等级首先是对自己，其次是对亲戚，然后是对本部落成员，最后才是对同胞。

21-11 答案：B

难 度 ★★

思 路 空格 (i) + 空格 (ii)：
- 方程等号：be supported by 被…支持，前后句意同义重复。
- 强词和对应：前文说科学摧毁（destroys）艺术，体现科学和艺术之间关系的"对立"。空格 (i) 和空格 (ii) 体现艺术和科学的对立关系，取反，有两种可能性。
- 如果空格 (i) 表示艺术"好"，flourish 繁荣，mature 成熟，succeed 成功，B、C 和 D 可以候选。那么空格 (ii) 应该体现科学"不好"，neglected 被忽视的，unconcerned 漠不关心的，developed 发达的。B 选项满足艺术和科学的对立关系，正确。
- 如果空格 (i) 表示艺术"不好"，decline 下降，flounder 挣扎，A 和 E 可以候选，所以空格 (ii) 应该体现科学"好"，attacked 被攻击，constrained 被约束，都是负向词，这种可能性不成立，所以答案只能是 B。

翻 译 科学摧毁艺术的信念似乎被历史证据证实了，只有在科学被忽略的时候，艺术才会蓬勃发展。

21-12 答案：C

难 度 ★★

思 路 空格 (i)：
- 方程等号：so...that... 表示因果，同义重复。
- 强词和对应：后文说所有的观众都能够对坏蛋自鸣得意地发出嘘声，因此空格 (i) 和 hiss the villain 取同，体现情景剧能让观众清楚辨识好坏，对坏蛋发出嘘声。spurn 抛弃，forget 忘记，classify 分类，plausible 可信的，gripping 吸引人的。选项 C 合适。

空格 (ii)：

- 方程等号：but 前后取反。
- 强词和对应：空格 (ii) 具有 enjoyable 的特点，且和 smug 方向相反，填入一个正向词。boredom 无聊（错），condescension 傲慢（错），self-righteousness 自以为是（对），guilt 内疚（错），skepticism 怀疑（错）。综合空格 (i)，答案选 C。

翻 译 情节剧中的行为和角色可以被如此迅速地区分开来，以至于所有的观众都会带着一种自鸣得意同时又很愉快的自以为是来对坏蛋发出嘘声。

21-13 答案：E

难 度 ★★

思 路 空格 (ii)：

- 方程等号：空格 (i) 体现治疗方案和说服病人的困难之间的对立关系。
- 强词和对应：空格 (i) 体现研究和困难的对立关系，即研究必须"克服"困难。amended by 被…修改，emphasized by 被…强调，controlled by 被…控制。

空格 (i)：

- 方程等号：in which 引导的定语从句修饰 experiment，前后句意同义重复。
- 强词和对应：an experiment 和 assignment of treatments 同义重复，后文说决定治疗方案是随机的（by chance），因此空格 (ii) 和 by chance 取同，体现治疗方案的分配是"随机的"。independent 独立的（对），competent 有能力的（错），mechanical 机械的（错），swift 迅速的（错），random 随机的（对）。综合空格 (i)，答案选 E。

翻 译 在医学实验的设计中，随机将治疗方案分配给病人的需求必须与一些困难协调，即说服病人参加到一个他们所接受的治疗方案是随机决定的实验中。

21-14 答案：D

难 度 ★★

思 路 空格 (ii)：

- 方程等号：so...that... 表示因果，前后逻辑同向，句意同义重复。by comparison 表示对比，取反。
- 强词和对应：后文说艺术世界变化多端，fickle 指向空格 (ii)，根据 by comparison 取反，体现股市价格"不善变"的特征。sensible 明智的，erratic 反复无常的，booming 迅速发展的，predictable 可预测的，irrational 不理性的。选项 D 合适。

空格 (i)：

- 方程等号：even 尽管，反义重复；not 取反，两次取反后取同。
- 强词和对应：主句部分是即使空格 (i) 的知识也是不够的，把 enough 指向空格 (i)，根据 even 和 not 两次取反，所以空格填入一个正向词。amateur 外行（错），expert 专家（对），investor 投资者（错），insider 内行（对），artist 艺术家（错）。综合空格 (ii),，答案选 D。

翻 译 尽管商人坚持认为专业的艺术商人会在艺术品市场中赚钱，但即使是一个内行的知识也是不足的：艺术品市场如此变化多端以至于相比之下股价都可以预料了。

21-15 答案：C

难度 ★

思路
- 方程等号：Contrary to 意为和…相反，前后取反。
- 强词和对应：前文说流行的观点是科学是被刻意的客观所推动的，空格和 objectivity 根据 contrary to 取反，体现科学操纵过程的"不客观"。fact 事实，control 控制，hunch 直觉，deduction 推理，calculation 计算。答案选 C。

翻译 与流行观点——科学是由刻意的客观所推动的——相反，科学总是在错误、意外惊喜、直觉以及对错误的坚持中运作。

注释 方法二，可以根据 and 连接平行结构，空格和 error、accidents、persistence in spite of mistakes 构成同义重复，答案选 C。

21-16 答案：D

难度 ★★

思路 空格 (i)：
- 方程等号：because 表示因果，同义重复。
- 强词和对应：后文说我们在旧石器时代到新石器时代的转变中发现了衰退，因此 degeneration 指向空格 (i)，根据 because 取同，体现很多艺术历史学家把这个转变视为"衰退"，填入一个负向词。milestone 里程碑，consolidation 巩固，calamity 灾难，regression 倒退，continuation 持续。选项 C 和 D 合适。

空格 (ii)：
- 方程等号：instead of 而不是，相当于 not，取反。
- 强词和对应：空格 (ii) 和 degeneration 根据 instead of 取反，体现这个艺术不是（instead of）"没有衰败的"视图艺术，填入一个正向词。debased 质量低的（错），diverse 多样的（对），aberrant 异常的（错），sophisticated 精致的（对），improved 改良的（对）。综合空格 (i)，答案选 D。

翻译 从旧石器时代向新石器时代的转变被大多数艺术历史学家看作是一个倒退的过程，因为我们并没有发现一个越来越精致的视图艺术，而是发现了倒退。

21-17 答案：A

难度 ★★

思路 空格 (i)：
- 方程等号：分号说明前后句意同义重复。
- 强词和对应：分号后面的内容说失败对他们来说几乎不可想象，因此分号前面说 Salazar 是让团队成员"不会思考失败的"存在，因此空格 (i) 填入正评价。reassuring to 使安心，unnoticed by 未被注意到，unusual to 不同寻常，endearing to 可爱的，unexpected by 未曾预料到的。选项 A 合适。

空格 (ii):

- 方程等号：so...that... 表示因果，句意同义重复。lost 失去，取反。
- 强词和对应：空格 (ii) 和空格 (i) 根据 lost 取反，填入一个负向词。trepidation 恐惧（对），curiosity 好奇（错），harmony 和谐（错），confidence 自信（错），exhilaration 愉快（错）。综合空格 (i)，答案选 A。

翻 译　Salazar 在团体中的存在让其他成员如此安心以至于他们之前的胆怯都不复存在；对于他们而言，失败几乎是不可想象的。

注 释　all but 的释义是 you use all but to say that something is almost the case，表示几乎是。

21-18　答案：D

难 度　★

思 路

- 方程等号：though 尽管，表示转折，取反。not 取反，两次取反后最终同向。
- 强词和对应：though 和 not 两次取反，所以空格和 beauty 取同，选一个表示美的词。economics 经济，legislation 立法，cleanliness 干净，aesthetics 美学，restoration 恢复。答案选 D。

翻 译　尽管大自然壮丽的美的确是一个重要的考虑因素，但根除污染不仅仅是一个美学问题。

21-19　答案：C

难 度　★★

思 路　空格 (ii):

- 方程等号：but 出现前后取反。
- 强词和对应：but 后面说消息只透露给几个大都市主要大报的记者，所以 but 前面应该说没有消息，空格填入一个负向词。disclosed to 公开，lead to 导致，withheld from 封锁，denied to 被拒绝，suppressed by 被删除，所以 C、D 和 E 选项候选。

空格 (i):

- 方程等号：despite 尽管，前后取反。
- 强词和对应：主句部分说谈判中的细节对所有记者都没有透露消息，所以 despite 部分应该说新闻界有消息。所以空格填入一个正向词。keep...abreast of 同步报道（对），involved in 被卷入（对），apprised of 告知（对），speculating about 推测（错），ignorant of 无知（错）。综合空格 (ii)，答案选 C。

翻 译　尽管工会和管理层之间达成共识，印刷和电子媒体都可以获悉谈判的进程，但是谈判的细节却对除了几个主要大都市报纸之外的所有记者都封锁了。

21-20　答案：B

难 度　★

思 路

- 方程等号：逗号前后取同。

- 强词和对应：逗号前说古法语句子中的词汇顺序比现代法语的更加自由，空格和 freer 根据逗号取同，描述这种"自由"在逐渐消失。restriction 限制，license 自由，similarity 类似，rigidity 僵化，imperative 必要的事。答案选 B。

翻 译 古法语句子中的词汇顺序比现代法语的更加自由；随着法语逐渐失去了它的"格"的区别，这种自由也消失了。

21-21 答案：E

难 度 ★★

思 路 空格 (ii)：
- 方程等号：paradoxically 矛盾地，取反。
- 强词和对应：personal involvement 指向空格 (ii)，根据 paradoxically 取反，体现学者的"非个人情感"。sympathy 同情，abandon 放纵，precision 精确，passion 激情，detachment 客观。选项 C 和 E 合适。

空格 (i)：
- 方程等号：whereas 尽管，句内取反。
- 强词和对应：根据后文描述，社会科学家需要将个人情感和"非个人情感"二者结合起来，空格 (i) 和 personal involvement 或者和空格 (ii)（非个人情感）同义重复，只体现其中一种。scrupulous 严谨认真的（对），careful 仔细的（对），casual 随意的（错），passive 消极的（错），disinterested 公正客观的（对）。综合空格 (ii)，答案选 E。

翻 译 尽管生物学家必须对研究课题保持公正客观的态度，而社会科学家，矛盾的是，却必须将个人情感与学者的公正结合起来。

Exercise 22

所谓的光辉岁月，并不是后来闪亮的日子，
而是无人问津时你对梦想的偏执。
——王蔚琪
微臣教育 2015 秋季 325 计划助教
录取院校：纽约大学 EE 专业

EXERCISE 22

核心词汇

1.《GRE 核心词汇考法精析》收录单词（共 60 词）

abject	acrimonious	anathema	antedate
appealing	aspect	belie	blatant
blur	buttress	cellular	ceremonious
civility	complicate	consensus	contradict
contravene	convoluted	court	courteous
dampen	decry	diversity	dormant
eclectic	efficacious	enthusiasm	exorcise
expire	explicit	fanciful	favorable
flourish	frequent	grandiose	halfhearted
inconsequential	innovative	insubordinate	manifest
mundane	novice	obscure	panacea
pervade	plausible	prodigious	project
quiescent	repugnant	resurgence	rudimentary
salutary	surly	symmetry	trepidation
trivial	umbrage	visionary	vitriolic

2. 基础单词补充（共 8 词）

bias	*v.* 使有偏见：to influence in a particular, typically unfair direction; prejudice
divergent	*adj.* 不同的：differing from another
exception	*n.* 反对：an objection or a criticism
jeopardize	*v.* 使危险：to expose to loss or injury; imperil
practicable	*adj.* 行得通的：capable of being effected, done, or put into practice; feasible
redundancy	*n.* 过剩：the state of being exceeding what is necessary or normal
temporary	*adj.* 暂时的：lasting, used, serving, or enjoyed for a limited time
unremarkable	*adj.* 普通的：lacking distinction; ordinary

练习解析

22-1 答案：D

难 度 ★★

思 路 空格 (i)：
- 方程等号：and 连接平行结构，同义重复。not 取反。little 取反。
- 强词和对应：and 前面的内容说 Read 对 Heflin 的道歉算不上真正的卑微，即道歉没有用。所以 and 后面应该也说道歉没有用，体现道歉对他们几十年的争吵（quarrel）没有（little）"缓解"。encourage 鼓励，dampen 抑制，obscure 掩盖，resolve 解决，blur 使模糊。选项 B、C 和 D 合适。

空格 (ii)：
- 方程等号：which 引导的定语从句修饰 quarrel，描述 quarrel 的特点，同义重复。
- 强词和对应：根据 quarrel 的释义：when two or more people quarrel, they have an angry argument，即生气的争论，空格 (ii) 和 quarrel 取同，填入一个负向词。sporadic 断断续续的(错)，courteous 有礼貌的（错），ceremonious 隆重的（错），acrimonious 尖酸刻薄的（对），sarcastic 讽刺的（对）。综合空格 (i)，答案选 D。

翻 译 Read 对于 Heflin 的道歉算不上真正的卑微，对于解决他们几十年来的争论也没有什么太大帮助，而他们之间争论的尖酸刻薄的程度已经到了学术界的基本礼仪所能接受的极限。

22-2 答案：D

难 度 ★

思 路 方法一：
- 方程等号：thereby 表示因果，同义重复。
- 强词和对应：根据题意，杂草通过对稻谷的生命周期的空格动作使得它们和稻谷是无法区分的（indistinguishable）。indistinguishable 指向空格，取同，体现杂草在稻谷中是"无法区分的"。deter 阻止，displace 取代，augment 增加，imitate 模仿，nurture 培养。答案选 D。

方法二：
- 方程等号：by 表示方式方法，同义重复，
- 强词和对应：空格和 resist detection 根据 by 取同，体现"觉察不到"，所以答案选 D。

翻 译 通过模仿稻谷生命周期中的幼苗期，某些在稻谷中繁荣生长的杂草在成熟之前难以被发现，因此这些杂草直到开花期之前一直和稻谷是无法区分的。

22-3 答案：E

难 度 ★

思 路 空格 (ii)：
- 方程等号：although 尽管，句内取反。too...to... 太…以至于不能…，取反。
- 强词和对应：although 后面的主句提到建筑师的仔细分析说服了委员会，他提议的建筑在结构上是切实可行的（feasible），因此 feasible 指向空格 (ii)，根据 although 和 too...to... 取

反两次后，取同，选"合乎实际的"。attractive 吸引人的，appealing 吸引人的，affordable 付得起的，ignored 被忽视的，practicable 切实可行的。选项 E 合适。

空格 (i)：

- 方程等号：too...to... 太…以至于不能…，取反。
- 强词和对应：空格 (i) 和空格 (ii) 根据 too...to... 取反，所以填入一个表示"不切实际"含义的单词。mundane 平凡的，eclectic 混合的，grandiose 宏伟的，innovative 创新的，visionary 空想的。综合空格 (ii)，答案选 E。

翻 译 尽管这位建筑家的概念起初听上去过于空想以至于显得不切实际，但他对工程各个方面的仔细分析说服了委员会，他提议中的建筑在结构上确实是可行的。

22-4 答案：C

难 度 ★

思 路
- 方程等号：no...but... 不是…而是…，前后句意取反。
- 强词和对应：but 后面的内容提到只是一个业余爱好者对语言的兴趣，空格和 hobbyist 根据 no...but... 取反，选"非业余的，专业的"。manifest 明显的，plausible 可信的，technical 专业的，rudimentary 基本的，insignificant 不重要的。答案选 C。

翻 译 Gould 声称没有语言学家的专业知识，而是只有一个业余爱好者对语言的兴趣。

22-5 答案：B

难 度 ★★

思 路 空格 (ii)：

- 强词和对应：一个复杂和微妙的风格会空格 (ii) 简化成为一个类型。"复杂"和"简化成一种模式"取反，空格填入一个负面特征的词。risk 冒险，resist 抵抗，withstand 承受，consist of 由…组成，demand 要求。选项 B 合适。

空格 (i)：

- 方程等号：as 作为，前后句意同义重复。
- 强词和对应：前文说这种明显的风格能通过肤浅的奇怪言行被分辨出来，奇怪的行为会被空格 (i) 成为一种做作，做作是一个负向词，所以空格 (i) 应该是一个表示负向含义的词。avoid 避免（错），decry 谴责（对），prize 珍重（错），identify 识别（对），cultivate 培养（对）。综合空格 (i)，答案选 B。

翻 译 一种易于通过肤浅的奇怪言行被辨认出来的明显风格，非常恰当地被指责为矫揉造作；而一种复杂微妙的风格却难以简化为任何一种类型。

注 释 reduce to 的释义是 if something is changed to a different or less complicated form, you can say that it is reduced to that form。

22-6 答案：A

难 度 ★★

思 路 空格 (i)：
- 方程等号：and 连接平行结构，同义重复。
- 强词和对应：and 前面的内容提到新药的副作用是常见的，空格 (i) 和 commonly observed 根据 and 取同，体现"常见的"的特点。unremarkable 寻常的，unpredictable 无法预测的，frequent 时常发生的，salutary 有益的，complicated 复杂的。选项 A 和 C 合适。

空格 (ii)：
- 方程等号：even 即使，反义重复。
- 强词和对应：根据题意，实验室的测试对药的副作用是警惕的（caution），因此空格 (ii) 和 caution 根据 even 取反，选择表示"无须慎重对待的"词。safe 安全的（对），reliable 可靠的（对），outdated 过时的（错），experimental 实验性的（错），useful 有用的（对）。综合空格 (i)，答案选 A。

翻 译 如果一种有效的新药带有很常见且普遍的副作用，那么这样的药向来会被认为是安全的，即使实验室的测试表明要对其保持警惕。

⸻

22-7 答案：E

难 度 ★★

思 路 空格 (i) + 空格 (ii)：
- 方程等号：although 尽管，句内取反。空格 (i) 和空格 (ii) 联动，根据 although 取反，选一组反义词。
- 强词和对应：favorable 赞同的...approval 同意，取同，排除；dispirited 沮丧的...reluctance 不愿意，取同，排除；surly 脾气坏的...resentment 憎恨，取同，排除；halfhearted 不热心的...composure 冷静，负向但不是反义词，排除；vitriolic 尖酸刻薄的...civility 礼貌，取反，正确答案。答案选 E。

翻 译 尽管一些代表对反方的建议给出了尖酸刻薄的回答，但大多数代表用文明礼貌的方式对待反方的陈述。

⸻

22-8 答案：C

难 度 ★★

思 路 空格 (i)：
- 方程等号：by 表示方式方法，同义重复。
- 强词和对应：by 的部分说这个经理奇怪地拒绝去开除一个不听话的下属，空格 (i) 与 by 后面的内容取同，体现经理拒绝开除不听话员工的"不好的结果"，填入一个负向词。institute 建立，recognize 认识，contravene 违反，reiterate 重申，delimit 划定界限。答案选 C。

空格 (ii)：
- 方程等号：not only...but also... 表示不仅…而且…，同义重复。
- 强词和对应：not only 部分说这个经理不仅违反了已经确立的政策，所以 but also 部分应该也是对于这个经理给予负面评价，体现他做得不好。填入一个负向词，better 使…更好（错），protect 保护（错），jeopardize 危害（对），compute 计算（错），restrict 约束（对）。答案选 C。

翻 译 通过特立独行地拒绝解雇一个不服从领导的下属，这位经理不但违反了已经确立的政策，而且危及了他迄今为止升职的好机会。

22-9 答案：D

难 度 ★

思 路 方法一：

- 方程等号：rest on 基于，前后同义重复。
- 强词和对应：various 指向空格，根据 rest on 取同，体现不同成员的政策目标基于"不同的假设"。commonplace 平凡的，trivial 不重要的，explicit 明确的，divergent 不同的，fundamental 基础的。答案选 D。

方法二：

- 方程等号：because 表示因果，前后句意同义重复。difficult 表示困难，取反。
- 强词和对应：consensus 指向空格，根据 difficult 取反，体现意见"不一致"。正确答案选 D。

翻 译 议会很难得到关于能源政策方面的一致意见，主要是因为议会不同成员之间的政策目标基于如此不同的假设之上。

22-10 答案：D

难 度 ★★

思 路 空格 (ii)：

- 方程等号：shock 表示震惊，前后句意反义重复。
- 强词和对应：前文提到有罪判决的新闻（guilty verdict），与 acquittal（无罪宣判）反义重复。之前是无罪，之后却有罪，这个事实让公众很惊讶，所以空格 (ii) 填入一个不改变方向的词。condemn 谴责，urge 推进，mention 提出，predict 预测，denounce 指责。B、C、D 三项合适。

空格 (i)：

- 方程等号：was caused by 表示因果，前后句意同义重复。
- 强词和对应：前面提到公众是震惊的，shock 的释义是 if you have a shock, something suddenly happens which is unpleasant, upsetting, or very surprising。因此空格 (i) 是对新闻故事的负面评价，使公众产生"负面态度"。sensational 耸人听闻的（对），buried 被掩埋的（错），impartial 公正客观的（错），biased 有偏见的（对），local 地方性的（错）。综合空格 (ii)，答案选 D。

翻 译 公众普遍对有罪判决的新闻的震惊是由于有偏见的新闻报道所导致的，而这些报道曾预言会无罪释放。

22-11 答案：A

难 度　★★

思 路　空格 (i)：
- 方程等号：and 连接平行结构，前后句意同义重复。
- 强词和对应：and 后面说现在可以毫无恐惧地享受户外的景色，natural settings 和 the outdoors 同义重复，因此空格 (i)+ 空格 (ii) 和 without trepidation 取同，体现对户外景色没有恐惧。fear of 担忧...exorcise 驱除，concern about 关注...regain 恢复，affection for 喜爱...surmount 战胜，disinterest in 客观公正...alleviate 缓和，enthusiasm for 热爱...confront 面对。只有 A 选项满足没有恐惧的含义，所以选 A。

翻 译　这些创作于 18 世纪的有关大自然的理想主义的画作，表明了中世纪对自然环境的恐惧已经被驱除而且现在人们可以毫无恐惧地享受室外风光。

注 释　B 选项中的 regain 表示重新获取，而我们并不知道这些画家之前是否有关注，但如果把 regain 换成 gain，那么正确。

- ◈

22-12 答案：B

难 度　★★

思 路　空格 (ii)：
- 方程等号：either A or B，A 与 B 反义重复。
- 强词和对应：根据题意，空格 (ii) 和 decreased 构成反义重复，体现物种多样性 "不下降"，即 "上升" 或者 "不升不降"。escalation 增加，stasis 停滞，discontinuity 不连续，reduction 降低，deviation 偏离。选项 A 和 B 合适。

空格 (i)：
- 方程等号：whether A or whether B，A 与 B 反义重复。
- 强词和对应：空格 (i) 和 greater 构成反义重复。change 改变（可能 "变多" 也可能 "变少"，排除），increase 增加（对），expand 扩展（对），decline 下降（错），improve 增加（对）。答案选 B，在这里 increase 和 greater 是程度差异，正确。

翻 译　有些古生物学家讨论：自寒武纪以来物种的多样性是否增加，或者化石记录中的不完整只能说明如今有更多的物种；然而实际上物种多样性要么没有变化，要么在下降。

注 释　while 尽管，前后反义重复。while 前面讨论物种是在寒武纪之后增加（increase）还是在今天更多（greater），while 后描述的实际情况是物种其实不增不减（stasis）或者是在降低（decrease）。

- ◈

22-13 答案：D

难 度　★★

思 路　空格 (ii)：
- 方程等号：however 但是，前后取反。
- 强词和对应：根据题干，however 前面说在实验室处理 tissue culture，而后面说处理的是 human beings。空格 (ii)+organisms 和 human 同义重复，而 tissue 是 human 的一部分，所以 however 的取反是部分和整体的取反，空格 (ii) 填入一个表示整体含义的单词。similar 类似的，simple 简单的，cellular 细胞的，whole 整体的，unknown 未知的。选项 D 合适。

空格 (i)：

- 方程等号：is contingent on 取决于…，表示因果，前后句意同义重复。
- 强词和对应：manipulate 指向空格 (i)，取同，体现能在实验室"处理好"有机物的荷尔蒙可以处理好人类。develop 发展（对），succeed 成功（对），fail 失败（错），work 起作用（对），reproduce 繁殖（错）。综合空格 (ii)，答案选 D。

翻译 用荷尔蒙激素处理实验室里的离体组织培养是一回事；而用荷尔蒙激素来治疗人类则取决于在实验室里起作用的荷尔蒙是否能以可预料的方式影响整体的有机体。

22-14 答案：E

难度 ★★

思路
- 方程等号和强词：feminism 和 feminist, the Association for the Advancement of Women 构成同义重复，that period 指代 1870's。空格 (ii) 描述女权主义的特点，空格 (i) 表示对当时这种女权主义特点的观点的态度。因此空格 (i) 和空格 (ii) 联动。

空格 (i) + 空格 (ii)：
- 如果空格 (ii) 和 prodigious activity 或 vigor 取同，体现当时女权主义是"活跃的"，thriving 繁荣的，prospering 繁荣的，A 和 B 可以候选。空格 (i) 为正向，体现当时大量（prodigious）的女权活动"体现"或"支持"这种言论。但是 A 选项 exclude（排除）、contradict（反对）都是负向词，所以这种思路没有备选答案。
- 如果空格 (ii) 和 prodigious 或 vigor 取反，体现当时女性主义活动是"不活跃的"，dormant 不活跃的，quiescent 不活跃的，D 和 E 可以候选。空格 (i) 为负向，体现当时大量（prodigious）的女性活动"削弱"或"反对"这种断言。D 选项 buttress（支持），正向，错误，E 选项 belie（证明为假），正确。
- C 选项，pervade 贯穿…remote 遥不可及，无关排除。答案选 E。

翻译 天文学家兼女权主义者 Maria Mitchell 自己所做的大量活动和妇女促进协会在 19 世纪 70 年代所展现的活力证明了女权主义在那个阶段处于不活跃的状态的观点是不正确的。

22-15 答案：B

难度 ★★

思路
- 方程等号：only by 表示只有通过，前后句意同义重复。anything more than 相当于 not，取反。
- 强词和对应：根据题意，前文说只有忽视几十年来的管理不善和效率低下，投资者才能得出新鲜的资金注入可以为公司的财政困难提供的不是（anything more than）具有空格特征的解决方案。空格和 a fresh infusion of cash 根据 anything more than 取反，负评价。fair 公平的，temporary 临时的，genuine 真正的，realistic 现实的，complete 完整的。答案选 B。

翻译 只有在忽略几十年的管理不善和效率低下的情况下，投资者们才能得出这样的结论：一批新的资金注入会为公司的财政危机提供一个一劳永逸的解决措施。

注释 only by 这种结构往往在说反话，题目想表现的意思是这家公司的管理不善和效率低下是没有办法忽视的。

22-16 答案：B

难 度　★★

思 路　空格 (i)：
- 方程等号：Although 尽管，表示让步转折，取反。not 取反。两次取反后同向。
- 强词和对应：前文说抗生素的发展导致了临床上的巨大进步，空格 (i) 和 great advances 取同，选择表示"进步"的词，填入一个正评价。breakthrough in 突破，panacea for 万灵药，neglect of 疏忽，reexamination of 复查，resurgence of 复活。选项 A 和 B 合适。

空格 (ii)：
- 方程等号：for 表示因果，前后句意同义重复。not 和 cannot 两次取反后同向。
- 强词和对应：根据空格 (i) 可知抗生素对疾病的作用是不（not）"好"的，因此空格 (ii) 和空格 (i) 取同，体现抗生素对疾病是没有（not）"正向作用的"。consistently 持续地（错），effectively 有效地（对），efficiently 效率高地（对），conventionally 传统地（错），entirely 完全地（对）。综合空格 (i)，答案选 B。

翻 译　尽管抗生素的发现导致了临床医学的巨大进步，但它并不是针对细菌性疾病的一种万能药，因为有一些细菌无法用抗生素有效地治疗。

22-17 答案：A

难 度　★

思 路
- 方程等号：冒号，前后同义重复。
- 强词和对应：冒号前说错误的观念是句子结构反映了思想，结构和思想相同。所以冒号后面应该也体现结构和思想相同，因此当句子结构越复杂时，空格和 convoluted 取同，体现思想也随之更"复杂"。complicated 复杂的，inconsequential 不重要的，elementary 基本的，fanciful 不切实际的，blatant 明目张胆的。答案选 A。

翻 译　菜鸟作家普遍持有的错误观点认为，句子结构反映思想：结构越复杂，思想就越复杂。

22-18 答案：C

难 度　★★

思 路　空格 (ii)：
- 方程等号：by 作方式状语，前后句意同义重复。
- 强词和对应：cheating 和 serious trouble 根据 by 取同，因此空格 (ii) 不改变逻辑方向，填入一个正向词，体现通过欺骗"带来"了严重的麻烦。risk 冒险，avert 躲避，court 招致，evade 躲避，hazard 冒险。选项 C 合适。

空格 (i)：
- 方程等号：but 但是，前后取反。
- 强词和对应：the hint of an untruth 和 cheating 构成同义重复，but 后面说他会通过逃税漏税欺骗，but 前面应该说他不会欺骗，所以空格 (i) 填入一个负向词。acceptable 可接受的（错），exciting 令人兴奋的（错），repugnant 厌恶的（对），anathema 痛恨（对），tempting 诱人的（错）。综合空格 (ii)，答案选 C。

翻 译	Jones 无法意识到自己态度中的矛盾对其他人来说是很明显的；即使是一丝虚假也会让他厌恶，但他却因总是逃税漏税而招来了严重的麻烦。

注 释	此题可以变成一个三空题，将 contradiction 挖空，分号后面说他对于一点虚假也会厌恶，但是他却总是逃税漏税欺骗，所以他是一个矛盾的人，填入 contradiction。

22-19 　答案：C

难 度	★★

思 路	空格 (i) + 空格 (ii)：

- 方程等号：even though 尽管，句内取反。hardly 取反。两次取反后为同向。
- 强词和对应：前文提到将军谨慎合格的公开声明，两个空格体现公众对将军的声明的态度。空格 (i) 和空格 (ii) 根据 Even though 和 hardly 取反两次后取同。respected 受尊敬的...(take) liberties with 对某事无礼，取反，排除；inoffensive 无害的...(take) umbrage at 对…生气，取反，排除；faulted 被指责的...(take) exception to 反对，取同，正确答案；credited 受到信任的...(take) potshots at 肆意抨击，取反，排除；dismissed 不被考虑的...(take) interest in 感兴趣。取反，排除。答案选 C。

翻 译	即便将军谨慎合格的公开声明不太可能被指责，但仍然有些人反对它。

22-20 　答案：E

难 度	★★★

思 路	

- 方程等号：though 尽管，句内取反。
- 强词和对应：后文提到电影制片者积极参与女性政治，involvement in feminist politics 和 feminist in implication 同义重复，因此空格体现 1974 年的电影其实"没有"女权主义。preserve 保存，portray 描述，encourage 鼓励，renew 复兴，antedate 在…之前。答案选 E。选项 E 体现了时间对比，证明 Yvonne Rainer 1974 年的电影是在参与女权运动之前拍的，所以就没有女权运动元素，之后才真正参与到女权主义运动中。

翻 译	尽管 Yvonne Rainer 的这部 1974 年的电影中暗含了女权主义，但这部电影却早于电影制作人积极参加到女权主义政治活动中而出现。

注 释	这道题如果选 B 选项，句意就变成了"尽管 Yvonne Rainer 的这部 1974 年的电影中暗含了女权主义，但这部电影却清晰地表达了电影制作人积极参加到女权主义政治活动中。"含蓄表达和清晰表达矛盾，所以排除 B 选项。

22-21 　答案：E

难 度	★★

思 路	空格 (i)：

- 方程等号：if 引导条件状语从句，同义重复。
- 强词和对应：if 从句中提到如果任何至关重要的功能被限制在单一的器官中，一个物种空

格的机会就会减少，reduced 和 is restricted to 根据 if 取同。所以空格 (i) 和 vital function 对应，体现对物种"重要功能"的机会在减少。degenerate 退化（错），expire 死亡（错），disappear 消失（错），flourish 兴旺（对），persist 存在（对）。选项 D 和 E 合适。

空格 (ii)：

- 方程等号：分号说明前后句意同义重复。
- 强词和对应：后文中的 itself 指代空格 (ii)，enormous 和 reduced 取反，因此根据题意，功能被限制在单一器官中的存活率会降低，因此空格 (ii) 和 single 取反，体现功能在"很多"器官有好处（advantage）。complexity 复杂性（错），size 尺寸（错），variety 多样性（对），symmetry 对称（错），redundancy 多余（对）。综合空格 (i)，答案选 E。

翻 译 如果任何至关重要的功能都被限制在一种单一的器官中的话，物种生存的机会就会减少；多余本身就拥有一个巨大的生存优势。

Exercise 23

20 岁时，我们一无所有，但也意味着一切皆有可能。Never say never.

——上官临颖

微臣教育线上课程学员

2015 年 9 月 Verbal 161, Quantitative 170

EXERCISE ㉓

核心词汇

1.《GRE 核心词汇考法精析》收录单词（共 63 词）

abandon	absolute	acerbic	analogous
antithetical	applicable	compose	conceal
content	contentious	contract	counterpart
curtail	denounce	depressed	derivative
didactic	diffident	dismay	disregard
distort	drab	eternal	explicate
facetious	flexible	gasification	harmonious
harsh	imposing	incentive	innovative
instigate	intensify	intrepid	issue
luminous	mean	onerous	opaque
original	ossify	perimeter	pertain
pertinent	preface	presumptuous	prohibitive
provoke	prudent	reconcile	reluctant
repudiate	sectarianism	steep	suppress
tentative	thwart	transparent	valid
venerate	warrant	wit	

2. 基础单词补充（共 12 词）

ambivalence　　*n.* 纠结：simultaneous and contradictory attitudes or feelings (as attraction and repulsion) toward an object, person, or action

antidote　　*n.* 矫正方法：something that is an antidote to a difficult or unpleasant situation helps you to overcome the situation.

commercial　　*adj.* 商业的：involving or relating to the buying and selling of goods

cynicism　　*n.*（对成功或人的真善的）怀疑：cynicism about something is the belief that it cannot be successful or that the people involved are not honorable

definitive　　*adj.* 最终的：a firm conclusion that cannot be questioned

enigmatic　　*adj.* 难以理解的：incapable of being comprehended

galaxy　　*n.* 星系：an extremely large group of stars and planets that extends over many billions of light years

gouge　　*v.* 向…漫天要价：to make (someone) pay too much money for something

idealism	*n.* 理想主义：the beliefs and behavior of someone who has ideals and who tries to base their behavior on these ideals
neutral	*adj.* 中立的：not supporting either side of an argument, fight, war, etc.
omit	*v.* 遗漏：to leave out (someone or something); to not include (someone or something)
postpone	*v.* 推迟：to decide that something which had been planned for a particular time will be done at a later time instead

23-1 答案：E

难　度 ★★

思　路 空格 (i)：
- 方程等号：war 和 the queen 之间省略 that。that 引导定语从句，修饰 war，前后句意同义重复。
- 强词和对应：根据后文得知女王的顾问们是谨慎的（prudent），因此 prudent 指向空格 (i)，取同，体现女王和顾问们对战争采取"谨慎的"态度。provoke 激起，denounce 公开指责，instigate 激起，curtail 限制，avoid 避免。选项 D 和 E 合适，即"不轻易发动战争"。

空格 (ii)：
- 方程等号：and 连接平行结构，前后句意同义重复。
- 强词和对应：根据题意，and 前面的内容提到女王和她的顾问们是谨慎地对待战争，空格 (ii) 和空格 (i) 根据 and 取同，体现对战争的"谨慎"态度。delay 推迟（对），deny 否认（错），conceal 隐藏（错），promote 促进（错），postpone 推迟（对）。综合空格 (i)，答案选 E。

翻　译 这场战争是女王和她更为谨慎的顾问们极力希望避免的，并且决定无论如何也都要尽可能推迟战争的发生。

注　释 这句话出现了两处省略，一处是定语从句省略，一处是平行结构省略。完整的句子应该是"It was a war that the queen and her more prudent counselors wished to avoid if they could and it was a war that the queen and her more prudent counselors were determined in any event to postpone as long as possible"。如果想要更多了解长难句中的省略现象，可以参考《GRE/GMAT/LSAT 长难句 300 例精讲精练》的方法论部分。

23-2 答案：D

难　度 ★★

思　路 空格 (i)：
- 方程等号：despite 尽管，句内取反。not 取反。两次取反后，方向相同。
- 强词和对应：尽管对煤的气化问题进行了几十年的研究，但是积累起来的数据没有直接空格 (i) 环境问题，despite 和 not 两次取反，所以空格 (i) 填一个正向词，体现多年的研究对环境问题没有（not）"用"。analogous 相似的，transferable 可转移的，antithetical 对立的，applicable 适用的，pertinent 相关的。选项 D 和 E 合适。

空格 (ii)：
- 方程等号：thus 表示因果，同义重复。
- 强词和对应：thus 前面说煤的气化这种研究对于环境问题没有用，thus 后面提到了新的研究项目应该对于环境问题就是有用的，所以空格 (ii) 填一个正向词。promising 有前途的

（对），contradictory 矛盾的（错），unremarkable 不显著的（错），warranted 合理的（对），unnecessary 不必要的（错）。综合空格 (i)，答案选 D。

翻 译 尽管对煤的气化问题进行了几十年的研究，但积累下来的数据不能直接应用于环境问题；因此，专门解决这个问题的一项新研究是必要的。

23-3 答案：C

难 度 ★★

思 路 空格 (i)：
- 方程等号：unlike 不像，反义重复。
- 强词和对应：逗号后面描述人类是文化积累了多年的产物，unlike 前后取反，所以空格 (i) 和 over years 根据 unlike 取反，体现生物很大程度上是由"时间不长"的环境所塑造的。harsh 严厉的，surrounding 周围的，immediate 当下的，natural 自然的，limited 有限的。immediate 的释义：happening or existing now，当下发生的，因此选项 C 合适。

空格 (ii)：
- 方程等号：by 被…，前后同义重复。
- 强词和对应：空格 (ii) 体现从各处大量注入的新信息对文化所做的一个持续的动作，new information 指向空格 (ii)，根据 by 取同，体现"新信息的影响"。unconfirmed 未被证实的（对），upheld 被支持的（错），transformed 被改变的（对），mechanized 被机械化的（错），superseded 被取代的（错）。综合空格 (i)，答案选 C。

翻 译 与其他由它们当下所处的环境所塑造的生物不同，人类是几个世纪文化积累的产物，并且迄今为止这个文化一直不停地被从各个方面大量涌入的新信息所改变。

23-4 答案：C

难 度 ★

思 路
- 方程等号：by 通过…，表示方式方法，同义重复。
- 强词和对应：前文说 Edith Wharton 在回忆录中将自己表现为和谐统一的整体，by 表示方式方法，所以空格 +the conflicting elements 和 harmonious 取同，体现"和谐统一"。affirm 肯定，highlight 强调，reconcile 协调，confine 限制，identify 识别。仅仅"限制"冲突是无法达到和谐的，因此排除选项 D。答案选 C。

翻 译 通过协调自己生活中种种相冲突的元素，Edith Wharton 努力在她的回忆录中将自己表现为已经实现和谐统一的整体。

23-5 答案：B

难 度 ★★

思 路 空格 (i)：
- 方程等号：important articles 和 they 之间省略 that，that 引导定语从句，修饰 articles，前后句意同义重复。

- 强词和对应：空格 (i) 表现编辑对重要的文章（important articles）的动作，根据 were published too recently for inclusion 可知文章的发表时间太晚所以没有被收录，因此空格 (i) 填一个负向词，体现这些文章"没有被收录"。discuss 讨论，omit 遗漏，revise 修改，disparage 轻视，ignore 忽视。D 和 E 都表示"忽视、轻视"，但是这和 important 矛盾，所以排除 D 和 E，答案选 B。

空格 (ii)：
- 方程等号：this 表示指代，说明前文出现过该对象，同义重复。
- 强词和对应：前文说作品集的编辑们为自己的行为找借口（plead 的释义是 if you plead a particular thing as the reason for doing or not doing something, you give it as your excuse），因此空格 (ii) 和 plead 根据 this 构成同义重复，体现"借口"。replacement 代替（错），excuse 借口（对），clarification 澄清（错），justification 正当的理由（错），endorsement 支持（错）。justification 的释义是 a justification for something is an acceptable reason or explanation for it，和 not valid（不合理的）矛盾，因此排除选项 D。选项 B 合适。

翻 译 在他们的前言当中，文集的编辑们借口说有一些他们忽略掉的重要文章是因为发表得太晚才没有被包含在作品集中；但是对于许多这样的文章而言，这个借口是不合理的。

23-6 答案：A

难 度 ★

思 路
- 方程等号：despite 尽管，句内取反。
- 强词和对应：disagreement 和 agreement 根据 despite 取反，体现尽管他们长期以来的尖酸刻薄的分歧，但还是在一个问题上达成了一致。long history 指向空格，根据 despite 取反，体现时间"短"。swift 迅速的，onerous 繁重的，hesitant 犹豫的，reluctant 勉强的，conclusive 确定无疑的。conclusive 确定无疑的与 tentative 临时的，前后矛盾，不能说"尽管临时的，但是确定无疑的一致意见"，排除 E 选项。答案选 A。

翻 译 尽管长期以来工会和公司的管理层之间几乎对各个问题都存有无穷无尽、尖酸刻薄的分歧，但他们却依然就下一年度的合同达成了尽管仍然是临时的，但却出乎意料的、迅速的一致意见。

23-7 答案：D

难 度 ★★

思 路 空格 (i) + 空格 (ii)：
- 方程等号：not...but... 不是…而是…，取反。
- 强词和对应：句中 inflamed indignation 被点燃的怒火和 detachment 冷静，已经形成取反，所以两个空格联动，且都是一组正向词。代入选项，display 显示...rail at 抨击，取反，排除；rely on 依赖...avoid 避免，取反，排除；suppress 抑制...cling to 坚持，取反，排除；express 表现...affect 表现出，取同，正确答案；resort to 采用...spurn 抛弃，取反，排除。答案选 D。

翻 译 作为对今天政界和商界愚蠢行为的回应，这位作者并没有表达出被点燃的怒火，而是表现出一位 18 世纪智者格言式的散文所具有的超脱与流畅。

注 释 affect 的英文释义是 if you affect a particular characteristic or way of behaving, you pretend that it is genuine, or natural for you。

23-8　答案：A

难度　★

思路
- 方程等号：冒号前后，同义重复。
- 强词和对应：close the book 意为下定论，因此空格和 close the book 根据冒号取同，体现他寻找"下定论"的答案。definitive 明确的，confused 迷惑的，temporary 临时的，personal 个人的，derivative 非原创的。答案选 A。

翻译　Vaillant 对人们获得精神健康的方法尤其感兴趣，他似乎正在寻找明确的答案：一个能彻底解答至少对一些关于人性的问题的答案。

23-9　答案：A

难度　★

思路
- 方程等号：thus 表示因果，前后句意同义重复。avoided 避免=not，取反。
- 强词和对应：根据题意，前文提到工程师必须理解丰富多样的学科，因此空格和 diverse 根据 avoided 取反，体现"不丰富"的工程课程应该被避免。narrow 有限的，innovative 创新的，competitive 竞争的，rigorous 严格的，academic 学术上的。答案选 A。

翻译　受过良好训练的工程师必须理解如物理、经济学、地质学和社会学等丰富多样的学科；因此，应该避免过度有限的工程课程。

23-10　答案：B

难度　★

思路　空格 (ii)：

- 方程等号：because 表示因果，同义重复。
- 强词和对应：they 指代 explosions，根据题意，因为超新星的爆炸是非常遥远的，或者因为超新星的爆炸由于介入的灰尘和气体云而变得昏暗。因此 hard to+ 空格 (ii) 和 dimmed 根据 because 取同，填一个正向词。observe 观测，detect 觉察，foresee 预知，determine 决定，disregard 忽视。选项 A、B 和 D 合适。

空格 (i)：
- 方程等号：although 尽管，句内取反。
- 强词和对应：主句部分说，超新星的爆炸是难以观测的，因此空格 (i) 和难以观测根据 although 取反，体现超新星是最"容易观测"的天文现象。remote 遥远的（错），luminous 明亮的（对），predictable 可预测的（错），ancient 古老的（错），violent 剧烈的（对）。综合空格 (ii)，答案选 B。

翻译　尽管超新星是宇宙中最明亮的天文现象，但是这些星体的爆炸却是难以觉察的，或者是因为它们极其遥远，或者是它们由于介入了灰尘和气体而黯淡无光。

注释　these stellar explosions，出现了指示代词 these，所以指示代词指代的对象一定要在上文出现过，所以空格 (i) 和 explosion 也有对应关系，爆炸应该是"明亮"或者"剧烈"的现象，所以 B 和 E 可以候选。

23-11 答案：E

难度 ★

思路 空格 (i)：
- 方程等号：逗号说明前后句意同义重复。
- 强词和对应：前文提到燃料普遍不足，空格 (i) 和 shortage 构成同义重复，体现燃料不足对价格带来的影响，而供给不足价格会"升高"。reactive 有反应的，stable 稳定的，depressed 萧条的，prohibitive（价格）过高的，excessive 过高的。选项 A、D 和 E 合适。

空格 (ii)：
- 方程等号：so...that... 因为太…所以…，前后句意同义重复。
- 强词和对应：空格 (ii) 和空格 (i) 构成同义重复，体现供应商对消费者因为"高价"而产生的影响。shield 保护（错），blackmail 敲诈（对），cheat 欺骗（错），placate 安慰（错），gouge 敲诈（对）。综合空格 (i)，答案选 E。

翻译 在燃料普遍短缺期间，汽油的价格是如此高，以至于人们通常认为供应商们是在敲诈消费者。

23-12 答案：B

难度 ★★

思路 空格 (i)：
- 方程等号：第一个 but 但是，反义重复。not 取反。
- 强词和对应：后文说那并不意味着艺术家必须也是一位科学家。空格 (i) 和 be 根据 but 和 not 取反两次后，构成同义重复，体现艺术和科学是有正向关系的。precede 早于，incorporate 包含，transcend 超越，imitate 模仿，resemble 类似于。选项 A 和 C 都在强调艺术和科学的不同，所以排除。选项 B、D、E 合适。

空格 (ii)：
- 方程等号：第二个 but 但是，反义重复。not 取反。
- 强词和对应：分号后面的内容提到艺术家使用科学的结果，空格 (ii) 和 uses 根据 but 和 not 取反两次后，构成同义重复，艺术家对于科学是正向关系。anticipate 预见（对），understand 理解（对），abandon 放弃（错），repudiate 拒绝（错），contest 反对（错）。综合空格 (i)，答案选 B。

翻译 艺术包含科学，但这并不意味着艺术家必须也是一位科学家；艺术家使用科学成果但无须理解得出这些成果的理论。

注释 这道题的两个空格的解题思路完全一致，都是 but...not 这样的结构，非常单纯。

23-13 答案：E

难度 ★★

思路
- 方程等号：to 介词结构倒装修饰空格，修饰内容同义重复。
- 强词和对应：creating a safer workplace 修饰空格，空格体现可以创造一个更安全的工作环境，因此为正评价。antidote 对抗方法，alternative 替代物，addition 额外事物，deterrent 阻止物，incentive 激励。antidote to something 是对 something 的对抗方法，如果选 A 就变成了对于创造更安全的工作环境的对抗手段，句意相反，排除，而且 deterrent 和他类似。alternative 和 addition 的出现需保证一个原有的方法，因此排除选项 B 和 C。答案选 E。

翻 译 针对工人的工伤事故而对雇主强行征收高额罚款会成为创造更加安全的工作环境的有效激励，尤其是针对那些有着不良安全记录的雇主。

注 释 这道题中，A 选项和 D 选项的意思一致。之所以会错选 A，是因为我们会把 antidote 的含义记成"解毒剂"，而其实它的英文含义为 something that is an antidote to a difficult or unpleasant situation helps you to overcome the situation. 比如例句"Massage is a wonderful antidote to stress"，按摩是解决压力的良方。这个词的核心意思是消除一个事物，所以和 deterrent 类似。这再一次提醒我们，在记忆单词的时候，不能只看中文含义，更多的应该参考英文的考法含义。这些释义可以参考《GRE 核心词汇考法精析》。

23-14 答案：A

难 度 ★★

思 路 空格 (i)：
- 方程等号：for the simple reason that 体现因果，等于 because，前后句意同义重复。
- 强词和对应：根据题意，作者会在读者和现实之间强行加入自己的观点，因此空格 (i) 和 interpose their own vision 根据 for the reason 取同，体现"强行加入主观"的特点。distorting 扭曲的，transparent 明白易懂的，colorful 丰富多彩的，flawless 完美无缺的，flexible 灵活的。选项 A 和 C 合适。

空格 (ii)：
- 方程等号：rather than 而不是，反义重复。
- 强词和对应：因此空格 (i) 和空格 (ii) 根据 rather than 取反，体现"不加入主观"的含义。neutral 中立的（对），opaque 难以理解的（错），drab 单调乏味的（错），inexact 不准确的（错），rigid 僵硬的（错），综合空格 (i)，答案选 A。

翻 译 文学不可避免地是一种扭曲的而非中立的媒介，原因很简单，作者在读者和现实之间强行加入了自己的观点。

23-15 答案：B

难 度 ★★

思 路 空格 (i) + 空格 (ii)：
- 方程等号：therefore 因此，表示因果，同义重复。never 取反。
- 强词和对应：formal professional training 和 knowledge about medicine 同义重复。空格 (i) 和空格 (ii) 联动，根据 never 取反。代入选项。vary 变化...adaptable 可适应的，取同，排除；change 改变...absolute 绝对的，取反，正确选项；ossify 使僵化...inflexible 不灵活的，取同，排除；pertain 相关...invaluable 非常宝贵的，取同，排除；intensify 加剧...obsolescent 过时的，取反，但是与句意不符，排除。答案选 B。

翻 译 一名优秀的医生知道医药的知识会继续发生变化，因此，正规的职业训练永远都不可能成为优秀行医实践的绝对指导。

注 释 absolute 的释义是 something is definite and will not change even if circumstances change。

23-16 答案：B

难度 ★

思路
- 方程等号：who 引导定语从句，修饰空格，修饰内容与空格同义重复。
- 强调和对应：parallel 指向空格，取同，体现"相似的"含义。critic 评论家，counterpart 相似的人，disciple 追随者，reader 读者，publisher 出版商。答案选 B。

翻译 Foucault 对西方思想中"连续性"概念的反对尽管很激进，但却不是独有的；在美国有和他看法相同的人，在不知道他的作品的情况下，阐释了相同的思想。

注释 本题也可以用分号来做，分号前面说 Foucault 的思想 not unique，所以他在美国就应该有"类似的人"，答案选 B。counterpart 的英文释义为 someone's or something's counterpart is another person or thing that has a similar function or position in a different place。

23-17 答案：E

难度 ★★

思路 空格 (ii)：
- 方程等号：rather than 而不是，取反。
- 强调和对应：根据题意，Gordon 留的作业不是让学生回顾课程的内容，因此 review 指向空格 (ii)，根据 rather than 取反。ingrain 使根深蒂固，thwart 阻止，discourage 使沮丧，explicate 解释，stimulate 激发。original（新的）的思想和 ingrain（使根深蒂固）相矛盾，因此排除选项 A。选项 E 合适。

空格 (i)：
- 方程等号：逗号，前后取同。
- 强调和对应：学生对于作业的态度是 appreciate 感激，所以空格应该体现作业让人感激，并且可以激发新的思考的特征。didactic 爱说教的（错），intimidating 恐吓的（错），difficult 困难的（对），conventional 传统的（错），enigmatic 神秘难解的（对）。综合空格 (ii)，答案选 E。

翻译 回想起来，Gordon 的学生非常感激她神秘难解的家庭作业，因为他们意识到这样的家庭作业是专门激发创新的思考的，而不只是仅仅回顾一下她的课程内容而已。

23-18 答案：A

难度 ★★

思路 空格 (i)：
- 方程等号：with 修饰 young republic，前后句意同义重复。
- 强调和对应：utopian 指向空格 (i)，取同，体现年轻共和国强烈的"乌托邦"思想。idealism 理想主义，individualism 个人主义，sectarianism 宗派主义，assertiveness 自信，righteousness 正直。选项 A 合适。

空格 (ii)：
- 方程等号：in sharp contrast to 鲜明对比，前后句意取反。
- 强调和对应：前面描述的是年轻共和国是理想主义的，空格 (ii) 和空格 (i) 构成反义重复，表示最近的发展体现出一种无法减轻的非理想主义的态度。cynicism 怀疑，escapism 逃避主义，recklessness 鲁莽，ambition 抱负，egalitarianism 平等主义。答案选 A。

翻 译 与对民主有乌托邦式的信仰且希望人类永恒进步的强烈的年轻共和国的理想主义构成了鲜明对比，近期的发展表现出一种几乎无法减轻的怀疑情绪。

注 释 cynicism 表示（对成功或人的真善）怀疑：cynicism about something is the belief that it cannot be successful or that the people involved are not honorable。

23-19 答案：A

难 度 ★

思 路 空格 (i) + 空格 (ii)：
- 方程等号：even 表示即使，让步转折，句意反义重复。
- 强词和对应：空格 (i) 和空格 (ii) 根据 even 取反，形成联动，表现对于 old age 的不同态度。代入选项，venerated 受到尊敬的...ambivalence 纠结，取反，正确选项；rare 罕见的...surprise 意外的事，取同，排除；ignored 被忽视的...condescension 屈尊俯就，取反，但是语义上就变成了"即使在一个老年人被忽视的文化中，他们通常也会被人屈尊俯就地对待"，出现语义上的矛盾，排除，如果调换选项中两个单词的含义，则成立；feared 害怕的...dismay 气馁，取同，排除；honored 受到尊敬的 ...respect 尊敬，取同，排除。答案选 A。

翻 译 即使是在尊敬老年人的文化中，老年人也通常被人们用纠结的观点来对待。

23-20 答案：E

难 度 ★

思 路 空格 (i)：
方法一：
- 方程等号：that 引导定语从句，修饰空格 (i)，前后句意同义重复。
- 强词和对应：根据定语从句，空格 (i) 表示的是组成了银河系主要盘状物的物质，因此空格 (i) 和 compose 构成同义重复，体现"组成"的特点。figment 虚构的事物，essence 精髓，element 元素，calculation 计算，material 物质。figments，essences 和 calculations 都是抽象名词，而组成银河系的部分应该是非抽象的物质。因此选项 C 和 E 合适。

方法二：
- 方程等号：定冠词 the，the 后面的对象要在前文中出现。
- 强词和对应：the component，所以 component 一定要在前文出现，空格对应 component，选项 C 和 E 合适。

空格 (ii)：
- 方程等号：of 介词结构，空格 (ii) 修饰 components。surrounding 分词结构，修饰空格 (ii)，前后描述特征同义重复。
- 强词和对应：因此空格 (ii) 和 surrounding 构成同义重复，体现能够"围绕"银河系的。envelope 外壳（对），fluctuation 波动（错），problem 问题（错），perimeter 边缘（对），region 区域（对）。综合空格 (i)，答案选 E。

翻 译 不像那些组成银河系自身核心盘状物的、容易被研究的中性的和离子化的物质，围绕我们银河系的那个区域的组成元素被证实是更加难以研究的。

注 释 题目中 easily studied 和 resistant to study 根据 Unlike 取反。

<hr>

23-21 答案：A

难 度 ★

思 路
- 方程等号：although 尽管，反义重复。
- 强词和对应：逗号后面的内容说 Alison 对这个观点的感觉如此强烈以至于她抛开了沉默并且还在会上发言。空格和 spoke up 根据 although 取反，体现她通常是"不说话的"。diffident 不自信的，contentious 争论的，facetious 爱开玩笑的，presumptuous 专横的，intrepid 大胆的。答案选 A。

翻 译 尽管通常很不自信，但对于这个议题 Alison 是如此有信心以至于她抛开了自己的拘谨并且在委员会会议上发言。

Exercise 24

阻挡我们在备考路上前进的，不是挑战记忆力极限的词汇，不是文章中炫技般的英文文法，更不是填空中充满智商优越感的逻辑，而是你的懒惰、恐惧和固步自封，当我们穿越荆棘到达山顶时，胜利的意义不只是政府，而是蜕变。

——邢力文
微臣教育线上课程学员
"不要命挑战 24 套"课程胜利者

EXERCISE ㉔

核心词汇

1.《GRE 核心词汇考法精析》收录单词（共 60 词）

accord	affectation	antiquated	approbation
articulate	assail	awe	banish
beleaguer	boon	calculated	candor
censure	certitude	claim	commitment
condone	confident	consolidate	counterproductive
denounce	deplorable	discredit	disparage
dominant	efface	elude	emulate
equilibrium	esteem	exacting	facetious
flaw	frivolous	immune	indifferent
malicious	measured	minimize	mundane
novel	outset	placate	predecessor
proclaim	proprietary	pungent	quotidian
remorse	repudiate	revive	salvage
shift	strip	subject	superficial
tedious	undermine	vulnerable	wistful

2. 基础单词补充（共 11 词）

bizarre　　　*adj.* 奇怪的：very odd and strange

candor　　　*n.* 坦白：unreserved, honest, or sincere expression

elimination　　*n.* 消除：the act or process of removing something or someone

enclosure　　*n.* 圈占土地：an area of land that is surrounded by a wall or fence and that is used for a particular purpose

eradicate　　*v.* 消除：to get rid of it completely

impairment　　*n.* 破坏：making (something) weaker or worse

infect　　　*v.* 使（计算机）感染病毒：to affect the computer by damaging or destroying

mimicry　　　*n.* 模仿：the activity or art of copying the behavior or speech of other people; the activity or art of mimicking other people

piety　　　*n.* 虔诚：devotion to God; the quality or state of being pious

spiritedness　　*n.* 活泼：quality of being full of courage or energy; quality of being very lively or determined

tranquil　　　*adj.* 平静的：calm and peaceful

练习解析

24-1　答案：C

难 度　★

思 路
- 方程等号：contrary to 与…相反，前后句意反义重复。
- 强词和对应：根据逗号后面的内容，证据揭示了对于大多数人来说，生活充满了不确定（uncertainty）和不安全感（insecurity）。uncertainty 或 insecurity 指向空格，根据 contrary to 取反，体现"确定的"或者"有安全感的"，空格填入一个正向词。clannish 排外的，declining 衰退的，tranquil 平静的，recognized 公认的，sprawling 蔓延的。tranquil 的释义是 free from disturbance or turmoil。答案选 C。

翻 译　过去的观念认为 18 世纪是一座拥有优雅舒适的生活保障的宁静小岛，而恰恰相反，证据揭示了对于大多数人而言，生活充满了不确定性和不安全感。

注 释　本题还可以用 of 作为方程等号，正向，of elegant assurance 作为介词结构后置修饰前面的空格+island，所以 assurance 对应到空格，选 tranquil。

24-2　答案：E

难 度　★★

思 路　空格 (ii)：
- 方程等号：and 连接平行结构，前后句意同义重复。
- 强词和对应：it 指代 insecticide（杀虫剂）。根据题意，杀虫剂通过杀死物种中弱小的成虫，确保了强大的成虫之间的交配，空格 (ii) 和 strong 根据 and 构成同义重复，体现强大成虫的后代对于杀虫剂的效果也是具有"强大抵抗作用"的。hostile 敌对的，vulnerable 易受影响的，susceptible 易受影响的，immune 免疫的，resistant 抵抗的。hostile 体现的是对敌人（enemy）的敌意，与 insecticide 搭配不当。因此选项 D 和 E 合适。

空格 (i)：
- 方程等号：分号说明前后同义重复。
- 强词和对应：根据题意，分号后面说，杀虫剂杀了弱小的成虫，留下了强大的成虫，结果让强大的成虫的后代对杀虫剂有"抵抗作用"，因此空格 (i) 体现杀虫剂的效果是"不好的"，填入一个负向词。ineffective 无效的（对），cruel 残酷的（错），feasible 可行的（错），necessary 必要的（错），counterproductive 反作用的（对）。综合空格 (ii)，答案选 E。

翻 译　这种杀虫剂被证明是具有反作用的；通过杀死种群中弱小的成虫，它确保了强大成虫之间的交配，并且繁衍出对杀虫剂的效果有着更强抵抗力的后代。

24-3　答案：B

难 度　★★

思 路　空格 (i)：
- 方程等号：by 方式方法，前后句意同义重复。

- 强词和对应：by 后面提到政府制裁、设备故障和外国竞争的影响，因此空格 (i) 和 by 之后的内容同义重复，体现这些情况对工业产生了"负面的影响"。estrange 疏远，beleaguer 困扰，overrule 否决，encourage 鼓励，restrain 限制。A、B、C、E 四项合适。

空格 (ii)：
- 方程等号：to do，介词结构修饰前面的名词，同义重复。
- 强词和对应：工业开始依赖工业心理医生去空格 (ii) 员工遗留下的士气，医生是用来治病救人的，所以空格 (ii) 填一个表示"救治"含义的词。guard 护卫（错），salvage 拯救（对），undermine 削弱（错），determine 决定（错），confirm 确认（错）。综合空格 (i)，答案选 B。

翻 译 许多工业如此受到政府制裁、设备故障以及外国竞争的困扰，以至于它们开始依赖工业心理学家来拯救雇员所剩的士气。

24-4 答案：B

难 度 ★

思 路
- 方程等号：逗号说明前后句意同义重复。
- 强词和对应：前文提到时尚是寻找一种新语言来否定旧事物，predecessor 和 the old 同义重复，因此 discredit 指向空格，取同，体现对之前的事物是"否定"的态度，填一个负向词。honor 尊敬，repudiate 否认，condone 宽恕，placate 安慰，emulate 模仿。答案选 B。

翻 译 时尚在一定程度上是寻找一种新语言来否定旧事物，在这种方法中每一代人都可以否定自己的前任并使自己脱颖而出。

24-5 答案：D

难 度 ★★

思 路 空格 (i)：
- 方程等号：spring from 源自于，表现因果，前后句意同义重复。
- 强词和对应：因此空格 (i) 和 regret 根据 spring from 取同，体现空格的内容应该来源于后悔。contrition 懊悔，certitude 确信，skepticism 怀疑，remorse 懊悔，resignation 顺从。选项 A 和 D 合适。

空格 (ii)：
- 方程等号：origin 表示来源，体现因果，同义重复。
- 强词和对应：it 指代 regret 后悔，指向空格 (ii)，根据 origin 取同，因此空格 (ii) 为负向词，体现后悔的原因。resilient 能复原的（错），confident 自信的（错），innocent 无辜的（错），flawed 有缺陷的（对），frivolous 不严肃的（对）。综合空格 (i)，答案选 D。

翻 译 尽管懊悔通常被认为是源于一个人对做错事情的悔恨，但其原因可能是意识到了个人自身存在的、无可救药的缺陷。

注 释 本题中 although 出现前后取反，although 部分是做错了事所以后悔，主句部分说因为意识到自身的缺陷所以后悔。这里 although 的取反是导致后悔的不同原因的取反，其抽象结构为"尽管一般认为是 A 导致 B，但其实是 C 导致了 B"。

24-6 答案：A

难 度 ★★

思 路
- 方程等号：consequent 表示因果，同义重复。
- 强词和对应：空格 (i) 体现科学家对于他们解释数据做出的动作，空格 (ii) 体现空格 (i) 的动作对他们思想客观性（objectivity）的影响。空格 (i) 和空格 (ii) 联动，根据 consequent 构成同义重复。

空格 (i) + 空格 (ii)：
- 如果空格 (i) 和 objectivity 取同，体现科学家对他们解释数据是"客观性的"，那么空格 (ii) 为正向，"证实"科学家在思想方面的客观。选项中，没有单词是和 objectivity 相同，所以这种思路不成立。
- 如果空格 (i) 和 objectivity 取反，体现科学家对他们解释数据是"非客观性的"，那么空格 (ii) 为负向，"没有证实"科学家在思想方面的客观。选项中 A 选项表示"非客观中立的"，prejudice 主观偏见，impairment 破坏，是一个负向词，所以 A 选项正确。而 E 选项中，supposition 猜测，也是"非客观的含义"，但是 reinforcement 是"加强"，空格 (ii) 方向错误，排除。
- 其余选项，instrument 手段...abandonment 放弃；theory 理论...independence 独立；conclusion 结论...coloration 染色答案选 A。

翻 译 无数的历史证据表明：科学家们的偏见对他们解释数据产生了巨大的影响，随之而来的是对他们的思想客观性造成的损害。

· ·

24-7 答案：E

难 度 ★★

思 路
- 方程等号：contrary 相反的，前后句意取反。freedom from 从…解放出来，相当于 not，取反。两次取反后最终同向。
- 强词和对应：根据前文描述，把海洋从国家私有化的言论中解放出来的观点（海洋不应该私有）被相反的观点（海洋要私有）挑战。proprietary 指向空格，根据 contrary 和 freedom from 两次取反，空格和 proprietary 构成同义重复。promotion 促进，exploration 开采，surveying 调查，conservation 保护，enclosure 占用。答案选 E。

翻 译 把海洋从国家私有化的言论中解放出来的观点一开始就受到一种相反观点的挑战，即出于国家安全和利益的原因考虑，海洋应当私有化。

注 释 free from 相当于 not，其名词结构 freedom from 也可作为 not 考虑。enclosure 本意为圈地，著名的"圈地运动"的表达便是 Enclosure Movement，指英国新兴的资产阶级和新贵族通过暴力把农民从土地上赶走，强占农民份地及公有地，并变成私有的农场的运动，其本质上还是私人拥有的含义。

· ·

24-8 答案：C

难 度 ★

思 路
- 方程等号：despite 尽管，表示转折，句内取反。
- 强词和对应：后文说这家公司整整一年都在为恢复其零售业务而努力，而空格和 a yearlong

effort 根据 despite 取反，所以空格应该体现"不是一年"的努力。不是一年的努力有可能是大于一年，有可能是小于一年，但是因为空格前面出现了 only，所以空格应该体现"小于一年"。unquestionable 毋庸置疑的，sequential 按次序的，modest 适度的，exaggerated 夸大的，groundless 没有根据的。modest 的释义是 not very large in size or amount。答案选 C。

翻译 尽管这家公司用了长达一年之久的努力来复兴它的零售业务，但是它只期望来年的销售额有适度的增长。

· ·

24-9 答案：C

难度 ★

思路 空格 (i):
- 方程等号：that 引导定语从句，修饰 program，前后修饰特征同义重复。
- 强词和对应：前文说没有电脑系统对病毒是免疫的，即电脑无法抵抗病毒。that 引导的定语从句修饰恶意的程序，可所以空格 (i) 和 malicious 取同，体现电脑病毒是"有害的"。prepare 准备，restore 恢复，infect 感染，preserve 保存，invade 入侵。选项 C 和 E 合适。

空格 (ii):
- 方程等号：and 连接平行结构，前后句意同义重复。
- 强词和对应：根据前文得知病毒是一个恶意的程序，因此空格 (ii) 和空格 (i) 根据 and 取同，体现病毒的"负面影响"，填入一个负向词。improve 提升（错），disable 使无能力（对），damage 损害（对），secure 保障（错），repair 修理（错）。综合空格 (i)，答案选 C。

翻译 没有计算机系统对病毒是免疫的；病毒是一种极其恶意的程序，专门被设计用来侵染，并且通过电子方式毁坏储存数据的磁盘。

· ·

24-10 答案：B

难度 ★★

思路 空格 (i):
- 方程等号：decayed from...to... 表示状态的改变，前后状态特点构成反义重复。
- 强词和对应：根据题意，空格 (i) 和 randomness 取反，体现衰败初期的状态是"不混乱的"状态。equilibrium 平衡，ordered 有秩序的，unusual 不同寻常的，chaotic 混乱的，higher 更高级的。选项 A 和 B 合适。

空格 (ii):
- 方程等号：thus 因此，表示因果，同义重复。
- 强词和对应：根据题意，从一个粒子系统"有序"衰败到"无序"的状态会回到"有序的"状态，thus 后面的内容提到系统展现了一种对于空格 (ii) 状态的记忆功能，memory 和 returned to 同义重复，因此空格 (ii) 和空格 (i) 取同，体现对"有序"状态的记忆（回归）。lesser 较少的（错），earlier 早期的（对），settled 稳定的（对），last 最后的（错），present 现在的（错）。综合空格 (i)，答案选 B。

翻译 最近的研究表明，一个从有序状态衰退到无序状态的粒子系统可以回到当初的（有序）状态；因此，这个系统展示了一种对自身早期状况的记忆能力。

注 释 同样表现状态改变的表达还有 change, transform, shift from...to...，改变前后状态不一致，这也是时间对比的一种表现方式。

24-11 答案：D

难 度 ★★

思 路 空格 (i)：
- 方程等号：former 和 once 表示过去的时间点，后面的内容构成同义重复。
- 强词和对应：根据题意可知，很多作家之前对于这位文学评论家是持批判态度的，因此空格 (i) 和 criticism 取同，体现他们曾经"批判的"观点，负评价。laud 赞扬，influence 影响，simulate 模仿，disparage 贬低，honor 尊敬。选项 D 合适。

空格 (ii)：
- 方程等号：substitute A for B，用 A 来替换 B，A 和 B 取反。
- 强词和对应：空格 (ii) 和空格 (i) 根据 substitute for 结构取反，体现现在的态度是"不批判的"。censure 谴责（错），analysis 分析（错），ambivalence 纠结（因为表示"又爱又恨"，所以在这里合理，对），approbation 赞许（对），adulation 谄媚（对）。综合空格 (i)，答案选 D。

翻 译 许多曾经极力贬低这位文学评论家的作者最近公开否认自己的观点，用表扬代替了之前的批评。

24-12 答案：C

难 度 ★★

思 路
- 方程等号：so...that... 如此…以至于…，表示因果，同义重复。
- 强词和对应：that 后面的内容说我们的观念被削弱，即当下才是体验真实发生的场的观念所被削弱（undermined），其含义为"当前不一定是真实"。所以 so 的部分体现她的写作让过去很"真实"。complex 复杂的，distant 遥远的，vivid 真实生动的，mysterious 神秘的，mundane 平凡的。vivid 的释义是 seeming like real life because it is very clear, bright, or detailed。答案选 C。

翻 译 她的写作跨越了时代界限，将过去塑造得如此栩栩如生，以至于我们认为当下才是体验真实发生的场所的观念被削弱了。

24-13 答案：A

难 度 ★★

思 路 空格 (ii)：
- 方程等号：though 尽管，表示让步转折，句内取反。
- 强词和对应：the latter 指代 individual freedom of action（个人行动自由），提到其尽管是想要的（desirable），空格 (ii) 和 desirable 根据 though 取反，体现尽管好，但还是受到他人权利和自由施加的限制（limits）的"影响"。subject to 屈服于…，measured by 被…限制，superior to 优先于…，indifferent to 对…不关心，conscious of 对…有意识的。选项 A、B 和 E 合适。

空格 (i)：
- 方程等号：given 表示因果，句意同义重复。
- 强词和对应：根据题意，given 后描述行动的自由（freedom of action），given 前是思想的自由（freedom of thought），在这里对象发生了转变，因此空格 (i) 和 limits 取反，体现思想自由是"不受到限制的"，正向。protect 保护，assess 评估，value 重视，exercise 运用，curtail 削减。综合空格 (ii)，答案选 A。

翻 译 个人思想的自由应该比个人行动的自由更加绝对地受到保护，因为后者（个人行动自由）尽管是想要的，但却必须受到由别人的自由和权利所强加的限制。

24-14 答案：D

难 度 ★★

思 路 **空格 (i)：**
- 方程等号：冒号前后，句意同义重复。
- 强词和对应：冒号后面提到他们定期崇拜，因此空格 (i) 体现他们的"崇拜"在日常行为中被表现出来。selflessness 无私，moderation 适度，reverence 尊敬，piety 虔诚，serenity 宁静。选项 C 和 D 合适。

空格 (ii)：
- 方程等号：第一个逗号，前后取同。
- 强词和对应：逗号前提到他们崇拜（worshipped），与逗号后的 respect, awe 构成同义重复。因此空格 (ii) 不改变句子的逻辑关系，填入一个正向词。reserve to 保留（对），extend to 给予（对），exact from 索取（错），accord 给予（对），refuse 拒绝（错）。综合空格 (i)，答案选 D。

翻 译 他们的虔诚在日常的行为中表现了出来：他们定期敬神，赋予自然界所有的再造过程以尊敬甚至敬畏。

注 释 accord 这个单词有"给予"的含义，其英文解释为 to give somebody or something authority, status or a particular type of treatment。同时 extend 这个词也有"给予"的含义，其表达为 extend something to somebody，例如 extending a very warm welcome to our visitors，对于我们的游客给予热烈欢迎。

24-15 答案：A

难 度 ★★

思 路 **空格 (i)：**
- 方程等号：but 但是，表示转折，取反。
- 强词和对应：前文说我的家人觉得别人是可笑的（laughable 的释义：bad in a way that seems foolish or silly），负评价，因此空格 (i) 和 laughable 根据 but 取反，体现当别人在场时，我对他们的"正向的"（或"认为他们不好笑的"）态度，填一个正向词。polite 有礼貌的，impatient 没有耐心的，facetious 轻率的，wistful 渴望的，superficial 肤浅的。选项 A 合适。

空格 (ii)：
- 方程等号：and 连接平行结构，前后句意同义重复。

- 强词和对应：空格 (ii) 前面的内容提到我只是之后嘲笑那些好笑的，and 并列 laughing 和 mocking，因此空格 (ii) 和 funny 根据 and 取同，体现我嘲笑那些看起来有"滑稽的"事情。bizarre 离奇古怪的（对），unfortunate 不幸的（错），enviable 引起嫉妒的（错），extraordinary 非凡的（错），deplorable 被谴责的（错）。综合空格 (i)，答案选 A。

翻 译 我的家人总是觉得别人可笑，但我很早就学会了当人们在场时保持礼貌，只在事后嘲笑那些滑稽可笑之物或者模仿那些我们看起来奇异可笑之事。

注 释 空格 (i) 还可以通过时间对比来选出正确答案，later 表示之后，之后 mocking，那么之前人们在场的时候就应该"不笑"，所以空格填一个"不笑"含义的单词，选 A。

24-16 答案：E

难 度 ★★

思 路 空格 (ii)：
- 方程等号：so 表示因果，同义重复。
- 强词和对应：前文说科技知识看似已经可以轻易地喂饱全世界膨胀的人口，因此空格 (ii) 和 feed 根据 and 取同，体现"喂养"人口，既然已经养活了人口，所以因营养不良和饥荒就应该"不存在"，空格 (ii) 填入一个表示"不存在"含义的词。weaken 削弱，articulate 清晰地表达，banish 消除，denounce 谴责，eradicate 根除。选项中，weaken 削弱，程度低于"不存在"，排除；denounce 仅体现态度的谴责而不是行动，排除。因此选项 C 和 E 合适。

空格 (i)：
- 方程等号：if not 即使不是，表示让步转折，取反。
- 强词和对应：后文说科技可以养活世界上爆炸性的人口，if not 取反，所以空格 (i) 填入一个正向词，体现即使不是政治的"帮助"，科技也能够解决饥饿问题。will 意志（对），expertise 专业知识（对），doubt 怀疑（错），power 力量（对），commitment 承诺（对）。综合空格 (ii)，答案选 E。

翻 译 技术上的专业技能，即使没有政治的承诺，看上去早就可以轻易地喂饱全世界膨胀的人口，并且因此最终消除自古以来由于营养不良和大饥荒而带来的灾祸。

24-17 答案：B

难 度 ★★

思 路 空格 (i)：
- 方程等号：冒号说明前后句意同义重复。
- 强词和对应：前文说在规模小的农业群落中，意外事故的受害人不会起诉或者要求赔偿。冒号后面的动作发出者是 accident victims，空格 (i) 和 sue、compensation 构成同义重复。conspiracy against 密谋反对，claim against 索赔，boon for 恩惠，distinction for 区别，trauma for 创伤。选项 B 合适。

空格 (ii)：
- 方程等号：冒号说明前后句意同义重复。
- 强词和对应：前文说意外事故的受害人不会起诉或者要求赔偿，因此空格 (ii) 和 rarely 构成同义重复。因为他们认为索赔"不是"一种责任的体现，所以不会（rarely）起诉。

assume 承担（错），elude 逃避（对），minimize 把…减到最低程度（对），shift 改变（对），proclaim 声称（错）。综合空格 (i)，答案选 B。

翻 译 在规模小的农业群落中，意外事故的受害人很少起诉或者要求赔偿：将个人的伤害转化为对别人的索赔被（他们）看成是一种逃避个人行为责任的企图。

24-18 答案：E

难 度 ★

思 路
- 方程等号：since 表示因果，前后逻辑同向，句意同义重复。
- 强词和对应：since 后面的内容提到利益团体如果被放任不管，就能够更好地照料自己。空格和 left alone 根据 since 取同，体现政府"不管"他们，他们就会获利。intensification 加剧，authorization 批准，centralization 集权，improvisation 即兴创作，elimination 消除。答案选 E。

[视频讲解]

翻 译 在没有政府对商业的干预中，主要利益集团总是受益最大，因为如果放任不管，他们能管理好自己。

24-19 答案：D

难 度 ★★

思 路 空格 (ii)：
- 方程等号：however 然而，表示转折，前后逻辑反向，句意反义重复。
- 强词和对应：根据题意，"冒名顶替综合征"折磨着一类人，他们认为真实的自我揭露会降低他们在其他人心中的地位，one's standing 和 them in others' esteem 构成同义重复。因此空格 (ii) 和 lower 根据 however 取反，体现这种做法"不降低"别人的评价，正向。consolidate 巩固，undermine 削弱，jeopardize 危害，enhance 增加，efface 抹去。选项 A 和 D 合适。

空格 (i)：
- 强词和对应：however 前后取反，lower 和空格 (ii) 已经取反，所以空格 (i) 体现这些担忧的人的行为，和 true self-disclosure（真实的自我揭露）取同，体现"自我揭露"。willfulness 任性（错），imposture 欺诈（错），affectation 装模作样（错），candor 坦白（对），mimicry 模仿（错）。综合空格 (ii)，答案选 D。

翻 译 "冒名顶替综合征"总是折磨着那些担心真正的自我揭露会降低他们在别人心目中的地位的人；但如果处理得当，坦诚实际上会提升一个人的地位。

注 释 本题中，如果没有 rightly handled，此题是一个联动类的题目，however 之前说自我揭露会降低他们在别人心中的地位；however 之后，要么说"不揭露（欺骗）会降低一个人的地位"，要么说"揭露会提升一个人的地位"。所以选项 B 和 C 满足第一种情况——欺骗会破坏一个人的地位。但是因为有了 rightly handled，所以肯定只能是恰当地揭露自己，所以排除第一种可能性，答案选 D。

24-20 答案：C

难 度 ★★

思 路 空格 (i)：
- 方程等号：makes 使得，前后逻辑同向，句意同义重复。
- 强词和对应：前文说这本小说中的语言交谈是毒舌的（pungent 的释义是 having a strong effect on the mind because of being clever and direct），因此空格 (i) 和 pungent 取同，体现尖刻的交谈让小说读起来"一针见血"，正评价。disturbing 令人不安的，tedious 无聊的，lively 充满趣味的，necessary 必要的，rewarding 值得的。A、C、D、E 三项合适。

空格 (ii)：
- 方程等号：and 表示并列，前后方向一致。
- 强词和对应：根据题意可知，空格 (ii) 描述的是这本小说的特点，因此空格 (ii) 和 pungent 根据 and 取同，体现这本书是"毒舌的"，填一个正向词。flatness 平淡（错），inventiveness 独创性（对应 clever，对），spiritedness 生动（对），steadiness 稳定性（错），frivolousness 不重要（错）。spiritedness 的释义是 very lively or determined。综合空格 (i)，答案选 C。

翻 译 角色之间的毒舌的对话使得小说读起来生动活泼，并且在我看来，这种生动活泼表明书中一些观点可能是作者自己的观点。

- -

24-21 答案：B

难 度 ★★

思 路
- 方程等号：calculated to 故意这样做，表示目的，前后句意同义重复。
- 强词和对应：前文提到卡通艺术博物馆像堡垒一样的外观意在提醒参观者，空格和 fortresslike 取同，体现评论家对连环漫画的动作。fortress 的释义是 a place that is protected against attack，有堡垒是为了防卫攻击，因此体现其艺术形式是受过批评家"攻击"的，所以空格体现攻击。charm 吸引，assail 攻击，unnoticed 不被注意的，exhilarate 使高兴，overwhelm 征服。overwhelmed 体现被评论家"征服"，与题意不符。因此答案选 B。

翻 译 卡通艺术博物馆堡垒般的外观似乎是在故意提醒参观者，连环漫画这种艺术形式总是受到评论家的攻击。

Exercise 25

备考 GRE 的过程就像在进行一场马拉松，
重要的不是谁一开始跑得快，而是谁咬牙
坚持到了最后。

——马楠

微臣教育 2015 寒假 325 计划学员
2015 年 5 月 GRE 考试 Verbal 161, Quantitative 170
录取院校：约翰霍普金斯大学

EXERCISE ㉕

核心词汇

1.《GRE 核心词汇考法精析》收录单词（共 55 词）

abandon	acclaim	accomplish	acknowledge
alleviate	appropriate	austere	chaos
cohesive	comprehend	conceal	conjecture
conjure	contempt	contrived	cumbersome
curt	demonstrate	discreet	dissent
eclectic	exacerbate	extravagant	forage
futile	idle	illusory	immune
inept	ingenuous	intermittent	laconic
lax	mar	marginal	mean
minute	novice	override	overt
perceptible	plausible	ponderous	reflect
relentless	shrewd	sophisticated	sporadic
sumptuous	suppress	teeming	turmoil
undermine	unpretentious	victimize	

2. 基础单词补充（共 13 词）

affect   *v.* 影响：to produce an effect upon

compromise   *v.* 妥协：to give up something that you want in order to reach an agreement: to settle differences by means of a compromise

dispute   *n.* 争论：a disagreement or argument

ensure   *v.* 确保：to make (something) sure, certain, or safe

forbidden   *adj.* 禁止的：not permitted or allowed

link   *v.* 使相关联：to connect or become connected with or as if with a connecting element

madden   *v.* 激怒：to make (someone) angry

naïve   *adj.* 天真的：having or showing a lack of experience or knowledge: innocent or simple

neglect   *v.* 忽视：to fail to take care of or to give attention to (someone or something)

sobriety   *n.* 严肃：serious and thoughtful behavior

spontaneously   *adv.* 自发地：done or said in a natural and often sudden way and without a lot of thought or planning

| unrealistic | *adj.* 不切实际的：not able to see things as they really are |
| unstudied | *adj.* 自然的：not planned or done in a deliberate way: sincere and natural |

练习解析

25-1 答案：A

难度 ★★★

思路 空格 (i)+ 空格 (ii)：
- 根据题意，一个具有空格 (i) 特征的理论未必空格 (ii) 它的科学真理性。not necessarily 表示未必：if you say that something is not necessarily the case, you mean that it may not be the case or is not always the case。体现对某种特征的否定，例如"好的未必就好"，"做坏事的未必就是坏人"。
- 因此空格 (i) 和空格 (ii) 联动，方向相同。两种可能性：①对的理论未必支持科学真理；②错的理论未必反对科学真理。
- 逗号后面说科学真理必须由客观公正的对照研究确立，所以前面讨论的是确立科学真理的过程，符合情况①，空格 (i) 选对真理的正评价，空格 (ii) 选"确立"，plausible 可信的...ensure 确立，popular 流行的...limit 限制，venerable 受尊敬的...override 推翻，cohesive 团结的...undermine 削弱，cumbersome 笨重的...alleviate 减轻，综上答案选 A。

翻译 一个理论是可信的事实未必确保它是科学真理，科学真理必须被客观公正的对照研究所确立。

注释 和 not necessarily 类似，前后表达同向意思的也可参见本书第 7 套第 7 题：Parts of seventeenth-century Chinese pleasure gardens were not necessarily intended to look cheerful，部分 17 世纪的中国园林未必建得看起来很令人愉悦。

25-2 答案：D

难度 ★

思路
- 方程等号：distinguish between A and B，把 A 和 B 区分开来，A 和 B 取反。
- 强词和对应：把有魅力的人空格做的事和他们精心设计所做的事区分开，空格和 carefully contrived 根据 distinguish 取反，选"不刻意设计"。formally 正式地，publicly 公开地，prolifically 多产地，spontaneously 自发地，willfully 任性地。spontaneously 的释义是 done or said in a natural and often sudden way and without a lot of thought or planning。答案选 D。

翻译 有两件事情是难以区分的，其一是具有魅力的人自然而然所做的事，其二是有魅力的人为了效果而精心设计的所做的事。

25-3 答案：E

难度 ★

思路
- 方程等号：although 尽管，表示转折，句内取反。
- 强词和对应：主句说容器的发展使得人类社会找寻食物成为可能，主句肯定了容器的功能这一个"事实"，主句根据 although 取反，空格体现"不是事实"。record 记录，fact 事实，degree 程度，importance 重要性，conjecture 猜测。答案选 E。

翻 译 容器有可能是用树皮或者动物皮做的，尽管这只是一种猜测，但是容器的发展却使得史前人类社会广泛共享寻找到的食物成为可能。

注 释 ETS 出题的时候往往会在主句的主语和谓语之间加让步状语从句，增加理解难度。这句话的正常语序为 "Although this is a matter of conjecture, the development of containers, possibly made from bark or the skins of animals, allowed the extensive sharing of forage foods in prehistoric human societies"。

25-4 答案：D

难 度 ★★

思 路 空格 (i)：
- 方程等号：demonstrated 证实，前后句意同义重复。
- 强词和对应：年轻的小提琴家空格特征的演出证明了他的专业能力，technical competence 指向空格 (i)，根据 demonstrated 取同，体现他的表演的正评价，选一个正向词。spectacular 壮观的，blundering 笨手笨脚的，marginal 不重要的，steady 稳定的，dazzling 辉煌的。A、D、E 合适。

空格 (ii)：
- 方程等号：rather than 而不是，取反。
- 强词和对应：前面说他是一个新手，novice 和空格根据 rather than 取反，空格选"非新手"，填一个正向词。conventional 传统的（错），artistic 艺术的（错），inept 无能的（错），accomplished 技艺高超的（对），unskilled 不熟练的（错）。综合空格 (i)，答案选 D。

翻 译 尽管这位年轻的小提琴家与管弦乐队的平稳合奏显示了他的专业能力，但缺乏灵感的风格以及缺少解释性的成熟让他被称作是一个初出茅庐的音乐家而不是一个真正技艺高超的表演者。

25-5 答案：C

难 度 ★★

思 路 空格 (ii)：
- 方程等号：though 尽管，表示让步转折，前后句意取反。
- 强词和对应：根据题意，尽管新闻记者经历了可以觉察但是具有空格 (ii) 特征的来自政府的压力。空格 (ii) 和 perceptible 根据 though 取反，体现"不易觉察"。clear 清楚的，strong 强烈的，discreet 不显眼的，overt 公开的，regular 常规的。discreet 的释义是 if you describe something as discreet, you approve of it because it is small in size or degree, or not easily noticed。选项 C 合适。

空格 (i)：
- 方程等号：even though 尽管，表示让步，句内取反。not 取反。两次取反后最终同向。
- 强词和对应：主句说记者经历了政府限制不同意见的压力，因此 even though 引导的从句应该说政治社论没有受到限制的压力，not 表示没有，因此空格 (i) 体现"限制"，和 limit 取同。restrict 限制（对），encourage 鼓励（错），forbid 禁止（错），commend 赞扬（错），permit 允许（错）。综合空格 (ii)，答案选 C。

翻 译	即使新的政权并没有禁止政治评论，但是新闻记者仍然感受到了政府为限制不同政见而施加的可感知却不显眼的压力。

注 释	editorialize（发表社论）的释义是：if someone editorializes, they express their opinion about something rather than just stating facts; mainly used in contexts where you are talking about journalists and newspapers。注意 editorial（社论）容易和 edit（编辑）混淆。

25-6　答案：B

难 度　★★

思 路　空格 (i)：

- 方程等号：分号说明前后句意同义重复。to 表示目的，前后同义重复。
- 强词和对应：Michael 的戏法是为了空格 (i) 他的儿子一种虚幻的秩序。变戏法是为了"变戏法"，因此空格 (i) 体现 trick（戏法）的特征。explore with 探测，conjure for 变戏法，conceal from 隐藏，demystify for 阐明，endure with 容忍。选项 B 合适。

空格 (ii)：

- 强词和对应：Michael 为儿子变幻出一种秩序，只有在晚上他才能空格他隐藏的混乱。这里存在白天和夜晚的不同：白天是秩序 (orderliness)，夜晚是混乱 (chaos)，因此空格 (ii) 选一个不改变方向的词。demonstrate 证明（对），acknowledge 承认（对），dispel 驱散（错），escape 逃脱（错），abandon 放弃（错）。综合空格 (i)，答案选 B。

翻 译	Michael 的戏法是为他的儿子变幻出一种虚幻的井然有序；当晚上孩子睡觉了，只有他一个人在时，Michael 才能承认隐藏在儿子背后的混乱。

25-7　答案：E

难 度　★

思 路　空格 (ii)：

- 方程等号：逗号前后句意同义重复。
- 强词和对应：空格 (ii) 描述西班牙服装特点，和逗号后内容同义重复。西班牙的服装特点：柔和的深色、朴实无华的短斗篷和带有小褶皱的高领。空格 (ii) 和 plain 取同，选表示"朴素"的词。obliqueness 倾斜，profligacy 挥霍，informality 非正式，asceticism 苦行主义，sobriety 节制。选项 D、E 合适。

空格 (i)：

- 方程等号：antithesis 表示对立，前后对象特征取反。
- 强词和对应：上述分析得知意大利的服装风格是朴素的，因此空格 (ii) 和空格 (i) 根据 antithesis 取反，选"不朴素"。striking 引人注目的（对），extravagant 奢侈的（对），austere 朴素的（错），unpretentious 低调的（错），sumptuous 华贵的（对）。综合空格 (ii)，答案选 E。

翻 译	意大利文艺复兴时期的华贵服装与西班牙的朴素服装形成对比：意大利的服装有着金银刺绣和华丽的锦缎，而西班牙的服装则带有柔和的深色、朴素的短斗篷和小褶皱的高领。

25-8 答案：A

难 度 ★

思 路
- 方程等号：from...to... 表示状态的变化。
- 强词和对应：根据题意，评论家对选秀比赛的评价从可接受的（acceptable）到卓越的（excellent）。因此空格体现态度从好到更好的"变化"，选一个正向表示"变"的词。vary 变化，recede 减弱，sweep 席卷，average 取平均水平，decline 下降。B 和 E 是变差，C 和 D 没有体现"变化"，排除后。正确答案选 A。

翻 译 根据这位报纸评论家的评价，在昨晚的选秀比赛中，选手的表现从可以接受到优秀不等。

25-9 答案：B

难 度 ★★

思 路 空格 (ii)：
- 方程等号：so 表示因果，前后句意同义重复。
- 强词和对应：主句说地质过程有空格 (ii) 的特征，因此能塑造地球，capable of shaping 指向空格 (ii)，根据 so 取同，体现"能够塑造"的特征。sporadic 断断续续的，steady 稳定的，discernible 可识别的，constant 持续的，intermittent 断断续续的。选项 B、C、D 合适。

空格 (i)：
- 方程等号：although 尽管，表示转折，引导句内句意取反。
- 强词和对应：空格 (i) 和 capable of shaping 取反，体现"无法塑造"，同时根据 given enough time 得知空格 (i) 和时间相关。minute 微不足道的，slow 缓慢的，complex 复杂的，unpredictable 不可预测的，ponderous 沉重的。综合空格 (ii)，答案选 B。

翻 译 长达一个多世纪以来，地质学家对这个观点非常满意，即地质过程虽然非常缓慢，却也很稳定，因而只要有足够多的时间就能够塑造地球。

注 释 空格 (i) 和空格 (ii) 在感情色彩上做取反，尽管慢（负向），但是稳定（正向）。在 GRE 阅读中也出现过类似的句子：Afterward complex organic molecules would be formed, slowly but surely, by means of tunneling. 随后，复杂的有机分子会以 tunneling（隧道穿透）的方式形成，这个过程缓慢但是必然。but 前后感情色彩上取反。

25-10 答案：D

难 度 ★★

思 路 空格 (i) + 空格 (ii)：
- 方程等号：While 尽管，句内取反。not 取反。两次取反后最终同向。
- 强词和对应：尽管沙漠没有空格 (i) 在热带雨林中发现的丰富多彩的生命形态，但是沙漠还是空格 (ii) 大量的物种。空格 (i) 和空格 (ii) 联动。考虑两种情况：
① 如果空格 (ii) 为正向，主句表示沙漠有大量的物种，从句应该是没有丰富多彩的生命形态，not 表示没有，空格 (i) 为正向。brimming 充满的，endowed 被赋予的，imbued 使充满的，teeming 充满的，所以 A、B、C、D 选项的空格 (i) 的四个单词都是正向；foreign 外来的，detrimental 有害的，hostile 敌对的，host 栖息地，A、B、C 选项的空格 (ii) 都是负向词，所以排除 A、B、C，答案选 D。

② 如果空格 (ii) 为负向，主句表示沙漠没有大量的物种，从句应该是有丰富多彩的生命形态，not 取反后，空格 (i) 为负向。而选项 E 中，confronted 对抗，home 发源地，二者取反，排除。答案选 D。

翻 译 尽管沙漠并没有充满那些在热带雨林中可以发现的丰富多彩的明显的生命形态，但是沙漠仍然是数量多得惊人的物种的栖息地。

25-11 答案：C

难 度 ★★

思 路 空格 (i)：
- 方程等号：冒号说明前后句意同义重复。
- 强词和对应：讲话者和听者是对立的。对听者（receiver）容易理解（understand）的语言（省略了对讲话者 for the speaker）难以（difficult）空格 (i)，所以空格 (i) 体现说。estimate 估计，transmit 传达，produce 产生，suppress 压抑，remember 记住。选项 B 和 C 合适。

空格 (ii)：
- 方程等号：冒号说明前后句意同义重复。
- 强词和对应：容易形成的（formulated）的语言是难以空格 (ii) 的，formulate 对应说，空格 (ii) 体现听或理解。confirm 肯定，defend 辩护，comprehend 理解，ignore 忽视，forget 忘记。综合空格 (i)，答案选 C。

翻 译 讲话者和听者总是不一致：对于听者容易理解的语言通常难以产生出来，而容易阐述的语言又总是难以理解。

25-12 答案：A

难 度 ★★

思 路
- 方程等号：if at all 就算真的有，表示让步转折，对主句负评价。
- 强词和对应：空格描述工人对公民生活的作用。if at all 表示让步，因此空格填一个负向词。且 only 后为非正评价。indirectly 间接地，politically 政治地，intellectually 思想上地，sensibly 可感知地，sequentially 顺序地。答案选 A。

翻 译 目前对于学校教学质量的要求，似乎并不需要培养见多识广且积极主动的公民，而是要培养遵纪守法且富有效率的工人，这些工人的能力对公民生活的贡献即使有，也是间接的。

注 释 1. if at all（就算真的有）：you use if at all to give emphasis in negative statements, conditional clauses, and questions.
2. only 后面有空格的话，only 表示"仅仅"，所以空格内容应当是一个非正面评价，所以通过这一点，我们往往能够快速排除一些答案，做出题目。

25-13 答案：A

难 度 ★★★

思 路 空格 (i)：

- 方程等号：ironically 体现句意反义重复。
- 强词和对应：根据原文，这座缺少剧院的城市让企业家考虑建立新剧院会空格 (ii)。企业家 (entrepreneur) 考虑的是盈利 (参看注释)。按照常理，一个没有剧院的地方对企业家来说是一个潜在的赚钱市场，但根据 ironically 取反得知，空格 (i) 体现这座没有剧院的城市反而让企业家"无法赚钱"。unprofitable 无利可图的，untapped 未开发的 (有钱可赚)，unappreciated 未被欣赏的 / 值得欣赏的 (有钱可赚)，unlikely 不可能的，unimpressed 无深刻印象的。选项 A、D、E 合适。

空格 (ii)：

- 方程等号：led...to 表示因果，前后句意同义重复。
- 强词和对应：根据前文，这座没有剧院的城市对企业家来说是"无法盈利的"，因此空格 (ii) 和空格 (i) 根据 led to 取同，体现建造新剧院是"没有好处的"或"无法盈利的"，负评价。risky 危险的 (对)，pointless 无意义的 (对)，difficult 困难的 (对)，appropriate 合适的 (错)，shrewd 精明的 (错)。综合空格 (i)，答案选 A。

翻 译 具有讽刺意味的是，因为缺少剧院，这座城市居然被视作一个无利可图的戏剧城，而这个声誉导致企业家认为在那里建造新剧场将是极具风险的。

注 释 此题会在理解上面出现一些分歧，题中对于缺少剧院的理解思路有两种：①没有剧院证明这个地方没有可开发的艺术价值；②没有剧院表明这是一个潜在的有利可图的市场。根据 entrepreneur 的 释 义 是 a person who starts a business and is willing to risk loss in order to make money。ETS 出题时考虑的是后者。

25-14 答案：E

难 度 ★★

思 路 空格 (i)：

- 方程等号：would be 前后同义重复，所以 it 和空格 (i) 取同；it 为形式宾语，真正的宾语是 to 后面的内容，所以 to 后面的内容和空格 (i) 同义重复。
- 强词和对应：根据题意，为了获得几乎没有的收益要做出牺牲，对他来说是具有空格 (i) 的特征，从 such little advantage 得知做出牺牲是"没好处的"，负评价，空格 (i) 填一个负向词。charitable 慈善的，welcomed 受欢迎的，futile 无用的，academic 学术的，unrealistic 不切实际的。选项 C 和 E 合适。

空格 (ii)：

- 方程等号：in view of 考虑到，表示因果，前后句意同义重复。
- 强词和对应：空格 (ii) 体现导致做出牺牲没好处的原因，选一个负向词。growth 增长 (错)，prejudice 偏见 (对)，encouragement 鼓励 (错)，acclaim 赞扬 (错)，turmoil 混乱 (对)。综合空格 (i)，答案选 E。

翻 译 考虑到随之而来的巨大混乱，他觉得为了获得如此少的收益而做出所要求的牺牲是不切实际的。

25-15 答案：E

难 度 ★★

思 路 空格 (i)：
- 方程等号：and 连接平行结构表示并列，前后同义重复。not 取反。
- 强词和对应：and 平行结构前后都应该说大学生的学术教育是重要的，not 取反后，空格 (i) 选负向词。impede 阻止，debate 争论，protect 保护，maximize 最大化，compromise 妥协。A、B、E 三项合适。

空格 (ii)：
- 方程等号：逗号前后取同，not 取反。
- 强词和对应：逗号后面说 yet still important，但依然很重要，说明课外 (extracurricular) 方面很重要，not 取反，所以空格 (ii) 填一个负向词。promote 促进（错），victimize 使受害 (to treat someone cruelly or unfairly，形容对人的迫害。错)，broaden 扩展（错），continue 继续（错），neglect 忽视（对）。综合空格 (i)，答案选 E。

翻 译 给大学生提供学术教育是必不可少而且不能妥协的，可是这并不意味着大学应该忽略大学生活中课外的，但仍很重要的那些方面。

注 释 这段话抽象的结构应该是：A 很重要，但是 (but) 这并不意味着 (does not mean) B 不重要 (ignore)。

25-16 答案：C

难 度 ★★

思 路 空格 (i) + 空格 (ii)：
- 方程等号：therefore 因此，表示因果，句意同义重复。
- 强词和对应：根据题意，前文说要充分了解气候变暖对环境造成的影响，我们就必须认识到问题的各个方面具有空格 (i) 的关系，因此一个方面的变化会对其他方面产生空格 (ii) 的作用。空格 (i) 和空格 (ii) 联动，根据 therefore 取同，选一组同义词。distinct 有区别的...influence 影响，取反，排除；unique 唯一的 ...clarify 澄清，不是同义词，排除；linked 有联系的...affect 影响，取同，正确选项；cyclical 循环的 ...negate 使无效，取反，排除；growing 增长的...exacerbate 恶化，取反，排除。答案选 C。

翻 译 若想全面理解地球变暖对环境的影响，我们就必须认识到这个问题的各个方面是有联系的，因此，任一方面的改变将会影响其他方面。

25-17 答案：A

难 度 ★★

思 路 空格 (i) + 空格 (ii)：
- 方程等号：Although 尽管，表示让步转折，句内取反。
- 强词和对应：根据句意，空格 (i) 体现早期艺术历史学家对印象派画家的作画方法持空格 (i) 的态度，空格 (ii) 体现最近的研究表明了印象派画家的作画方法的特征。根据 Although 可知，空格 (i) 和空格 (ii) 取反，构成联动，选一组反义词。unstudied 没有计划的...sophisticated 富有经验的，取反，正确答案；idiosyncratic 怪异的...effective 有效的，不取反，排除；

eclectic 混合的...naïve 天真的，不取反，排除；lax 松散的...fashionable 流行的，不取反，排除；careless 粗心的...unpremeditated 没有预先考虑的，取同，排除。因此正确答案选 A。

翻译 尽管早期的艺术历史学家认为印象派画家在作画方法上是没有计划的，但是最近对他们绘画的分析表明了相反的观点——事实上，他们的技艺是富有经验的。

25-18 答案：C

难度 ★★

思路 空格 (i)：
- 方程等号：空格 (i) 做方程等号，体现 alarm 和 concern 的关系。
- 强词和对应：根据题意，空格 (i) 体现关于全球变暖不断上升的政府警报和科学家对变暖正在发生的忧虑这二者间的关系，因此空格 (i) 选不改变方向的词。echo 反映，preclude 排除，reflect 反映，obviate 排除，encourage 鼓励。因此选项 A、C、E 三个选项合适。

空格 (ii)：
- 方程等号：though 尽管，表示让步转折，句内取反。
- 强词和对应：根据题意，前文说全球变暖引发政府警报和科学家担忧变暖正在发生。根据 though 取反，空格 (ii) 体现变暖影响"未发生"，选一个负向词。agree on 一致同意（错），under consideration 在考虑中（对），in dispute 在争论中（对），in doubt 存在疑问（对），confirm 肯定（错）。综合空格 (i)，答案选 C。

翻译 针对全球变暖而不断上升的政府警报反映了科学家的担忧，即尽管何时能预料到变暖的主要影响仍然处在争论中，但这种变暖却正在发生。

25-19 答案：D

难度 ★★

思路 空格 (i)：
- 方程等号：who 引导的定语从句修饰 she，前后描述的状态构成同义重复。
- 强词和对应：根据题意，她是一个只有在绝对必要的时候才会开口说话的人，体现她是个平时"不爱说话的人"。ingenuous 天真的，curt 话少的，cheerful 开心的，laconic 话少的，forward 进步的。因此选项 B 和 D 合适。

空格 (ii)：
- 方程等号：逗号前后句意同义重复。she 和 his 是不同的对象。
- 强词和对应：分析可知，女人（she）平时"话少"，而男人（his）话多（relentless chatter），话少的人不喜欢话多的人，因此空格 (ii) 体现女人对话多的人的负向态度。ignorant 无知的（对），enchanting 迷人的（错），idle 毫无意义的（对），maddening 令人发怒的（对），pointless 毫无意义的（对）。综合空格 (i)，排除 B，答案选 D。

翻译 对于像她这样寡言少语、只在绝对必要时才说话的人而言，他无休止的闲聊完全是令人生气的。

25-20 答案：B

难 度　★★

思 路
- 方程等号：分号说明前后句意同义重复。
- 强词和对应：根据题意，分号后面的内容提到即使是最严谨的科学观点也会在一夜之间发生改变，即"不严谨"，因此对 speculation 是负评价，空格 + omissions and errors 为负评价。体现未来人们对人类在宇宙中地位的猜想会因错误和疏忽造成"不好影响"。immune from 不受影响，marred by 被损害，uncorrupted by 未腐败，correct despite 尽管（错误）但仍为正确的，abridged by 删减。选项 A、C、D 表示正向，排除，选项 E 无关排除，答案选 B。

翻 译　未来的人们可能会认为现在关于人类在宇宙中的地位的猜想因各种疏忽和错误而有所损害；即使是严谨的科学观点也总是会改变的，有时候改变就发生在一夜之间。

注 释　Even rigorous scientific views change，even 出现前后取反，所以此句中 rigorous 和 change 前后取反，因为会改变，所以不严谨。可以在 change 这个单词处挖空，和 rigorous 对应取反。

25-21 答案：D

难 度　★

思 路
- 方程等号：paradoxically 体现句内特征取反。
- 强词和对应：空格和 veneration 根据 paradoxically 取反，体现他既被尊敬又受到"不被尊重"的待遇，负向。reverence 尊重，interest 兴趣，empathy 感同身受，contempt 轻蔑，praise 表扬。答案选 D。

翻 译　自相矛盾的是，Philippe Petain 元帅既受到了巨大的尊敬，又遭到了强烈的鄙视，这使得他与这个世纪的其他法国臣民不一样。

Exercise 26

备考是一个不断积累压力却又不断释放压
力的过程，很多人看到的是最终的两个分
数，而我看到的是自己在这一个月中的成
长，一个更加成熟的自己。

——王啸飞
微臣教育线上课程学员
2015 年 10 月 GRE 考试 Verbal 162, AW 4.5

EXERCISE ㉖

核心词汇

1.《GRE 核心词汇考法精析》收录单词（共 59 词）

agreeable	alleviate	antagonize	antithetical
arbitrary	arcane	belie	beset
blunt	boisterous	candor	conditional
constitute	crucial	defy	demonstrate
demur	discern	discrete	dissent
elude	evanescent	explicit	fallacious
flout	hasten	imperative	inadvertent
indispensable	initiate	innovative	insight
integrity	lyric	mastery	meager
minimize	modicum	obsolete	original
pertinent	pessimistic	platitude	practitioner
pragmatic	preeminent	prerequisite	project
proprietary	provincial	replicate	ridicule
run	sanctuary	schism	transitory
trenchant	unavailing	unimpeachable	

2. 基础单词补充（共 21 词）

alternate *adj.* 取代的：different from the one already in operation and can be used instead of it

available *adj.* 可获得的：present and ready for use; at hand; accessible results or effects

cater *v.* 满足…的需要：to supply what is required or desired

continue *v.* 持续：to do something without stopping: to keep doing something in the same way as before

control *v.* 控制：to direct the behavior of (a person or animal): to cause (a person or animal) to do what you want

detection *n.* 发现：the act or process of discovering, finding, or noticing something

enthusiastic *adj.* 非常感兴趣的：feeling or showing strong excitement about something

equivocal *adj.* 模糊的：lacking clarity or distinctness

fortunate *adj.* 幸运的：having good luck

function *n.* 作用：the special purpose or activity for which a thing exists or is used

inform *v.* 指导：to be or provide the essential quality of (something): to be very noticeable in (something)

intricacy	*n.* 复杂：something that is complex or detailed	
maintenance	*n.* 持续：If you ensure the maintenance of a state or process, you make sure that it continues.	
national	*adj.* 全国的：of or relating to an entire country	
prevent	*v.* 阻止：to stop (something) from happening or existing	
retire	*v.* 退出：to stop a job or career because you have reached the age when you are not allowed to work anymore or do not need or want to work anymore	
social	*adj.* 群居的：live in groups and do things together	
statistical	*adj.* 统计的：relating to the use of statistics	
transmit	*v.* 传递：to give or pass (information, values, etc.) from one person to another	
useful	*adj.* 有用的：helping to do or achieve something	
veil	*n.* 遮盖：something that covers or hides something else	

练习解析

26-1　答案：C

难　度　★

思　路
- 方程等号：分号说明前后句意同义重复。
- 强词和对应：根据句意，巫术的本质是其传统的完整性，只有当巫术被毫无损失地从远古时期空格到现在的从业者手中，巫术才是有效的。without loss 和 integrity 构成同义重复，traditional(传统) 和空格 +from primeval times to the present practitioner 同义重复，因此空格体现从过去到现在的"传承"。conventionalize 使成为…习俗，realize 实现，transmit 传承，manipulate 操纵，aggrandize 夸大，答案选 C。

翻　译　在某些文化中，巫术的本质是它的传统的完整性；只有当巫术被毫无损失地从远古时代传承到今天的从业人员的手中时，它才能生效。

注　释　这句话的正常语序是：...if it has been transmitted from primeval times to the present practitioner without loss，出题者把 without loss 提前，提高了句子理解的难度。

- -

26-2　答案：D

难　度　★

思　路　空格 (i)：
- 方程等号：will 将要，前后句意同义重复。
- 强词和对应：根据句意，financial problem 会对我们在月球建立基地产生"问题"，problem 根据 will 取同，空格 (i) 填一个负向词。beset 困扰，hasten 加速，postpone 推迟，prevent 阻止，allow 允许，所以 A、C、D 三项合适。

空格 (ii)：
方法一：
- 方程等号：remain 表示状态的持续，前后状态同义重复。
- 强词和对应：根据题意，根据 remain，支持者仍然"支持"，空格填一个正向词。disillusioned 幻想破灭的（错），hopeful 有希望的（对），pessimistic 悲观的（错），enthusiastic 乐观的（对），unconvinced 怀疑的（错）。综合空格 (i)，答案选 D。

方法二：

- although 表示句内转折，从句说财政问题会造成"负面的影响"，空格 (ii) 和空格 (i) 根据 Although 取反，填一个正向词。综合空格 (i)，答案选 D。

翻 译 尽管怀疑主义者们认为财政问题可能会阻止我们在月球上建立基地，但这个项目的支持者仍然保持着热情，认为人类的好奇心会克服这样的实际约束。

注 释
1. 在 GRE 中，情态动词如 might，系动词如 be，和表示状态持续的词如 remain、continue 等可作为弱的方程等号，前后同义重复，例如："我就是我""联欢的主题是联欢""the accusatory songs the artist is best known for might sting"。
2. 题目最后的 such pragmatic constraints 对应前文中提到的 financial problems，因此可以将 problem 做挖空处理，利用指示代词解题。

26-3 答案：B

难 度 ★★

思 路
- 方程等号：whether A or whether B，是否 A 或者是否 B，前后对象特征取反。
- 强词和对应：or 后面的内容体现学者质疑的是在美国产生的文学是否只是英国文学的一个地方性分支，所以空格 (i)+ 空格 (ii) 和地方性分支取反，体现"非地方、非分支"。存在两种可能性：

  ① 空格 (i) 是正向词，空格 (ii) 和 provincial 取反，填一个"非地方，非分支"含义的单词；symbolize 象征，constitute 构成，define 确定，outline 明确，capture 充分体现，发现五个选项空格 (i) 都是正向，所以以找空格 (ii) 和 provincial 相反的单词，选 B，national 国家的（指美国，和英国相反），其余选项中 A 为干扰项，local 地方的，和 provincial 是同义词。historical 历史的，good 优秀的，meaningful 有意义的，都是无关选项。答案选 B。

  ② 空格 (i) 是负向词，空格 (ii) 和 provincial 取同，如果 A 选项的空格 (i) 表示"不体现"，A 为正确答案。译为：……在美国产生的文学是否并没有体现一种地方文学，或者这种文学只是一个英国文学的地方分支。

翻 译 二战之前，学者们仍然质疑在美国产生的文学是否真正构成了一种本国的文学，或者这种文学只不过是一种英国文学的地方分支而已。

26-4 答案：B

难 度 ★

思 路
- 方程等号：最后一个逗号说明前后句意同义重复。a bit of arcane knowledge 作 fact 的同位语。
- 强词和对应：根据题意，虽然更多的 18 世纪的小说是由女性而不是男性写的，但是这种优势直到最近都被看作一种具有空格特征的事实，只被文献目录学家得知，根据逗号前后同方向，空格选一个体现 bibliographer 特征的词。bibliographer 指的是对图书进行分类、整理和统计的人，因此这种事实是与分类、整理和统计相关的。controversial 有争议的（和 dominance 矛盾，错），statistical 统计的（对），analytical 分析的（无关），explicit 清晰的（和 arcane "秘密的"矛盾，错），unimpeachable 无懈可击的（无关），答案选 B。

翻 译 更多的 18 世纪小说是由女性而不是男性写的，但是这种优势直到最近都仅仅被看作一个统计事实，一种只被文献目录学家所知道的秘密知识。

26-5 答案：B

难度 ★★

思路 空格 (ii)：
- 方程等号：冒号，前后取同。前文提到生物学的特点被归为两大类，可知两类的特征取反。
- 强词和对应：根据题意，and 后面的内容提到一类是更加独立于环境之外的特征，空格 (ii) 和 independent of 取反，体现另外一类是更加"不独立于"环境的特点。detachment from 独立于，control over 控制，freedom from 独立于，compatibility with 并存，advantage in 优点。B、D、E 三项合适。

空格 (i)：
- 方程等号：冒号，前后方向相同。
- 强词和对应：空格 (i) 描述的是生物学的特征，冒号后面对这种特征的描述，要么是独立于环境，要么是对环境有"掌控能力"，所以这是一个"有利"的特征（不受到环境的制约），因此空格 (i) 填一个正向词。widespread 普遍的（对），beneficial 有益的（对），successful 成功的（对），neutral 中立的（无关），harmful 有害的（和空格 (ii) 的 advantage "优势"矛盾，错）。答案选 B。

翻译 所有有益的生物特征可以归为两种类别中的一类：那些让它们的所有者更多控制环境的特征和那些导致它们的所有者更加独立于环境的特征。

- ⟡

26-6 答案：C

难度 ★★

思路 空格 (i)：
- 方程等号：of 介词结构作后置定语修饰空格 (i)，前后描述同义重复。
- 强词和对应：根据 of 介词结构，复杂社会的"复杂性"，因此空格 (i) 和 complex 取同，体现困境是如何重建复杂古代社会的"复杂性"。riddle 谜题，detail 细节，intricacy 错综复杂，pattern 模式，configuration 构造。选项 A、C 都有复杂难以理解的意思，比较二者：
  ① riddle: a mystifying, misleading, or puzzling question posed to be solved. 体现未解之谜。
  ② intricacy: the state of being made up of many small parts or details. 体现小的部分和细节形成的复杂。
  根据题意，intricacy 和题干中 from meager and often (ii) ___ physical evidence（来自贫乏的证据构建）更好对应，因此排除 A 选项，选项 C 合适。

空格 (ii)：
- 方程等号：and 前后句意同义重复。
- 强词和对应：根据题意，空格 (ii) 和 meager 根据 and 取同，所以空格 (ii) 是一个负面词。obsolete 过时的（对），irrefutable 无可置疑的（错），equivocal 不明确的（对），flawless 完美无缺的（错），explicit 明确的（错）。综合空格 (i)，答案选 C。

翻译 考古学的重要困境之一是如何用那些贫乏且模棱两可的具体证据来重现复杂的古代社会的错综复杂的事物。

26-7 答案：D

难 度 ★

思 路

- 方程等号：just as 就像⋯，引导句内同义重复。
- 强词和对应：根据题意，作者们关于鳗鱼的书是海洋脊椎动物学的一篇重要文献。their 指代 authors，空格和 key 取同，体现作者们的思想对这个领域的动物发展和进化史的教学也是"重要的"，正评价，选一个正向词。prevent 阻止，defy 违抗，replicate 复制，inform 贯穿，渗透，use 使用。inform 的释义是 to give form or character to。答案选 D。
- C 和 E 选项为干扰选项，应该是他们的观点被复制或被使用，需要被动语态。

翻 译 正如这些作者关于鳗鱼的书通常是海洋脊椎动物课程中的重要文献一样，他们关于动物发展和进化史的思想也渗透于这个领域的教学之中。

26-8 答案：D

难 度 ★

思 路

- 方程等号：because 表现因果，前后句意同义重复。
- 强词和对应：根据题意，对于在保护区里的猴子最重要的是它们是一个团体，因此空格和 group 根据 because 取同，体现它是"团体性的"。independent 独立的，stable 稳定的，curious 好奇的，social 群居的，proprietary 私有的。答案选 D。

翻 译 对于保护区里的猴子而言最重要的是它们是一个团体；这是因为灵长类动物必然地具有群居性并且与其他个体在一起生活。

26-9 答案：C

难 度 ★

思 路

- 方程等号：later 表现时间对比，前后句意取反。
- 强词和对应：冒号后面的内容提到神童之后会回到竞争当中，而且非常成功，succeed brilliantly 和 the world of achievement 构成同义，因此空格和 return to 根据 later 取反。体现他们之前"退出"充满成就的世界。ridicule 嘲笑，conquer 征服，retire from 退出，antagonize 敌对，examine 审视。答案选 C。

翻 译 通常，在公众视线中成长的困扰会导致神童在成年之前离开世俗的成就；令人欣慰的是，他们有的时候又会回到竞争中并且取得辉煌的成功。

26-10 答案：C

难 度 ★★

思 路 空格 (i)+ 空格 (ii)：

- 方程等号：but 但是，句内前后取反。
- 强词和对应：but 前面的句子说支持的证据比被质疑的假说在汇报方面更加让人满意。but 前后取反，but 后面应该说被质疑的假说比支持的证据更让人满意。establishment of

probable truth 和 supporting evidence 构成同义重复。discredited hypotheses 和空格 (i)+of errors 构成同义重复，空格 (i) 选一个不改变方向的词，因此空格 (ii) 和 satisfying 取同，选一个正向词。

空格 (ii)：

- permitted 被允许的，ignored 被忽视的，useful 有用的，agreeable 令人愉快的，conditional 有条件的，A、C、D 三项合适；空格 (i)：discredited 表示被怀疑的，所以只有"发现"error 才能怀疑，选"发现"。C 选项的 detection 合适，正确答案选 C。
- formulation 构想，correction 更正，accumulation 积累，refinement 改善。

翻 译 在科学研究中，支持的证据比被质疑的假说在汇报方面更加让人满意，但事实上，发现错误比建立可能的真理更加有用。

26-11 答案：D

难 度 ★★

思 路 空格 (i) + 空格 (ii)：

- 方程等号：分号说明前后句意同义重复。
- 强词和对应：根据题意，分号前描述专业摄影师将在摄影作品中不经意出现的超现实主义视作诅咒而不是祝福，分号后面的内容应体现他们对超现实主义的负评价（curse）。magazine photographers 和 professional photographers 同义重复，its presence 指代的是 surrealism。空格 (i) 和空格 (ii) 构成联动。存在两种可能性：
  ① 存在超现实主义，他们是被诅咒的；空格 (ii)：A 选项 enhance 增加、C 选项 demonstrate 展现、E 选项 highlight 强调，都是正向，合适，因此空格 (i) 和 curse 取同，选一个负向词。skillful 熟练的，original 原创的，conventional 传统的，不合适，排除 A、C、E。
  ② 没有超现实主义，他们是被祝福的。空格 (ii)：B 选项 eliminate 消除、D 选项 minimize 减少，合适，因此空格 (i) 和 bless 取同，选一个正向词。inadequate 不足的，排除 B，fortunate 幸运的，正确答案选 D。

翻 译 职业摄影师通常认为作品中偶尔出现的超现实主义是一种诅咒而不是祝福；特别是杂志摄影师，当他们能在自己的照片中最小化这种超现实主义的存在的程度时，他们认为自己是幸运的。

26-12 答案：E

难 度 ★★

思 路 空格 (i)：

- 方程等号：who 引导的定语从句修饰 scientist，前后描述同义重复。and 连接平行结构，前后句意同义重复。
- 强词和对应：根据题意，Marison 是一位科学家，他的成功令人吃惊。空格 (i) 和 imagination 根据 and 取同，而 imagination 没有感情色彩和语义对应，因此考虑空格 (i) 和 who 引导定语从句内容取同，体现 startling success，选一个正评价。restiveness 焦躁情绪，precision 精确，aggression 侵略，candor 坦率，insight 洞察力。选项 B、D、E 合适。

空格 (ii)：

- 方程等号：in 介词结构后置定语修饰 success，前后句意同义重复。
- 强词和对应：Marison 成功是在其他人认识到之前就能空格 (ii) 新的和根本性的原则，根据 in 介词结构，成功体现做了成功的事，空格 (ii) 为正向，acknowledge 承认（对），coordinate 协调（正向，但是与前面的 precision 语义无关，排除），resist 抵抗（错），dispel 消除（错），discern 发现（对）。综合空格 (i)，答案选 E。

翻 译 Marison 是一位具有非凡洞察力和想象力的科学家，远在某些全新的基本原理被人们普遍认识之前，他早就能够令人吃惊地成功将其发现。

注 释 在选项 E 中，discern...in advance of 和 insight 构成同义重复。

26-13 答案：B

难 度 ★★

思 路
- 方程等号：冒号说明前后句意同义重复。
- 强词和对应：根据题意，前文提到民主运作团队中严重冲突的水平低。tolerance for dissent 和 democratically 取同（民主的运行方式就是允许出现不同的意见）。low levels 和 prevents 同义重复，因此 conflict 指向空格，根据冒号取同，体现容忍不同意见可以阻止"冲突"。demur 反对，schism 分裂冲突，cooperation 合作，compliance 顺从，shortsightedness 目光短浅。答案选 B。

翻 译 愚昧的独裁管理者很少能意识到一个关键的原因——为何以民主方式运作的工作小组中很少有激烈的冲突：对不同意见的适度容忍通常都能避免冲突。

注 释 选项 A 为干扰项，代入后与句意自相矛盾。也就是说对反对的容忍是无法阻止反对的（因为已经容忍反对了）。

26-14 答案：B

难 度 ★★

思 路 空格 (ii)：
- 方程等号：despite 尽管，表示让步转折，句内取反。
- 强词和对应：根据题意，it 指代 latest criticism，尽管有吸引人的标题和过分恭维的表扬，但也只不过是一个空格 (ii) 的集合。空格 (ii) 和 intriguing 或 praise 根据 despite 取反，负评价。pronouncement 公告，platitude 陈词滥调，insight 深刻的见解，aphorism 格言，judgment 判断。选项 B 合适。

空格 (i)：
- 方程等号：分号说明前后句意同义重复。
- 强词和对应：分号后面的主干对最近的文学评论给出了负面评价，因此分号前面也要体现负评价，而 trenchant（犀利的）是正评价，因此空格 (i) 填一个负向词。reinforce 加强（错），belie 对立（对），prejudice 使有偏见（对），advance 领先（错），undermine 削弱（对）。综合空格 (ii)，答案选 B。

翻 译 Carruthers 最新的文学评论与她具有犀利的批评能力的声誉形成对立；尽管有吸引人的标题和防尘封皮上的过誉之辞，但这本书只不过是一个陈词滥调的文集而已。

注 释 nothing more than "只不过是"，不取反，类似的还有 little more than, no more than 等表达。

26-15 答案: B

难 度 ★

思 路
- 方程等号: if 引导条件状语从句, 句意同义重复。
- 强词和对应: 根据题意, 前文提到如果那些只迎合流行文学趋势的大型出版商持续在市场中占据主导位置, 而 popular tastes 和 popular literary trends 同义重复, 所以空格和 respond solely to 根据 if 取同, 体现新作家在首次出版时会依赖作者对大众口味的"回应"。 struggle against 为反对…而斗争, cater to 迎合, admire 赞赏, flout 藐视, elude 回避。答案选 B。

翻 译 如果那些只迎合流行文学趋势的大型出版商继续主导出版市场的话, 那么新作家的处女作的出版将取决于作家是否愿意迎合大众口味。

…

26-16 答案: E

难 度 ★★

思 路 空格 (i)+ 空格 (ii):
- 根据题意, 题干可以简化为: 反对 (oppose) A, 就要提出 (propose) B。oppose 和 propose 取反, 相当于 not...but 结构。反对现有的, 因此"提出其他不被反对的"。
- 空格 (i)+ways 表示其他的不被反对的方法, 选一个正向词。intelligent 聪明的, innovative 创新的, alternate 其他的, 三项合适; 空格 (ii) 选一个正向词, alleviate 减轻, 排除。为政府募集资金是为了确保运作 (而不是开始), initiate 开始, 排除。正确答案选 E。
- individual 个体的...diversity 使…多样化, arbitrary 随意的...maintain 维持。

翻 译 反对这个州现行的收入所得税政策的候选人必须能够提出其他的方法, 从而继续为这个州的运作募集资金。

…

26-17 答案: C

难 度 ★★

思 路 空格 (i):
- 方程等号: Although 尽管, 表示让步转折, 句意反义重复。
- 强词和对应: 根据题意, 后文描述延迟和过高的花费, 负评价。因此空格 (i) 体现针对拒付孩子抚养费行为的法律支持是有"好的作用的", 选一个正向词。unpopular 不受欢迎的, required 必须的, available 可行的, unavailing 徒劳的, nonexistent 不存在的。选项 B 和 C 合适。

空格 (ii):
- 方程等号: make 使得, 前后句意同义重复。
- 强词和对应: other options 和 strong legal remedies 换对象, 根据题意, 因为 strong legal remedies 出现了延迟和花费, 所以才需要去发展其他的方法, 因此空格 (ii) 填一个正向词。useful 有用的 (对), impossible 不可能的 (错), imperative 必要的 (对), impractical 不切实际的 (错), ridiculous 荒谬的 (错)。综合空格 (i), 答案选 C。

翻 译 尽管针对拒付小孩抚养费的行为存在强有力的法律援助措施, 但是与这些援助相关的拖延以及过高的费用都使得发展其他方案成为必然。

26-18 答案：A

难 度 ★★

思 路
- 方程等号：though 尽管，表示让步转折，句内取反。no longer 取反。两次取反后最终同向。
- 强词和对应：空格和 indispensable 根据 though 和 no longer 取反两次后取同，体现微积分不再（no longer）"必不可少"。preeminent 占据支配地位的，pertinent 重要的，beneficial 有好处的，essential 必不可少的，pragmatic 务实的，第一反应选 D。但如果选 D，句意就变成"尽管微积分仍然必不可少，但是微积分不再必不可少"前后矛盾，所以排除 D 选项。
- 所以利用分号，根据分号前后同方向可知，calculus 有一个"平等的伙伴"，因此空格和 equal 根据 no longer 取反，体现 calculus 是"没有同等的"，即"超越其他的"。preeminent 的释义是 if someone or something is preeminent in a group, they are more important, powerful, or capable than other people or things in the group。因此，正确答案选 A。

翻 译 尽管微积分对于科学和技术来说仍然是必不可缺的，但它已不再占据支配地位；它有一个平等的伙伴——离散数学。

26-19 答案：D

难 度 ★

思 路
- 方程等号：逗号说明前后句意同义重复。
- 强词和对应：前文提到他展现了暗讽的技巧。innuendo 的释义是 a statement which indirectly suggests that someone has done something immoral, improper。空格和 innuendo 取同，体现他说了一些"不直接的"侮辱语言。blunt 直率的，boisterous 喧闹的，fallacious 谬误的，veiled 不直接的，embellished 装饰的。veiled 的释义是 a veiled comment is expressed in a disguised form rather than directly and openly。答案选 D。

翻 译 在晚上的谈话中，他说出很多暗中侮辱人的话，展现了对暗讽能力的精通。

26-20 答案：C

难 度 ★★★

思 路 空格 (i)：
- 方程等号：in order to 表示目的，前后句意同义重复。
- 强词和对应：赌徒不成功的决策策略是一种错觉，为了误导玩家并且拿走他们的钱，unsuccessful decision strategies 和 misguide players and take their money 同义重复（因为总是输，所以赌徒会不停地投入钱，妄想有机会翻本），因此空格 (i) 不改变句意的逻辑方向。distortion 扭曲，restriction 限制，maintenance 维持，prediction 预测，demonstration 证实。预测不是错觉，排除选项 D。demonstration 指需要清晰的证据去证明，与 illusion 矛盾，排除选项 E。因此选项 C 合适。

空格 (ii)：
- 方程等号：is 表现状态，前后句意同义重复。
- 强词和对应：根据题意，输钱可以误导玩家并拿走更多的钱，因此空格 (ii) 和 in order to 构成同义重复，体现输钱是"为了"产生错觉，表示目的。outcome 结果，result 结果，function 作用，accomplishment 成就，prerequisite 必要条件。综合空格 (i)，答案选 C。

翻 译 维持赌徒们不成功的决策策略是幻觉的一个功能，这种存在于赌博游戏中的幻觉会误导玩家并赢走他们的钱。

26-21 答案：B

难 度 ★★

思 路
- 方程等号：第一个逗号说明前后同义重复。
- 强词和对应：空格 (i) 体现社会历史和抒情诗歌之间的关系，逗号后面的内容分别表述社会史和抒情诗歌这两个对象的特点，用 and 连接，空格 (i) 和空格 (ii) 联动。存在两种可能性：
  ① 二者相同，社会历史也是描述永恒不变的内容；空格 (ii) 和 unchanging 或 timeless 取同，D 选项 unalterable（不可改变的），合适，因此空格 (i) 体现二者相同，正向，而 irreconcilable（不相容的），为负，排除 D 选项。
  ② 二者不同，社会历史描述短暂易变的内容。空格 (ii) 和 unchanging 或 timeless 取反，B 选项 evanescent（短暂的）和 E 选项 transitory（短暂的），两项合适。因此空格 (i) 体现两者不同，负向。indistinguishable 难以区分的，体现相同，排除 E。antithetical 对立的，正确答案为 B。
- predetermined 预先注定的...bygone 过去的，interdependent 相互依赖的...unnoticed 未被注意的，与题意无关，排除。

翻 译 社会历史和抒情诗歌的本质是相互对立的，社会历史总是描绘短暂的事物，而抒情诗歌却表达永恒的人性主题，这种永恒的精髓远远超越了时尚和经济现象。

Exercise 27

它是晦涩的重复，也暗涌了辞藻的美丽；它有曲折的逻辑，却埋藏着明晰的对应一本笔记，一百个日夜，一千道练习，一万分努力！

——王宇豪
微臣教育线上课程学员
2015 年 10 月 GRE 考试 Verbal 165, Quantitative 170

EXERCISE ㉗

核心词汇

1.《GRE 核心词汇考法精析》收录单词（共 50 词）

abysmal	alienate	antiquated	banal
bound	cherished	credulous	crucial
curtail	derivative	distinctive	dormant
downplay	eccentric	emulate	erratic
esoteric	evasive	fastidious	forthright
foster	harry	inimitable	innovative
intrinsic	mediate	mediocre	milk
novel	obscure	original	paradigm
patent	perfunctory	persistence	proficient
profundity	prosaic	provoke	quack
rational	reticent	skeptic	slight
sophisticated	subservient	synthesis	tenuous
undermine	virtuoso		

2. 基础单词补充（共 22 词）

anomaly   *n.* 反常：deviation or departure from the normal or common order, form, or rule

commonplace   *n.* 陈词滥调：an idea, expression, remark, etc., that is not new or interesting

disconnect   *v.* 分开，分离：separate two things

exaggerate   *v.* 夸张，夸大：to think of or describe something as larger or greater than it really is

inexact   *adj.* 不精确的；不准确的：not completely correct or precise

inhibit   *v.* 抑制：to prevent or slow down the activity or occurrence of (something)

inspired   *adj.* 优秀的：very good or clever

ironic   *adj.* 令人讽刺的：using words that mean the opposite of what you really think especially in order to be funny

material   *adj.* 实质性的：having real importance

naive   *adj.* 天真幼稚的：simple and credulous as a child; ingenuous

neglect   *v.* 忽视：to fail to take care of or to give attention to (someone or something)

objectivity   *n.* 客观：based on facts rather than feelings or opinions

precise   *adj.* 精确的：very accurate and exact

preconception *n.* 成见：an idea or opinion that someone has before learning about or experiencing something directly

reject	*v.* 拒绝：to refuse to believe, accept, or consider (something)
reliable	*adj.* 可靠的，可信赖的：able to be trusted to do or provide what is needed
reticent	adj. 话少的：not willing to tell people about things
security	n. 安全感：a feeling of being safe and free from worry
simulation	n. 模拟，模仿：something that is made to look, feel, or behave like something else especially so that it can be studied or used to train people
solicit	*v.* 征求（意见）：to ask for (something, such as money or help) from people, companies, etc
suspension	n. 延缓：the act of stopping or delaying something for a usually short period of time
unlikely	*adj.* 不太可能的：you believe that it will not happen or that it is not true, although you are not completely sure

练习解析

27-1 答案：C

难度 ★

思路
- 方程等号：in much the same way 以相同的方式，前后句意同义重复。
- 强词和对应：前文描述暴露在低密度伽马射线中会降低食物中腐败微生物生长的速度，根据同样的情况（in much the same way），被用在 pasteurization 中的低温度也会降低腐败的速度。the spoilage action 和 growth of the spoilage 同义重复，空格和 slows 取同，选一个负向词，preclude 阻止，initiate 开始，inhibit 减缓，isolate 使隔离，purify 使纯净。选项 A 和 C 备选。
- preclude 的释义是 to keep from happening by taking action in advance，意为"阻止"；inhibit 的释义是 to decrease the rate of a reaction，意为"减缓速度"，对比而言，inhibit 和 slow 是同义词，而 preclude 程度过强，因此排除选项 A。答案选 C。

翻译 暴露在低密度的伽马射线中可降低食品中腐败微生物的生长速度，这种方式等同于在巴氏杀菌法中所使用的低温减缓牛奶中微生物的腐败行为。

注释 在本题中 A 选项和 C 选项都是负向词，但是因为 A 的程度过强，所以不选 A 选 C。而在有些情况下，有的选项因为程度太弱，所以也不能作为正确答案。所以对于单词含义的精确把握是极其重要的。

27-2 答案：C

难度 ★

思路 空格 (i)：
- 方程等号：thus 因此，表示因果，前后句意同义重复。
- 强词和对应：前文描述制造商的新产品被轻易地复制，后面提到的是差异（differences）的特征。difference+ 空格 (i) 和 easy copied 根据 thus 取同，体现"复制"会对产品差异带来的结果。复制导致"相同"，即差异"减小"，负向。crucial 至关重要的，minimal 极小的，slight 微小的，common 普通的，intrinsic 固有的。选项 B 和 C 合适。

空格 (ii)：

- 方程等号：in order to 表示目的，前后句意同义重复。
- 强词和对应：根据前文可知差异因复制"变小"，后文提到广告商为了表现产品的与众不同（uniqueness）而对差异做出的动作。所以空格 (ii)+these difference 和 uniqueness 构成同义重复，所以空格 (ii) 体现"有差异"，填一个正向词。downplay 轻视（错），reduce 降低（错），exaggerate 夸大（对），emphasize 强调（对），create 创造（对）。综合空格 (i)，答案选 C。

翻 译 在当今世界上，制造商的新产品很容易被复制，因此，产品之间的差异通常是很小的；广告商们因而被迫来夸大这些差异以体现他们的客户产品的独特性。

27-3 答案：A

难 度 ★

思 路 空格 (i)：

- 方程等号：句中第一个 by 通过…，表示方式方法，前后句意同义重复。
- 强词和对应：根据题意，空格 (i) 体现毛毛虫通过提前进入休眠状态对活跃生长的时期所做的动作。active growth（活跃生长期）和 dormant state（冬眠期）取反，因此空格 (i) 填一个负向词。curtail 缩减，foster 培养，prevent 阻止，mediate 调解，invert 颠倒。A、C、E 三项合适。

空格 (ii)：

- 方程等号：句中第二个 by 通过…，表示方式方法，前后句意同义重复。
- 强词和对应：by 前面说进入了休眠状态，所以 by 后面也应表达"休眠，不活跃的"，所以就是"不进食"的。feeding 表示进食，所以空格 (ii) 是一个负向词。suspension 暂停（对），continuation 持续（错），stimulation 刺激（错），synthesis 综合（错），simulation 模拟（错）。综合空格 (i)，答案选 A。

翻 译 为了避免被寄生虫消灭，有些毛毛虫能通过提早进入休眠期而缩短活跃的生长期，这种休眠期以它们停止进食为特点。

注 释 本道题目我们用了两个 by 作为我们解题的方程等号，by 表示方式方法，用什么样的手段，达到什么样的目的，前后取同。类似的常见的等号还有 with 和 through。

27-4 答案：D

难 度 ★★

思 路 空格 (i)

- 方程等号：but 但是，前后取反；rarely 相当于 not，再次取反，两次取反，取同。
- 强词和对应：空格 (i) 和 beautiful 根据 but 和 rarely 两次取反取同，空格填一个正向词，impressive 令人印象深刻的，realistic 现实的，traditional 传统的，precise 精确的，distinctive 独特的，排除 C。A、B、D 和 E 选项备选。

空格 (ii)：

- 方程等号：combined with 相当于 and，前后取同。
- 强词和对应：this fact 指代的是 rarely + 空格 (i)，是一个负向词，所以空格 (ii) 也是一个负向词。inaccurate 不精确的（对），detailed 详细的（错），progressive 先进的（错），inexact 不精确的（对），sophisticated 高级的（错）。

- 比较 A 和 D 两个选项，因为要体现"没有空格(i)会使得科学家不能识别在物种之间的差异"，相比于 A 选项，D 选项是更直接的答案。因为即使是很平常（rarely impressive）的插画书，只要标清物种的差异，还是会让科学家识别出其差别。但是如果不精准的话，那必然无法识别其中差异。

翻译 在 Heckel 的作品出现之前，关于鱼的插画通常很漂亮但不够精确；这个事实，加上大多数 19 世纪对分类学的不精确描述，使得科学家无法辨别不同物种之间的差异。

27-5 答案：E

难度 ★★

思路 空格 (i)：
- 方程等号：句中第一个逗号，逗号前后同义重复。
- 强词和对应：逗号前面说 Susan 经验丰富而且精通，是一名优秀的且空格 (i) 小号吹奏者。空格 (i) 和 experienced, proficient 或 good 取同，体现对 Susan 的"正向"评价。virtuoso 技艺精湛的，mediocre 普通的，competent 有能力的，amateur 业余的，reliable 可靠的。A、C、E 三项合适。

空格 (ii)：
- 方程等号：but 表示转折，前后句意取反。
- 强词和对应：对 Carol 表演的描述是 brilliant but 空格 (ii)，空格 (ii) 和 brilliant 取反，体现表演"不好"，负评价。inimitable 无与伦比的（错），eccentric 古怪的（对），influential 有影响力的（错），renowned 有名的（错），erratic 不稳定的（对）。综合空格 (i)，答案选 E。

翻译 Susan 经验丰富而且技艺精湛，是一个优秀且可靠的小号吹奏者；她的音乐通常比 Carol 富有灵感，但却不稳定的演奏更加让人满意。

27-6 答案：E

难度 ★★

思路
- 方程等号：whatever 表示让步，前后句意反义重复。
- 强词和对应：whatever 表示让步，所以空格和 intrinsic merit 取反，体现无论有多少价值，还是有"不好"的地方。paradigm 典范，misnomer 用词不当，profundity 深刻，inaccuracy 不准确，anomaly 反常。选项 B、D、E 备选。同时看到 whatever 前面说在大多数的闪烁其词的评论中，这个言论是直率的，说明这个言论和大多数不同，所以答案选 E。

翻译 在如此多闪烁其词的评论之中，这个直率的言论，不管其本身价值如何，都显然表现得与众不同。

27-7 答案：D

难 度 ★★

思 路
- 方程等号：冒号说明前后句意同义重复。and 平行结构，前后取同，not 取反。
- 强词和对应：冒号前面的内容提到 Marshall 挑衅行事的风格疏远了任何人，所以冒号后面体现他会疏远他人，antagonize 和 alienate 同义重复。and 连接平行结构，supporter 和 the directors that had a reputation for not being easily + 空格取同，因为 not 取反，所以空格和 supporters 反义重复，体现"不支持"。intimidate 威胁，mollify 抚慰，reconcile 调节，provoke 激怒，motivate 使有动机。对比选项 A 和 D，文中只说了激怒而没有说恐吓，排除 A，所以答案选 D。

翻 译 Marshall 挑衅的行事风格能疏远几乎任何人；他甚至与整个董事会为敌，这其中包括了一些他的支持者，而且这些董事会的成员具有不易被激怒的声誉。

注 释 这道题目的简单版本可以写成 He even antagonized a board of directors that had a reputation for not being easily provoked。even 和 not 两次取反，所以空格和 antagonize 取同。意为：他甚至激怒了董事会那些不容易被激怒的人。

27-8 答案：D

难 度 ★

思 路 **方法一：**
- 方程等号：冒号说明前后同义重复。
- 强词和对应：后文提到殖民地的日益繁荣减少了（diminished）它们对祖国（英国）的依赖以及忠诚。prosperity 和 success 构成同义重复，因此空格和 diminished 构成同义重复，体现殖民统治被它的成功"减少"，负向。demonstrate 证实，determine 决定，alter 改变，undermine 削弱，distinguish 区分。答案选 D。

方法二：
- 方程等号：Paradoxically 矛盾地，句意取反。
- 强词和对应：success 指向空格，取反，体现成功的"负面作用"，正确答案为 D。

翻 译 矛盾的是，英国在北美的殖民统治被它的成功破坏了，殖民地的持续繁荣减少了它们对祖国的依赖性，因此也降低了它们的忠诚度。

27-9 答案：C

难 度 ★

思 路 **空格 (i)：**
- 方程等号：Although 尽管，表示让步转折，引导句内句意取反。
- 强词和对应：前文描述 Harry Stack Sullivan 是本世纪最有影响力的社会科学家，因此后文句意和 influential 构成反义重复，体现对 his ideas 的负评价，空格 (i) 填一个负向词，novel 新的，revolutionary 革命性的，commonplace 平凡的，disputed 有争议的，obscure 难以理解的。选项 C、D 和 E 可以候选。

空格 (ii)：
- 方程等号：so...that... 如此…以至于…，表示因果，前后句意同义重复。
- 强词和对应：第 (i) 空和第 (ii) 空同方向，前后取同，填一个负向词。antiquated 古老的（对），fundamental 根本性的（错），banal 陈腐的（对），esoteric 难以理解的（和 disputed 不是同义词，排除），familiar 熟悉的（错）。答案选 C。

翻 译 尽管 Harry Stack Sullivan 是本世纪最有影响力的社会科学家之一，但他的思想在当今社会是如此平凡以至于看上去几乎显得陈腐了。

27-10 答案：D

难 度 ★

思 路 空格 (i)：
- 方程等号：rather than 而不是，前后句意构成反义重复。
- 强词和对应：根据题意，前文说她第一次音乐会的表现是令人失望的敷衍和没有新意。空格 (i) 和 perfunctory, derivative 根据 rather than 取反，体现对他的表现的"正评价"。talented 有天赋的，prosaic 单调乏味的，artistic 艺术的，inspired 激发灵感的，literal 字面的。选项 A，C 和 D 合适。

空格 (ii)：
- 方程等号：A in B，具有 B 的 A，所以 A、B 特征一致。前后取同。
- 强词和对应：空格 (i) 的演出是具有空格 (ii) 的风格的，所以空格 (i)、空格 (ii) 前后取同，填一个正向词。tenuous 站不住脚的（错），classic 经典的（对），mechanical 机械的（错），innovative 创新的（对），enlightened 有见识的（对）。综合空格 (i)，答案选 D。

翻 译 她的首次音乐会表现得令人失望地敷衍并且毫无创意，而不是我们之前所期待的具有创新风格且激发灵感的表演。

注 释 本题中有一组时间对比，体现在 was 和 had anticipated，是过去时和过去完成时的对比取反。在 GRE 考试中，比较简单的时间对比用时间状语来表示，比如 recently、once、in the past 等，但是难一点的题目往往用时态来体现，比如 is 和 had 等。

27-11 答案：A

难 度 ★★

思 路 空格 (ii)：
- 方程等号：although 尽管，表示让步转折，引导句内句意取反。
- 强词和对应：根据题意，独立投稿人（individual contributor）的贡献是突出的。因此，空格 (ii) 和 outstanding 根据 although 取反，体现书作为整体（whole）是"不杰出的"，负评价。disconnected 不连贯的，abysmal 极坏的，systematic 系统的，unexciting 不令人兴奋的，coherent 连贯的。A、B、D 三项合适。

空格 (i)：
- 方程等号：第一个逗号说明前后句意同义重复。
- 强词和对应：逗号后面说这本书总体上是不好的，逗号前后取同，所以空格(i)填一个负向词，表示这些作者的特征。different 不同的（对），incompetent 无能力的（对），famous 著名的（错），mediocre 平庸的（对），various 多样的（对）。选项 A、B、D 候选。

- 在选项 B 和 D 中，如果作家的特征是"平庸的""无能的"，那么作家的文章无论是单篇还是文集注定都是平庸的，这就和后面的 outstanding 矛盾了，所以排除 B、D，答案选 A。

翻 译 正如由不同作者的文章所构成的文集那样，这本书的整体风格是不统一的，尽管个人贡献本身都是很杰出的。

27-12 答案：B

难 度 ★

思 路
- 方程等号：Although 尽管，表示让步转折，引导句内句意取反。
- 强词和对应：逗号前面体现两个特征是同等受欢迎的，逗号后面说暴力相比于维持稳定不是那么有用，同等和比较级取反。making a violent effort 和 forcefulness 构成同义重复，因此空格和 maintaining a steady one 体现另外一种特征，具有"维持性"的特征。promptness 敏捷，persistence 坚持不懈，aggression 侵略性，skillfulness 熟练，lucidity 清晰。答案选 B。

翻 译 尽管有些人认为强有力和坚持不懈是两个同样值得拥有的品质，但我认为做出暴力行为的并没有维持稳定的努力有用。

27-13 答案：E

难 度 ★★

思 路 空格 (i)：
- 方程等号：suggests 表现，前后句意同义重复。
- 强词和对应：根据题意，伪科学和庸医药物在 19 世纪特别盛行，空格 (i) 和 pseudoscience, quack 取同，体现人们当时的特点使得"假的东西流行"，负评价。cautious 谨慎的，sophisticated 见多识广的，rational 理性的，naïve 天真的，credulous 轻信的。选项 D 和 E 合适。

空格 (ii)：
- 方程等号：but 但是，前后句意反义重复。
- 强词和对应：but 之前说过去的人很轻信，but 后面说过去的人不轻信。but 之前的 people 对应 citizen of yesterday。所以空格 (ii) 和空格 (i) 取反，填一个表示"不轻信"的词。educator 教育者，realist 现实主义者，pragmatist 实用主义者，idealist 理想主义者，skeptic 怀疑者。综合空格 (i)，答案选 E。

翻 译 在 19 世纪流行的伪科学和庸医医学说明那时候人们是非常容易上当受骗的，但是当下的公众轻易上当受骗的性格使过去的公民看上去好像是精明的怀疑主义者。

27-14 答案：D

难 度 ★

思 路 空格 (i)：
- 方程等号：such 为指示代词，such 后面描述的内容和前文的描述同义重复。

- 强词和对应: 后文提到这个男人不(no)允许他的同事有这样(such)的隐私，根据指示代词，空格(i)和 privacy 根据 such 构成同义重复。证明这个人对自己的计划是极度"有隐私的"。idiosyncratic 特立独行的，guarded 谨慎的，candid 率直的，reticent 沉默寡言的，fastidious 挑剔的。选项 B 和 D 合适。

空格(ii):
- 方程等号: and 连接平行结构，前后句意同义重复。
- 强词和对应: and 之前提到这个男人不允许同事有隐私，information about what they intended to do next 和 privacy 构成同义重复，空格(ii)体现他"不允许隐私"，即对任何隐私都是要"公开的"。alter 改变，eschew 逃避，uncover 揭露，solicit 询问，ruin 破坏。solicit 的释义是 if you solicit money, help, support, or an opinion from someone, you ask them for it。答案选 D。

翻 译 尽管对自己的计划极端地沉默，但这个男人却不允许他的同事有这样的隐私，而且他会不断地询问他们下一步想干什么。

- -

27-15 答案: A

难 度 ★

思 路 **空格(i):**
- 方程等号: constituted 构成，前后句意同义重复。
- 强词和对应: 根据题意，前文说她有足够的收入，空格(i)和 sufficient income 根据 constituted 构成同义重复，体现她"收入"的独立。material 物质的，profound 深刻的，financial 财政的，psychological 精神上的，unexpected 出乎意料的。选项 A 和 C 合适。

空格(ii):
- 方程等号: as well 也，表示前后句意同义重复。
- 强词和对应: 前文说足够的收入让她物质上独立，后文提到感情生活也是同样的。空格(ii)和 independence 取同，体现"独立"。security 安全感，conformity 遵守，economy 节约，extravagance 挥霍，uncertainty 不确定。综合空格(i)，答案选 A。

翻 译 有足够多的个人收入构成了 Alice 物质上的独立，这就使得她的感情生活也可能有一定程度的安全感。

注 释 made 也可以成为本题空格(ii)的方程等号，物质上的独立使得感情生活有安全感，所以 independence 对应空格(ii)，选 A。

- -

27-16 答案: C

难 度 ★

思 路
- 方程等号: so 因此，表示因果，前后句意同义重复。
- 强词和对应: 根据题意，前文提到版权和专利法鼓励(encourage)创新，而后文说这些法律的过度延伸的保护会阻碍(discouraged)企业的发明创造，因此空格体现 encourage 和 discouraged 的"对立"关系。desirable 令人满意的，coincidental 巧合的，ironic 矛盾的，natural 自然的，sensible 明智的。答案选 C。

翻 译 版权和专利法企图通过保障发明者可以因为他们的创造性工作而得到报酬的方式来鼓励发明，

所以如果在这些法律下延伸保护反而会通过增加企业家对诉讼的恐惧而阻碍企业的发明创造，这一定是具有矛盾讽刺意味的。

注 释 ironic 一般的翻译为"讽刺的"，指的其实是一种事与愿违的矛盾状态，比如"大水冲了龙王庙""用来解决单词问题的词典却制造了更多的单词问题"等。

27-17 答案：D

难 度 ★★

思 路 空格 (i) + 空格 (ii):
- 方程等号：since 表现因果，句意同义重复。
- 强词和对应：根据题意，关于营养的课程在医学院的状态导致了家庭医生对食谱常识的态度。information about diet 和 courses in nutrition 同义重复。空格 (i) 和空格 (ii) 联动，根据 since 取同，根据 unfortunately 可以推断出空格应该为负向词。questioned by 被质疑...encouraged 被鼓励的，取反，排除；encountered among 遭遇 ...unable 不可能的，取反，排除；unappreciated by 不被赏识的...expected 期望的，取反，排除；neglected in 疏忽不可能的，取同，正确答案；squeezed into 挤入...intended 预期的，与句意不符，排除。答案选 D。

翻 译 不幸的是，由于营养学课程通常会在医学院的课程中被忽视，因此一名家庭医生不可能成为关于食谱常识的启蒙源头。

注 释 unfortunately（不幸地），表明句子的基调一定是负面情绪，所以主句一定是带有负面色彩的，空格 (ii) 选择负向词，选项 B、D 可以候选，通过 since 确定空格 (i) 也是负向，所以选 D。这是利用句子中的感情色彩快速解题的方法。

27-18 答案：C

难 度 ★

思 路 空格 (i):
- 方程等号：冒号，前后句意同义重复。
- 强词和对应：冒号后面体现科学对证据的依赖，reliance on 和 emphasis on 构成同义重复，因此空格 (i) 和 evidence 取同，体现科学的成功之处在于对"证据"的强调。causality 因果关系，empiricism 基于实验，objectivity 客观性，creativity 创造性，conservatism 保守主义。选项 B 和 C 合适。

空格 (ii):
- 方程等号：rather than 而不是，取反，前后句意取反。
- 强词和对应：空格 (ii) 和 evidence 根据 rather than 取反，体现的是"非证据"。experimentation 实验（对），fact 事实（对），preconception 先入为主的看法（错），observation 观察（对），assumption 假设（错）。综合空格 (i)，答案选 C。

翻 译 科学的成功很大程度上归功于对客观事实的强调：依赖客观证据而不是先入为主的概念，并且愿意得出一些哪怕是与传统观点相反的结论。

注 释 本题是 GRE 考试中常考的"科学类"话题。表示科学方法相关的词汇主要有：empiricism, evidence, experiment, fact, observation 等。

27-19 答案：E

难度 ★

思路
- 方程等号：as a result 因此，表示因果，前后句意同义重复。
- 强词和对应：根据题意，James 很崇拜自己的教授，每次和她共进午餐后都不能自己（无法抑制自己的感情），空格和 not really be himself 取同。pleased 高兴的，disregarded 被漠视的，heartened 被鼓舞的，relaxed 轻松的，inhibited 拘谨的。inhibit 的释义是 to restrain from free or spontaneous activity especially through the operation of inner psychological or external social constraints（无法自发活动）。答案选 E。

翻译 James 已经崇拜这位教授相当长的时间，以至于即使与她多次共进午餐后，他在她面前仍然非常拘谨，因此他表现得很不像他自己。

27-20 答案：C

难度 ★

思路 空格 (ii)：
- 方程等号：whom 引导的定语从句修饰 author，前后对 author 的描述构成同义重复。
- 强词和对应：前文提到这些作者是诗人喜爱的，因此空格 (ii) 和 favorite 构成同义重复，体现他们对喜爱的诗人做"喜爱的"动作。imitate 模仿，inspire 鼓舞，emulate 效仿，admire 赞赏，neglect 忽视。emulate 的释义是 if you emulate something or someone, you imitate them because you admire them a great deal。E 是负向词，B 选项应该是 be inspired，所以 A、C、D 三项合适。

空格 (i)：
- 方程等号：However 无论如何，相当于 no matter how，表示让步，取反。
- 强词和对应：they 指代 roman poets。空格 (i) 和空格 (ii) 根据 However 取反，罗马诗人不做崇拜早期的作家的行为。subservient 卑躬屈膝的（错），independent 独立的（对），original 原创的（对），creative 创造性的（对，但是和 admire 不取反，排除），talented 有天赋的（错）。综合空格 (ii)，答案选 C。

翻译 不管罗马诗人多么具有原创性，他们注定会模仿他们所喜爱的某些早期作家。

27-21 答案：D

难度 ★★★

思路 空格 (i)：
- 方程等号：so 因此，表示因果，引导句意同义重复。
- 强词和对应：前文说超速在这个国家是一种传统。空格 (i) 描述 tradition，而且和 so 后面的 public practice 构成同义重复。既然是大众的习惯行为，所以这个传统不可能是"大众不能接受的"，所以空格不可以填负向词。disquieting 令人不安的，long-standing 长期存在的，controversial 受到争议的，cherished 被珍爱的，hallowed 神圣的。B、D、E 三项合适。

空格 (ii)：
- 方程等号：so 因此，表示因果，引导句意同义重复。

- 强词和对应：前文说超速是被人接受的传统，所以 so 后面应该体现大家接受超速，所以空格 (ii) + increased penalties for speeding 应该体现要超速。因此空格 (ii) 对于因超速带来的罚款的增加为"不支持的"，空格 (ii) 填一个负向词。endorse 支持（错），consider 考虑（错），suggest 建议（错），reject 拒绝（对），investigate 调查（错）。综合空格 (i)，答案选 D。

翻 译 在这个国家，人的本性和长途距离使得超速成为一个被人珍爱的传统，所以当立法者们同意公众的惯例而拒绝增加对超速的罚金时，没有让任何人感到惊讶。

注 释 在 GRE 填空题目中，切勿带入自己的常识进行判断，因为 GRE 考试不考察背景知识。一定要利用给出文段的信息进行解题。

Exercise 28

与其把 GRE 看作一个痛苦的试炼，不如把它看作一个美好的旅途。感谢微臣伴我经历这一路的绚烂。

——李雪晨

微臣教育 2015 寒假 325 计划学员

2015 年 4 月 GRE 考试 Verbal 161, Quantitative 170

EXERCISE ㉘

核心词汇

1.《GRE 核心词汇考法精析》收录单词（共 55 词）

accede	antipathy	ascetic	assail
atrophy	auspicious	blithe	brazen
calculated	captious	cherished	claim
complacency	decry	defer	defy
discursive	dismay	disparage	disprove
efficacious	evince	extinct	fastidious
feckless	fervent	gregarious	humble
illuminate	issue	jaded	loath
measured	mercurial	mute	obsequious
obviate	partisan	peripheral	phlegmatic
pragmatic	prevalent	reluctant	replicate
ridicule	sanguine	subject	succumb
suppress	therapeutic	unctuous	undermine
verbose	verify	vigilant	

2. 基础单词补充（共 17 词）

applaud   *v.* 赞扬：to commend highly; praise

barrier   *n.* 障碍：something immaterial that obstructs or impedes

defend   *v.* 支持：to represent (a defendant) in a civil or criminal action

discipline   *n.* 自制：controlled behavior resulting from disciplinary training; self-control

impolitic   *adj.* 不明智的：not wise or expedient; not suitable for bringing about a desired result under the circumstances

impulsive   *adj.* 易冲动的：inclined to act on impulse rather than thought

mindless   *adj.* 没有智慧的：lacking intelligence or good sense; foolish

parasite   *n.* 寄生虫：one who habitually takes advantage of the generosity of others without making any useful return

philosophical   *adj.* 哲学的：of, relating to, or based on a system of the system of philosophical inquiry or demonstration

prejudice   *n.* 偏见：an adverse judgment or opinion formed beforehand or without knowledge or examination of the facts

problematic   *adj.* 有问题的：something that is problematic involves problems and difficulties

recipient	*n.* 接受者：one that receives or is receptive
reproduce	*v.* 繁育后代：to generate (offspring) by sexual or asexual means
specialization	*n.* 专门化：the act of specializing or the process of becoming a particular character or function
underplay	*v.* 轻描淡写以示不重要：to present or deal with subtly or with restraint; play down
uneasiness	*n.* 不安：feelings of anxiety that make you tense and irritable
volume	*n.* 数量：amount; quantity

练习解析

28-1　答案：C

难　度　★

思　路
- 方程等号：Though 尽管，表示让步转折，句意取反。
- 强词和对应：根据题意，环保主义者指责（target）某些除草剂具有潜在的危险，后文提到制造商对于在草坪上使用除草剂的态度，因此空格和 dangerous 根据 though 取反，体现制造商认为除草剂的使用是"不危险的"，填一个正向词。defy 无视，defer 推迟，defend 支持，assail（攻击）和 target 是同义词，排除，disparage 轻视。答案选 C。

翻　译　尽管环保主义者指责某些除草剂，认为它们具有潜在的危险，但让环保主义者感到失望的是，制造商支持在草坪上使用这些除草剂。

注　释　target A as B 的表达意为"因为 B 而指责 A"，英文释义为 to target a particular person or thing means to decide to attack or criticize them。

28-2　答案：E

难　度　★★

思　路　空格 (i) + 空格 (ii)：
- 方程等号：requires 需要，A requires B，A 需要 B，所以 B 是 A 的前提，A 和 B 取同。
- 强词和对应：require 前后信息交叉互补，written material 对应后面的 junk mail 和 great literature。所以 require 前面的强词 achievement 对应空格 (ii)，所以空格 (ii) 的内容与"价值、成就"相关，而 require 后面的强词 a page 对应空格 (i)，所以空格 (i) 的内容与"数量相关"。
- 五个选项中，只有 E 选项的空格 (i) 和数量相关，空格 (ii) 又和价值对应，所以选 E。
- nature 本质，quality 质量，timelessness 永恒，applicability 适合；readable 可读性强的，prevalent 普遍的，understandable 可以理解的，eloquent 雄辩的。

翻　译　若要相信一种文化的成就可以由其书面材料的数量来衡量，这就要求一个人接受这个观点，即一页纸的垃圾邮件与一页纸的伟大文学作品具有同样的价值。

注　释　书面材料的数量不能决定一个文化的成就。

28-3 答案：B

难度 ★★

思路 空格 (ii)：
- 方程等号：would be 出现，前后取同。
- 强词和对应：空格 (ii) 体现的是 Dr. Johnson 的支持者对她提出的假设的态度，空格 (ii) 和 supporters 构成同义重复，体现支持者的态度肯定是"支持的"，正向。define 明确，verify 证实，publicize 宣传，research 研究，undermine 削弱。排除选项 E。

空格 (i)：
- 方程等号：would be 之后的内容描述支持者的行为特点，空格 (i) 修饰支持者，前后句意同义重复。
- 强词和对应：空格 (i) 和 foolish 构成同义重复，体现支持者是"愚蠢的"，负评价。fastidious 一丝不苟的（错），partisan 盲目支持的（对），vigilant 警惕的（错），enlightened 有见识的（错），fervent 热情的（错）。综合空格 (ii)，答案选 B。
- fastidious 这个词的英文释义为：if you say that someone is fastidious, you mean that they pay great attention to detail because they like everything to be very neat, accurate, and in good order，中文释义为"一丝不苟的，注重细节的"，是一个正评价。

翻译 因为独立实验室无法复制 Johnson 博士的实验，所以只有对她理论最盲目的支持者才会愚蠢地认为她的理论已经被充分证实了。

28-4 答案：B

难度 ★★

思路
- 方程等号：by 通过，方式方法，前后句意同义重复，failing to=not，前后取反。
- 强词和对应：后文说研究这一时期的罗马历史学家只因没有（failing to）认识到"奥古斯都太平盛世"等同于死亡，才会对这种和平持以空格的态度。peace 和 death 取反，failing to 取反，因此空格不改变句意逻辑方向，填一个不改变方向的词。decry 公开反对，applaud 称颂，ridicule 嘲笑，demand 要求，disprove 否定。Augustan peace 是已经发生的客观事实，所以无法 demand，排除 D。因此正确答案选 B。

翻译 研究公元前 30 年至公元 180 年这一时期的罗马史学家们之所以能对"奥古斯都太平盛世"大加颂扬，只是因为他们没有认识到，这种所谓的"太平盛世"其实在很多方面与死气沉沉相差无几。

注释 罗马和平是死气沉沉的。

28-5 答案：E

难度 ★★

思路 空格 (i) + 空格 (ii)：
- 方程等号：Although 尽管，表示让步转折，句意反义重复。not 取反。
- 强词和对应：annoyance 和 irritation 同义重复，空格 (i) 和空格 (ii) 联动，并根据 Although 和 not 取反两次后，同向，有两种情况分别讨论。

- 如果空格 (ii) 和 display 取同，体现不（not）"表现"他的愤怒，那么空格 (i) 为正向，体现不表现愤怒是"合适的"。选项中 evince 和 express 都是"表达出"，但是 inadvisable（不明智的），captious（挑剔的），都是负向词，所以排除选项 A、D。
- 如果空格 (ii) 和 display 取反，体现不（not）"抑制"他的愤怒，那么空格 (i) 为负向，体现表现愤怒是"不合适的"。选项中 suppress 抑制，counter 反对，hide 隐藏，都是负向词，而只有 impolitic（不明智）的是负向词，所以答案选 E。

翻 译 尽管 Tom 知道在销售会议上公开表现出愤怒是不明智的，但是他无法压制自己对客户的无理要求的愤怒。

28-6 答案：A

难 度 ★★

思 路 空格 (ii)：
- 方程等号：for 表示因果，前后句意同义重复。undermine 削弱，取反。
- 强词和对应：根据题意，Davis 的书是令人不安的。因此 for 后面的内容和 disturbing 构成同义重复。disturbing 指向空格 (ii)，根据 undermine 取反，体现书削弱了人们持有"正评价"的信念，因而 disturbing。cherished 被珍爱的，assimilated 被接受的，denied 被否认的，misunderstood 被误解的，anticipated 被预料的。A、B、E 三项合适。

空格 (i)：
- 方程等号：for 表示因果，前后句意同义重复。
- 强词和对应：前文提到这本书毫无意外是令人不安的，空格 (i) 和 no accident，体现对于这本书的负评价是"必然的"。calculated 刻意的，annotated 注解的，intended 有打算的，anxious 焦急的，reputed 据说的。calculated 的释义是 carefully planned for a particular and often improper purpose，综合空格 (ii)，答案选 A。

翻 译 大多数人觉得 Davis 的书非常令人不安，这件事并不意外，因为这本书故意破坏一些他们长期珍爱的信仰。

28-7 答案：E

难 度 ★★

思 路
- 方程等号：逗号说明前后句意同义重复。
- 强词和对应：根据题意，前文说一类可以帮助基因治疗专家治愈遗传性脑部疾病的病毒可以进入周围神经系统并且抵达至大脑，后文提到一种将有助于治疗的病毒直接注入大脑中的方式被空格。enter...and travel... 是一种方式，而 inject...directly 是另外一种方式，因此空格体现前后两种方式的"对立关系"，填一个负向词。suggest 表明，intensify 加剧，elucidate 解释，satisfy 使满意，obviate 使…不必要。只有 E 是负向词，答案选 E。

翻 译 一种可以有助于基因治疗专家治愈遗传性脑部疾病的病毒可以进入周围神经系统，然后抵达大脑，从而使得将有助于治疗的病毒直接注入大脑中的方式变得不必要。

28-8 答案：C

难 度 ★★

思 路 空格 (i) + 空格 (ii)：
- 方程等号：instead of 表示取反，前后句意取反。
- 强词和对应：根据题意，电脑程序提供的信息强迫学生对学习做空格 (i) 的动作而不是成为知识的空格 (ii)。空格 (i) 和空格 (ii) 根据 instead of 构成取反，选一组反义词。代入选项，shore up 支持...reservoir 储备，取同，排除；accede to 同意...consumer 消费者，无关，排除；participate in 主动参与...recipient 被动接受者，取反，正确答案；compensate for 弥补...custodian 看护人，不取反，且与句意不符，排除；profit from 得益于...beneficiary 受益者，取同，排除。选项 C 体现的是对学习主动参与（participate）和被动接受（recipient）的对立。答案选 C。

翻 译 电脑程序提供信息的方式可以强迫学生们主动参与到学习过程中，而不仅仅是知识的被动接受者。

28-9 答案：E

难 度 ★

思 路
- 方程等号：冒号，前后句意同义重复。
- 强词和对应：冒号后面的内容说叶子对不同强度的光和湿度表现出不同的适应性，而 vary according to 和 a wide range of adaptations to different degrees 构成同义重复，体现叶子的适应能力，因此空格和 light and moisture 取同。relationship 关系，species 物种，sequence 序列，pattern 模式，environment 环境。虽然环境与光和湿度不是同义词，但是环境是它们的上义词，因此答案选 E。

翻 译 叶子的形态和生理机能会根据它们的生长环境而发生变化：比如，叶子对不同强度的光照和湿度会表现出很多不同的适应性。

注 释 在 GRE 填空中，有一个基本假设，即"上下义词之间是同义词关系"。所谓的上义词应该是指某个单词在逻辑层级上包含它的单词，比如 A is a kind of B，那么 B 就是 A 的上义词。举一个中文例子，苹果是一种水果，所以"水果"就是"苹果"的上义词，在 GRE 考试中水果和苹果就是同义词关系。

28-10 答案：E

难 度 ★★

思 路
- 方程等号：and 连接平行结构，后面省略了主语 one theory about intelligence，前后句意同义重复。
- 强词和对应：前文说一个关于智力的理论把空格 (i) 视作思想最底层的逻辑结构，后文说动物没有语言，它们因此也是空格 (ii)。前文描述空格 (i) 和思想的正向关系，后文描述语言和空格 (ii) 的正向关系。因为 and 前后内容一致，所以 and 前后没有出现的信息"交叉互补"。

空格 (i)：

- 综上分析，空格 (i) 和 mute 同义重复，体现"声音"。behavior 行为，instinct 本能，heredity 遗传，adaptation 适应，language 语言。选项 E 合适。

空格 (ii)：

- 空格 (ii) 和 thinking 同义重复，体现"思想"，且根据 since 可知，空格 (ii) 与 mute（没有语言）同方向，体现"没有思想"。inactive 不活跃的，cooperative 合作的，thoughtful 认真思考的，brutal 野蛮的，mindless 没有思想的。答案选 E。

翻 译 一个关于智力的理论将语言视作思想最底层的逻辑结构，并且坚持认为因为动物没有语言，那么它们必然也没有思维。

⸺⸺⸺⸺⸺⸺⸺⸺⸺⸺⸺⸺⸺◈

28-11 答案：D

难 度 ★

思 路 空格 (i) + 空格 (ii)：

- 方程等号：Though 尽管，让步转折，句内取反。
- 强词和对应：空格 (i) 和空格 (ii) 联动，根据 Though 取反。第二个逗号前后同方向，第二个逗号后面的内容描述空格 (ii)，即她对待工作的态度：通常在一天之内能够完成很多页复杂的押韵诗，体现对她的工作是"正评价"，因此空格 (i) 为负向，体现她在生活中是"不好"的状态。jaded 厌倦的...feckless 无效的，都是负评价，排除；verbose 话多的...ascetic 有节制的，取反，但 ascetic 和 several pages 矛盾，排除；vain 自负的...humble 谦虚的，与句意无关，排除；impulsive 冲动的...disciplined 遵守纪律的，正确答案；self-assured 自信的...sanguine 乐观的，取同，排除。答案选 D。

翻 译 尽管 Edna St. Vincent Millay 在她的私人生活中容易冲动，但她在工作中却非常有纪律性，通常每天都能完成很多页的复杂的押韵诗。

⸺⸺⸺⸺⸺⸺⸺⸺⸺⸺⸺⸺⸺◈

28-12 答案：A

难 度 ★

思 路
- 方程等号：in sharp contrast to 体现对比，前后句意取反。
- 强词和对应：后文说孩子父母的性格是平和的，空格和 even-tempered 根据 in sharp contrast to 取反，体现孩子的性格是"不平和的"。mercurial 善变的，blithe 无忧无虑的（someone who is blithe is cheerful and has no serious problems），phlegmatic 冷静的，introverted 内向的，artless 单纯的。答案选 A。

翻 译 这些孩子善变的性情和他们父母平和的性情构成了强烈的对比。

注 释 这个风格的题目在新 GRE 考试中也屡次出现，虽然对应关系明显，重点突出对于单词的考查。

28-13　答案：D

难　度　★★

思　路　空格 (ii)：
- *方程等号*：to 表示结果，前后句意同义重复。
- *强词和对应*：根据前文内容，科学家对他们的研究范围做了空格 (ii) 的动作，导致了 narrowly circumscribed topics 的结果。所以 narrowly circumscribed 指向空格 (ii)，根据 to 取同，体现他们对他们主题的范围做了"限制"的动作，负向。diminish 减少，enlarge 扩大，expand 增大，limit 限制，broaden 扩宽。选项 A 和 D 合适。

空格 (i)：
- *方程等号*：By 表示方式状语，前后同义重复。
- *强词和对应*：主句说社会科学研究者把课题局限在适合定量分析的主题中。by 表示方式方法，所以表现出社会科学研究者他们使用了定量分析研究方法，因此空格 (i) 是对于定量研究方法的正评价，填一个正向词。undermine 削弱（错），equate 使相等（对），vitiate 削弱（错），identify 等同于（对），imbue 使充满（对）。综合空格 (ii)，答案选 D。

翻　译　通过将科学的严谨等同于定量分析方法，社会科学的研究者们经常将他们的课题范围限制到狭隘的局限性课题上，这些课题非常适合定量分析方法。

注　释　1. 本题也可以先做空格 (i)，by 表示方式方法，因为后文已经说研究者们的研究领域都是非常适用定量分析方法，所以空格 (i) 一定是正向词，空格 (i) 留下选项 A 和 D。
2. equate A with B = identify A with B，表示"把 A 和 B 等同"。

28-14　答案：E

难　度　★★

思　路　空格 (i) + 空格 (ii)：
- *方程等号*：still 仍然，体现对之前状态的延续，前后句意同义重复。
- *强词和对应*：空格 (i) 和空格 (ii) 根据 still 取同，体现 17 世纪和 20 世纪的哲学家对这个问题的一致的态度，选一组同义词。absorbing 吸引人的...indifference 冷漠，取反，排除；unusual 不同寻常的...composure 冷静，取反，排除；complex 复杂的...antipathy 厌恶，无关，排除；auspicious 吉利的...caution 警告，取反，排除；problematic 有问题的...uneasiness 不安，正确选项。答案选 E。

翻　译　早在 17 世纪，哲学家们就提醒人们注意该议题是有问题的，而 20 世纪的哲学家们仍然对这个议题感到不安。

注　释　本来文中 seventeenth century 和 twentieth-century 构成时间对比，不同时期的人对同一事物有不同的观点，但是因为 still 表现状态的延续，因此前后句意同义重复，类似的还有 also, the same, similarly, equally 等表示前后状态一致的方程等号。

28-15 答案：C

难度 ★

思路
- 方程等号：第一个逗号说明前后同义重复。
- 强词和对应：空格和 relating one observation to another 构成同义重复，体现把一个观察和另外一个观察"联系"起来。assumption 假设，experiment 实验，comparison 比较，repetition 重复，impression 印象。答案选 C。

翻译 即使不是全部，大多数的学习也发生在比较当中，即将一种观察与另一种观察联系起来，如果对其他文化的研究不能同样启发我们对自身文化的研究的话，那么这将是非常奇怪的。

注释 本题可以改成一道新 GRE 的两空题，空格 (ii) 挖在 strange 处。思路如下，先用第一个逗号取同，做出空格 (i)，然后 since 主句从句取同，since 从句说学习发生在比较之中，所以主句应该也体现学习发生在比较之中，但是因为出现了一个 not，所以空格 (ii) 要填一个负向词，填 strange。

28-16 答案：A

难度 ★

思路 空格 (ii)：
- 方程等号：冒号出现前后句意同义重复。
- 强词和对应：冒号后面说人们相信他们的学科不可能、而且可能不应该被其他人理解，空格 (ii) 和 not be understood by other 取同，体现人们之间的"无法相互理解的"，填一个负向词。barriers between 障碍，associations among 联系，complacency in 自满，concern for 关注，ignorance among 无知。选项 A、C、E 合适。

空格 (i)：
- 方程等号：冒号出现前后句意同义重复。
- 强词和对应：冒号后面的句子说学科造成了人们之间互相理解的障碍，所以空格 (i)+of knowledge 对应 subject。subject 的英文释义为 a department of knowledge or learning，所以空格应该体现的是"知识的一个部分"。specialization 专门化（对），decline 降低（错），redundancy 过多（错），disrepute 坏名声（错），promulgation 宣传（错）。综合空格 (ii)，答案选 A。

翻译 知识的新专业化分工创造出了人和人之间的障碍：每个人认为他或她的学科不可能而且可能不应该被别人理解。

28-17 答案：B

难度 ★

视频讲解

思路 空格 (i)：
- 方程等号：if 引导条件状语从句，前后句意同义重复。
- 强词和对应：空格 (i) 和 survive 根据 if 取同，体现如果寄生虫的种类要存活，寄主必须活得足够长以保证寄生虫的"生存"。atrophy 萎缩，reproduce 繁殖，disappear 消失，succumb 死亡，mate 交配。选项 B 和 E 合适。

空格 (ii):

- 方程等号：分号说明前后句意同义重复。if 引导条件状语从句，前后句意同义重复。
- 强词和对应：空格 (ii) 和 survive 构成反义重复或者同义重复，体现寄生虫的生存和寄主的生存是正相关的。选项 B 的意思是如果宿主灭绝，寄生虫也会绝种，正确；而选项 E 说如果宿主不育，寄生虫也不育，这一点显然很荒谬，所以排除 E，答案选 B。
- healthy 健康的，widespread 广泛的，nonviable 不能生存的。

翻 译 如果一种寄生虫要存活下去，寄主生物就必须活得足够长以让寄生虫繁殖；如果寄主生物灭绝的话，寄生虫同样会绝种。

28-18 答案：A

难 度 ★★★

思 路 空格 (i)+ 空格 (ii)：

- 强词和对应：从 cultural blindness 可以了解到很多艺术史学家对于纺织品存在文化漠视现象。their 指代的是 art historians，因此空格 (ii) 和 blindness 有关，联动，存在两种可能性。
- 当空格 (i) 是不改变方向的词的时候，空格 (ii) 应当和 blindness 取同，填一个负向词，traceable to 源自于，referring to 提及，corresponding to 一致，所以选项 A、C、E 的空格 (i) 均为正向，而 prejudice against 表示 "偏见"，负向词，符合空格 (ii) 要求，正确，选 A。need for 需要，expertise in 专业技能，都是正向词，排除。
- 当空格 (i) 是改变方向的词的时候，空格 (ii) 应当和 blindness 取反，填一个正向词。opposed to 反对，reduced to 化简，B 和 D 空格 (i) 为负向，空格 (ii) 应该填一个正向词，distrust of 不相信，负向，排除 B；respect for 尊敬，带入句意，文化的漠视被简化成了尊敬，漠视只能简化成负态度，明显句意不符，排除 D。

翻 译 作者认为对于诸如钩针编织及刺绣等工艺我们应该严肃对待，他发现在许多艺术史学家中存在对这些纺织品的文化漠视，这种漠视源于他们由女性艺术家所主导的对纺织业的偏见。

28-19 答案：B

难 度 ★

思 路
- 方程等号：逗号说明前后句意同义重复。
- 强词和对应：根据题意，那些人希望有关电视能够潜在影响社会变革的事实不被广泛传播，空格和 keep from being widely disseminated 取同，体现对电视采取负动作，填一个负向词。promote 促进，underplay 轻描淡写，excuse 辩解，laud 称赞，suspect 认为。答案选 B。

翻 译 那些害怕电视影响力的人故意削弱电视的说服力，他们希望有关电视能够潜在影响社会变革的事实不被广泛传播。

注 释 downplay 的释义是 to minimize the significance of something，把…轻描淡写。常考的同义词包括 de-emphasize, understate 等。suspect 的释义是 you use suspect when you are stating something that you believe is probably true, in order to make it sound less strong or direct，不大确定的认为。

28-20 答案：D

难 度　★

思 路
- 方程等号：because 表因果，前后同义重复。
- 强词和对应：根据题意，南方作家叙述的严谨性部分来源于他们的形而上学。metaphysics 指向空格，根据 because 取同，体现"思想"。technical 技术上的，discursive 离题的，hedonistic 享乐主义的，philosophical 哲学上的，scientific 科学的。因为形而上学是哲学的一种，metaphysics 和 philosophy 上下义词重复，所以答案选 D。

翻 译　由于南方作家们叙述的严谨性一部分是由他们的形而上学导致的，所以他们因自己的哲学才华而受到好评。

注 释
1. bent 在 GRE 中考察的意思是"才能"，英文解释为 a natural ability to do it or a natural interest in it。
2. 在 because 从句中，出现了 result in part from，其含义为"部分上来自于"，是 result from in part，而不要看成了 result in 结构。

28-21 答案：A

难 度　★★★

思 路
- 空格 (i) + 空格 (ii)：
- 方程等号：Far from 取反，前后句意反义重复。
- 强词和对应：acquiescent 的释义是 tending to accept or allow what other people want or demand，表示"顺从的"。空格 (i) 和空格 (ii) 联动，有两种情况：
  ① 如果空格 (i) 和 acquiescent 取同，表现"顺从的"，那么空格 (ii) 为负向，体现他"不是"顺从的。unctuous 拍马屁的，obsequious 拍马屁的，所以空格 (i) 选项 A 和 D 可以候选，空格 (ii) 应该填一个负向词，loath 讨厌，负向，A 正确；eager 渴望，正向，排除 D。
  ② 如果空格 (i) 和 acquiescent 取反，表现"不顺从的"，那么空格 (ii) 为正向，体现他"是"顺从的。所以当空格 (i) 是 brazen 肆无忌惮的时候，空格 (ii) 应该是一个正向词，但是 reluctant（不情愿的）是一个负向词，所以排除 B。
- ignoble 卑鄙的...concerned 担心的；gregarious 爱交际的...willing 乐意的，排除 C、E 两个选项，答案选 A。

翻 译　Pat 远不是表现的爱拍马屁，而是一直讨厌显得顺从。

Exercise 29

Don't Complain. Don't Explain. Just Do and Maintain.

——刘敏静

微臣教育 2016 秋季 325 计划学员
2016 年 10 月 GRE 考试 Verbal 161

EXERCISE ㉙

核心词汇

1.《GRE 核心词汇考法精析》收录单词（共 56 词）

abstain	accessible	affinity	affirm
ambiguous	arbitrary	attest	baffling
circumvent	clarity	committed	complacency
compromise	condemn	contemplate	contend
contentious	contiguous	contradict	correlate
drab	duplicate	embed	extravagant
falter	flexible	forsake	fraudulent
hypothetical	incontrovertible	indifferent	inept
inimical	inter	justify	lucid
momentous	nostalgia	obfuscate	plausible
pragmatic	precedent	proficient	satirize
sparse	sporadic	subject	substantial
subvert	superfluous	supplement	synthesis
telling	unanimous	vacillate	vernacular

2. 基础单词补充（共 15 词）

adequate   *adj.* 能够胜任的：sufficient to satisfy a requirement or meet a need

adventurous   *adj.* 爱冒险的：inclined to undertake new and daring enterprises

constant   *n.* 不变的事物：something that is unchanging or invariable

deliberation   *n.* 慎重考虑：long and careful consideration of a subject

divergent   *adj.* 分歧的：differing from another

evocative   *adj.* 激起的：tending or having the power to summon or call forth

fragmentary   *adj.* 不完整的：consisting of small, disconnected parts

lexicographer   *n.* 词典编纂者：a compiler or writer of a dictionary

passive   *adj.* 消极的：relating to or characteristic of an inactive or submissive role in a relationship, especially a sexual relationship

perpetrate   *v.* 对…负责：to be responsible for; commit

regrettable   *adj.* 令人后悔的：eliciting or deserving regret

sketchy   *adj.* 不完整的：lacking in substance or completeness; incomplete

underestimate   *v.* 低估：to make too low an estimate of the quantity, degree, or worth of

unresponsive　　*adj.* 迟钝的：exhibiting a lack of responsiveness
warning　　　　*n.* 警告：an intimation, a threat, or a sign of impending danger or evil

练习解析

29-1　答案：B

难 度　★

思 路　空格 (i) + 空格 (ii)：
- 方程等号：though 尽管，表示转折，句意取反。avoid 避免，相当于 not，取反。两次取反，最终同向。空格 (i) 和空格 (ii) 联动取同，选一组同方向的词。
- 强词和对应：尽管撒一个小谎在某种程度上空格 (i)，但是这么做有些时候能够避免空格 (ii) 他人的情感。代入选项，necessary 必要的...mollify 平息，句意不符，排除；regrettable 令人遗憾的...harm 伤害，句意通顺，正确；unfortunate 不幸的...exaggerate 夸大，句意不符，排除；attractive 吸引人的 ...consider 考虑，句意不符，排除；difficult 困难的...resist 抵制，句意不符，排除。综上所述，答案选 B。

翻 译　尽管撒一个小谎在某种程度上让人遗憾，但有时这种行为却能避免伤害他人的感情。

29-2　答案：E

难 度　★

思 路
- 方程等号：because 因为，表示因果，前后句意同义重复。
- 强词和对应：根据题意，科学家痴迷于（be intrigued by）狗的嗅觉和听觉（smell and hearing）的高等能力，后面描述他们对狗的视力（eyesight）的态度。smell and hearing 和 eyesight 换对象，因此空格和 intrigued by 取反，体现他们对于狗的视力"不感兴趣"，负向。study 研究，covet 贪求，appreciate 欣赏，resent 憎恨，underestimate 低估。句中并未体现科学家的主观态度，选项 D 排除。答案选 E。

翻 译　可能因为科学家们一直以来痴迷于狗的高等的嗅觉和听觉能力，因此科学家们长期以来低估了狗的视觉，认为狗生活在一个单调的、黑白的、缺乏色彩的世界里。

注 释　GRE 考试中高频考查的四个带有 under- 的词汇：underplay, underestimate, understate, underrate，都有"低估""降低重要性"的含义，口语中的意思都是"这不是个事"。

29-3　答案：D

难 度　★

思 路
- 方程等号：despite 尽管，句内句意取反。
- 强词和对应：前文提到公司有一系列令人沮丧的收入报告，空格和 dismal 根据 despite 取反，体现他们两年的扭亏为盈的策略开始"不令人沮丧"，空格填入一个正向词。falter 衰退，disappoint 使失望，compete 竞争，work 起作用，circulate 循环。答案选 D。

翻 译　虽有一连串令人沮丧的收入报告，但这个扭亏为盈的两年策略将要开始起作用。

29-4　答案: A

难度　★

思路　空格 (i):

- 方程等号: 逗号说明前后句意同义重复。
- 强词和对应: 根据题意, 总统在煞费苦心地做着权衡, 因此空格 (i) 和 painstakingly weighing 取同, 体现"权衡的特点"。weigh(权衡)的释义是 to think carefully about (something) in order to form an opinion or make a decision。deliberation 深思熟虑, confrontation 冲突, relegation 降级, speculation 猜测, canvassing 游说。deliberation 的释义是 long and careful thought or discussion done in order to make a decision。与 painstakingly weigh 构成同义重复, 体现"慎重考虑"。选项 A 合适。

空格 (ii):

- 方程等号: after 构成时间对比。
- 强词和对应: 根据题意, 之后总统做出决定。空格 (ii) 和 reached a decision 根据时间对比, 取反, 体现之前的意见是"未决定的"。divergent 不同的 (对), unanimous 一致同意的 (错), consistent 一致的 (错), conciliatory 安抚的 (错), arbitrary 随意的 (对)。只有大家有不同意见, 才会有权衡的可能性, 所以排除 B、C、D 选项, 综合空格 (i), 答案选 A。

翻译　这位总统在长时间的深思熟虑后做出决定, 煞费苦心地权衡内阁成员所表达的不同观点。

29-5　答案: C

难度　★

思路　空格 (ii):

- 方程等号: who 引导的定语从句修饰 editor, 前后描述 editor 的特点构成同义重复。
- 强词和对应: 根据题意, 这位编辑能够极为出色地帮助其他作家提高他们文章的清晰度, 空格 (ii) 和 work superbly 同义重复, 正评价。 muddling 糊涂的, contentious 爱争吵的, capable 能干的, competent 有能力的, inept 无能的。选项 C 和 D 合适。

空格 (i):

- 方程等号: Although 尽管, 表示让步转折, 引导句内句意取反。barely 几乎不, 取反。两次取反后最终同向。
- 强词和对应: 空格 (i) 和空格 (ii) 根据 Although 和 barely 取反两次取同, 因为空格 (ii) 已经是正向词, 所以空格 (i) 也为正向词。deficient 有缺陷的 (错), proficient 精通的 (对), adequate 胜任的 (对), appalling 骇人听闻的 (错), engaging 迷人的 (对)。综合空格 (ii), 答案选 C。

翻译　尽管只是一个勉强合格的文笔清晰的作家, 但 Jones 是一个非常有能力的编辑, 能够极为出色地帮助其他作家提高他们文章的清晰度。

29-6　答案: D

难度　★★

思路　空格 (i):

- 方程等号: should be, 说明前后是同义重复。

- 强词和对应：因为 should be 前面说"指责"（accusation），因此空格 (i) 也应该填"指责"。definition of 定义，instruction to 指导，denigration of 贬低，warning to 警告，parody of 恶搞。选项 A 句意不符，排除，B、C、D、E 候选，再看第二个空。

空格 (ii):
- 方程等号：分号说明前后句意同义重复，not 取反。
- 强词和对应：分号前面在说对于别人的指责应该是对自己的指责，因此分号之后就应该说指责不应该空格 (ii) 我们的自鸣得意。空格 (ii) 填一个正向词。produce 产生（对），equate 等同于（对），exclude 排除（错），justify 证明…合理（对），satirize 讽刺（错）。但是代入 B 选项句意不符。综上所述，答案选 D。

翻 译 我们对别人的指责应该成为对我们自己的警惕；这些指责不应该成为我们自己道德操守中自满和草率判断的正当理由。

....⊙..

29-7 答案：E

难 度 ★

思 路
- 方程等号：although 尽管，表示让步转折，句内句意取反。not 取反。unable 取反。三次取反后仍然取反。
- 强词和对应：根据题意，前文提到单词的意思很有可能会发生变化，空格和 change 根据 although, not, unable 取反三次后取反，选"不变"。arbitrary 任意的，superfluous 多余的，interesting 有趣的，flexible 灵活可变的，constant 不变的。答案选 E。

翻 译 虽然单词的意思很有可能会发生变化，但是这并不意味着词典编纂者不能让单词的拼写大致保持不变。

....⊙..

29-8 答案：C

难 度 ★★

思 路 **空格 (ii):**
- 方程等号：in order to 表示目的，前后取同。
- 强词和对应：bureaucratic impediments 代表过去的医疗系统已经出现的麻烦，而 in order to 后面说我们要发展新的医疗体系，所以对过去的系统出现的问题应该是一个负动作，空格 (ii) 填一个负向词。avoid 避免，utilize 利用，circumvent 避免，supplement 补充，forsake 放弃。选项 A、C、E 候选。

空格 (i):
- 方程等号：because，表因果，前后取同。
- 强词和对应：主句中说过去医疗系统存在阻碍（bureaucratic impediment），所以 because 前面对这个系统也是负评价，所以空格 (i) 是一个负向词。attuned 协调的（错），inimical 有害的（对），unresponsive 没有响应的（对），indifferent 冷漠的（对），sensitized 敏感的（错）。答案选 C。

翻 译 一些激进主义者认为，因为健康保健体系对它所服务的病人越来越没有响应，所以人们就必须规避官僚的阻碍来发展和促进新的医疗体系。

29-9　　**答案：E**

难度　★★

思路　空格 (i)：

- 方程等号：compared with 把…与…相比，前后对比对象特点取反。not 取反。两次取反后最终同向。
- 强词和对应：根据题意，后文描述那些人没有（not）尝试（attempted）去做，因此空格 (i) 和 attempted 根据 compared with 和 not 取反两次后取同，体现这些人实际上"做了"蓄意破坏。hide 隐藏，advocate 支持，inflict 使…遭受，commit 做错事，perpetrate 犯罪。选项 D 和 E 合适。

空格 (ii)：

- 强词和对应：将 D 选项代入空格 (ii)，后文的意思为生效了（表示已经做了而产生了影响）但是没 (but not) 尝试做，句意矛盾，排除；代入 E 选项，后文的句意为想做（contemplate）但没（but not）做 (attempt)。答案选 E。renounce 抛弃，meditate 打算，dismiss 不考虑。

翻译　这些恶作剧的人所真正做出的蓄意破坏行为，与他们曾深思熟虑但又没有尝试实施的行为相比实在是微不足道。

29-10　　**答案：B**

难度　★

思路
- 方程等号：in that 表示因果，句意同义重复。the least 相当于 no，取反。
- 强词和对应：根据题意，Michelangelo 是最不（the least）受到传统束缚的人，空格和 constrained 根据 least 取反，体现他是一个"不受拘束的"人。pragmatic 务实的，adventurous 大胆创新的，empirical 基于实验的，skilled 熟练的，learned 博学的。答案选 B。

翻译　尽管我们不能称 Michelangelo 是一个不切实际的设计家，但是他在所有著名的非职业建筑家当中确实是最具创新精神的，因为他最不受传统或先例的束缚。

29-11　　**答案：B**

难度　★

思路　空格 (i)：

- 方程等号：before 在…之前，体现时间对比，前后状态取反。
- 强词和对应：根据题意，很多人适应价值观的改变，因此空格 (i) 和 adapting to 取反，体现之前"不适应"改变，负向。innovate 创新，resist 抵抗，ponder 思考，vacillate 犹豫，revert 恢复。选项 B 和 D 合适。

空格 (ii)：

- 方程等号：逗号说明前后句意同义重复，
- 强词和对应：空格 (ii) 和空格 (i) 根据逗号取同，体现"不变"。agreed-on principles that have been upheld for centuries 体现"几个世纪的广为接受的原则"，这是传统不变的东西，因此空格 (ii) 为正向词。protect 保护（对），defend 支持（对），subvert 颠覆（错），publicize 宣传（对），ignore 忽视（错）。综合空格 (i)，答案选 B。

翻 译 在适应价值观的改变之前，很多人宁愿去抵制这种转变，并且支持已经被信奉了几个世纪的广为接受的原则。

29-12 答案：D

难 度 ★★

思 路 空格 (i) + 空格 (ii)：
- 方程等号：Although尽管，表示让步转折，句内句意取反。even more更加，体现前后程度差异。
- 强词和对应：Although...more... 引导句意之间构成程度差异，因此空格 (i) 和空格 (ii) 取同。sporadic 断断续续的...irrefutable 无懈可击的，不是同义词，排除；sparse 稀少的...incontrovertible 无懈可击的，不是同义词，排除；ambiguous 不明确的...authoritative 权威的，不是同义词，排除；sketchy 不完整的...fragmentary 不完整的，同义词，正确答案；puzzling 令人困惑的...unquestionable 无懈可击的，不是同义词，排除。答案选 D。

翻 译 尽管关于新英格兰殖民地的记载与在法国或英国可获得的记载相比是不完整的，但美洲的其他英国殖民地的记载却更加支离破碎。

29-13 答案：B

难 度 ★

思 路
- 方程等号：opposite 表示对立，前后因果关系颠倒。
- 强词和对应：根据后文可知，高价导致了（cause）盗版，高价是原因。因此空格和 cause 根据 opposite 取反，体现高价是盗版的"结果"或高价"来源于"盗版。contribute to 导致，result from 由…引起，correlate with 把…联系起来，explain 解释，precede 在…之前。答案选 B。

翻 译 软件的高价总是被认为由猖獗的非法盗版引起，尽管相反的说法——高价是盗版的原因——貌似同样让人相信。

29-14 答案：B

难 度 ★

思 路
- 方程等号：because 因为，表示因果，句意同义重复。not 取反。
- 强词和对应：根据题意，早期美国作家认为伟大文学的标志是华丽和优雅，这些是不会出现在日常方言口语中的，可知对 common speech 持有负评价。common speech 和 the vernacular（方言口语）同义重复，体现美国作家对日常方言口语是一个负态度，因此空格填负向词。dissect 分开，avoid 避免，misunderstand 误解，investigate 调查，exploit 利用。答案选 B。

翻 译 因为早期的美国作家认为伟大文学作品的标志是华丽和优雅，而这两者都不可能出现在日常方言中，所以他们避免使用方言。

29-15 答案：B

难度 ★★

思路 空格 (i)：
- 方程等号：because of 因为，表示因果，句意同义重复。
- 强词和对应：they 和 claims 同义重复，because of 后面说这些声称可能被揭露，所以这些声称应该是"不好"的声称，空格 (i) 填一个负向词。hypothetical 假设的，fraudulent 欺诈的，verifiable 可证实的，radical 激进的，extravagant 过度的。选项 B 和 E 合适。

空格 (ii)：
- 方程等号：when 引导时间状语从句，句意同义重复，cannot 取反，反义重复。
- 强词和对应：当其他研究者无法空格 (ii) 这些科学家的发现的时候，这些 claims 就会被揭露。所以空格 (ii) 应该和 expose 根据 not 取反，填一个正向词，体现研究者不能"验证"这些发现时，这些声称会被揭露。evaluate 评估，duplicate 复制，contradict 反驳，contest 斗争，dispute 争论。答案选 B。

翻译 据称，科学家们会避免做欺骗性的关于实验结果的声称，因为当其他研究者不能复制他们的实验结果时，这些欺诈性的声称可能就会被揭露出来。

注释 在科学研究中，如果其他研究者无法复制得出结论的科学家的研究结果，那么就证明这个研究是失败的。

29-16 答案：C

难度 ★★

思路 空格 (ii)：
- 方程等号：thus 表示因果，前后句意同义重复。
- 强词和对应：根据题意，get along with 指向空格 (ii) 取同，体现与亲戚们"和睦相处"。abstain 克制，compromise 妥协，share 分享，reject 拒绝，lead 领导。选项 B 和 C 合适。

空格 (i)：
- 方程等号：through 表示方式方法，前后句意同义重复。
- 强词和对应：根据题意，通过在未分开的土地上的接触，核心家庭就被空格 (i) 了更大的亲属群体中，空格 (i) 和 contiguous residence on undivided land 构成同义重复，体现核心家庭和更大的亲戚群体之间"未分开"的联系。nurture among 在…中孕育（对），exclude from 排除在外（错），embed in 嵌入（对），scatter throughout 分散（错），accept by 接受（对）。综合空格 (ii)，答案选 C。

翻译 通过挨家挨户地居住在同一块未分开的土地，只要核心家庭被包含在了一个更大的亲戚群体中，这种分享并且与亲戚们友好相处的压力就会非常之大。

29-17 答案：B

难度 ★

思路
- 方程等号：in contrast to 表示对比，前后句意构成反义重复。
- 强词和对应：前文提到吸气是需要大量的肌肉活动的，空格和 activity 根据 in contrast to 取反，体现呼气是"不需要活动"，负向。slow 缓慢的，passive 被动的，precise 精确的，complex 复杂的，conscious 有意识的。答案选 B。

翻译　与吸气所需要的大量肌肉活动相比，呼气通常是一个被动的过程。

- -

29-18　答案：C

难度　★★

思路
- 方程等号：so...that... 表示因果，前后句意同义重复。
- 强词和对应：that 后面的内容描述这部纪录片让怀旧情绪淹没了观众，因此空格和 feelings of nostalgia 取同，体现纪录片是能"引发怀旧感情"的。logical 合乎逻辑的，pitiful 可怜的，evocative 唤起情感的，critical 批评的，clinical 冷静的。答案选 C。

翻译　关于高中生活的纪录片是如此真实和激发情感的，以至于怀旧的情绪淹没了大学年龄的观众。

注释　这道题很多人会用 and 来做，但是选项中没有 realistic 的同义词，因此这道题应该用 so...that... 来做。

- -

29-19　答案：C

难度　★

思路
- 方程等号：although 出现前后取反。
- 强词和对应：desert landscape 和 urban subjects 根据 Although 取反。而 urban 和 New York City 构成同义重复，因此空格不改变逻辑方向，体现她的都市主题的画作和她长期在纽约居住是"正向关系"。condemn 谴责，obfuscate 使困惑，attest to 证实，conflict with 冲突，contend with 竞争、处理。答案选 C。

翻译　尽管 Georgia O'Keeffe 以她对沙漠风光的喜爱而闻名，但她的城市主题作品证实了她长期居住在纽约市。

注释　尽管 K 擅长 A（沙漠），但是她也擅长 B（城市）。

- -

29-20　答案：C

难度　★

思路
- 方程等号：Even though 尽管，表示让步转折，句意取反。no 取反。两次取反后最终同向。
- 强词和对应：根据题意，调查被指定为交叉学科的课程，空格和 inter-disciplinary 根据 even though 和 no 取反两次取同，体现调查时不存在（no）"学科的交叉"。encapsulation 概括总结，organization 组织，synthesis 综合，discussion 讨论，verification 证实。答案选 C。

翻译　尽管这项调查被定性为跨学科课程，但它实际上并不存在对课题的综合。

29-21　答案：C

难度　★★

思路　空格 (ii)：
- 方程等号：even 即使，引导句内逻辑反向，句意反义重复。not 取反。
- 强词和对应：空格 (ii) 和 useful 根据 even 和 not 取反两次后同向，体现即使"有用的"，正评价。baffling 令人困惑的，accessible 可理解的，momentous 重要的，duplicated 被复制的，controversial 受到争议的。B、C、D 三项合适。

空格 (i)：
- 方程等号：冒号说明前后句意同义重复。failure 失败，负向，取反。not 取反。两次取反后最终同向。
- 强词和对应：冒号前后取同，冒号后面说这些发现是没用的，所以冒号前面也应该说这种发现是没用的。冒号前面的 failure 表示 not，所以空格 (i) 填一个表示"有用"的词。understand 理解，envision 想象，utilize 利用，reproduce 复制，affirm 认为。根据 useful 可知，答案选 C。

翻译　很多精神治疗医生无法利用最前沿的研究结果，这可能部分是由于这些发现结果过于专业化的特点：即使是重要的发现结果也可能是没有用的。

Exercise 30

享受 GRE，享受生活；告别 GRE，享受生活。Embrace the GRE to enjoy life. Crack the GRE to attenuate vulnerability.

——韩吉昌
微臣教育 2016 "填空 400 题" 学员
2016 年 5 月 GRE 考试 Verbal 160

EXERCISE ㉚

核心词汇

1.《GRE 核心词汇考法精析》收录单词（共 54 词）

absent	abstract	adumbrate	adversity
advocate	aggressive	ambivalent	analogous
appealing	apropos	astute	authentic
commend	commitment	compelling	compromise
concrete	congenial	contiguous	convention
discretion	disparage	disregard	dread
extant	exuberant	flourish	futile
humdrum	infinite	ingenious	innovative
insular	lurid	measured	mobile
mundane	original	peripheral	redundant
resourceful	restive	ruse	sedentary
signal	sincere	sluggish	snub
spontaneous	substantiate	superfluous	turmoil
unremitting	versed		

2. 基础单词补充（共 14 词）

comparable	*adj.* 相当的：similar or equivalent
conciliate	*v.* 和解：to regain or try to regain (friendship or goodwill) by pleasant behavior
decelerate	*v.* 减慢速度：to decrease the velocity of
decline	*v.* 拒绝：to say that you will not or cannot do something
exhaustive	*adj.* 详尽的：treating all parts or aspects without omission; thorough
habituate	*v.* 习惯于：to accustom by frequent repetition or prolonged exposure
inopportune	*adj.* 不合时宜的：something happens at an unfortunate or unsuitable time
intransigence	*n.* 不妥协：refusing to moderate a position, especially an extreme position; uncompromising
minutely	*adv.* 细致地：with attention to small details
omit	*v.* 忽略：to pass over; neglect
render	*v.* 描绘：to represent in verbal form; depict
seductive	*adj.* 诱惑的：making someone do or want something
triviality	*n.* 平凡的事：the quality or condition of being trivial
vital	*adj.* 重要的：necessary to continued existence or effectiveness; essential

练习解析

30-1 答案：E

难度 ★

思路 空格 (ii)：
- 方程等号：of 介词结构作后置定语修饰 image，前后描述同义重复。
- 强词和对应：后面说这片土地的形象是无限的希望，因此空格 (ii) 和 promise 取同，体现这片土地在开发商和理想主义者的眼中是"充满希望的"。mundane 平凡的，underplayed 轻描淡写的，identical 相同的，luxuriant 华丽的，compelling 吸引人的。选项 D 和 E 合适。

空格 (i)：
- 方程等号：whereas 尽管，表示转折让步，前后句意取反。
- 强词和对应：adversity 和 promise 根据 whereas 取反，并且空格 (i) 修饰 adversity（不幸），所以空格 (i)+adversity 应该确保 adversity 的存在，所以空格 (i) 不能填"没有"等负向词。lurid 耸人听闻的（对），incredible 不可思议的（对），dispiriting 令人沮丧的（对），intriguing 吸引人的（错），unremitting 一直存在的（对）。综合空格 (ii)，答案选 E。

翻译 在 19 世纪，小说家和冷漠无情的旅行者将美国西部描绘成一块一直充满了灾难的土地，而倡导者和理想主义者们却创造出了吸引人的具有无限希望的土地的形象。

注释 这道题目的对应关系极其明显，whereas 前后对比取反，分别描述两种人不同的态度，portray 和 image 对应，a land of unremitting adversity 和 a land of infinite promise 对应。

- -

30-2 答案：E

难度 ★

思路
- 方程等号：冒号说明前后句意同义重复。
- 强词和对应：the former 指代 honeybees，the latter 指代 earth bees。冒号后面的内容描述 honeybees 会在一起寻找食物，并且把自己的发现发送给其他的同伴。因此空格和 together 取同，体现 honeybee 比 earth bees 更加具有"在一起"的特征。insular 狭隘的，aggressive 好斗的，differentiated 有差别的，mobile 移动的，social 群居的。social 的释义是 social animals live in groups and do things together。答案选 E。

翻译 蜜蜂比土蜂更有群居性：和土蜂不一样的是，蜜蜂会一起寻找食物并且将它们各自的发现以信号传达给其他的同伴。

- -

30-3 答案：A

难度 ★★

思路
- 方程等号：as though 好像，体现前后句意同义重复。
- 强词和对应：根据题意，Joe 以完全同样的强度对待没有必要（superfluous）和具有空格 (i) 特征的事情，就好像对于他来说严肃的问题（serious issues）和具有空格 (ii) 特征的议题重要性是一样的（neither more nor less than 表示不多不少刚刚好）。as though 前后内容一致，所以信息交叉互补, 空格 (i) 和 serious 构成同义重复, 体现 "重要的问题", 空格 (ii) 和 superfluous 构成同义重复, 体现 "没有必要的事"。

空格 (i):

- 空格 (i) 应该体现 "重要"。代入选项, vital 至关重要的, redundant 多余的, important 重要的, impractical 不切实际的, humdrum 单调的。选项 A 和 C 合适。

空格 (ii):

- 空格 (ii) 应该体现 "不重要"。代入选项, triviality 不重要的事物 (对), superficiality 肤浅的事物 (对), necessity 必要性 (错), outcome 结果 (错), essential 必要性 (错)。综合空格 (i), 答案选 A。

翻 译 Joe 以完全同样的强度谈及不必要和至关重要的事件, 好像对他而言, 严肃的问题和琐碎的问题没有什么区别。

30-4 答案: B

难 度 ★★

思 路
空格 (ii):

- 方程等号: while 表示 "然而" 前后对比。
- 强词和对应: while 前面说他要证明自己的观点, while 后面说他就空格 (ii) 其他的可能的结论。his own claims 和 other possible conclusions 对象取反, 因此空格 (ii) 和 use 取反, 体现他 "不使用" 其他材料, 选一个负向词。deploy 开展, disregard 忽视, weigh 权衡, refute 否认, emphasize 强调。选项 B 和 D 合适。

空格 (i):

- 强词和对应: while 之前说 David 为了证明自己的观点会毫无节操的使用空格 (i) 的素材, 所以空格 (i) 应该和 unscrupulous 对应, 同时体现他做的动作能够证明自己的观点, 填一个负向词。haphazardly 随意地 (错), selectively 选择性地 (对), cleverly 聪明地 (错), modestly 谦虚地 (错), arbitrarily 随意地 (错)。选项 A 和 E 空格 (i) 中表示 "随机地" 使用素材, 这恰好是科学的研究方法, 所以排除。综合空格 (ii), 答案选 B。

翻 译 Davis 的社会学研究的价值被他为了去证明自己的观点而毫无节操地挑选素材的做法破坏了, 同时这种做法也忽略那些可以得出其他结论的信息。

30-5 答案: E

难 度 ★★

思 路
空格 (ii):

- 方程等号: of 介词结构作后置定语修饰 illusion, 前后描述同义重复。
- 强词和对应: 后文描述的是 actual space, 因此空格 (ii) 和 actual 取同, 体现空间是 "真实的"。conventional 传统的, abstract 抽象的, concrete 具体的, fragmented 碎片化的, realistic 真实的。选项 C 和 E 合适。

空格 (i):

- 方程等号: once 一旦, 句意同义重复。
- 强词和对应: 一旦画家发现了如何空格 (i) 体积和深度, 他们就能够用三维空间图像来替换中世纪的二维图像。volume and depth 和 actual space 构成同义重复，with 表示他们可以用这种方法来绘画，因此空格 (i) 为正向，表现作家发现如何去"实现"体积和深度。reverse颠倒（错），portray 描绘（对），deny 否认（错），adumbrate 预示（错），render 呈现（对）。综合空格 (ii)，答案选 E。

翻 译 当文艺复兴时期的画家们学会了如何呈现体积和深度之后，他们就能用更加具有实在空间感的真实图像来代替中世纪具有象征意味的二维空间。

注 释 replace X with Y，用 Y 代替 X，对象反义重复。因此题干中 symbolic 和 actual 构成反义重复。

30-6 答案：E

难 度 ★

思 路
- 方程等号：but 但是，表示转折，句意取反。
- 强词和对应：前文提到他希望自己的公开揭露可以得到感激，空格和 gratitude 根据 but 取反，体现他遭受到近乎敌意的"不感激"，负评价。patience 耐心，discretion 谨慎，openness 开放，ineptitude 无能力，indifference 冷漠。答案选 E。

翻 译 他本以为自己会因为公开揭露而受到感激，但实际上他遇到的是近似于敌意的冷漠。

注 释 border on（接近）：if you talk about a characteristic or situation bordering on something, usually something that you consider bad, you mean that it is almost that thing。

30-7 答案：C

难 度 ★★

思 路 空格 (i) + 空格 (ii)：
- 方程等号：because 因为，表示因果，前后句意同义重复。
- 强词和对应：make a decision 和 commitment 同义重复，空格 (i) 和空格 (ii) 都体现对做决定的态度，因此空格 (i) 和空格 (ii) 根据 because 取同，选一组同向的词。而且因为这个外交官是一个有耐心和技巧的人（patience and skill），所以她对于突然的承诺肯定是一个负向态度，所以空格 (i) 和空格 (ii) 都是负向词。空格 (i) 和空格 (ii) 都是负向词的只有 C 选项。decline 拒绝…inopportune 不合适的；resolve 下决定…detrimental 有害的；refuse 拒绝…apropos恰当的；struggle 努力…unconscionable 没良心的；hesitate 犹豫…warranted 保证的，答案选 C。

翻 译 这位外交官因在组织这种微妙的谈判中所表现出的耐心和技巧而被选拔出来，她在谈判中拒绝做出任何决策，因为在那时候的任何突然的承诺都是不合时宜的。

30-8 答案：B

难 度 ★★

思 路 空格 (ii)：
- 方程等号：and 说明前后句意同义重复。

视频讲解

- 强词和对应：根据 and 后面的内容可知，空格 (ii) 体现对人类观察者的态度，因为猴子专心做自己的事，所以体现猴子对人类"不关心"，负向。welcome 乐于接受，disregard 不理会，snub 拒绝，seek 寻找，avoid 避免。B、C、E 三项合适。

空格 (i)：

- 方程等号：because 因为，表示因果，句意同义重复。
- 强词和对应：根据后文可知，猴子对人类是"不关心的"，专心做自己的事。human observers 和 presence of human beings 构成同义重复。因此空格 (i) 和空格 (ii) 构成同义重复，体现猴子对人类的存在"不关心"或"无所谓"。ambivalent about 对…纠结的（错），habituated to 习惯于（对），pleased with 高兴（错），inhibited by 被阻碍（错），unaware of 没有意识（对）。综合空格 (ii)，答案选 B。

翻译 由于被研究的猴子习惯了人类的存在，所以它们通常会忽略人类观察者而专心做自己的事。

注释 选项 E 为干扰项，如果猴子 unaware of 和 avoid 矛盾，如果没有意识到人类的存在就不会去"有意识地"回避了。

30-9 答案：D

难度 ★★

思路
- 方程等号：Given that 因为，表示因果，句意同义重复。
- 强词和对应：根据题意，given 的部分描述议员在最近演讲中表现出的对于下次选举的兴趣和雄心壮志，所以后文应该说她对于竞选感兴趣，而后文描述她说服公众说她对于竞选连任不感兴趣，所以没有兴趣 + 空格 = 有兴趣，空格为负向。laudable 可称赞的，likely 可能的，authentic 真正的，futile 徒劳的，sincere 真诚的。答案选 D。

翻译 鉴于这位议员此前早已表示过对下次选举的兴趣以及近来演讲中雄心勃勃的口气，所以她试图让公众相信对于第二届连任不感兴趣的企图是徒劳无功的。

30-10 答案：C

难度 ★★

思路 空格 (i)：
- 方程等号：remain 表示状态的持续，前后句意同义重复。
- 强词和对应：空格 (i) 和 followers 根据 remain 构成同义重复，体现支持者的状态是"支持的"。opposed 反对的，friendly 友好的，loyal 忠诚的，cool 冷漠的，sympathetic 同情的。B、C 和 E 合适。

空格 (ii)：
- 方程等号：even 即使，句内句意取反，unconvinced=not convinced，取反。
- 强词和对应：rejected her leadership 和 replacing her 同义重复（反对者应该同意替换她），而 even 和 unconvinced 两次取反，所以空格 (ii) 填一个不改变方向的词。urgency 紧迫的事（对），harm 危害（错），wisdom 明智（对），usefulness 有用（对），disadvantage 不利（错）。综合空格 (i)，答案选 C。

翻译 她的很多支持者继续忠于她，即使是那些反对她的领导能力的人也不认为在当前的混乱中替换她是一个正确之举。

注 释 and 前后主句部分取同，and 后面有 even 的让步，所以 even 让步的部分应该和 and 前面的内容取反，所以可以通过 reject 和空格 (i) 取反，确定空格 (i) 的答案。

30-11 答案：E

难 度 ★

思 路
- 方程等号：nevertheless 然而，句意反义重复；paradoxically 矛盾地，特征取反。两者在句中的作用一致，所以只取反一次。
- 强词和对应：根据题意，前文提到独奏家的风格是欢快自由和内省的。因此空格和 free 或 introspective 根据 nevertheless 或 paradoxically 取反，体现他是"不自由的"或"不内省的"。appealing 吸引人的，exuberant 精力充沛的，idiosyncratic 怪异的，unskilled 不熟练的，controlled 受到控制的。答案选 E。

翻 译 与许多最近对贝多芬钢琴奏鸣曲的演绎不一样，这位独奏家的表演风格是欢快自由且内省的；但是，看起来似乎矛盾的是，他的演绎却一点没有失控。

注 释
1. 如果 although、nevertheless、but 等表示句内转折的词汇和 surprising、paradoxically 等表示"词对词"取反的词汇同时出现，只取反一次，相当于把两个分句内容的取反简化成了两个单词的取反。举一个中文的例子：虽然（Although）他是一个好人，但是（nevertheless）令我们吃惊的是（surprisingly），他最近做了一些坏事。
2. controlled 的英文释义为 remaining calm and not getting angry or upset，克制的。在实验中，controlled experiment 指实验对照组。

30-12 答案：C

难 度 ★

思 路
- 方程等号：longer than 比较级，比较对象特征取反。
- 强词和对应：后面描述的是代谢速率更快的生物，因此空格和 rapid 根据比较级取反，体现代谢速度"不快的"生物活得更久。prolific 多产的，sedentary 久坐的，sluggish 缓慢的，measured 深思熟虑的，restive 焦躁不安的。答案选 C。

翻 译 代谢速率相对比较慢的物种，包括有冬眠行为的动物，通常会比那些代谢速率更快的物种更加长寿。

30-13 答案：A

难 度 ★★

思 路 空格 (i) + 空格 (ii)：
- 方程等号：Belying 与…形成对立，前后句意取反。
- 强词和对应：根据题意，之前 Morgan 作为一个谈判者的空格 (i) 的名声和最近的一个空格 (ii) 的立场根据 belying 构成反义重复。因此空格 (i) 和空格 (ii) 联动，取反，选一组反义词。而空格 (ii) 之后有强词 praised，说明空格 (ii) 应该是一个正评价，选一个正向词。

conciliatory 愿意和解, intolerant 不能容忍的, unreasonable 不合理的, authoritative 权威的, combative 好斗的, 只有 A 和 D 是正评价, 保留, 排除选项 B、C、E。空格 (i) 和空格 (ii) 根据 belying 前后取反, A 选项中 intransigence 表示不妥协, 和 conciliatory 取反, 正确; 而 D 选项中, success 和 authoritative 不取反, 所以排除。impropriety 不得体, inflexibility 不灵活, incompetence 无能力。答案选 A。

翻 译 与他早期作为谈判者不妥协的声誉形成对立的是, Morgan 最近采取了一种更利于和解的立场, 原来批评他的许多人因此而赞扬他。

30-14 答案: C

难 度 ★★

思 路 空格 (ii):
- 方程等号: 冒号说明前后句意同义重复。
- 强词和对应: 冒号后面的内容提到我们通过文字来理解爱尔兰文化而不是通过图片。visual arts 和 pictorial images 同义重复, 空格 (ii) 和 not in terms of 根据冒号取同, 体现传统在视觉艺术当中是"无法发生的", 负向。superfluous 过多的, found 被发现的, absent 不存在的, apparent 显而易见的, extant 现存的。选项 C 合适。

空格 (i):
- 方程等号: although 尽管, 句意取反。
- 强词和对应: although 的部分说爱尔兰的文学持续繁荣, 主句说在视觉艺术方面没有一个空格 (i) 的传统, although 取反应该是文学有传统和视觉艺术没有传统的取反, 所以空格 (i) 填一个正向词。rich 丰富的 (对), lively 充满活力的 (对), comparable 类似的 (对), forgotten 被遗忘的 (错), lost 遗失的 (错)。综合空格 (ii), 答案选 C。

翻 译 尽管爱尔兰文学在 16 世纪后持续繁荣, 但在视觉艺术领域却缺少一个类似的传统: 所以我们是通过 (他们的) 语言文字而不是视觉图像来认识爱尔兰文化的。

30-15 答案: E

难 度 ★

思 路
- 方程等号: although 尽管, 表示让步转折, 句意取反。
- 强词和对应: 根据题意, 前文描述销售自从去年四月以来持续增长。空格和 increase 根据 although 构成反义重复, 体现增长的速率"不增长"(下降或停滞)。resurge 复苏, capitulate 屈服, retaliate 报仇, persevere 坚持, decelerate 减速。答案选 E。

翻 译 尽管销售自从去年四月开始一直持续增长, 但遗憾的是, 增长速率下降了。

30-16 答案: D

难 度 ★★

思 路
- 方程等号: although 尽管, 表示让步转折, 句意反义重复。

- 强词和对应：后文提到创造者们之间是有显著的区别的，因此 difference 指向空格，根据 although 取反，体现创作诗歌和戏剧的思维过程与创造科学发明的思维过程是"有共性的"。peripheral to 不重要，contiguous with 接近，opposed to 反对，analogous to 相似，inconsistent with 不一致。答案选 D。

翻译 尽管创作有新意且具有原创性的诗歌和戏剧的思维过程与创造并解释科学发明的思维过程毫无疑问是类似的，但是在它们的创造者之间却存在显著的差异。

注释 contiguous 的英文释义为 things that are contiguous are next to each other or touch each other，这种接近一般是指"地理上的邻近"。还有一个形式上很相近的短语 contingent on，这个短语的释义为 if something is contingent on something else, the first thing depends on the second in order to happen or exist，含义为"由…所决定"。

30-17 答案：E

难度 ★★

思路 空格 (i)：
- 方程等号：belie，与…相矛盾，前后取反。
- 强词和对应：最近这个书单令我们失望，所以这个书单之前长期的名声应该是一个正评价，所以 disappointing 根据 belie 和空格 (i) 取反，空格 (i) 是一个正向词，imprecision 不精确，relevance 相关，timeliness 永恒，meticulousness 谨小慎微，exhaustiveness 详尽，排除 A 选项，保留 B、C、D、E 选项。

空格 (ii)：
- 方程等号：by 作方式状语，前后句意同义重复。
- 强词和对应：by 表示方式方法，所以空格 (i) 和空格 (ii)+ 一些有关最新出版物的重要参考文献取同。add 增加；update 更新，revise 修订，omit 遗漏。只有 E 选项符合句意，所以排除 B、C、D 选项，答案选 E。

翻译 令人失望的是，这个最新版的文献目录辜负了它长期以来因内容详尽而享有的声誉，因为它遗漏了一些有关最新出版物的重要参考文献。

注释 revise（修改）：if you revise the way you think about something, you adjust your thoughts, usually in order to make them better or more suited to how things are，表示的是为了更好而进行的改进，正向。

30-18 答案：B

难度 ★

思路
- 方程等号：the 为定冠词，表示指代重复。
- 强词和对应：the 后面的 ruse 在前文中没有出现，因此空格应该体现 ruse。ruse 的释义是 a ruse is an action or plan which is intended to deceive someone，体现欺骗性的阴谋。intend 打算，contrive 图谋，forbear 忍受，decline 拒绝，deserve 值得。contrive 的释义是 when someone has done something dishonestly, you can say that they have contrived to do it，体现的是（用欺骗的手法）策划，答案选 B。

翻译 尽管 Simpson 擅长把欺骗的手段表现得富有灵感且自然而然，但在这个骗术的背后，他对问题的解决方案却是无灵感且死板的。

30-19 答案：D

难度 ★★

思路
- 方程等号：not...but... 不是…而是…，前后描述反义重复。第二个 not 取反。因此空格 (i) 和空格 (ii) 根据 not...but... 和 not 取反两次后，构成同义重复，联动。

空格 (ii)：
- 方程等号：so...that... 如此…以至于…，表示因果，前后句意构成同义重复。failed to 取反。
- 强词和对应：根据题意，她不能将大家期待数量的案例提交法庭，the expected number 指向空格 (ii) 根据 failed to 取反，体现她的研究"数量不到预期"。knowledgeably 知识渊博地，enthusiastically 热心肠地，rapidly 迅速地，minutely 详细地，efficiently 高效率地。rapidly 和 efficiently 与 failed to bring expected number 矛盾（快和有效率，数量会大），排除选项 C 和 E。knowledgeably, enthusiastically 与 number 无关，无法体现数量，排除选项 A 和 B。因此选项 D 合适。

空格 (i)：
- 方程等号：根据前文，空格 (i) 和空格 (ii) 根据 not...but... 和 not 取反两次后，构成同义重复。
- 强词和对应：well versed 非常精通的，well trained 受过良好训练的，congenial 情投意合的，hardworking 刻苦的，astute 机敏的。综合空格 (ii)，答案选 D。

翻译 她被律师同行们批评，并不是因为她不勤奋，而是因为她如此详尽地准备案例以至于她不能将大家期待数量的案例提交法庭审理。

注释 minutely 在文中意味着她只关注了质量（分析得详细），而忽视了样本量的数量（number）。

30-20 答案：E

难度 ★★

思路 **空格 (i) + 空格 (ii)：**
- 方程等号：by 说明前后句意同义重复。who 引导的定语从句修饰 colleagues，前后修饰同义重复。
- 强词和对应：根据题意，not + 空格 (i) 体现同行对 Schlesinger 和解态度的看法，conciliatory 和 compromise 取同。因此空格 (i) 和空格 (ii) 根据 not 取反，联动。代入选项，eschew 回避...dread 害怕，取同，排除；share 分享...defend 支持，取同，排除；question 质疑...reject 拒绝，取同，排除；understand 理解...advocate 支持，取同，排除；commend 称赞...disparage 贬低，取反，正确。答案选 E。

翻译 Schlesinger 最近采取了一种和解的态度，而这种态度不被他的同行们所称赞，他们继续贬低这种妥协的态度。

注释 本题和本套题目中的 13 题的内容类似，可以参考比对学习，其中都有一个表达：assumed a conciliatory attitude/stance "表现出一个愿意和解的姿态"，其中 assume 这个单词的意思为：if you assume a particular expression or way of behaving, you start to look or behave in this way.

30-21   答案：A

难 度   ★★

思 路
- 方程等号：so...that... 表示因果，前后句意同义重复。
- 强词和对应：后文提到研究者从来不会去公开发布，因为他们不能忍受自己的研究走到尽头。因为研究走到尽头对研究者来说不是好事，所以根据 so...that... 得知研究者对于 information 是负评价。divisive 引发争议的，seductive 有吸引力的，selective 选择的，repetitive 重复的，resourceful 明智的。divisive 的释义：something that is divisive causes unfriendliness and argument between people。只有 A 是负评价，所以答案选 A。

翻 译   国家档案馆贮存着如此容易引发争议的信息，以至于众所周知，研究人员永远都不会公开发布，因为他们不能承受自己的研究走向尽头。

Exercise 31

GRE 的备考过程无疑是漫长而艰辛的，但当你把它当作生活中的一部分的时候，你就会发现它并不是不可战胜的。微臣教给我的除了正确的方法，还有不懈的努力。

——孙晓剑
微臣教育 2015 寒假 325 计划学员
2015 年 5 月 GRE 考试 Verbal 161, Quantitative 170

EXERCISE ③1

核心词汇

1.《GRE 核心词汇考法精析》收录单词（共 42 词）

aberrant	absent	abstract	anomalous
antipathy	authority	autonomy	burgeon
consensus	construct	convey	defer
disdain	exalt	exceptional	fanciful
fleeting	frugal	haphazard	havoc
illuminate	imposing	improvise	inevitable
infinite	intrinsic	jargon	minimize
obsolete	original	perceptive	phenomenal
precipitate	rectitude	reflect	reserved
reticent	shrug	subtle	superficial
superfluous	surrender		

2. 基础单词补充（共 18 词）

abundance	*n.* 大量：a great or plentiful amount
bewail	*v.* 表示悲痛：to express sorrow or unhappiness over
chuckle	*n.* 轻笑：a quiet laugh of mild amusement or satisfaction
contingency	*n.* 偶然性：the condition of being dependent on chance; uncertainty
differentiate	*v.* 识别：to perceive or show the difference in or between; discriminate
frankness	*n.* 直率：the quality or state of being open and sincere in expression
guffaw	*n.* 大笑：a hearty, boisterous burst of laughter
historical	*adj.* 历史的：of or relating to the character of history
necessitate	*v.* 使…成为必须：to make necessary or unavoidable
permanence	*n.* 永久：the quality or condition of being permanent; permanency
plenitude	*n.* 大量：a considerable amount
polarity	*n.* 对立：the possession or manifestation of two opposing attributes, tendencies, or principles
prodigality	*n.* 挥霍：extravagant wastefulness
quaint	*adj.* 奇怪的：unfamiliar or unusual in character; strange
subtlety	*n.* 微妙：very small details or differences which are not obvious
technical	*adj.* 专业的：belonging or relating to a particular subject
tyranny	*n.* 暴政：absolute power, especially when exercised unjustly or cruel
wholehearted	*adj.* 全心全意的：marked by unconditional commitment, unstinting devotion, or unreserved enthusiasm

练习解析

31-1 答案：E

难度 ★

思路
- 方程等号：when 引导时间状语从句，前后句意同义重复。less than 取反。
- 强词和对应：when 出现前后取同，when 后面说她拒绝做一个对于这个项目有利的演讲，体现她对于项目不是完全支持。所以 when 前面也应该体现她对于项目不是完全支持。因为不支持这个语义已经出现（support 和 less than），所以空格填一个不改变方向的词。qualified 有保留的，haphazard 随意的，fleeting 短暂的，unwarranted 没有根据的，wholehearted 全心全意的。答案选 E。

翻译 当她拒绝做一个对这个项目有益的演讲时，我们开始认识到她对这个新项目的支持并不是全心全意的。

注释 less than 的英文释义为 something does not have a particular quality，所以 less tan 可以简单看作 not。例句：Her greeting was less than enthusiastic.（她的问候一点也不热情。）对应的 more than 也可以当作 not 来处理。

31-2 答案：D

难度 ★★

思路 空格 (ii)：
- 方程等号：by 作方式状语，前后句意同义重复。
- 强词和对应：根据题意，its 指代 problem。通过激活生理功能从而对问题的影响做空格 (ii) 的动作。激活生理功能应该会减少问题带来的影响，因此空格 (ii) 应该填一个负向词。precipitate 加速，predict 预测，detect 觉察，counter 抵消，evaluate 评估。选项 D 合适。

空格 (i)：
- 方程等号：not...but... 不是…而是…，前后取反。
- 强词和对应：空格 (i) 和空格 (ii) 根据 not...but... 构成反义重复，因为空格 (ii) 的语义表示"可以抵消问题的影响"，所以空格 (i) 表示和"可以抵消问题的影响"不同的含义。cure 治愈（对），minimize 降低（错），determine 决定（对），diagnose 诊断（对），magnify 放大（对）。综合空格 (ii)，答案选 D。

翻译 当一个人突然失去知觉时，旁观者不应该去诊断问题，而应试图去消除该问题的后果——如果生死攸关的生理功能停止了的话，旁观者应激活它们。

31-3 答案：E

难度 ★

思路 空格 (i)：
- 方程等号：逗号说明前后句意同义重复。
- 强词和对应：根据题意，这些话会引发轻轻一笑，因此空格 (i) 和 chuckle 根据逗号取同，体现这些话是"能引发微笑的"。audible 听得见的，hostile 敌意的，amusing 逗人笑的，

coherent 条理分明的，humorous 幽默的。选项 C 和 E 候选。

空格 (ii)：

- 方程等号：but 但是，取反。not 取反，两次取反取同。
- 强词和对应：前文提到这些话能够引人发笑，空格 (ii) 和空格 (i) 根据 but 和 not 取反两次后构成同义重复，选"让人发笑"，同时不能和 chuckle 完全一致，否则会出现语义上的矛盾。reward 奖励，shrug 耸肩（表示冷淡），rebuke 指责，reaction 反应，guffaw 大笑。综合空格 (i)，答案选 E。

翻 译 这些话只是稍许幽默，会引发微微一笑，但绝对不会是大笑。

31-4 答案：E

难 度 ★

思 路
- 方程等号：as...as... 像…一样，同级比较，前后句意同义重复。so...that... 如此…以至于…，表示因果，前后句意同义重复。
- 强词和对应：根据题意，大门关上了我们的过去，我们的价值观变得很过时，以至于我们对于新时代的人就像来自古代的旅行者一样。因此空格和 obsolete 根据 so...that... 取同，体现我们对新时代的人来说是"过时的"。elegant 优雅的，ambitious 有野心的，interesting 有趣的，comfortable 舒适的，quaint 古怪的。quaint 的英文释义为 something that is quaint is attractive because it is unusual and rather old-fashioned，所以这个词带有"过时"的含义，答案选 E。

翻 译 大门关闭了我们过去的岁月，而我们曾赖以生存的价值观也会很快变得如此过时，以至于我们将会被新时代的人看成像来自于远古的旅行者一样古怪。

31-5 答案：B

难 度 ★

思 路
- 方程等号：第一个逗号，前后句意同义重复。
- 强词和对应：根据题意，历史不仅由历史学家收录的部分组成，还由被遗漏的部分组成。因此空格和 consists of...included 及 left out 构成同义重复，体现对有洞察力的历史学家的考验是对于"已经包括的和被人遗漏的"均有关注。defer 推迟，select 选择，confer 授予，devise 设计，reflect 反思。select 的英文释义为 to choose (as by fitness or excellence)，答案选 B。

翻 译 选择的能力是对敏锐的历史学家的考验；毕竟历史不只由历史学家所包括的那部分构成，在某种意义上，也由被省略的那部分构成。

31-6 答案：B

难 度 ★

思 路
- 方程等号：yet 但是，表示转折，句意反义重复。
- 强词和对应：根据题意，一些艺术家毫不谦虚地理想化或者夸大他们工作的重要性。Yet 前后取反，idealize or exaggerate 和 exalt the role 构成同义重复，因此空格为负向，体现其他人"不"夸大。同时，根据逗号前后同义重复，后文描述反对艺术至高无上的观点，transcendent view of art 和 idealize or exaggerate 构成同义重复，因此空格和 reject 根据逗号取同，负向。appear 好像，disdain 看不起，seek 寻找，fail 失败，tend 倾向于。fail 无法体现艺术家"主动的否定"，因此排除选项 D。答案选 B。

翻译 有些艺术家毫不谦虚地理想化或夸大自己工作的重要性；但是另外一些反对艺术至高无上的观点的艺术家则反感夸大艺术家的重要性。

31-7 答案：E

难度 ★★

思路
- 方程等号：but 但是，表示转折，句意取反。
- 强词和对应：question 和 debate 构成同义重复，因此空格和 emotionally charged policy 根据 but 取反，体现估计核电站泄露的风险是"非情绪化的"问题。incomprehensible 难以理解的，undefined 不确定的，irresponsible 不负责任的，divisive 造成分裂的，technical 技术上的。technical 的英文释义为 technical means involving the sorts of machines, processes, and materials that are used in industry, transport, and communications。答案选 E.

翻译 估计从核电站泄露的辐射的危险是一项技术性问题，但对这个问题的回答是一个主观的和非常情绪化的政策争论的一部分，这个争论是有关是否应当建立这种核工厂的。

31-8 答案：A

难度 ★

思路
- 方程等号：because 因为，表示因果，句意同义重复。
- 强词和对应：根据题意，因为现代科学家认为古希腊关于宇宙的观点是过时且不重要的。根据 because 取同，古代的观点（ancient view）应该有古代的兴趣，所以空格是 ancient 的同义词。historical 历史的，intrinsic 本质的，astronomical 极大的，experimental 实验性的，superfluous 不必要的，答案选 A。

翻译 因为现代科学家认为古代希腊的宇宙观过时而且不重要，所以他们现在只是出于历史兴趣而看待它。

31-9 答案：A

难度 ★★

思路 空格 (i)：
- 方程等号：of 介词结构作后置定语修饰 God，前后描述特征同义重复。
- 强词和对应：根据题意，Henry More 从无限的上帝那里得到了无限宇宙的概念，空格 (i) 描述上帝的特征，因此空格 (i) 和 infinite 取同，体现上帝是"无限的"。abundance 大量，justice 公正，suffering 苦难，temperance 节制，havoc 破坏。选项 A 合适。

空格 (ii):

- 方程等号：whose 引导的定语从句修饰 God，前后描述特征同义重复。
- 强调和对应：上帝的特征是无限的，因此空格 (ii) 和 infinite 构成同义重复，体现 "无限的" 上帝创造 "无限"。plenitude 大量，vengeance 复仇，indifference 冷漠，indulgence 放纵，rectitude 正直。综合空格 (i)，答案选 A。

翻 译 作为一位宗教哲学家，Henry More 从他对无限上帝的信仰中推断出了他的无限宇宙的概念，丰富无穷的上帝的本质是来创造无尽的丰富。

31-10 答案：C

难 度 ★

思 路
- 方程等号：while 尽管，表示让步转折，反义重复。
- 强词和对应：根据句意，尽管有人认为征收高速公路使用者的过路费可以避免提高公路养护税的必要，后面应该说其实不能避免这种税费，these general taxes 和 public taxes 同义重复，空格和 circumvents 根据 while 取反，体现对公路养护税的依赖是 "不可避免的"。avoid 避免，diminish 减少，necessitate 使必需，discourage 使气馁，ameliorate 改善。答案选 C。

翻 译 尽管有人认为对高速公路使用者征收过路费可以避免提高公路养护税的必要，但维护一个巨大的公路网所需的巨额费用必须依赖这样的税费。

31-11 答案：C

难 度 ★

思 路 **空格 (ii):**
- 方程等号：thus 因此，表示因果，前后句意同义重复。
- 强词和对应：根据题意，新古典时期的艺术是在更古老罗马模式的精神下创造的，older Roman models 和 the older style 构成同义重复，因此空格 (ii) 和 created 根据 thus 取同，体现新的艺术和老的艺术是 "有联系的"。introduce 引入，accentuate 强调，maintain 维持，depict 描绘。introduce 表示引入全新的内容，所以和 older 矛盾，排除；improvise 即兴创作，即兴创作体现的是新颖的，与 older 矛盾，因此排除选项 A 和 E，其他三项合适。

空格 (i):
- 方程等号：although 尽管，表示让步转折，句意取反。not 取反。两次取反后，最终同向。
- 强词和对应：根据后文描述，新古典主义的艺术是以老的艺术精神创造的，因此空格 (i) 和 created in the spirit of older Roman models 根据 although 和 not 取反两次后取同，所以空格 (i) 体现 "和老的艺术风格相似"。impression 印象，translation 翻译 / 转变，copy 复制，masterpiece 杰作，borrowing 借用。综合空格 (ii)，答案选 C。

翻 译 尽管它们并不是直接的复制品，但新古典时期的艺术品很明显地是在更古老的罗马模式的精神下创造出来的，因此保存了很多古老风格的特征。

31-12 答案：E

难 度 ★

思 路
- 方程等号：in spite of 尽管，表示让步转折，句内句意取反。
- 强词和对应：根据题意，consensus 指向空格，根据 in spite of 取反，体现意见"不一致"。impartiality 客观，consistency 一致，judiciousness 明智，incisiveness 敏锐，polarity 对立。答案选 E。

翻 译 尽管他们的观点越来越对立，但这个小组知道他们必须达成一致意见，以便颁发奖励。

31-13 答案：D

难 度 ★★

思 路
- 方程等号：by 作方式状语，前后句意同义重复。
- 强词和对应：根据题意，系统性计时法强迫我们屈服于时钟的权威，forcing 对应后文的 impose，所以空格对应 authority，体现带有"权威"色彩的社会。anarchy 混乱，permanence 永久，provincialism 狭隘，tyranny 严格的控制，autonomy 自治。答案选 D。

翻 译 通过强迫我们屈从于时钟的权威，系统计时法已经把一种严格的控制强加给了社会。

注 释 tyranny 的本义为暴政，其英文释义为 absolute power, especially when exercised unjustly or cruelly，同义词有 despoticism。在此处考查它的引申义，英文释义为 a rigorous condition imposed by some outside agency or force，例句：living under the tyranny of time，生活在时间的严格控制之下。

31-14 答案：D

难 度 ★★

思 路 空格 (ii)：
- 方程等号：逗号，前后取同。
- 强词和对应：逗号后面说这一事实和公众对于集体犯罪程度的无知相一致，逗号前后取同，所以空格 (ii) 对应 unawareness，选一个表示"少，不知道"的词汇。subtle 不直接的，misleading 误导的，abstract 抽象的，limited 有限的，jargon-laden 充满术语的。A、B、C、E 选项与"少"无关，排除，答案选 D。

空格 (i)：
- 方程等号：contrasts with 表示对比，前后句意反义重复。
- 强词和对应：根据 contrast，所以空格 (i) 和空格 (ii) 前后取反。nuanced 细微的，uninformative 不提供信息的，euphemistic 委婉的，differentiated 有差别的，technical 专门的。答案选 D。

翻 译 我们关于街头犯罪的高度细化的词汇与我们对集体犯罪的有限的词汇构成了强烈的对比，这个事实与公众对集体犯罪程度的普遍无知相一致。

31-15 答案：B

难 度 ★★

思 路
- 方程等号：逗号，前后同义重复。
- 强词和对应：逗号前后取同，逗号后面说和那些我们期待和预测的事物相背离，所以空格应该体现"与常规相反"或者"无法预测"。repeat 复述，improvise 即兴演出，ornament 装饰，correct 更正，harmonize 和谐。improvise 的释义是 to speak or perform without preparation。答案选 B。

翻 译 尽管科学家认为遗传编码的突然变化（自发变异）是不切实际的，但大自然很可能像那些杰出的音乐大师一样即兴演奏，和我们所期待和所预测的不同。

注 释 本题可以改成一个两空题，在 fanciful 处可以挖空，while 前后取反，后面说这种突变是有可能的，所以 while 部分应该说这种变化不可能，填 fanciful。

31-16 答案：D

难 度 ★

思 路 空格 (ii)：
- 方程等号：and 连接并列结构，前后句意同义重复。
- 强词和对应：根据题意，and 前面说世界面临着相同的问题，因此空格 (ii) 和 same 根据 and 取同，体现这些世界有着"相同的"解决方案。identical 完全相同的，diverse 不同的，varied 变化的，similar 相似的，unique 独特的。逗号后面说差别存在于表面的细节之中，说明还是有差别的，所以不可能完全相同，排除 A 选项，答案选 D。

空格 (i)：
- 方程等号：despite 尽管，引导句内逻辑反向，句意反义重复。
- 强词和对应：空格 (i) 和 same 根据 despite 取反，体现时间、空间、历史和人类社会与世界是"不同的"。continuity 连续性（错），uniformity 统一（错），actuality 事实（错），contingency 偶然（对），exigency 迫切（错）。contingency 的释义是 an event (as an emergency) that may but is not certain to occur，偶然性是指不一定会发生。因此综合空格 (ii)，答案选 D。

翻 译 尽管时间、空间、历史和各种人类社会具有偶然性，但世界也面临着相同的问题，并且得出了明显类似的解决方案，差别只是存在于表面的细节之中。

31-17 答案：A

难 度 ★

思 路 空格 (i) + 空格 (ii)：
- 方程等号：although 尽管，表示让步转折，句意取反。
- 强词和对应：根据题意，尽管他公开行动时极度具有空格 (i) 的特征，但是学者发现他的日记的风格却不同寻常地具有空格 (ii) 的特征。空格 (i) 和空格 (ii) 根据 although 取反，选一组反义词。代入选项，reserved 拘谨沉默的...frankness 坦率，取反，合适；polite 有礼貌的...tenderness 温和，取同，排除；modest 谦虚的...lucidity 清楚，无关，排除；reticent 沉默的...vagueness 模糊，取同，排除；withdrawn 孤僻的...subtlety 精妙，无关，排除。答案选 A。

视频讲解

| 翻 译 | 尽管他在公开行动中表现得极端拘谨沉默，但学者们却发现他的日记是以不同寻常地坦率的风格写成的。 |

31-18 答案：E

难 度 ★★

思 路
- 方程等号：with 表示由于，英文释义为 to introduce a current situation that is a factor affecting another situation，前后同义重复。
- 强词和对应：根据题意，教科书的新版本在原作完成后很快就又开始了。scientific knowledge 和 textbook 取同，空格和 soon 取同，正向，体现"迅速"。limitation 局限，culmination 高潮，veneration 尊敬，certainty 确定，burgeoning 迅速发展。culmination 体现的是巅峰，但是根据题意，科学知识是在不断进行更新的，所以排除 B，答案选 E。

| 翻 译 | 由于科学知识的迅速发展，教科书新版本的编辑工作在原作完成后不久就开始了。 |

| 注 释 | 此处的 original 是名词，其英文释义为 if something such as a document, a work of art, or a piece of writing is an original, it is not a copy or a later version，表示原作。 |

31-19 答案：E

难 度 ★

思 路
- 方程等号：but 但是，句意反义重复。
- 强词和对应：根据题意，她在商业事务当中很节俭，空格和 frugal 根据 but 取反，体现她的个人生活是"不节俭的"状态。antipathy 反感，misanthropy 反人类，virtuosity 精湛技艺，equanimity 镇静，prodigality 挥霍。答案选 E。

| 翻 译 | 她在工作中非常节俭，但在个人生活中却表现出一点点挥霍。 |

| 注 释 | a streak of 这个短语的意思是 a slight of 表示"一点点"。 |

31-20 答案：C

难 度 ★★

思 路 **空格 (i)：**
- 方程等号：if 引导条件状语从句，句内同义重复。not 取反。
- 强词和对应：根据题意，后面的内容提到利用最近的预算问题去作为避免目光短浅的财政计划的必然结果是没有用的。因此空格 (i) 和 useful 根据 not 取反，体现政府最新的财政问题是"没用的"，负评价。typical 典型的，exceptional 卓越的，anomalous 异常的，predictable 可预测的，solvable 可解决的。选项 C 合适。

空格 (ii)：
- 方程等号：in the effort to 表示目的，前后句意同义重复。
- 强词和对应：根据后文可知，例子的目的是要避免目光短浅的财政计划所带来的必然结果，因此空格 (ii) 应该体现的是"好的"例证，正评价。representative 有代表性的

（对），aberrant 异常的（错），illuminating 启发性的（对），helpful 有帮助的（对），insignificant 不重要的（错）。综合空格 (i)，答案选 C。

翻译 如果州政府最新的预算问题是不具有代表性的，这样做就是无益的，即利用它们作为启迪性的例子来避免在未来的岁月中，由于目光短浅的财政计划会所带来的必然后果的努力是没有意义的。

31-21 答案：E

难 度 ★★

思 路 **空格 (i) + 空格 (ii)：**

● 方程等号：just as 正如…，前后句意同义重复。

● 强词和对应：根据题意，Giacometti 对于艺术表达现实的能力和 some writers 对于语言表达含义的能力的态度是一样的。所以两空联动，有两种可能性：

① 如果空格 (i) 表示对于语言的表达能力的负向态度，那么空格 (ii) 对于艺术无法表达现实应该持正评价，选一个正向词。scoff at 嘲笑，deny 否认，despair of 绝望，选项 A、C、E 的空格 (i) 都是负向词。abjure 否认，refute 反驳，bewail 感伤，只有 E 不是负向词，所以排除 A 和 C，保留 E。

② 如果空格 (i) 表示对于语言的表达能力的正向态度，那么空格 (ii) 对于艺术无法表达现实应该持负评价，选一个负向词。demonstrate 表现，proclaim 宣称，选项 B 和 D 空格 (i) 是正向词。exemplify 体现，affirm 肯定，都是正向词，排除 B 和 D。最终答案选 E。

翻译 正如一些作家对于语言的表达能力感到绝望一样，Giacometti 为艺术传达现实的失败而感伤不已。

Exercise 32

天命可能会在你的人生路上开一些变幻莫测的淘气玩笑，但重要的是，你自己不能跟自己开。

——何彬彬

微臣教育 2015 寒假 325 计划学员
2015 年 10 月 GRE 考试 Verbal 162
录取院校：芝加哥大学

EXERCISE ③②

核心词汇

1.《GRE 核心词汇考法精析》收录单词（共 56 词）

absolute	anomalous	assert	autonomy
axiomatic	belie	blight	compliment
concentrate	confront	conscientious	conspicuous
credit	crucial	epitomize	erratic
esoteric	favorable	figurative	forbearance
frequent	grandiose	grin	illusory
indecorous	indispensable	inherent	intimate
intuitive	justify	lag	latent
mandatory	meticulous	obligatory	oblique
obscure	obsolete	peripheral	permanent
portentous	prohibitive	proscribe	ramshackle
random	scathing	somatic	sporadic
substantial	superficial	tawdry	temporal
timely	ubiquitous	ungainly	vigorous

2. 基础单词补充（共 12 词）

appreciate　*v.* 感知：to be fully aware of or sensitive to; realize
definite　*adj.* 肯定的：indisputable; certain
distinct　*adj.* 有区别的：readily distinguishable from all others; discrete
impose　*v.* 强制实行：to apply or make prevail by or as if by authority
incidence　*n.* 发生频率：extent or frequency of occurrence
incongruity　*n.* 不和谐：strangeness when considered together with other aspects of a situation
literal　*adj.* 逐字的：word for word; verbatim
pessimism　*n.* 悲观：a tendency to stress the negative or unfavorable or to take the gloomiest possible view
suppression　*n.* 压制：the act of suppressing
supremacy　*n.* 最高权力：supreme power or authority
systematic　*adj.* 系统性的：of, characterized by, based on, or constituting a system
virtue　*n.* 优点：a particularly efficacious, good, or beneficial quality; advantage

练习解析

视频讲解

32-1   答案：E

难 度   ★

思 路
- 方程等号：in spite of 尽管，表示让步转折，句内句意取反。not 再次取反。两次取反后句意同向。
- 强词和对应：根据题意，把动物的生命周期划分成不同的阶段是方便的，空格和 separate 根据 in spite of 和 not 取反两次后取同，空格填一个表示"不同的"。advanced 先进的，variable 多变的，repeatable 重复的，connected 联系的，distinct 不同的。答案选 E。

翻 译   尽管把动物的生命周期划分为不同的阶段——例如产前期、青春期和老年期——的做法是非常方便的，但这些阶段并非完全不同。

· · · · · · · · · · · · · · · · · · ⊛ · · · · · · · · · · · · · · · · · ·

32-2   答案：B

难 度   ★★

思 路   空格 (i)：
- 方程等号：although 尽管，表示让步转折，句意反义重复。not 再次取反。两次取反后句意同向。
- 强词和对应：根据题意，自从 1850 年被报道的火山爆发的次数快速上升。空格 (i) 和 risen 根据 although 和 not 取反两次后取同，体现这不（not）意味着火山活动"增加"。abate 降低，increase 增加，substantial 大量的，stable 稳定的，consistent 一致的。选项 B 和 C 合适。

空格 (ii)：
- 方程等号：and 前后同方向。
- 强词和对应：空格 (ii) 应该根据 and 和 widespread 取同，同时可以增加火山爆发的报道。detailed 详细的（对），systematic 系统的（对），erratic 没规律的（错），superficial 表面上的（错），meticulous 谨慎的（对）。systematic 的释义是 a fixed plan, in a thorough and efficient way，指的是"系统的"。因此综合空格 (i)，答案选 B。

翻 译   尽管自从 1850 年以来报道的火山爆发的次数呈指数上升，但这并不表示火山活动的增加，相反却表明了更加广泛和系统化的记录手段。

注 释   本句中有一个 not A but B 结构，A 和 B 不同。火山爆发报道的增加并不意味着火山活动的真实增加，而是有着更广泛和更系统的记录手段。not...but 结构连接的分别是火山活动的真实增加和记录手段的改进，这两者是火山爆发次数快速上升的两个不同原因。

· · · · · · · · · · · · · · · · · · ⊛ · · · · · · · · · · · · · · · · · ·

32-3   答案：B

难 度   ★★

思 路   空格 (ii)：
- 方程等号：by 作方式状语，前后句意同义重复。
- 强词和对应：空格 (ii) 和 coercion 根据 by 取同，体现政治的"强迫"。understand 理解，impose 强加，convey 传达，capture 捕捉，demand 要求；排除选项 A、C、D，保留选项 B 和 E。

空格 (i)：

- 方程等号：as opposed to 表示对立，前后句意取反。
- 强词和对应：由 as opposed to 可知，空格 (i) 和空格 (ii) 取反。空格 (ii) 和 coercion 根据 by 取同，体现政治的"强迫"，因此空格 (i) 和空格 (ii) 取反体现作者的信仰"不受到强迫"。innate 天生的（对），organic 自然而然的（对），contradictory 矛盾的（错），oblique 不直接的（错），peripheral 不重要的（错）。organic 的释义是 organic change or development happens gradually and naturally rather than suddenly，自然而然的。根据以上分析，答案选 B。

翻译　解读在政治压迫的政体之下写成的小说的挑战在于区分哪些内容对于作者的信仰是自然而然形成的，与这些内容对立的是哪些内容是由政治压力所强加形成的。

注释　本句的方程等号本应当是 distinguish A from B，把 A 和 B 做区分，A 和 B 应该取反。本题降低了难度，用 as opposed to 表面前后内容取反。

32-4　　**答案：E**

难度　★★

思路　**空格 (i)：**

- 方程等号：equally 同样的，前后句意同义重复。
- 强词和对应：根据题意，they 指代 people，人们同样很愚蠢地忍受着我的愚蠢，空格 (i) 和 putting up with 根据 equally 取同，体现我自己对其他人愚蠢的"忍受"。analysis of 分析，forbearance toward 容忍，exasperation with 激怒，involvement in 参与，tolerance of 容忍。选项 B 和 E 合适。

空格 (ii)：

- 方程等号：冒号说明前后同义重复。
- 强词和对应：冒号前面的内容体现我对于自己对他人愚蠢的"容忍"印象深刻。冒号前后同向，因此空格 (ii) 和 impressed 根据冒号取同，体现他们对我愚蠢的容忍更加让我印象深刻。justify 证明…合理（错），underestimate 低估（错），credit 相信（错），allow 允许（错），appreciate 理解（对）。综合空格 (i)，答案选 E。

翻译　我总是为自己能容忍别人的愚蠢行为而吃惊：让我更难以理解的是，他们非常愚蠢，同样也认为我在容忍自己。

32-5　　**答案：A**

难度　★★★

思路

- 方程等号：despite 尽管，表示让步转折，引导句内句意取反。
- 强词和对应：despite 前后取反，despite 部分的强词是 protestation 反对，主句部分的强词是 denial 反对，protestation 和 denial 构成同义重复，所以空格应该填入一个负向词。belie 证明为假，illustrate 说明，reinforce 加强，exacerbate 恶化，trivialize 轻视。trivialize 体现的是态度上的轻视，排除，因此正确答案选 A。

翻译　尽管极力否认，但这个少年脸上露齿一笑的表情揭穿了她的否认，她否认自己在这个针对父母的恶作剧实施之前就已经知道了它。

注释　denial 后面的 that 是一个同位语从句，来解释 denial 的内容，句意为她否认自己在这个针对父母的恶作剧实施之前就已经知道了它。

32-6 答案：E

难 度 ★★

思 路 空格 (ii)：
- 方程等号：far from 表示 not，取反。undermining 削弱，取反。两次取反后最终同向。
- 强词和对应：根据题意，这个具有空格 (i) 特征的雕塑没有逐渐削弱永恒衰落的形象。its 指代 statue，空格 (ii) 和 decline 根据 far from 和 undermining 取反两次后取同，所以填一个"衰败"含义的负向词。opulent 奢华的，ramshackle 摇摇欲坠的，simple 简单的，elegant 优雅的，blighted 衰落的。选项 B 和 E 合适。

空格 (i)：
- 方程等号：emblematic 表现象征，所以空格 (i) 和空格 (ii) 取同。
- 强词和对应：根据句意，空格 (i) 的雕塑象征了衰落的环境，所以空格 (i) 体现雕像是"衰败的"，填一个负评价词。indecorous 不得体的，grandiose 浮夸的，pretentious 矫揉造作的，ungainly 难看的，tawdry 俗艳的。在 B 选项中，grandiose 的释义是 seeming to be impressive but not really possible or practical；ramshackle 的释义是 in a very bad condition and needing to be repaired。在 B 选项这对组合中，看上去宏大和看上去摇摇欲坠相矛盾，因此排除 B 选项。而 tawdry 的释义是 having a cheap and show a lack of taste，与 blighted 都表现看上去是"衰败的"。因此综合空格 (i)，答案选 E。

翻 译 这座俗丽的雕像远远没有消除掉永恒衰落的形象，它似乎象征了周围衰败的景观。

32-7 答案：C

难 度 ★★

思 路 空格 (i) + 空格 (ii)：
- 方程等号：despite 尽管，表示让步转折，句内句意取反。
- 强词和对应：根据题意，尽管契约苦役的行为几乎在全球范围内是被空格 (i) 的状态，在世界上的大多数地方是空格 (ii) 的状态。空格 (i) 和空格 (ii) 根据 despite 取反，选一组反义词。condemn 谴责...abate 减轻，不取反，排除；tolerate 承认...survive 存在，取同，排除；proscribe 禁止...persist 存在，取反，正确选项；mandate 委托...linger 继续留存，取同，排除；disdain 鄙视...intervene 阻碍，取同，排除。答案选 C。

翻 译 尽管契约苦役的行为已经普遍被禁止，但它仍然在世界的许多地区存在。

32-8 答案：E

难 度 ★

思 路
- 方程等号：and 连接平行结构，前后句意同义重复。and 前后各有一个 not，抵消，取同。
- 强词和对应：根据题意，这些人所期待的事物对别人来说是不明显的。空格和 apparent 取同，选"明显的"。obscure to 模糊的，intimate to 亲近的，illusory to 虚幻的，difficult for 困难的，definite in 明确的。答案选 E。

翻 译 这些人所期待的事物对别人来说是不明显的，并且可能在他们自己的思想中也不是很明确的。

32-9 答案：B

难 度 ★★

思 路 **空格 (i)：**
- 方程等号：to 表示目的，前后句意同义重复。
- 强词和对应：根据题意，通过杂交的方法培养适合的 jojoba 的品种。breed suitable varieties 和 favorable traits 构成同义重复，因此空格 (i) 不改变逻辑方向，体现培养合适的品种是为了"有助于"有利的特征，选一个正向词。eliminate 消除，reinforce 加强，allow 允许，reduce 减轻，concentrate 集中。B、C、E 三项合适。

空格 (ii)：
- 方程等号：abandon A in favor of B，放弃 A 支持 B，A 和 B 相反。
- 强词和对应：冒号前面的内容提到杂交的方法被放弃，转而支持一个更加简单和快捷的空格 (ii)，冒号后面提到了驯化，所以 domestication 和 hybridization 作为不同的手段已经取反。因此空格 (ii) 体现的也是一种"方法"，与 attempt 构成同义重复。alternative 替代方案，method 方法，creation 创造，idea 想法，theory 理论。idea 和 theory 体现的是"想法"，与 attempt 付诸行动表示的含义不一致。因此综合空格 (i)，答案选 B。

翻 译 通过杂交的方法来加强有利的生物特征以便培养适宜的 jojoba 的新品种，这种企图最终被人们放弃，转而采取一种更简单且更快的方法：将繁茂的野生品种驯化。

32-10 答案：B

难 度 ★★

思 路 **空格 (ii)：**
- 方程等号：without 取反。
- 强词和对应：根据句意，一个政权没有对于法律或者原则空格 (ii)，那么这样的政权就是在向正义宣战。题中 law or principle 和 justice 同义重复，因此空格 (ii) 体现政权不（without）受到法律的"制约"或"影响"，这样才能向正义宣战。codification of 编纂法典，suppression of 压制，accountability to 责任，deviation from 偏离，prioritization of 优先处理。选项 B 合适。

空格 (i)：
- 方程等号：第一个逗号，前后取同。
- 强词和对应：逗号后面说这个政权不受法律或者原则的约束，所以逗号前面应该体现整个政权是"专制独裁的"（或"至高无上的"）。因此空格 (i) 和 absolute 构成同义重复，体现这个政权的"绝对性"特点。respectability 名望，supremacy 霸权，autonomy 自治，fairness 公正，responsibility 责任。supremacy 的释义是 the quality or state of having more power, authority, or status than anyone else，体现权力的绝对性（至高无上），再次确定正确答案选 B。

翻 译 根据某位政治理论家的理论，在不受法律和准则的压制下，一个将绝对的权威当成自己目标的政权就已经在向正义宣战了。

注 释 句子 a regime that has as its goal absolute supremacy 中出现了倒装，正常语序为 a regime that has absolute supremacy as its goal，一个把绝对的权威当成自己目标的政权。

32-11 答案：C

难 度 ★★

思 路 空格 (i) + 空格 (ii)：
- 方程等号：despite 尽管，表示让步转折，句内句意取反。
- 强词和对应：根据题意，its 指代 book，空格 (ii) 体现书和重要问题的关系。空格 (i) 和空格 (ii) 形成联动，根据 despite 取反，选一组反义词。optimism 乐观...cursorily 马虎地，不相关地，排除；importance 重要性...needlessly 不需要地，取反，保留；virtue 优点...inadequately 不充足地，取反，保留；novelty 新颖...strangely 奇怪地，不取反，排除；completeness 完全...thoroughly 彻底地，取同，排除。B 选项中，needless 表示没有必要的，与 crucial issues 矛盾（重要的问题是有必要处理的），因此排除选项 B。答案选 C。

翻 译 尽管这本书有很多优点，但是它在探讨许多重要问题时却不够充分。

⋯⋯⋯⋯⋯⋯⋯⋯⋯⋯⋯⋯

32-12 答案：A

难 度 ★★

思 路 空格 (ii)：
- 方程等号：A yield B，A 产生了 B，A 和 B 取同。paradoxically 矛盾的是，句意反义重复。
- 强词和对应：disorientation 指向空格 (ii)，yield 前后取同，不好的东西应该产生不好的东西。但是根据 paradoxically 取反，不好的东西却产生了好东西，所以空格填一个正向词。benefit 好处，hazard 危险，disorder 混乱，deficiency 缺乏，standard 标准。选项 A 合适。

空格 (i)：
- 方程等号：A in B 在 B 中的 A，A 和 B 同义重复。
- 强词和对应：由题意可知，迷失方向是在 jet lag（时差）当中固有的，因此空格 (i) 具有 jet lag 的特征。jet lag 的释义是 if you are suffering from jet lag, you feel tired and slightly confused after a long journey by aero plane, especially after travelling between places that have a time difference of several hours。由释义得知时差所造成的影响是轻微的。因此代入选项，temporal 暂时的，acquired 后天获得的，somatic 肉体的，random 任意的，typical 典型的。答案选 A。

翻 译 尽管频繁的空中旅行者依然不相信，但研究者却发现，时差所固有的暂时性的方向迷失症状，矛盾的是，也会对精神健康产生益处。

注 释 本题其实可以改成一道 3 空题，在 found 处挖空。although 出现前后取反，前面的强词是 unconvinced，所以后面应该填一个正向词，含义为：尽管旅行者不相信，但是研究者却认为。

⋯⋯⋯⋯⋯⋯⋯⋯⋯⋯⋯⋯

32-13 答案：B

难 度 ★★

思 路
- 方程等号：because 表示因果，前后句意同义重复。
- 强词和对应：because 前面说比喻性语言的恰当使用必须基于词的本义，所以 because 后面也应该是本义决定了比喻义。所以没有（failure to）意识到空格就会导致比喻的混乱，因此空格和 denotative 取同。esoteric 难以理解的，literal 字面的，latent 潜在的，allusive 暗指的，symbolic 象征的。答案选 B。

| 翻 译 | 矛盾的是，比喻性语言的恰当使用必须建立在理解单词字面含义的基础上，因为正是由于未能认识到单词的字面意思才导致混乱的比喻和随之而来的错误。 |

| 注 释 | 1. figurative 表示比喻的和 metaphor 暗喻，上下义词构成同义重复。
2. 正常情况下，比喻义应该是基于比喻义，但是因为 ironically，所以句意反义重复，figurative 和 denotative 根据 ironically 构成反义重复。比喻义的正确使用来自于单词的本义。
3. 本题的结构为 A based on B because not B leads to not A. 此处的 A 为 proper use of figurative language，B 为 denotative meaning。 |

⊙ • ⊙

32-14 答案：B

| 难 度 | ★ |

| 思 路 | • 方程等号：although 尽管，表示让步转折，句内取反。
• 强词和对应：根据题意，人口密度大的地区有更大的交通事故风险是空格的，而后文提到在人口稀少的地方事故是更加容易发生的。densely populated areas 和 sparsely populated regions 根据 although 取反，所以 likely 指向空格，空格填一个不改变句子的逻辑方向的词。paradoxical 矛盾的，axiomatic 不言自明的，anomalous 异常的，irrelevant 不重要的，portentous 凶兆的。答案选 B。 |

| 翻 译 | 尽管在人口密集地区会有更大的交通事故风险似乎是不言自明的，但是这些交通事故却更有可能发生在人口稀少地区。 |

⊙ • ⊙

32-15 答案：E

| 难 度 | ★ |

| 思 路 | • 方程等号：if 引导条件状语从句，句内同义重复。通过 why 反问句表现前后取反。
• 强词和对应：根据题意，如果这个理论如它的支持者所认为的一样是正确的，那么为什么依旧有见多识广的人对这个理论是空格的。所以空格应该和 proponent 取反，填一个表示"不支持"的含义。support for 支持，excitement about 兴奋，regret for 后悔，resignation about 顺从，opposition to 反对。答案选 E。 |

| 翻 译 | 如果该理论正如它的支持者所认为的那样是不言自明的正确，那么，为什么在见多识广的人当中仍存在着对它的反对意见呢？ |

⊙ • ⊙

32-16 答案：B

| 难 度 | ★★ |

| 思 路 | **空格 (i)+ 空格 (ii)：**
• 方程等号：although 尽管，表示让步转折，句内取反。
• 强词和对应：根据句意，后文说研究者担忧疾病的彻底消除是不会马上实现的，负评价。cases of measles 和 the disease 构成同义重复。因此空格 (i) 和空格 (ii) 联动，两空联合起来表示"疾病有可能根除"。 |

- 如果空格 (i) 和 eradication 取同，体现疾病的"根除"，那么空格 (ii) 为正向，体现疾病的"根除"是"可能"。选项中没有一个表示"根除"的含义，所以这种思路不成立。
- 如果空格 (i) 和 eradication 取反，体现疾病的"发生"，那么空格 (ii) 为负向，体现疾病的"缓解"或"减轻"。occurrence 发生，incidence 发生率，number 数量都体现"发生"，所以选项 A、B、D 候选。continue 和 increase 都是正向词，只有 B 选项的 decline 下降是负向词，所以排除 A 和 D，答案选 B。
- prediction 预测...resume 继续进行；study 研究...begin 开始。正确答案选 B。

翻 译 尽管麻疹的发病率已经下降了，但研究者担心这种疾病的彻底消除——曾经被认为迫在眉睫——也许并不会马上实现。

⟶ • ⟶

32-17 答案：C

难 度 ★★

思 路 空格 (ii)：
- 强词和对应：delay 拖延是不好的行为，所以修饰 delay 的空格 (ii) 也不能选一个正向词。conspicuous 明显的，timely 合适的，unnecessary 没有必要的，conscientious 认真负责的，inexplicable 无法解释的。B 和 D 是正向词排除，A、C、E 三项合适。

空格 (i)：
- 方程等号：nothing...better than...，否定词 + 比较级，在一起出现相当于两次取反，不改变句子逻辑方向。
- 强词和对应：irresponsibility 和 delay 构成同义重复，他的拖延空格 (i) 了他的不负责任，因此空格 (i) 不改变句子的逻辑方向，填一个正向词。justify 证明...合理的，characterize 描述，epitomize 体现，reveal 揭露，conceal 隐藏。题目需要体现他"不负责任"，justify 与题意不符（不能说拖延证明不负责任是合理的）；conceal 为负向，因此排除选项 A 和 E。答案选 C。

翻 译 没有什么比这件事能够更好地体现他的不负责任，即他毫无必要地拖延送给我们他几周前就承诺的货物。

⟶ • ⟶

32-18 答案：B

难 度 ★★

思 路
- 方程等号：空格体现她对某种文风的批判态度和这种与她自己风格相似的风格的关系。
- 强词和对应：根据题意，她所批判的风格和她自己的风格是如此相似，因此空格体现"她所批判的风格就是她自己的风格"，存在矛盾对立（自己批判自己），所以空格体现"矛盾"。disinterest 公正客观，incongruity 矛盾，pessimism 悲观，compliment 赞扬，symbolism 象征。答案选 B。

翻 译 该作者没有意识到自身所具有的矛盾：她严厉地批评一种与她自己的风格如此相似的风格。

32-19 答案：C

难度 ★

思路
- 方程等号：transition from A to B，从 A 变化到 B，A 和 B 相反。
- 强词和对应：根据题意，空格和 individualism 构成反义重复，体现尽管人们从"非个人"的经验到个人主义的转变，但是个体主义却变得过时了。literary 文学的，intuitive 直觉的，corporate 团体的，heroic 英雄气概的，spiritual 精神的。答案选 C。

翻译 尽管伊丽莎白时期的人们通过努力才实现了由中世纪集体经验向现代个人主义的转变，然而，我们却面临着一种似乎可能逆转这一潮流的电子科技，这种电子科技会导致个人主义过时，而且使相互依赖变得必要。

注释 whereas 然而，引导句内取反。过去人们要从集体主义转变为个人主义，现在个人主义过时了，我们要相互依赖。所以这里的 interdependence 和 cooperate 构成同义重复，可以作为解题思路。

32-20 答案：D

难度 ★

思路 **方法一：**
- 方程等号：requires 体现必须…，前后句意同义重复。
- 强词和对应：根据题意，我们的生物独特性要求必须通过"我们"（即"人类"）进行实验，因此空格和 our 取同。代入选项，controlled 克制的 / 被实验对照的，random 随机的，replicated 被复制的，human 人类的，evolutionary 进化的。答案选 D。

方法二：
- 方程等号：even 表示转折，句内句意转折。
- 强词和对应：animals 指向空格，取反，体现在"非动物"身上进行试验，选 human。

翻译 我们自身的生物学特性要求每一种物质的效果必须通过对人体的实验来验证，尽管那种物质已经在动物身上经过了数以千计的测试。

32-21 答案：D

难度 ★★

思路 **空格 (i)：**
- 方程等号：because 因为，表示因果，句意同义重复。
- 强词和对应：根据题意，后文说科技进步使得安装水的装置是容易实现的。空格 (i) 和 easy 取同，体现在园林建设中水是"容易"获得的。conspicuous 明显的，sporadic 断断续续的，indispensable 必不可少的，ubiquitous 无处不在的，controversial 受到争议的。选项 A、C 和 D 合适。

空格 (ii)：
- 方程等号：even 甚至，表示递进。
- 强词和对应：空格和 easy 取同并且递进，体现甚至在公共场所中安装水的装置是"容易的"，正向。prohibitive 禁止的（错），effortless 容易的（对），intricate 复杂的（错），obligatory 必须的（对），unnecessary 没有必要的（错）。综合空格 (i)，答案选 D，必须使用水，证明获得水"太容易"了。

翻译 今天，水在园林建筑中要比以往任何时候都普遍，因为技术的进步使得在公共场所中安装带有水的特色设计变得容易实现，在某些情形中甚至是必须的。

Exercise 33

不忘初心，方得始终。感谢微臣一路的陪伴，
这段日子将成为我最宝贵的回忆。

——刘青林

EXERCISE ㉝

核心词汇

1.《GRE 核心词汇考法精析》收录单词（共 30 词）

absolute	abstract	acumen	ambivalent
claim	clandestine	contempt	debacle
discrete	disdain	embrace	equivalent
esteem	futile	hallmark	haphazard
incontrovertible	inevitable	lackluster	meticulous
orthodox	refine	reluctant	repudiate
safeguard	scathing	sensitive	sincere
symmetry	vapid		

2. 基础单词补充（共 13 词）

adduce   *v.* 引证：to cite as an example or means of proof in an argument

adherence   *n.* 坚信：faithful attachment; devotion

counterbalance *v.* 使抵消：to oppose with an equal force; offset

discontinuity   *n.* 不连续：lack of continuity, logical sequence, or cohesion

distinction   *n.* 差异：the condition or fact of being dissimilar or distinct; difference

equipoise   *n.* 平衡：equality in distribution, as of weight, relationship, or emotional forces; equilibrium

gradation   *n.* 逐渐变化：the act of gradating or arranging in grades

incorporate   *v.* 包含，吸收：if one thing incorporates another thing, it includes the other thing

incuriosity   *n.* 冷漠，不感兴趣：lacking intellectual inquisitiveness or natural curiosity; uninterested

practicable   *adj.* 可使用的：capable of being effected, done, or put into practice; feasible

quest   *n.* 探索：an expedition undertaken in medieval romance by a knight in order to perform a prescribed feat

scrutiny   *n.* 仔细学习：a close, careful examination or study

undeserved   *adj.* 不应得的：not merited; unjustifiable or unfair

练习解析

33-1 答案：B

难度 ★★

思路
空格 (i)：
- 方程等号：while 前后取反，not 取反。
- 强词和对应：许多 19 世纪的俄罗斯作曲家促成了一种新兴的民族风格，idiomatic Russian musical elements 和 national style 同义重复。while 和 not 两次取反，因此空格 (i) 和 contributed to 构成同义重复，空格填一个正向词。utilize 使用，incorporate 包含，exclude 排除，repudiate 否认，esteem 尊重。选项 A、B、E 合适。

空格 (ii)：
- 方程等号：逗号，前后取同。
- 强词和对应：逗号前面说其他的作曲家没有促成俄罗斯的民族音乐，而 idiomatic Russian musical elements 和 traditional musical vocabulary of Western European Romanticism，前者是新出现的俄罗斯音乐，后者是传统的西欧浪漫主义音乐，在这里表达的对象发生了变化，所以空格 (ii) 应该体现这些作曲家对于西欧音乐的正向态度，填一个正向词。reject 拒绝（错），prefer 更喜欢（对），avoid 避免（错），expand 扩展（对），disdain 贬低（错）。答案选 B。

翻译 尽管很多 19 世纪的俄罗斯作曲家促成了一种新兴的民族风格，但其他作曲家并没有吸收特有的俄罗斯音乐元素，相反他们更喜欢传统的西欧浪漫音乐元素的表达。

- ⊹

33-2 答案：A

难度 ★★

思路
空格 (ii)：

- 方程等号：第二个逗号说明前后同义重复。rarely 前后取反。
- 强词和对应：根据题意，Albert Pinkham Ryder 总是在一张画布上对同一个场景不断地覆盖之前的画作，制造出没完没了的变化，所以一定是对于这幅绘画不满意，因为前面有一个 rarely，空格 (ii) 填一个表示"满足"含义的词。satisfied with 对…感到满意，displeased with 不开心，disconcerted by 不安，immersed in 沉浸于，concerned with 关注。选项 A 和 D 合适。

空格 (i)：
- 方程等号：because 因为，表示因果，句意同义重复。
- 强词和对应：根据题意，后面说他很少对于绘画满意，所以他应该是一个完美主义者。因此空格 (i) 应该体现追求完美，填一个正向词。quest for 追求（对），insistence on 坚持（对），contempt for 轻视（错），alienation from 疏远（错），need for 需要（对）。综合空格 (ii)，答案选 A。

翻译 因为画家 Albert Pinkham Ryder 痴迷于他对完美的追求，所以他很少对一幅画表示满意，总是在一张画布上对同一个场景不断地覆盖之前的画作，制造出没完没了的变化。

33-3 答案：E

难 度 ★★

思 路 空格 (i) + 空格 (ii)：
- 方程等号：逗号说明前后同义重复。根据题意，空格 (i) 体现客观公正的标准对内科医生的作用。them 指代 physicians，空格 (i) 和空格 (ii) 联动，根据逗号构成同义重复。
- 强词和对应：objectively 和 malpractice claims 构成反义重复，科学的标准对于内科医生的影响是"好的"，因此空格 (ii) 体现客观标准提供了一个"防止"不正当的渎职控告的手段，所以空格 (ii) 是一个负向词。evidence of 证据，experience with 经验，reason for 原因，question about 质疑，protection from 保护，保留 D 和 E。逗号前后同向，所以空格 (i) 和空格 (ii) 方向相同。trial 审判，model 模范，criterion 标准，test 测试，safeguard 保护。答案选 E。

翻 译 客观设立的标准可以对医生起到保护的作用，为这些医生提供免于不公正的渎职控告的保护措施。

33-4 答案：C

难 度 ★★

思 路 空格 (ii)：
- 方程等号：by 方式方法，前后句意同义重复。
- 强词和对应：根据题意，通过比评论家还要敏锐的热情观众，这部几乎被人遗忘的戏剧应该不被遗忘。空格 (i) 体现观众"不会"遗忘，负向。(be) condemned to 迫使（某人）处于（不幸的状态或位置），(be) exposed to 被暴露于…，(be) rescued from 从…拯救出来，(be) reduced to 沦落到…，(be) insured against 保护…免受危害。选项 C 和 E 合适。

空格 (i)：
- 方程等号：in spite of 尽管，句意反义重复。
- 强词和对应：the critics 指代 reviews，后文提到热情的观众比评论家更敏锐，让她的作品无法被遗忘。因此空格 (i) 和 enthusiastic 根据 in spite of 构成反义重复，体现评论是"不热情的"。lukewarm 冷淡的，scathing 尖酸刻薄的，lackluster 黯淡的，sensitive 敏感的，admiring 赞赏的。答案选 C。

翻 译 尽管媒体的评论缺乏热情，但这次的戏剧演出却被热情的观众们从几乎被遗忘的处境中拯救出来，这些观众总是比那些评论家们更加敏锐。

注 释 短语 condemn A to B 和 consign A to B 都是"把 A 打发到不好的状态"，其英文解释为 to consign something or someone to a place where they will be forgotten about, or to an unpleasant situation or place, means to put them there，所以 B 是一个负面色彩的词，比如 consign someone to oblivion，让某人被遗忘。

33-5 答案：D

难 度 ★

思 路
- 方程等号：not to say 甚至，表示递进。

- 强词和对应：they 指代 passions of love and pride。not to say 表示递进，因此空格要填一个负向词，但强度要低于 destroy。reinforce 加强，annihilate 毁灭，enhance 加强，weaken 削弱，embrace 接受。B 的程度和 destroy 类似，排除。答案选 D

翻译 爱和傲慢的情绪通常会在同一人身上发现，但却毫无共同之处，它们通常是相互削弱，即使没有相互摧毁。

注释 本题其实可以在 common 处挖空改成一道两空题，因为 but 和 few 取反两次，所以空格和 same 取同，填入 common。but 前面的含义为爱和骄傲会在同一人身上发现，but 后面说二者没有共同点，but 前后是相同和不同的取反。

33-6 答案：C

难度 ★★

思路 空格 (i)：
- 方程等号：leads to 导致，同义重复。
- 强词和对应：根据题意，为观察建立不同的分类目录的必然性会导致空格 (i) 的企图，空格 (i) 和 discrete 根据 leads to 构成同义重复，体现分类导致"不同的"状态。analysis 分析，correlation 相互关系，distinction 不同，complication 复杂，conjecture 猜测。选项 C 合适。

空格 (ii)：
- 方程等号：in reality 在现实中，表示转折，反义重复。
- 强词和对应：空格 (i) 和空格 (ii) 构成反义重复，前文说分类导致了绝对的分离，因此空格 (ii) 和 absolute 根据 in reality 构成反义重复，体现在现实中的分离是"不绝对的"。hypothesis 假设，digression 离题，gradation 渐变，ambiguity 模糊，approximation 接近。gradation 的释义是 a small difference between two points or parts that can be seen in something that changes gradually。综合空格 (i)，答案选 C。

翻译 为了观察，建立不同的分类目录的必要性，往往会导致做绝对差异的行为，而现实中往往只是渐变的一种差异。

33-7 答案：C

难度 ★★

思路
- 方程等号：who 引导定语从句，修饰 scholars，同义重复。
- 强词和对应：根据题意，在 Phaistos 的 Minoan 遗址所发现的独特的黏土圆盘是最早的印刷的例子，its claim to this status 其实就是指独特的黏土圆盘是最早的印刷。支持这种说法的学者应该支持这个例子，所以空格填一个正向词。question 质疑，overlook 忽视，adduce 举例证明，concede 承认，dismiss 认为不重要而不考虑。答案选 C。

翻译 在 Minoan 遗址所发现的独特的 Phaisto 黏土圆盘通常被学者们举证为最早的印刷的例子，这些学者支持这块圆盘的地位，尽管有很多同等的观点支持其他印刷的人工制品。

注释 本题还可以在 put forward 处挖空，变成一道两空题。despite 出现前后取反，Minoan 的 clay disk 和 other printing artifacts 在这里表达的对象发生了变化，所以 put forward 和 adduce 构成同义重复。

33-8 答案：B

难 度 ★★

思 路 空格 (i) + 空格 (ii)：

- 方程等号：thus 因此，同义重复。
- 强词和对应：根据题意，前文说违反规则受到的处罚比遵守规则受到的奖励更普遍，空格 (i) 和空格 (ii) 根据 thus 构成同义重复，联动。
- 如果空格 (i) 和 violating 构成同义重复，体现"违反"规则，那么空格 (ii) 和 common 根据 thus 构成同义重复，体现违规在社会中是"普遍的"。D 选项的 opposition to "反对"和 E 选项的 ignorance of "无知"是负向词，所以空格 (ii) 应该填"普遍"含义，unchecked 无法阻止的，unresolved 未解决的，这两个选项均没有"普遍"的含义，所以排除 D 和 E 选项。
- 如果空格 (i) 和 violating 构成反义重复，体现"遵守"规则，那么空格 (ii) 和 common 根据 thus 构成反义重复，体现遵守规则在社会中是"不普遍的"。选项中 association with 和…有联系，adherence to 遵守，affiliation of 从属关系，这三项都是正向词，空格 (ii) 应该选一个和"不普遍"相关的词。但是 undefended 没有防备的，uncorrected 未修改的，这两项和"不普遍"都无关，所以排除 A 和 C。unnoticed 不被人关注的，和"不普遍"语义相关，答案选 B。

翻 译 违反道德准则的惩罚比遵守道德准则的奖励更普遍，因此，遵守准则在社会中总是不被关注的。

33-9 答案：E

难 度 ★

思 路
- 方程等号：冒号前后同义重复。
- 强词和对应：根据题意，冒号前面说同情心是对正义的巨大尊重，冒号前后一致，pity 与 compassion 同义重复，所以空格应对应 justice。shamelessly 无耻地，unwittingly 不知不觉地，vicariously 间接感知地，intensively 强烈地，undeservedly 不公正地。suffer from 表示"遭受"，后面一定是不好的情况，而 E 选项和公正相关，且是一个负向词，所以答案选 E。

翻 译 同情心是对正义的巨大尊重：我们往往同情那些遭受不公正待遇的人。

33-10 答案：E

难 度 ★★

思 路
- 方程等号：because 因为，同义重复。
- 强词和对应：no...better than... 否定词＋比较级，在一起出现相当于两次取反，不改变句子逻辑方向。根据题意，没有作品能比他的专题论文更好地表现他对系统性研究方法的不屑，because 前后同方向，所以空格要体现他的参考书目是对系统性研究方法的不屑，所以空格应该填"不系统"的含义。unimaginative 没有想象力的，orthodox 正统的，meticulous 极其谨慎的，comprehensive 全面的，haphazard 随意的。答案选 E。

翻 译 没有什么作品能比他的专题论文更好地表现出他对系统性研究方法的不屑，他的论文被反对的主要原因就是因为他的参考书目充其量体现了对这个领域的主要著作的随意研究。

33-11 答案：B

难度 ★★

思路 空格 (i) + 空格 (ii)：
- 方程等号：in contrast to 表示对比，反义重复。
- 强词和对应：根据题意，空格 (i) 描述人们过去对儿童学习语言的行为的态度，such learning 指代 the acquisition of language，空格 (ii) 体现现在对于儿童语言学习态度。空格 (i) 和空格 (ii) 构成联动，根据 in contrast to 构成反义重复。代入选项，intensity 强度...fascination 吸引，不取反，排除；incuriosity 漠不关心...scrutiny 仔细研究，取反，正确；anxiety 担忧...criticism 批评，不取反，排除；reverence 尊敬...admiration 赞美，不取反，排除；impatience 不耐烦...training 训练，无关，排除。答案选 B。

翻译 与人们过去对待儿童学习语言行为的漠不关心相反，这种学习发生的过程现在已经成为人们仔细研究的对象。

33-12 答案：D

难度 ★★

思路 空格 (i) + 空格 (ii)：
- 方程等号：given 因为，前后同义重复。
- 强词和对应：根据题意，后文描述她的竞选委员会进行具有空格 (ii) 特征的集资活动，fund-raising 和 running for a second term 构成同义重复体现竞选。空格 (i) 和空格 (ii) 根据 given 形成联动。
- 如果空格 (ii) 和 ambivalent 构成同义重复，体现她对竞选是"矛盾纠结的"态度，即"不想"竞选，那么空格 (i) 为正向，体现她对竞选纠结的心态是"合理的"。空格 (ii) 的选项中，reluctant 不情愿的，clandestine 秘密的，apathetic 冷漠的，都是负向词。但是选项 A 和 B 的空格 (i) 中，disingenuous 不真诚的，futile 无效的，都是负向词，而 D 选项的 persuasive 有说服力的是正向词，排除 A 和 B，答案选 D。
- 如果空格 (ii) 和 ambivalent 构成反义重复，体现她对竞选是"不矛盾的"态度，即他"想"竞选，那么空格 (i) 为负向，体现她对竞选不矛盾的心态是"不合理的"。空格 (ii) 的选项中，visible 可见的，energetic 精力充沛的，都是正向词。但是选项 C 和 E 的空格 (i) 中，sincere 真诚的，straightforward 坦率的，都是正向词，空格 (i) 应该填一个负向词，所以排除 C 和 E，答案选 D。

翻译 这位参议员的言论——她对是否参加第二届连任竞选是纠结矛盾的——是有说服力的，因为她的竞选委员会对集资活动的冷淡态度。

33-13 答案：D

难度 ★★

思路 空格 (i)：
- 方程等号：as 作为，作为 A 就应该做 A 该做的事，前后取同。
- 强词和对应：根据题意，最近对糖尿病进行了研究作为控制现状的手段（holding action），所以空格 (i) 应该体现对于这种疾病的一种控制手段。definition 定义，

anticipation 期望，understanding 理解，treatment 治疗，symptom 症状。只有 D 能对疾病进行控制，因此选项 D 合适。

空格 (ii)：

- 方程等号：because 因为，表示因果，同义重复。no 取反。
- 强词和对应：前文提到要改进疾病的治疗手段，because 前后同方向，后面说没有预防的策略。因为没有预防策略，所以改进治疗手段，所以空格 (ii) 应该填一个不改变方向的词。necessary 必需的（对），acceptable 可接受的（对），costly 昂贵的（错），practicable 可行的（对），feasible 可行的（对）。综合空格 (i)，答案选 D。

翻 译 直到最近才对糖尿病的研究企图去改进治疗效果，作为一种抑制疾病的手段，主要是因为根本没有预防性的方案看上去是可行的。

· ·

33-14 答案：A

难 度 ★★

思 路 **空格 (ii)：**

- 方程等号：but 表示转折，反义重复。
- 强词和对应：根据题意，but 前描述一个被给定的物种在很大的地理区域内可以被找到，that range 指代 a large geographical area。空格 (ii) 和 found 根据 but 构成反义重复，体现在大的地理区域内单个个体是"不容易被找到的"。separated 分散的，dispersed 分散的，observed 被观察的，scattered 分散的，adaptable 可适应的。A、B、D 三项合适。

空格 (i)：

- 方程等号：冒号说明前后同义重复。
- 强词和对应：根据冒号后文内容，在大的区域中一个物种可以被找到，而单个个体却"不容易被找到"。空格 (i) 体现在地理分布上展现的"既能找到"但"不容易找到"，即地理分布存在"矛盾"。discontinuity 不一致，density 密度，symmetry 对称，uniformity 一致性，concentration 集中。综合空格 (ii)，答案选 A。

翻 译 大多数植物物种在地理分布上展示了不一致性：通常一个指定的物种可以在很大的地理区域中被找到，但是在那个地域范围内，单个物种的群落却非常分散的。

· ·

33-15 答案：E

难 度 ★★★

思 路 **空格 (i)：**

- 方程等号：第一个逗号前后取同，hardly 取反，not 取反。
- 强词和对应：本句话有省略，逗号后的 that 前面省略了 there is hardly a generalization。逗号前后取同，逗号前面说我们无法对人类的社会行为以及贯穿这种行为的价值观做出一个概括，所以逗号后面应该也是一个负面含义。逗号后的 that 前面有一个 hardly，后面有一个 cannot，两次取反后不改变方向，所以空格应该填一个负向词。accept 接受，intuit 直觉感知，harangue 抨击，defend 支持，challenge 质疑。只有 C 和 E 是负向词，C 和 E 候选。

空格 (ii)：

- 代入选项 C 和 E。retract 撤回，dismiss 认为不重要而不考虑。相比之下，E 选项更合适，答案选 E。praise 表扬，expose 暴露，glorify 赞美。

翻 译 有关人类的社会行为以及贯穿这种行为的价值观的概括很难被给出，即使做出了概括，也不可能不被从方方面面挑战，或者这种概括甚至被人认为过于简单化或枯燥乏味而不予考虑。

33-16 答案：A

难 度 ★★

思 路
- 方程等号：although 尽管，反义重复；no，否定词，取反。
- 强词和对应：although 部分说通过使用饮食补充剂，可以 _____ 由食品辐射所引起的维生素破坏，但是对于致癌物没有保护作用，所以空格和 protection 根据 although 和 no 两次取反后取同。counterbalanced by 被抵消，attributed to 被归因于，inferred from 从…推导出，augmented with 增加，stimulated by 被刺激。答案选 A。

翻 译 虽然因食品辐射引起的维生素的任何破坏都可以通过使用饮食补充剂来抵消，但是这可能对致癌物质并没有防护作用，这种致癌物通过这个过程被引入到食物中会引发一些担忧。

33-17 答案：E

难 度 ★★

思 路 空格 (ii)：
- 方程等号：caused 导致，同义重复。
- 强词和对应：根据题意，正是他空格 (ii) 的行为导致了溃败，空格 (ii) 和 debacle 根据 caused 构成同义重复，体现"溃败的"原因导致了溃败，负评价。skill 技巧，modesty 谦虚，largesse 大方，obstinacy 固执，acrimony 尖酸刻薄。选项 D 和 E 合适。

空格 (i)：
- 方程等号：though 尽管，反义重复。no 取反。
- 强词和对应：前文表示尽管他拒绝为失败承担责任，空格 (i) 和 refused any responsibility（拒绝承担责任即不负责）根据 though 和 no 取反两次，空格填"不负责"含义的词。blame 责备，congratulate 祝贺，berate 严厉责备，accuse 指责，absolve 开脱免责。答案选 E。

翻 译 尽管对于谈判失败他拒绝承担任何责任，但是 Stevenson 没有权利为自己开脱：恰恰就是他的尖酸刻薄才导致了这次彻底的失败。

33-18 答案：C

难 度 ★★

思 路 空格 (ii)：
- 方程等号：and 连接平行结构，同义重复。
- 强词和对应：空格 (ii) 和 by chance 根据 and 构成同义重复，体现这种联合的出现是"偶然的"。extensively 广泛地，cyclically 循环地，sporadically 断断续续地，opportunely 合适地，selectively 有选择性地。选项 C 合适。

空格 (i)：
- 方程等号：union of A with B，A 和 B 取反。

- 强词和对应：abstract 空格 (i) 和 detailed facts 构成反义重复，同时空格 (i) 和 abstract 构成同义重复，体现致力于做"缺乏细节的"动作，即"抽象的"动作。data 数据，philosophy 哲学，generalization 概括，evaluation 估计，intuition 直觉。综合空格 (ii)，答案选 C。

翻 译 将对细节事实的强烈兴趣与对抽象概括的同样专注相结合的盛行，是我们当今社会的一个标志；在过去，这种结合最多只是断断续续地出现，并且好像是偶然的。

33-19 答案：C

难 度 ★

思 路
- 方程等号：冒号说明前后同义重复。
- 强词和对应：根据题意，it 指代 the physician's word。后面说质疑医生的话被视作是亵渎的行为，所以空格体现一个世纪前医生的话是"无法质疑的"。inevitable 不可避免的，intractable 不听话的，incontrovertible 不容置疑的，objective 客观的，respectable 令人满意的。答案选 C。

翻 译 一个世纪以前医生的话是不容置疑的，怀疑它几乎被看成是亵渎神明。

33-20 答案：C

难 度 ★★

思 路 空格 (i)+ 空格 (ii)：
- 方程等号：so...that... 如此…以至于…，同义重复。
- 强词和对应：根据题意，前文提到美国的很多现代小说是自传体形式，同时很多自传又被小说化。所以空格 (i)+ 空格 (ii) 应该体现这两种形式可以互相转换。所以空格 (i) 应该和体裁形式有关，author 作者，need 需要，genre 形式，intention 意图，misapprehension 误解。而选项中只有选项 C 的 genre 对应了 fiction 以及 auto-biography，而且 interchangeable 表示可以互相转换的，所以答案选 C。ignored 被忽视的，unrecognized 未被承认的，misunderstood 被误解的，uncorrected 未修正的。

翻 译 如此多的美国现代小说是自传体的，并且又有如此多的自传体作品被小说化了，以至于两种形式之间有时似乎在很大程度上是可以互相转换的。

33-21 答案：A

难 度 ★★

思 路
- 方程等号：by 引导方式状语，前后句意同义重复。
- 强词和对应：根据题意，Robin 的话不是（not）没有（without）情绪，它们保持平稳的语调。空格和 retained their level tone 根据 by 构成同义重复，体现在突发的极端中谨慎地"保持"。equipoise between 在…之间保持平衡，embrace of 接受…，oscillation between 在…之间摇摆，limitation to 对…的限制，subjection to 屈服于…。答案选 A。

翻 译 Robin 的话不是没有情绪的：它们只是通过谨慎地平衡各种突发的极端情绪来保持平稳的语调。

Exercise 34

GRE 不光带给人学术上的提升，更使人心胸宽广。它让我活的能看清现实，而不是现实的活。人生路上诸多迷茫，追求你想要的，不要想太多世俗的东西。但行好事，莫问前程。

——李君杰
微臣教育线上课程学员
2015 年 10 月 GRE 考试 Verbal 160, Quantitative 170

EXERCISE ㉞

核心词汇

1.《GRE 核心词汇考法精析》收录单词（共 55 词）

abundant	accelerate	acknowledge	allay
amorphous	appeal	argument	augur
broach	brook	censure	clandestine
countenance	culpable	dearth	debunk
deference	deplete	diminish	disguise
distort	dubious	duplicity	embrace
enthusiasm	expedition	facetious	fathom
feign	frivolous	futile	gamble
inadvertent	ingenious	integrity	notoriety
obsequious	outlandish	pejorative	propensity
reconcile	revoke	run	shift
sincere	skeleton	solid	specious
stultify	superfluous	testimony	timid
truculent	unimpeachable	verify	

2. 基础单词补充（共 10 词）

address   *v.* 处理：if you address a problem or task or if you address yourself to it, you try to understand it or deal with it

anticipate   *v.* 预示：if you anticipate an event, you realize in advance that it may happen and you are prepared for it

categorical   *adj.* 绝对的：being without exception or qualification; absolute

deliberation   *n.* 深思熟虑：thoughtfulness in decision or action

disingenuous   *adj.* 不真诚的：not straightforward or candid; crafty

greedy   *adj.* 贪婪的：excessively desirous of acquiring or possessing, especially wishing to possess more than what one needs or deserves

pessimism   *n.* 悲观：a tendency to stress the negative or unfavorable or to take the gloomiest possible view

primitive   *adj.* 原始的：of or relating to an earliest or original stage or state; primeval

realism   *n.* 现实主义：the representation in art or literature of objects, actions, or social conditions as they actually are, without idealization or presentation in abstract form

unscrupulous   *adj.* 毫无顾忌的：devoid of scruples; oblivious to or contemptuous of what is right or honorable

练习解析

34-1 答案：C

难度 ★★

思路 空格 (i)：
- 方程等号：prefer...to... 更喜欢…而不是…，反义重复。
- 强词和对应：根据句意，空格 (i) 和 concentrated effort 构成反义重复，体现她看上去更喜欢的是"不专注的努力"。preparation 准备，artfulness 狡猾，dabbling 涉猎，caprice 反复无常，indecision 优柔寡断。dabbling 的释义是 a superficial or intermittent interest, investigation, or experiment，和 concentrated 取反。选项 C 合适。

空格 (ii)：
- 方程等号：nevertheless 但是，前后反义重复。anything but 表示 not，也表示取反。
- 强词和对应：根据前文，空格 (i) 和空格 (ii) 根据 nevertheless 和 anything but 两次取反，构成同义重复，空格 (ii) 填一个表示"粗浅的"含义的单词。passionate 热情的（错），disengaged 不受约束的（错），superficial 肤浅的（对），considered 深思熟虑的（错），lighthearted 轻松愉快的（错）。综合空格 (i)，答案选 C。

翻译 她看起来更喜欢粗浅的涉猎而不是专注的努力，这一点无可否认；但是，在她已经完成的绘画作品中所展现的精湛品质表明了她与艺术之间的真实关系绝对不是肤浅的。

34-2 答案：E

难度 ★★

思路 空格 (i)：
- 方程等号：because of 因为，同义重复。
- 强词和对应：根据题意，因为化石的完美保存，空格 (i) 和 excellent preservation 根据 because of 构成同义重复，体现早期马蹄蟹的构造细节第一次因为极好的保存而"获得"，填一个正向词。scrutinize 仔细检查，verify 证实，identify 识别，obscure 使模糊，clarify 澄清。scrutinize 的释义是 to examine (something) carefully especially in a critical way，指以批评的态度进行审视，排除选项 A 和 D。B、C、E 三项合适。

空格 (ii)：
- 方程等号：逗号说明前后同义重复。
- 强词和对应：根据题意，空格 (ii) 体现化石的保存使得专家能够"了解"进化，填一个正向词。ensure 确保，advance 进步，distort 扭曲，illustrate 解释，reassess 重新评价。因为 evolution 是马蹄蟹自身发展的过程，无法由科学家使其进步，排除选项 B。综合空格 (i)，答案选 E。

翻译 因为化石的完美保存，早期马蹄蟹的构造细节第一次得以被澄清，使得科学家能够重新评估马蹄蟹的演变。

34-3 答案：E

难度 ★★

思路 空格 (i)：

- 强词和对应：空格 (i) 体现 indifference 和 helping another 之间的关系。根据题意，哲学家认为在帮助其他人之前对于自己的冷漠做空格 (i) 的状态，而这类人是更高尚的（nobly），正评价。因此空格为负向，体现在帮助他人之前是"不要"冷漠的。feign 假装，censure 指责，embrace 接受，suffer 忍受，overcome 克服。选项 E 合适。

空格 (ii)：

- 方程等号：more...than... 比较级，取反。without = not，取反。
- 强词和对应：前文说一类人在帮助他人之前会有意识地"不要"冷漠，而这种人会比另一种人更高尚，所以 more than 比较的两种人不同。such an act 指代 helping others，前一种人会有意识地克服冷漠，那么后一种人就没有意识，因此 without+ 空格 (ii) 和 consciously 取反，空格 (ii) 应该填一个"有意识"的单词。enthusiasm 热情，comment 评论，duplicity 欺骗，effort 努力，deliberation 深思熟虑。综合空格 (i)，答案选 E。

翻译 哲学家们认为一个必须在帮助别人之前有意识地克服自身冷漠的人比另外一种人做得更高尚，另外那种人是指自身的基本性格使得帮助他人的行为在不需要深思熟虑的情况下就发生的人。

注释 我们可以列举几个与这句话类似的例子帮助大家理解。
例 1：一个有能力去做坏事但是没做坏事的人，相比于一个没有能力作恶的人来说，更加高尚。
例 2：手里有答案但是没有卖给学生的老师，要比那些手里没有答案然后喊着我不卖答案的老师，更加高尚。

34-4 答案：D

难度 ★★

思路 空格 (i) + 空格 (ii)：

- 方程等号：given 因为，同义重复。
- 强词和对应：根据题意，后文描述他的竞选委员会进行具有空格 (ii) 特征的集资活动，fund-raising activities of his campaign committee 和 running for a second term 构成同义重复体现竞选。空格 (i) 和空格 (ii) 根据 given 形成联动。
- 如果空格 (ii) 和 not interested in 构成同义重复，体现他对竞选是"不感兴趣的"态度，即"不想"竞选，那么空格 (i) 为正向，体现他对竞选没兴趣的心态是"合理的"。空格 (ii) 的选项中，clandestine 秘密的，apathetic 冷漠的，dubious 不可靠的，都是负向词。但是选项 A 和 C 的空格 (i) 中，futile 无效的，specious 假的，都是负向词，排除 A 和 C。而 E 选项代入句意，因为他竞选委员会进行的筹款不靠谱，所以他对连任不感兴趣，如果不感兴趣，应该就不会有筹款，所以句意矛盾，排除 E。
- 如果空格 (ii) 和 not interested in 构成反义重复，体现他对竞选是"感兴趣的"态度，即他"想"竞选，那么空格 (i) 为负向，体现他对竞选不感兴趣的心态是"不合理的"。空格 (ii) 的选项中，visible 可见的，public 公开的，都是正向词。但是选项 B 的空格 (i) 中，sincere 真诚的，正向词，排除 B，而 D 选项的空格 (i) 为 disingenuous 不真诚的，负向，正确，答案选 D。

翻译 因为他的竞选委员会极端地公开募集资金，所以这名议员的企图是不真诚的，他试图让公众相信他对参加连任的竞选不感兴趣。

34-5 答案：E

难 度 ★★

思 路 空格 (i)：
- 强词和对应：change 和 shift 构成同义重复，空格为正向，体现管理的改变看起来可以"使得"公司的命运也发生改变。hinder 阻碍，promote 推进，accelerate 加速，betray 揭示，augur 预示。B、C、D、E 四项合适。

空格 (ii)：
- 方程等号：although 尽管，前后反义重复。
- 强词和对应：根据题意，its 指代 change，空格 (ii) 和空格 (i) 根据 although 构成反义重复，空格 (ii) 为负向词。measurable 可察觉的（错），demonstrable 明显的（错），profound 深刻的（错），fundamental 重要的（错），inconsiderable 微不足道的（对）。综合空格 (i)，答案选 E。

翻 译 尽管管理的变化看起来可能预示了公司命运的转变，但是更多的可能是这种变化的影响微不足道。

注 释 more often than not 通常是"往往、经常"的意思。

34-6 答案：C

难 度 ★★

思 路 空格 (i)：
- 方程等号：this 为指示代词，this 描述的对象状态和前文被指代对象状态相同。
- 强词和对应：根据题意，空格 (i) 和 ancient 根据 this 构成同义重复，体现最近发现的鸟是"远古的"鸟。primeval 原始的，unique 唯一的，primitive 原始的，contemporary 当代的，advanced 先进的。选项 A 和 C 合适。

空格 (ii)：
- 方程等号：in that 表示因果，同义重复。
- 强词和对应：it 指代 ancient creature。unlike 取反。后文体现远古的鸟和更早些的鸟类及爬行类动物的祖先不同，它的头部是没有牙齿的。根据常识，现在的鸟的头部是没有牙齿的。因此空格 (ii) 表现远古的鸟和现在的鸟是"相似的"，填一个正向词。obscure 掩盖（错），preempt 抢先行动（错），anticipate 预示（对），foreshadow 预示（对），differed from 与…不同（错）。综合空格 (i)，答案选 C。

翻 译 最近发现的一种原始的鸟的骨骼表明，这种古代生物不像更早时期的鸟类，也不像爬行动物的祖先，它的头部没有牙齿，在这方面它预示今天的鸟类的形象。

注 释 题干中出现三个对象：更早的鸟（earlier birds），原始的鸟（ancient creature），现在的鸟（today's bird）。它们之间的关系是：原始的鸟 = 现在的鸟，它们没有牙齿，而更早的鸟有牙齿，与前面二者不同，所以如果搞清楚这三者的关系之后，unlike 在这里就不会有干扰性。

34-7 答案：D

难 度 ★★

思 路 空格 (i)：

- 方程等号：while 尽管，反义重复。not 取反。
- 强词和对应：根据题意，前文提到人们利用顺势疗法来治疗健康问题。such alternative treatments 指代 homeopathic remedies。空格 (i) 和 utilize 根据 while 和 not 取反两次后构成同义重复，空格填入一个正向词。distrust 怀疑，embrace 接受，reject 拒绝，countenance 赞同，recommend 推荐。B、D、E 三项合适。

空格 (ii)：

- 方程等号：instead 体现对象取反。
- 强词和对应：根据前文，人们不"使用"顺势疗法。conventional medical treatments 和 homeopathic remedies，体现两种不同治疗方案，在这里表达的对象发生了变化，因此空格 (ii) 和 utilize 构成同义重复。employ 使用（对），eschew 逃避（错），envision 想象（错），rely on 依赖（对），turn from 转变（错）。综合空格 (i)，答案选 D。

翻 译 尽管很多人使用顺势治疗法来解决健康问题，但其他人不支持这样的替代性治疗手段，反而依赖传统的医药治疗。

34-8 答案：B

难 度 ★★

思 路 空格 (i)：

- 强词和对应：根据题意，空格 (i) 体现商业广告和日常消费者所关注的事之间的关系。因为商业广告的目的是为了盈利，必须"重视"消费者日常的关注，所以空格 (i) 为正向词。allay 减轻，address 处理，evade 躲避，engage 参与，change 改变。选项 B 和 D 合适。

空格 (ii)：

- 方程等号：as 因为，前后同义重复。
- 强词和对应：根据题意，商业广告必须"重视"消费者。their 指代 businesses，commercials 和 advertising 构成同义重复。空格 (ii) 和 the everyday concerns 构成同义重复，体现商业广告以"消费者的日常关注"为特征。pessimism 悲观主义，realism 现实主义，verisimilitude 逼真，fancy 幻想，sincerity 真诚。综合空格 (i)，答案选 B。

翻 译 因为商界已经意识到他们的广告必须处理消费者日常关心的事物，所以他们的商业广告将会体现更多的现实主义特征。

34-9 答案：D

难 度 ★★

思 路 空格 (i) + 空格 (ii)：

- 方程等号：because 因为，同义重复。
- 强词和对应：根据题意，空格 (i) 体现对律师方法的评价，空格 (ii) 体现委员会对律师的动作，空格 (i) 和空格 (ii) 根据 because 同义重复。
- 如果空格 (i) 为正向，体现律师的方法是"好的"，正评价，那么空格 (ii) 为正评价，体现委员会"肯定"他的特权。选项中，unimpeachable 无懈可击的，ingenious 聪明的，是正向词，但是 suspend 停职，withdraw 撤销，都是负向词，而空格 (ii) 应该填一个正向词，所以排除 A 和 B。

- 如果空格 (ii) 为负向，体现律师的方法是"不好的"，负评价，那么空格 (ii) 为负评价，体现委员会"否定"他的特权。选项中 questionable 可疑的，unscrupulous 不道德，reprehensible 应受谴责的，都是负向词，但是 expand 扩大，augment 增加，这两项为正向词，而空格 (ii) 应该填一个负向词，所以排除 C 和 E。D 选项中的 revoke 意思是撤回，负向词，正确。答案选 D。

翻 译　因为这个律师的方法被发现是不道德的，所以纪律委员会撤销了他的特权。

⊙ • -◈

34-10　答案：E

难 度　★★

思 路　空格 (i)：

- 方程等号：so...that... 因为太…所以…，同义重复。
- 强词和对应：that 后描述人们用名誉做赌注，通过违反法律来推进他们的目标，所以第一空是应该填一个为了自身利益违反法律含义的词。devious 狡猾的，culpable 有罪，obsequious 谄媚，truculent 好斗，greedy 贪婪的，只有 B 和 E 可以满足"为了自身利益违法"的含义。

空格 (ii)：

- 方程等号：and 前后取同，lacking in 取反。
- 强词和对应：and 前面说这些人做了不好的事，lacking in 取反，所以空格 (ii) 是正向词。propensity 倾向，prosperity 繁荣，deference 顺从，independence 独立，integrity 正直。选项 B 中 prosperity 不用来形容人，排除，所以答案选 E。

翻 译　拥有智慧和成就的人们居然会如此贪婪并且缺乏正直，以至于他们不惜违反法律，以他们的声誉为赌注来进一步推进自己的最终目标。

⊙ • -◈

34-11　答案：A

难 度　★★

思 路　空格 (i) + 空格 (ii)：

- 方程等号：逗号说明前后同义重复。no 取反。
- 强词和对应：根据题意，that 后描述没有（no）可靠的证据支撑这个理论——温室气体的增加导致地球在变暖（可简化为全球没有变暖），global warming 和 the earth is warming 同义重复。空格 (i) 和空格 (ii) 根据逗号同义重复，根据 no 取反，形成联动。
- 如果空格 (i) 为正向，体现科学家"支持"全球变暖，那么空格 (ii) 为负向，体现科学家"反对"全球不变暖的看法。E 选项中的空格 (i) 是 proving（证明），是正向词，但是空格 (ii) 是 candidly（坦率地），是一个正向词，而空格 (ii) 应该是一个负向词，排除。
- 如果空格 (i) 为负向，体现科学家"不支持"全球变暖，那么空格 (ii) 为正向，体现科学家"支持"全球不变暖的看法。debunk 揭穿...categorically 坚定地；reject 拒绝...paradoxically 矛盾地；deplore 哀叹...optimistically 乐观地，前后矛盾，排除；dismiss 认为不重要而不考虑 ...hesitantly 犹豫地。A 选项正确。

| 翻 译 | 一些科学家发表文章来揭穿全球变暖的谎言，坚定地指出并没有充分的科学证据支持这个理论——由于温室气体的增加，地球正在变暖。 |

34-12 答案：B

难 度 ★★

思 路
- 方程等号：as...as... 表示同级比较，同义重复。
- 强词和对应：根据题意，这名议员企图说服大众她对竞选连任没有兴趣。as 后面的内容提到她的对手企图掩盖攻击她的意图，空格和 as 后面的内容构成同义重复。not interested 和 disguise intention 同义重复，空格要体现他们之间的相似性，企图掩盖被看穿了，所以他们一样的不成功。biased 有偏见的，unsuccessful 不成功的，inadvertent 疏忽大意的，indecisive 优柔寡断的，remote 遥远的。答案选 B。

| 翻 译 | 议员试图让大家相信她对参选连任没有兴趣的努力，就像她的竞争对手想伪装自己不愿反对她的意图一样，都是失败的。 |

34-13 答案：D

难 度 ★★

思 路
- 方程等号：冒号说明前后句意同义重复。
- 强词和对应：冒号后提到她从来不讲故事，因为总是忘，同时她也不会因为讲不出段子而内疚。空格和 tell a story 或 witticism 根据 never 构成反义重复，体现因此证明 MacCrory 的对话是"没有故事和段子的"。scintillating 妙趣横生的，unambiguous 清楚的，perspicuous 清楚的，stultifying 无聊的，facetious 爱开玩笑的。stultifying 的释义是 to cause to appear or be stupid, foolish, or absurdly illogical。答案选 D。

| 翻 译 | MacCrory 的谈话是无聊的：她从来不讲故事，主要因为她总是忘记，而且，除非是意外情况，否则她从来都不会为自己讲不出段子而内疚。 |

34-14 答案：C

难 度 ★

思 路 空格 (i) + 空格 (ii)：
- 方程等号：despite 尽管，句意反义重复。
- 强词和对应：空格 (i) 和空格 (ii) 根据 despite 构成联动，体现尽管这种教学法有很多 _____，但还是在教育者中获得了空格 (ii) 的态度。代入选项，detractor 贬低者...notoriety 声名狼藉，同向，排除；adherent 支持者...prevalence 流行，同向，排除；critic 批评者...currency 流行，反向，正确；enthusiast 狂热者...popularity 流行，同向，排除；practitioner 从业者...credibility 可靠性，同向，排除。答案选 C。

| 翻 译 | 虽然它有很多批评者，但是阅读教学法的整体语言教学观依旧在教育者中获得流行地位。 |

34-15 答案：C

难 度 ★★

思 路 空格 (i) + 空格 (ii)：
- 方程等号：not 取反。
- 强词和对应：空格 (i) 体现她对攀岩的态度，空格 (ii) 体现她加入朋友攀岩历险的意愿。空格 (i) 和空格 (ii) 形成联动。
- 如果空格 (i) 为负向，体现她"不喜欢"攀岩。rock climbing 和 join her friends on a rock-climbing expedition 同义重复，根据 not diminish（不减轻）可知，空格 (ii) 为正向，体现没有减少她爬山的意愿。timid about 胆小，fearful of 恐惧，而空格 (ii) 应该是正向词，所以 C 选项的空格 (ii) 是 determination（决心，正确）。而 B 选项中的空格 (ii) 是 reluctance（不愿意），是一个负向词，排除。
- 如果空格 (i) 为正向，体现她"喜欢"攀岩。rock climbing 和 join her friends on a rock-climbing expedition 同义重复，根据 not diminish（不减轻），空格 (ii) 为负向，体现没有减少她爬山的"不情愿"。attracted to 被…吸引，curious about 对…好奇，knowledgeable about 关于…的知识，都是正向词，但是空格 (ii) 要填一个负向词，而 eagerness 渴望，aspiration 渴望，hope 希望，都是正向词，排除 A、D 和 E。答案选 C。

翻 译 她对攀岩的恐惧并没有减少她去参加朋友们攀岩历险的决心。

34-16 答案：C

难 度 ★

思 路
- 强词和对应：根据题意，对象一：高浓度化学物品对少量人口的影响，对象二：低浓度化学药品对大数量人口中的影响。空格体现两个对象的关系。由题意可知，effects on a small population of high concentrations of a potentially hazardous chemical 是已经确定的效果，the effects on a large population of lower amounts of the same chemical 是未知的效果。两个对象具有相似性，但是不完全相同。空格体现两者的一致性关系。verify 证实，redress 改正，predict 预测，realize 实现，augment 增加。verify 前后需要完全一致的同义重复，因此排除。predict 体现根据已知的效果推测未知效果的相似性，所以答案选 C。

翻 译 关于高浓度的具有潜在危险的化学物对少量人口的影响的数据，总是频繁地被用来预测更低浓度的同种化学物在更大数量人口中的影响。

34-17 答案：B

难 度 ★★★

思 路 空格 (ii)：
- 方程等号：to 做介词结构后置定语修饰 mandate，前后描述构成同义重复。
- 强词和对应：根据后文，辩护律师受当事人委托进行辩护，辩护的目的是要打赢官司，因此空格 (ii) 为正向，体现律师要为辩护者积累最"有利的"辩护词。cautious 谨慎的，powerful 强有力的，eloquent 雄辩的，diversified 多样化的，informed 见多识广的。选项 B 和 C 最相关，候选。

空格 (i)：

- 方程等号：reconcile X with Y，调和 X 和 Y。X 和 Y 有差异。
- 强词和对应：with 后面的内容说律师要为客户赢得官司，with 前面应该体现出的是不好的行为，但是 false testimony 已经体现了负面特征，所以空格填一个不改变方向的词。effort 努力（对），duty 责任（对），inability 无能（错），failure 失败（错），promise 承诺（对）。综合空格 (ii)，选项 B 合适。mandate 的英文解释为 the granting of power to perform various acts or duties，和 duty 对应。

翻 译 理论上来说，协调这两个对象是很困难的：一个是辩护律师确保不会故意地提供虚假证词的责任，另一个是律师被授予的为当事人准备最有力的辩护词的权利。

34-18 答案：E

难 度 ★

思 路
- 方程等号：逗号说明前后同义重复，more 体现程度差异。
- 强词和对应：根据题意，"modern" 被历史学家广泛使用，空格和 broadly 构成同义重复，体现 "modern" 这个词在现在的含义变得更加 "广泛"。precise 精确的，pejorative 轻蔑的，revisionist 反对传统的，acceptable 可接受的，amorphous 不明确的。答案选 E。

翻 译 "现代"这个词汇被历史学家们广泛使用，而且最近的研究表明，它的含义已经变得比以往任何时候都更为宽泛。

34-19 答案：A

难 度 ★★

思 路 空格 (i) + 空格 (ii)：
- 方程等号：and 连接平行结构，前后句意同义重复。
- 强词和对应：根据题意，空格 (i) 体现他对争论的态度，空格 (i) 和空格 (ii) 根据 and 构成同义重复，根据 no 构成反义重复，联动。
- 如果空格 (ii) 和 argument 构成同义重复，他命令我们 "要争论"，那么空格 (i) 为负向，体现他 "拒绝" 不争论。没有选项满足这种可能性，所以这种可能性不考虑。
- 如果空格 (ii) 和 argument 构成反义重复，他命令我们 "不要争论"，那么空格 (i) 为正向，体现他不 "允许" 争论。silence 闭嘴，abstinence 节制，都是不讨论，但是空格 (i) 要填一个 "允许" 的含义，答案选 A，brook 容忍。D 选项的 broach（提出），排除。
- acknowledge 承认...neglect 忽视；fathom 理解...secrecy 保密；tolerate 忍受...defiance 蔑视。

翻 译 他不会容忍任何争论，因此最终他命令我们闭嘴。

34-20 答案：B

难 度 ★★★

思 路 空格 (ii)：
- 方程等号：the more A, the more B，越 A 越 B。

- 强词和对应：根据题意，the more...the more...，假设认为大众文化（mass culture）越受吸引，作品就越具有空格(ii)的特征，所以空格(ii)和appeal同义重复，填一个有吸引力的词，选B，popular，流行的。

空格 (i)：

- 方程等号：being based on，基于，前后取同。
- 强词和对应：如果空格(ii)和appeal构成同义重复，体现文化越有吸引力，文化产品越"好"，因此空格(i)要体现文化产品"好"是"不符合"criticism（批判）的，即体现两者之间的对立，所以空格(i)是一个负向词，B选项中的ironic矛盾的，满足，答案选B。unpredictable不可预测的...undesirable不受欢迎的；extreme极端的...outlandish奇怪的；frivolous不严肃的...superfluous多余的；negative消极的...shoddy粗制滥造的。

翻 译　起初，大多数对大众文化的思想批判在其特点上是自相矛盾的，它们建立在这样的假设之上，即文化越有吸引力，其作品就越受欢迎。

注 释　这道题之所以说这种criticism是ironic的原因是，本来大众文化越有吸引力越受欢迎这是一件好事，但是却反过来批评这一点，也就是说批评了不该批评的东西，因此自相矛盾。可以参考本书第32套的第18题比对学习。

- -

34-21　答案：B

难 度　★★

思 路　**空格 (i)：**

视频讲解

- 方程等号：surprisingly令人惊讶的是，句内反义重复。
- 强词和对应：题干提到考虑到降雨很少，空格(i)和dearth根据surprisingly构成反义重复，体现降水少，令人惊讶的是收成"不少"，填一个正向词。inadequate不充足的，encouraging鼓舞人的，compromised被破坏的，abundant大量的，disappointing令人失望的。选项B和D合适。

空格 (ii)：

- 方程等号：consequently因此，句意同义重复。not取反。
- 强词和对应：根据题意，前文描述降水不足，令人惊讶的是收成"挺好"。空格(ii)和空格(i)根据not构成反义重复，体现稻谷的储量不（not）"少"。replenish补充（错），deplete耗尽（对），salvage抢救（错），extend延伸（错），harm伤害（对）。答案选B。

翻 译　让人吃惊的是，考虑到降水不足，但谷物的收成是相当令人欢欣鼓舞的；因此，这个国家的谷物储量并没有被耗尽。

Exercise 35

虽然告别纯裸考的路途困难重重，但只要认真上一遍微臣的课，就能收获一个不错的结果！

——张宇

微臣教育 2015 "填空 400 题" 学员

2015 年 9 月 GRE 考试 Verbal 162

EXERCISE ㉟

核心词汇

1.《GRE 核心词汇考法精析》收录单词（共 67 词）

ambiguous	appeal	balk	belie
caprice	catastrophe	claim	conjecture
conservative	contempt	conversant	convey
cosmopolitan	deploy	didactic	discrete
disdain	disguise	disinterested	disseminate
downplay	eccentric	egalitarian	embrace
eschew	exotic	fervor	fickle
headlong	humble	immutable	impede
imperturbable	languid	methodical	morbid
mournful	novel	obdurate	partisan
pious	pragmatic	preclude	puerile
reckless	relentless	reserved	ridicule
scoff	severe	shun	slake
spate	sporadic	subject	supposition
synthesis	tedious	timorous	transitory
trenchant	ubiquitous	unremitting	vacuous
virulent	whimsical	withdraw	

2. 基础单词补充（共 14 词）

beneficiary *n.* 受益人：one that receives a benefit

charismatic *adj.* 有魅力的：of, relating to, or characterized by charisma

conventional *adj.* 传统的：a conventional method or product is one that is usually used or that has been in use for a long time

cultivation *n.* 培养：the deliberate development of a particular relationship, quality or skill

document *v.* 证明：to support (an assertion or a claim, for example) with evidence or decisive information

emanate *v.* 发出 / 散发：to come or send forth, as from a source

entertain *v.* 持有（观点）：to hold in mind; harbor

exaggerate *v.* 夸大：to represent as greater than is actually the case; overstate

exclude *v.* 排除：to prevent from being included, considered, or accepted; reject

genesis	*n.* 起源：the coming into being of something; the origin
inscrutable	*adj.* 难以理解的：difficult to fathom or understand; impenetrable
perplex	*v.* 使困惑：to make confusedly intricate; complicate
tranquil	*adj.* 平静的：free from commotion or disturbance
unique	*adj.* 独一无二的：being the only one of its kind

练习解析

35-1　答案：D

难　度　★★

思　路
- 方程等号：since 表示因果，同义重复。surprise 表示和正常情况相反，反义重复。一次取同，一次取反，最终为反义重复。
- 强词和对应：句中的 familiarity 与 a novel he had taught for over 30 years 同义重复。句中没有强词，所以空格 (i) 和空格 (ii) 为强词，而且因为 surprise 取反，在选项中找一组反义词。代入选项，love 爱...enthusiastic over 热情，同向，排除；contempt 蔑视...disdainful of 蔑视，同向，排除；knowledge 知识...conversant with 熟悉，同向，排除；boredom 厌倦...excited by 兴奋，反向，代入句意合适，正确；admiration 钦佩...confused by 困惑，反向，但是代入句意不符，排除。所以答案选 D。

翻　译　由于 Roche 教授常挂在嘴边的格言之一就是精通会带来厌倦，所以他的学生很吃惊地发现他居然对 Return of the Native 这部小说异常兴奋，而这部小说他已经讲了超过三十年。

35-2　答案：B

难　度　★★

思　路　空格 (i)：
- 方程等号：this 为指示代词，指示代词修饰的内容和上文被指代对象构成同义重复。
- 强词和对应：this assumption of intellectual superiority 这种人类智商的优越性，所以上文一定先提到了人类智商的优越性，reason=intellectual，所以空格 (i) 和 superiority 同义重复，体现人类的优越性。logically 有逻辑地，unique 唯一地，scarcely 稀少地，quintessentially 典型地，peculiarly 独有地。如果选 C，那么其含义为人类很少有推理，这不是优越性，排除 C。所以 B、D、E 三项合适。
- 第一句话的含义为：逻辑推理曾经被认为是人类特有的能力，但是这种智商优越性的假设已经越来越被质疑和审视。概括其 3s 版本为：现在不仅仅只有人类可以进行推理。

空格 (ii)：
- 方程等号：冒号说明前后同义重复。
- 强词和对应：冒号前的 3s 版本说：不仅仅有人类可以推理。冒号后面说有观点认为：一些动物也可以思考。所以冒号前后说的是一样的内容，空格填一个不改变方向的动词。ridicule 荒谬（错），entertain 接受（对），embrace 接受（对），balk at 回避（错），scoff at 嘲笑（错）。综合空格 (i)，答案选 B。

翻　译　逻辑推理曾经被认为是人类独一无二的能力，但是这种智商优越性的假设已经越来越遭到质疑和审视：如今大多数研究者至少接受了一些动物也能思考的观点。

| 注 释 | 本题中冒号之前的 but 已经取反，but 之前是 believe 相信，but 之后是 under increasingly skeptical scrutiny 不信，所以这道题可以在 believe 处挖空，改成一道三空题。 |

. . . . ⊙

35-3 答案：A

| 难 度 | ★★ |

| 思 路 | ● 方程等号：if 引导条件状语从句，同义重复。
● 强词和对应：根据题意，if 后面描述如果我们意识到他的批判既是针对自己也是针对对手，他的歌曲会更加刺痛，而且在情感上更加复杂。空格描述这位艺术家的歌曲的特征，his 指代 the artist，他的歌曲带有批判性，因此空格和 criticisms 同义重复，体现他歌曲是有"批判性的"。accusatory 指责的，altruistic 无私的，mournful 悲伤的，simplistic 简化的，humble 谦虚的。答案选 A。 |

| 翻 译 | 尽管这位艺术家的歌曲如此强有力，然而如果人们感受到这位艺术家的批判既是指向自己也是指向未提及的敌人，那么这位艺术家最为知名的指责性歌曲可能更能刺到痛处，也会在情感上更为复杂。 |

| 注 释 | 1. 形容词 (adj.) + as + 主语 + 系动词，这是一种特殊的倒装，as 在这里意为"尽管"，表示让步转折，引导句内逻辑反向。比如：Flaw as it may be，其正常语序为 Although it may be flawed。
2. 本题可以用 if 前面的内容来做，空格的歌曲可以更能刺到痛处（sting more），也会在情感上更为复杂（greater emotional complexity），所以空格应该体现这个歌曲是具有"刺痛性"和"复杂性"，答案选 A。 |

. . . . ⊙

35-4 答案：B

| 难 度 | ★ |

| 思 路 | ● 方程等号：冒号说明前后同义重复。
● 强词和对应：it 指代 the sea。冒号后表现海洋既具有毁灭（destructive）的本质也具有安静美好（serenely beautiful）的本质，所以空格所填单词体现海洋矛盾对立的特征。enduring 持久的，ambiguous 模糊不清的，coherent 条理分明的，obtrusive 过分突出的，discrete 分离的。答案选 B。 |

| 翻 译 | 在她所爱的东西中，海洋是一种模糊不清的象征：有些时候，对于她而言海洋明显地象征着一切本质上具有毁灭性的事物，而其他时候，海洋却似乎象征着一切本质上平静美好的事物。 |

. . . . ⊙

35-5 答案：E

| 难 度 | ★★ |

| 思 路 | **空格 (ii)：**
● 方程等号：despite 尽管，反义重复。not 取反。
● 强词和对应：根据题意，尽管花费大量的努力去确定石油的空格 (i) 的模式，后文需要体现"没有确定"，因此空格 (ii) 和 determine 根据 despite 和 not 取反两次后，构成同义重复。 |

exclude 排除，reject 拒绝，investigate 研究，condone 宽恕，establish 确立。虽然 C 选项的 investigate 是一个正向词，但是 investigate 仅仅是讲研究的过程，而不是研究的结果，而 determine 强调的是结果，排除 C。选项 E 合适。

空格 (i)：

- 强词和对应：空格 (ii) 描述油的一种状态，和后文对油的描述构成同义重复。
- the mode 同义重复 the process。the process 后面的内容表达石油产生的过程，所以 the mode 内容也表达石油产生的过程。空格 (i) 对应 produced，同义重复，体现油的"产生"模式。dispersion 驱散（错），synthesis 合成（对），creation 创造（对），recovery 恢复（错），genesis 起源（对）。综合空格 (i)，答案选 E。

翻 译　尽管科学家做了多方面的努力来确定石油的起源模式，但他们至今仍不能确定石油的产生过程。

注 释　determine 的英文解释为 to establish (something) exactly or with authority，确定研究的结果；而 investigate 的英文解释为 to observe or study by close examination and systematic inquiry，只是强调研究的过程。

35-6　答案：C

难 度　★

思 路
- 方程等号：冒号，同义重复。less = not，取反。
- 强词和对应：根据题意，they 指代 politicians，冒号后描述政治家比起他们所效力的组织"短暂"，因此空格和 enduring 根据 less 构成反义重复，体现政治家是"短暂的"。ubiquitous 常见的，autonomous 独立自主的，fickle 易变的，immutable 不变的，transitory 短暂的。fickle 的释义是 marked by lack of steadfastness, constancy, or stability，体现的是人心情容易变化，其反面应该是不变。transitory 的释义是 if you say that something is transitory, you mean that it lasts only for a short time，体现事物短暂易逝。答案选 C。

翻 译　与其政党相比，政治家更加短暂：他们比他们所效力的组织更不持久。

35-7　答案：E

难 度　★★

思 路　空格 (i) + 空格 (ii)：
- 方程等号：belies 表示对立，反义重复。
- 强词和对应：空格 (i) 反映 Chavez 的主管在做决策方面的特点，空格 (ii) 体现机构的形象是具有空格 (ii) 特征的官僚体制，空格 (i) 和空格 (ii) 进行联动，根据 belies 构成反义重复，所以空格 (i) 和空格 (ii) 是一组反义词。代入选项，cautious 谨慎的...staid 严肃的，不取反，排除；ill-informed 消息不灵通的...disorganized 混乱的，不取反，排除；reckless 轻率的...incompetent 不称职的，不取反，排除；systematic 系统的...methodical 有条理的，不取反，排除；headlong 轻率的...timorous 胆怯的，取反，正确。答案选 E。

翻 译　Chavez 对自己的主管们轻率的决策的描述与该机构不过是一个胆小怕事的官僚机构的形象形成对比。

注 释　little more than（只不过）：to show something is only to a small degree。不改变句子逻辑方向。

35-8 答案：E

难 度 ★

思 路
- 方程等号：by contrast，反义重复。
- 强词和对应：分号前说这个疾病的原因很简单并且一个多世纪以来这个原因一直被人们所熟知。空格和 simple, understood 根据 by contrast 构成反义重复，体现病的症状和效果是"不简单的，难以理解的"。straightforward 坦率的，illuminating 启发的，severe 严重的，well researched 深入研究的，perplexing 令人费解的。答案选 E。

翻 译 该疾病的病因非常简单，而且一个多世纪以来一直为人们所了解；相反，其症状和效果却令人困惑。

35-9 答案：A

难 度 ★★

思 路 **空格 (ii)：**
- 方程等号：冒号说明前后同义重复。
- 强词和对应：冒号前面说她的作品里贯穿着负能量，a thread of psychic darkness 和 violence secrecy, and despair 同义重复，都是体现负能量，因此空格 (ii) 和 runs 根据冒号同义重复，填一个正向词，体现她在罗马的旅行之后的绘画也是"贯穿"或"充满"暴力、隐秘和绝望。emanate 散发，convey 传达，eschew 回避，express 表现，shun 回避。A、B、D 三项合适。

空格 (i)：
- 方程等号：even 即使，反义重复。
- 强词和对应：空格 (i) 描述她在罗马旅行时期的特点，空格 (i) 和 violence secrecy, and despair 根据 even 构成反义重复，体现她在罗马的时期是"不暴力的""不私密的"和"不绝望的"，填一个正向词。tranquil 宁静的，morbid 病态的，languid 无精打采的，disturbed 被扰乱的，felicitous 恰当的。综合空格 (ii)，答案选 A。

翻 译 在该艺术家的作品中蔓延着一连串心智上的负能量，它们足以让最理智的人烦恼：即便从相对宁静的几个月的罗马之行回来后，这个艺术家的画作中依旧散发着暴力、隐秘和绝望。

35-10 答案：A

难 度 ★★

思 路 **空格 (i)：**
- 方程等号：and 连接平行结构，前后同义重复。
- 强词和对应：根据题意，前文描述即使在死气沉沉、没有感情的宗派中，宗教热情的复兴和与更加具有空格 (i) 特征的神职人员的竞争的必要性。clerics 与 religious 构成同义重复，空格 (i) 和 fervor 根据 and 构成同义重复，体现的是更加"热情的宗教复兴"，填入一个正向词。charismatic 有魅力的，reserved 话少的，well-known 著名的，conservative 保守的，empathetic 感同身受。选项 B 和 D 与 fervor 矛盾，E 选项无关，因此选项 A 和 C 合适。

空格 (ii)：
- 方程等号：led to 导致，同义重复。
- 强词和对应：前文描述宗教复兴的热情和与神职人员的竞争，lead to 前后同方向，cleric

对应 ministerial，showmanship 已经和空格 (i) 取同，所以空格 (ii) 填一个不改变方向的词。cultivation of 培养（对），attraction to 吸引（对），disdain for 鄙视（错），appeal for 呼吁（对），distrust of 不信任（错）。综合空格 (i)，答案选 A。

翻 译 即使在 19 世纪 30 年代和 40 年代那些死气沉沉且毫无感情的教派中，宗教狂热的复兴以及与更具魅力的神职人员的竞争的必要性不可避免地导致了对于神职人员炫技行为的培育。

注 释 本题可以改成一个三空题，在 unemotional 处挖空，一方面可以用逗号前后同方向，和 staid 取同来填；另一方面可以用 even 和后面的 fervor 取反来填出表示"不热情"的含义。

35-11 答案：D

难 度 ★★

思 路 空格 (i) + 空格 (ii)：
- 方程等号：冒号说明前后同义重复。
- 强词和对应：it 指代 tuberculosis。冒号后描述肺结核长时间以来对人类的折磨的特征，即持续折磨人们（continued to afflict）和不加区分地折磨（without regard for）。因此空格 (i) 和空格 (ii) 要体现疾病的两个特征，根据冒号和后文进行同义重复。代入选项，unremitting 未停止的 ...selective 选择性的，selective 错误，排除；unpredictable 不可预测的 ...limitable 限制的，两空都有问题，排除；sporadic 断断续续的 ...capricious 易变的，两空都有问题，排除；relentless 不间断的 ...egalitarian 平等的，两空都对，正确；virulent 致命的 ...preventable 可预防的，preventable 错误，排除。答案选 D。

翻 译 长期以来肺结核一直是一种不间断且一视同仁的疾病：几千年来，它不分性别、阶级、职业和种族，持续折磨着人类。

35-12 答案：D

难 度 ★

思 路
- 方程等号：冒号说明前后同义重复。
- 强词和对应：her 对应 acquaintance。冒号后表达理解这个人的性格就像探索一个未知的领域，表示"难以理解的"意思。空格和 unknown 根据冒号构成同义重复，体现发现她是"未知的"。puerile 幼稚的，imperturbable 冷静的，cosmopolitan 见过世面的，inscrutable 难以理解的，obdurate 顽固的。答案选 D。

翻 译 他发现他新认识的这个人难以理解：试图了解她的性格就如同窥视未知的领域。

35-13 答案：E

难 度 ★★

思 路 方法一：
- 方程等号：such...that... 因为太…所以…，同义重复。
- 强词和对应：根据题意，such 后面表现这位作家非常受读者欢迎，that 后面也要表现作家受人欢迎的特征。空格和 popularity 根据 such...that... 构成同义重复，体现他是"受欢迎的", 正评价。vacuous 空洞的, tedious 无聊的, speculative 猜测的, allusive 间接指出的, trenchant 一针见血的。答案选 E。

方法二:

- 方程等号: even 即使, 反义重复。
- 强词和对应: 空格和 inanities 空洞无物, 因为 even 取反, 所以空格填一个正向词, 表示 "不空洞的", 答案选 E。

翻 译 这位作家在读者中如此受欢迎, 所以即使连他的空洞之言都被认为是一针见血的。

35-14 **答案:** A

难 度 ★★

思 路 **空格 (i) + 空格 (ii):**

- 方程等号: since 表示因果, 前后构成同义重复。not 取反。
- 强词和对应: intense emotional involvement 和 the passionate engagement 同义重复, 空格 (i) + objective 和空格 (ii) 取反, 因果联动。
- 如果空格 (ii) 是一个表示 "客观" 含义的词, 那么空格 (i) 就应该是一个负向词, 选项中 disinterested 客观的, fair 客观的; 但是 encourage (鼓励) 是一个正向词, 排除 B 选项。而 preclude 阻止, 是一个负向词, 正确答案是 A。
- 如果空格 (ii) 是一个表示 "主观" 含义的词, 那么空格 (i) 应该是一个正向词, 选项 C 中, partisan 主观偏见的, 但是 impede (阻碍) 是一个负向词, 错误, 排除 C。
- advance 推进...pragmatic 务实的, 无关, 排除; admit 承认...reasonable 合理的, 无关, 排除。答案选 A。

翻 译 传记作家对于其写作对象强烈的情感投入并不会阻止客观公正, 因为全情投入能促进深刻的知识, 这些知识对于真正客观公正的判断最终是必需的。

35-15 **答案:** E

难 度 ★★

思 路 **空格 (i) + 空格 (ii):**

- 方程等号: although 说明前后反义重复。
- 强词和对应: 根据题意, 前文描述她给予自己音乐作品的标题具有空格 (i) 所填的词的特征, 后文描述她对一些不同寻常的材料的结合空格 (ii) 所填的词的态度。空格 (i) 和空格 (ii) 根据 although 构成反义重复, 联动。
- 如果空格 (i) 和 unusual 根据 although 构成反义重复, 体现她的音乐作品的标题是 "普通的"。空格 (ii) 不改变句子的逻辑方向, 体现她的音乐 "是" 不同寻常的素材的结合。选项中 traditional 和 conventional 都表示传统的, 所以空格 (ii) 应该填一个不改变方向的词。E 选项的 incorporate 表示包含, 正确; 而 C 选项中的 exclude 排除, 负向, 错误。答案选 E。
- 其他选项: exotic 外来的...belie 掩饰; eccentric 古怪的...deploy 部署; imaginative 充满想象力的...disguise 伪装。

翻 译 尽管她给自己的音乐作品赋以非常传统的标题, 但是这些作品却体现出对一些材料的不同寻常的整合, 比如格列高利圣咏、亚洲的音阶风格节奏、电子音乐和鸟鸣。

35-16 答案：A

难 度 ★★

思 路
- 方程等号：so...that... 因为太…所以…，同义重复。never 取反。
- 强词和对应：根据题意，so decidedly French in style 表现这些收集的民间传说都太有法国味了，that 后面体现应该具有法国风味，French 和 French 前后一致，所以 never + 空格是正方向，而 never 取反，因此空格为一个负向词。exclude 排除，admire 仰慕，collect 收集，promote 促进，comprehend 理解。只有 A 是负向，所以答案选 A。

翻 译 尽管 Perroult 搜集和重述的民间故事并不仅仅来源于法国，但是那时他的版本太具有法国风味以至于后来的法国民间故事集从来都不会排除它们。

注 释 Even though 在这道题目里面也是一个方程等号，前后取反，前面说 P 收集和重述的民间故事不仅仅来源于法国（not solely French in origin），后面说他们特别有法国风味（French in style）。所以 not solely French in origin 和 French in style 取反。

35-17 答案：A

难 度 ★★

思 路
- 方程等号：逗号，前后取同。
- 强词和对应：根据句意，前文描述她的书反对了"环境灾难迫在眉睫"这种言论，即环境灾难的危险是不对的，而 catastrophe 和 harm 构成同义重复，所以空格填一个负向词，对应 argue against。exaggerated 被夸大的，ignored 被忽视的，scrutinized 被仔细检查的，derided 被嘲笑的，increased 被增加的。选项 A 和 D 是负向词。D 选项是一个干扰项，在逗号后面出现了一个 not A but B 的结构，A 和 B 应该是取反的，但是 D 选项中的 deride 和前面的 ridicule 取同，如果代入句意变成了"她的书没有嘲笑对于世界末日的预测，相反认为环境灾难的风险被嘲笑了"，句意矛盾，排除 D。正确答案是 A。

翻 译 她的书反对环境灾难迫在眉睫的观点，尽管她的书并没有嘲笑所有对于环境灾难的预测，而是指出灾害的风险在许多情况中被夸大了。

35-18 答案：E

难 度 ★★

思 路 空格 (ii)：
- 方程等号：because of 表示因果，同义重复。
- 强词和对应：根据题意，后文提到有大量受欢迎的纪录片，空格 (ii) 和 popular 根据 because of 构成同义重复，体现公众对受欢迎的事物的兴趣是增加的，填一个正向词。moderate 缓和，mushroom 增加，warn 警告，transform 改变，increase 增加。选项 B、D 和 E 合适。

空格 (i)：
- 方程等号：冒号说明前后同义重复。no 取反。
- 强词和对应：冒号前后同方向，冒号后面的 3s 版本为：大众的兴趣上升了。根据题意，thirst 和 interest 同义重复，体现公众的兴趣，no 取反，所以空格 (i) 表示"不上升"。

quench 满足（对），whet 加强（错），curtail 削减（对），ignore 忽视（错），slake 使满足（对），兴趣满足意味着兴趣不会上升，正确。综合空格 (ii)，答案选 E。

翻 译 大众对于 20 世纪 60 年代的书籍的阅读渴望似乎并没有被满足；实际上，兴趣的常规水准最近因为大量流行电视纪录片的出现而上升了。

35-19 答案：C

难 度 ★

思 路
- 方程等号：despite 尽管，反义重复。
- 强词和对应：无头句，主语是 the poetry of the Middle Ages。逗号后面描述这些诗歌的特征——激发想象力、提供生动的娱乐、提供虔诚的情感。空格对应这些特征根据 despite 取反，填一个负向词。diverting 娱乐的（和 entertainment 取同，排除），emotional 感情的（和 sentiment 取同，排除），didactic 爱说教的（和 spark the imagination 取反，正确），romantic 浪漫的，whimsical 古怪的。答案选 C。

翻 译 尽管中世纪的诗歌有明显的说教趋势，但它经常能激发想象力，提供生动的娱乐以及虔诚的情感。

35-20 答案：E

难 度 ★★

思 路
- 方程等号：冒号说明前后句意义重复。
- 强词和对应：冒号后面说，昆虫通过授粉让栗子树生长，证明这些昆虫对栗子树有好处。而烟会驱赶这些昆虫，因此烟对这些昆虫产生负面作用。burning 和 smoke 同义重复。根据题意，减少（reduced）烟雾即"减少"烟雾驱赶昆虫的几率，因此会增加昆虫对栗子树的授粉概率，空格和 develop 构成同义重复，体现减少燃烧的"积极的"作用，填入正向词。reformer 改革者，discovery 发现，casualty 受害者，critic 批判者，beneficiary 受益人。答案选 E。

翻 译 在亚马逊雨林中减少焚烧的直接受益者之一是栗子产业：烟会驱除昆虫，而昆虫却通过给栗子树授粉而使栗子得以生长发育。

35-21 答案：D

难 度 ★★

思 路 **空格 (i) + 空格 (ii)：**
- 方程等号：since 因为，表示因果，同义重复。
- 强词和对应：根据题意，因为 her initial report 具有空格 (ii) 的特征，所以导致了研究委员会要对 her claim 进行空格 (i) 的动作。因此空格 (i) 和空格 (ii) 联动。
- 如果空格 (ii) 是"事实"，体现这个报道是基于事实的，那么空格 (i) 就应该填入一个正向词，体现对这个报道的认可。但是因为出现了 only，only 后面不能是正向词，所以排除这种可能性，排除选项 B 和 E。

- 如果空格(ii)"不是事实",体现这个报道不是基于事实,那么空格(i)就应该填入一个负向词,体现对这个报道的不认可。选项中,supposition 猜测,caprice 反复无常,conjecture 推测,都是负向词,所以空格 (i) 应该填入一个负向词。空格 (i) 选项中,A 选项的 disseminate(传播),是正向词,排除;C 选项的 undercut(削弱),负向,但是 undercut 这个词不能用于自己削弱自己,只能去削弱他人或者被他人削弱,排除;D 选项的 document(证明),因为基于猜测,所以要证明,正确。答案选 D。

翻 译 因为她的原始报告仅仅基于推测,所以研究委员会要求这名考古学家证明她的观点,即她发现的这座坟墓是亚历山大大帝的坟墓。

Exercise 36

When you want to succeed in GRE as bad as you want to breathe while drowning, then you will be successful.

——李颜

微臣教育线上课程学员

2015 年 9 月 GRE 考试 Verbal 161

EXERCISE ③⑥

核心词汇

1.《GRE 核心词汇考法精析》收录单词（共 57 词）

abstruse	accessible	affable	alienate
ambiguous	antithetical	array	censorious
charlatan	commitment	compelling	concede
contentious	conviction	cosmopolitan	crucial
deluge	demanding	diatribe	disparate
dispassionate	dramatic	egalitarian	embrace
enigma	ennui	eschew	formidable
hidebound	hyperbole	illustrious	impeccable
inherent	innovative	interminable	legacy
obscure	panacea	paradox	prolix
provoke	prune	reactionary	reap
recondite	scrutinize	soporific	spontaneous
subject	tangle	tendentious	timely
tranquility	transparent	turgid	voluble
whimsical			

2. 基础单词补充（共 13 词）

buffoonery   *n.* 滑稽：buffoonery is foolish behavior that makes you laugh
compensate   *v.* 抵消：to offset; counterbalance
heated   *adj.* 激烈的：vehement; passionate
indisputable   *adj.* 不容置疑的：beyond dispute or doubt; undeniable
melodrama   *n.*（情节夸张的）情景剧：a story or play in which there are a lot of exciting or sad events and in which people's emotions are very exaggerated
mysterious   *adj.* 神秘的：strange and is not known about or understood
proximity   *n.* 接近：the state, quality, sense, or fact of being near or next; closeness
quackery   *n.* 欺骗：if you refer to a form of medical treatment as quackery, you think that it is unlikely to work because it is not scientific
rainstorm   *n.* 暴风雨：a storm accompanied by rain
scope   *n.* 范围：the area covered by a given activity or subject

shrill	v. 尖叫：scream
upheaval	n. 突变：a sudden, violent disruption or upset
verisimilitude	n. 真实：the quality of appearing to be true or real

练习解析

36-1 答案：D

难度 ★

思路 空格 (i) + 空格 (ii)：
- 方程等号：despite 尽管，让步转折，反义重复。
- 强词和对应：it 指代 his theory，句中没有强词，说明两个空格为强词。所以空格 (i) 和空格 (ii) 根据 despite 取反，选一组反义词。代入选项，respect 尊敬...crucial 重要的，不取反，排除；dismissal 不予考虑...simplistic 过分简单的，不取反，排除；skepticism 怀疑...unfathomable 难以理解的，不取反，排除；opposition 反对...indisputable 不容置疑的，取反，代入句意合适，正确；acceptance 接受...comprehensive 全面的，不取反，排除。答案选 D。

翻译 尽管普遍一致观点认为他的理论是不容置疑的，但是让科学家困惑的是他的理论居然遭到了反对。

36-2 答案：D

难度 ★★

思路 空格 (ii)：
- 方程等号：or 或者，连接两个句子成分，中心词相同，修饰语取反。
- 强词和对应：根据题意，the longer 和 the greater 作为修饰语，一个强调时间长，一个强调速率大，已经取反。所以空格 (ii) 与 precipitation 作为中心词应该相同，所以空格 (ii) 与"降水"相关。deluge 大暴雨，drought 干旱，shower 阵雨，rainstorm 暴雨，thaw 融雪。只有 B 选项和水无关，排除选项 B，保留其他选项。

空格 (i)：
- 方程等号：so 因此，因果关系，同义重复。
- 强词和对应：根据题意，后文描述降水的速率越大或者降水的时间越长，经过地表流走汇入河流的水就越多，证明降水量和土壤的吸水能力是负向关系，因此空格 (i) 填一个负向词。rise 上升（错）；diminish 减少（对）；increase 增加（错）；decrease 减少（对）；stabilize 使稳定（错）。综合空格 (i)，答案选 D。

翻译 随着土壤持续变湿，土壤的吸水率下降，因此暴雨持续的时间越长或者降水的速率越大，就会有更多比例的水以地表径流的形式流经地表并且汇入河道。

36-3 答案：B

难　度 ★★

思　路 空格 (i) + 空格 (ii)：
- 方程等号：more...than... 比…更…，比较级，反义重复。
- 强词和对应：句中没有强词，说明两个空格为强词。所以空格 (i) 和空格 (ii) 根据 more than 取反，选一组反义词。compelling 吸引人的 ...intriguing 吸引人的，同向，排除；accessible 可理解的 ...recondite 难以理解的，反向，正确；hidebound 保守的 ...reactionary 保守的，同向，排除；insightful 富有洞察力的 ...innovative 革新的，同向，排除；dispassionate 公正的 ...evenhanded 公正的，同向，排除。答案选 B。

翻　译 这位历史学家的书中表达的观点，相比于我们基于她在书中开篇页上对于主题的相当难懂的表述而言，是更容易理解的。

36-4 答案：B

难　度 ★★

思　路 空格 (ii)：
- 方程等号：make 使得…，同义重复。
- 强词和对应：根据题意，冒号后面的内容提到很多关于全球气候变化的不确定性和巨大的成本花费，因此空格 (ii) 和 uncertainties 与 huge cost 根据 made 构成同义重复，体现不确定性让政策决定者"不确定"。voluble 话多的，contentious 有争议的，quarrelsome 爱争吵的，affable 友善的，businesslike 务实的。A、B、C 三项合适。

空格 (i)：
- 方程等号：冒号说明前后同义重复。
- 强词和对应：根据题意，environmental issues 和 global climatic change 同义重复。冒号后面的 3s 版本为：政策制定者讨论激烈，所以冒号前面的 3s 版本应该与之相同，体现"讨论很激烈"。little 不多的（错），heated 激烈的（对），cordial 友好的（错），frustrating 令人沮丧的（错），interminable 无休止的（对）。C 选项中，cordial 是"友好的"，与第二空的 quarrelsome 相互矛盾，排除 C 选项。因此综合两空，答案选 B。

翻　译 有关环境问题的会议产生了激烈的争论但是没有行动计划的许诺：围绕全球气候变化的不确定性和限制这个问题所需要的巨大花费使得政策制定者们争议不休。

36-5 答案：C

难　度 ★

思　路
- 方程等号：冒号说明前后同义重复。
- 强词和对应：冒号前的 3s 版本为：艺术令人不安。such art 指代前面的 art。空格和 disturbing 根据冒号构成同义重复，体现这种艺术产生"令人不安的影响"。familiarity 熟识，ennui 无聊，upheaval 动荡不安，intimacy 亲密，tranquility 安静。答案选 C。

翻　译 那些持久的艺术起初常常产生令人不安的影响：这种艺术试图引发的深刻体验必然产生了一些动荡不安。

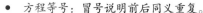

36-6 答案：D

视频讲解

难 度 ★

思 路
- 方程等号：冒号说明前后同义重复。
- 强词和对应：冒号后面的内容中，still 表示"静止"，motion 表示"运动"，说明电影兼有静止和运动两个对立的特征，所以选一个表示"对立"含义的答案。同时 life itself "生活本身"和 unrealities "不真实"也提示我们应该选择一个表示"对立"含义的单词。triviality 不重要的事，bias 偏见，constraint 限制，paradox 矛盾，liability 责任。答案选 D。

翻 译 电影的历史反映了这种媒体自身固有的矛盾：电影将静止的照片结合在一起去表现连续的动态；与此同时，电影看似表现生活本身，也能提供一些不可能的如梦一般的不切实际。

翻 译 这道题目可以改成一道三空题，在 motion 处是空格 (ii)，在 unrealities 处是空格 (iii)。通过 while 取反，可以把 life itself 和空格 (iii) 取反，填一个表示不切实际的含义；同时通过 while 这句话可以确定空格 (i) 是 paradox，再用 paradox 推出空格 (ii) 和 still 取反，填入 motion。

· ·

36-7 答案：D

难 度 ★★

思 路 **空格 (i) + 空格 (ii)：**
- 方程等号：so...that... 因为太…所以…，表示因果，同义重复。
- 强词和对应：空格 (i) 和空格 (ii) 都描绘政治家演说的特征，空格 (i) 和空格 (ii) 根据 so...that... 构成同义重复，联动，选一组同义词。superlative 最高级...egalitarian 平等的，反向，排除；pejorative 轻蔑语...optimistic 乐观的，反向，排除；example 例子...soporific 催眠的，反向，排除；diatribe 抨击...censorious 苛责的，同向，正确；malapropism 词语误用...straightforward 坦率的，反向，排除。答案选 D。

翻 译 这个政客在她的演说中充斥的抨击是如此让人印象深刻，以至于许多人认为她的苛责远远超过她实际的状态。

注 释 此处的 more than 前后取反，而其取反点在 being（在做演讲的状态）和 in fact（实际的状态）的不同状态上的取反。所以不影响我们在空格中单词的填入。

· ·

36-8 答案：D

难 度 ★

思 路 **方法一：**
- 方程等号：although 尽管，反义重复。less 表示 not，取反。
- 强词和对应：空格和 comedy 根据 although 和 less 两次取反后取同，所以空格应该填一个表示"搞笑"的词。understatement 轻描淡写，preciosity 做作，symbolism 象征，buffoonery 滑稽，melodrama 情节夸张的戏剧。答案选 D。

方法二：
- 方程等号：冒号说明前后同义重复。
- 强词和对应：冒号后面体现笑料越来越少，所以冒号前面也应该体现"笑料越来越少"。less 已经表示"少"，所以空格应该填 gags 的同义词。答案选 D。

| 翻 译 | 尽管 Heron 在她以前执导的影片中因为广泛的喜剧元素而出名，但是她的新电影却没有搞笑的倾向：笑话变少了并且变得更微妙了。 |

36-9 答案：A

难 度 ★★

思 路 空格 (ii)：
- 方程等号：but 但是，反义重复。
- 强词和对应：根据题意，but 前描述 bebop 为 jazz 赢得了被严肃对待的权利，空格 (ii) 和 won jazz the right 根据 but 构成反义重复，体现 bebop 的负面效果，选一个负向词。alienate 疏远，seduce 引诱，aggrandize 扩大增加，refine 改善，please 使高兴。选项 A 和 B 合适。

空格 (i)：
- 方程等号：冒号说明前后同义重复。
- 强词和对应：but 后面的句子描述了 bebop 带来的两种对立影响，一方面为 jazz 赢得了被严肃对待的权利，另一方面"没有赢得"观众，所以空格必须体现这两个方面。mixed 混合的（对），troubled 问题多的（错），ambiguous 不明确的（对），valuable 有价值的（错），noble 高贵的（错）。综合空格 (ii)，答案选 A。

| 翻 译 | 博普爵士乐的遗产是混合的：博普为爵士乐赢得了被当作一种艺术形式来严肃对待的权利，但是它也疏远了大量的爵士乐听众，这些观众转而关注其他的音乐形式，比如摇滚乐和流行乐。 |

| 注 释 | 在填空题中，如果出现了 _____：A but B 这种模式，空格要表示这个事物中存在着 A 和 B 两种对立的特征，所以空格往往填入 mixed，或者 ambi- 相关的一些单词。可以参照本书第 35 套的第 4 题进行对照学习。 |

36-10 答案：C

难 度 ★

思 路
- 方程等号：冒号说明前后同义重复。
- 强词和对应：根据题意，冒号后提到馆长从不同的博物馆里收集了不同的重要作品。空格和 diverse, different 根据冒号构成同义重复，体现展览的重要性来自"多样性"。homogeneity 同样，sophistry 诡辩，scope 范围，farsightedness 远见，insularity 狭隘。scope 的释义是 the scope of an activity, topic, or piece of work is the whole area which it deals with or includes。答案选 C。

| 翻 译 | 这个展览的重要性在于它的范围：馆长们从许多不同的博物馆里搜集了大量不同的重要作品。 |

36-11 答案：C

难 度 ★★

思 路 空格 (i)：

- 方程等号：despite 尽管，反义重复。
- 强词和对应：空格 (i) 和 important 取反，体现被视作"不重要的"的报告，选一个负向词。seldom 少，carefully 仔细地，little 少，eagerly 渴望地，widely 广泛地。选项 A 和 C 合适。

空格 (ii)：
- 方程等号：so...that... 因为太…所以…，同义重复。
- 强词和对应：根据题意，it 指代 report，"理解报告需要大量的努力"，因此空格 (ii) 和 requires an enormous effort 取同，选"难以理解的"。transparent 明白易懂的（错），pellucid 清晰的（错），turgid 复杂的（对），digressive 跑题的（对），prolix 冗长的（对）。综合空格 (i)，答案选 C。

翻 译 尽管这个委员会的报告处理的是一个非常重要的主题，但是却很少有人去读，因为它的语言是如此的复杂以至于理解它需要付出极大的努力。

注 释 turgid（浮夸复杂的）：excessively ornate or complex in style or language; grandiloquent。

36-12 答案：D

难 度 ★★

思 路 空格 (i) + 空格 (ii)：
- 方程等号：even if 即使，反义重复。less 表示 not，取反。
- 强词和对应：题目中没有强词，所以空格是强词。因为 even if 和 less 两次取反，空格 (i) 和空格 (ii) 同义重复，联动，找一组同方向的词。celebrity 名人...obscure 不出名的，反向，排除；failure 失败...illustrious 卓越的，反向，排除；charlatan 骗子...impeccable 完美的，反向，排除；enigma 谜...mysterious 神秘的，同向，正确；success 成功...ignominious 耻辱的，反向，排除。答案选 D。

翻 译 Carleton 依然可以跻身 19 世纪美国艺术事件中的重大谜团，即使她的生活和职业经历不像其他谜团一样神秘。

36-13 答案：C

难 度 ★★

思 路 空格 (i)：
- 方程等号：although 尽管，反义重复。lacks 缺乏，取反。
- 强词和对应：空格 (i) 和 actual 根据 although 和 lacks 取反两次构成同义重复，选一个表示"真"的选项。conviction 确信，expressiveness 表现，verisimilitude 真实，realism 现实主义，coherence 一致性。选项 C 和 D 合适。

空格 (ii)：
- 方程等号：冒号说明前后同义重复。and 连接平行结构，同义重复。
- 强词和对应：冒号前的 3s 版本为：电影不真实，所以冒号后面也应体现"不真实"。documentary truth 和 actual event 构成同义重复，因此空格 (ii) 和 lacks 同义重复，体现导演是"不要"记录真实性的，选一个负向词。embrace 接受，exaggerate 夸大，sacrifice 牺牲，substitute 替代，utilize 利用。选项 D 中，substitute A for B，表示用 A 替换 B，保留的是 A（用"真实"替换戏剧性，句意不对）。而选项 C 中，sacrifice A for B，表示牺牲 A 获取 B（为了戏剧性牺牲"真实"）。因此综合空格 (i)，答案选 C。

翻 译 尽管这部电影基于真实事件，但是它却缺乏真实性：导演打乱了事件发生的顺序，简化了关系的纠缠，并且为了戏剧效果牺牲了真实性。

36-14 答案：B

难 度 ★★

思 路 空格 (i) + 空格 (ii)：
- 方程等号：avoiding 避免，相当于 not，取反。
- 强词和对应：空格 (i) 体现 Adolph Ochs 所赋予报纸的语调，空格 (ii) 体现当时其他主流报纸的特点。空格 (i) 和空格 (ii) 根据 avoiding 取反，联动。abstruse 难以理解的 ...scholarly 学术的，不取反，排除；dispassionate 冷静客观的 ...shrill 尖刻的，取反，正确；argumentative 好争辩的 ...tendentious 有偏见的，不取反，排除；whimsical 善变的 ...capricious 善变的，不取反，排除；cosmopolitan 世界性的 ...timely 及时的，不取反，排除。答案选 B。

翻 译 当 Adolph Ochs 成为《纽约时报》的发行者时，他赋予该报冷静客观的独特语调，避免同时代其他主流报纸所采用的尖刻评论。

36-15 答案：A

难 度 ★★

思 路 空格 (i)：
- 方程等号：despite 尽管，反义重复。failed to 失败，相当于 not，取反。
- 强词和对应：根据题意，it 指代 the race，逗号前提到他在比赛前严格训练了六个月。根据 despite 和 failed to，空格 (i) 和 trained rigorously 取反两次后构成同义重复，填一个正向词。complete 完成，win 赢得，master 精通，concede 让步，underestimate 低估。A、B、C 三项合适。

空格 (ii)：
- 方程等号：so...that... 因为太…所以…，同义重复。
- 强词和对应：that 后面的内容说即使是专业的运动员，也需要努力拼搏才能完成。因此空格 (ii) 和 struggled 根据 so...that... 构成同义重复，体现比赛是"需要专业人员拼搏完成的"。demanding 艰巨的（对），manageable 可控的（错），short 短的（错），formidable 艰巨的（对），unusual 不同寻常的（对）。综合空格 (i)，答案选 A。

翻 译 尽管这名业余跑步者在比赛前严格训练了六个月，但是他没能完成比赛：这个路线如此艰巨以至于即使是专业运动员都要努力拼搏才能完成。

注 释 此题的结构和本套题目中的第 11 题非常类似，都是 Despite A, B：so C that D 结构，可以参考比对学习。

36-16 答案：E

难 度 ★★

思 路
- 方程等号：冒号说明前后同义重复。rather than 取反。
- 强词和对应：根据题意，冒号前提到互联网把地理位置不同的人们联系起来，帮助大量的社区繁荣起来。冒号后面 rather than 取反，所以空格体现 geographically disparate 或者 bloom 的反义重复。compatibility 兼容性，affluence 富有，reciprocity 互惠互利，contemporaneousness 同时发生，proximity 地理上邻近。答案选 E。

翻 译 互联网通过将地理上位于不同位置的人们联系在一起，互联网无疑帮助数百万自然产生的社区繁荣起来：这些社区是由共同的兴趣而不是由偶然发生的地理上的邻近所决定。

- -

36-17 答案：E

难 度 ★★

思 路 空格 (i)：
- 方程等号：if 如果，同义重复。
- 强词和对应：逗号后面的内容表示他的空格 (i) 的动作导致了关注（focus）的提升，专注的提升体现在对多余信息的"删除"，所以空格 (i) 为负向词。elaborate 详细描述，condense 精简，expand 扩展，edit 编辑，prune 删减。选项 A 和 E 合适。

空格 (ii)：
- 方程等号：空格体现专注的提升（increase in focus）和全面性的损失（loss in comprehensiveness）之间的关系，二者应该是对立的，所以填入一个负向词。代入选项，justify 证明…有理（错），exaggerate 夸大（错），offset 抵消（对），point up 强调（错），compensate for 抵消（对）。综合空格 (i)，答案选 E。

翻 译 看起来 Woodward 无法容忍排除任何东西；如果他删除了材料中的一些东西，那么结果带来的专注度上的提升不仅仅能弥补其全面性的损失。

注 释 more than，不仅仅。compensate for 的释义是 something that compensates for something else balances it or reduces its effects。more than compensated for 体现"不仅仅是补偿"，意味一个动作所带来的好处要大于其所带来的坏处。

- -

36-18 答案：C

难 度 ★★

思 路 空格 (i) + 空格 (ii)：
- 方程等号：because 因为，同义重复。far from 表示 not，取反。
- 强词和对应：根据题意，逗号前提到对于接受市场改革的犹豫是不幸的，其 3s 版本为：要改革。such reform 和 it 指代 market reform，因此 because 后面的内容体现改革的"积极作用"（不应避免）。空格 (i) 和空格 (ii) 构成联动，根据 far from 取反，且空格 (ii) 填一个正向词，体现"要改革"。implement 实施…document 记录，同向，排除；pursue 追寻…seek 寻找，同向，排除；eschew 回避…reap 收获，反向，正确；need 需要…realize 了解，同向，排除；understand 理解…question 怀疑，反向，但是空格 (ii) 应该为正向词，question 是负向，故排除 E。答案选 C。

许多国家对于支持市场改革的犹豫是不幸的，因为许多国家成功的故事表明没有躲避这种改革，各国将很快收获改革带来的好处。

36-19 答案：E

难 度 ★★

思 路 空格 (i)：

- 方程等号：contemporary 和 in the past 体现时间对比，时间不同，状态不同，空格 (i) 体现之前和之后"不一样"的状态，负向。antithetical to 对立，faithful to 忠诚于，reminiscent of 怀旧的，in conflict with 对立，at odds with 对立。A、D、E 三项合适。

空格 (ii)：

- 方程等号：分号说明前后同义重复。before 时间对比，取反。
- 强词和对应：分号前提到现在的立法者对监管互联网是全神贯注的（preoccupation），因为互联网和铁路之间对象发生了转变，所以过去的立法者对于铁路的监管是"不专注的"。before 在…之前，表示时间对比。before 前面表现之前不专注管理，before 后面表示专注管理，因此空格 (ii) 体现联邦政府之后才"实施"管制，填一个正向词。ease 减轻（错），levy 征收（错），enforce 实施（对），lift 撤销（错），introduce 引入（对）。综合空格 (i)，答案选 E。

翻 译 当代立法者专注于管理互联网的方式与立法者在过去对待许多新兴工业的方式截然不同；比如，美国铁路在联邦政府引入管制之前已经运营了 60 年。

36-20 答案：E

难 度 ★★

思 路 空格 (ii)：

- 方程等号：claiming 现在分词结构作后置定语，修饰 charlatan。后文描述 charlatan 的特点，取同。
- 强词和对应：空格 (ii) 和 charlatan 根据分词结构构成同义重复，体现骗子声称"骗人的事"。critique 评论，nostrum 万灵药，warning 警告，prescription 处方，panacea 万灵药。nostrum 和 panacea 的底层含义是"假的"（治百病的药必然不存在），因此与 charlatan 的特点（"骗"）同义重复。选项 B 和 E 合适。

空格 (i)：

- 方程等号：despite 尽管，反义重复。not 取反。
- 强词和对应：空格 (i) 和 charlatan 根据 despite 和 not 取反两次后构成同义重复，体现尽管事实是她的书的标题体现"骗子行径"。fraud 欺诈（对），sincerity 真诚（错），hyperbole 夸张（对），expertise 专业技能（错），quackery 欺骗（对）。综合空格 (ii)，答案选 E。

翻 译 尽管书名暗示是欺骗，但是作者不是一个声称提供万灵药的骗子；确切地说，她的书在没有识别任何治愈方案的情况下，对已确定疾病的所有可能的治疗方案做了评估。

36-21 答案：E

难 度 ★★

思 路 空格 (i) + 空格 (ii)：

- 方程等号：because 因为，同义重复。
- 根据题意，前文提到公司从与大学签订的排他供应协议中挣得的利润是具有空格 (i) 的特征的，空格 (ii) 体现旨在保护大学利益的协议的条款具有空格 (ii) 的特征。profits 指公司从与大学的协议中获得的利润，和 protect the universities 形成对立。因此空格 (i) 和空格 (ii) 形成联动。
- 强词和对应：如果空格 (ii) 为正向，体现保护大学利益的条款是"有效的"，那么空格 (i) 为负向，体现公司能从中获得利润是"不可能的"。选项中 publicize 宣传，enforce 强制，是正向词。B 选项中 unclear（不清楚的）和 publicize（公开宣传）矛盾，排除。E 选项的 surprising 令人吃惊，负向词，正确。
- 其他选项，inexplicable 令人费解的...flout 嘲笑；predictable 可预测的...scrutinize 仔细检查；declining 下降的...ignored 被忽视的。答案选 E。

翻 译 公司从与大学签订的独家供应协议中挣得的利润是令人惊讶的，因为协议中保护大学利益的条款通常会被强制执行。